Elogios à obra:

"Esta obra passou a ser considerada um verdadeiro clássico no mundo da Bruxaria e da Wicca. Eu uso esses dois termos porque Ray Buckland trata tanto da Arte quanto da religião com a mesma perspicácia e a mesma erudição. Esta obra é fruto de um curso muito bem-sucedido por correspondência e continua sendo um ótimo instrumento para um estudo autodidata, além de ser fonte de informação inestimável sobre a arte e a ciência da magia prática."

– Carl Llewellyn Weschcke, editor

"*O Livro Completo de Bruxaria de Raymond Buckland* é provavelmente uma das apresentações mais claras e diretas dos conceitos que definem a Bruxaria. É impecável em muitos sentidos, desvelando todo o mistério dessa crença antiga, e é recomendado pelos praticantes de magia mais experientes, por fazer um apanhado magistral dos conceitos da Arte."

– Hans Holzer, escritor/produtor

"Se quiser iniciar sua própria prática de magia, este livro lhe mostrará como fazer isso, além de apresentar todos os caminhos que você poderá seguir para progredir a partir desse ponto. Se já é um praticante experiente e está encarregado de treinar iniciantes, *O Livro Completo de Bruxaria de Raymond Buckland* o ajudará a recordar toda a teoria que já interiorizou a ponto de nem lhe ocorrer mencioná-la. Eu o recomendo com veemência."

– Kindred Spirits, Austrália

"Este livro foi um dos meus primeiros manuais quando iniciei a prática da 'Arte'. Detalhado sem nunca ser entediante, didático mas sempre cativante, passei horas debruçada sobre ele nos meus primeiros dias como praticante e ainda recorro às suas páginas quando quero 'refrescar' a memória! Eu o recomendo a todos, pois trata-se de uma importantíssima introdução à Bruxaria moderna."

– Fiona Horne, autora de *Witch: A Magickal Journey* e apresentadora de programas de rádio e TV

"Ray Buckland oferece uma visão integral da Bruxaria, sintetizada por sua ampla erudição e abrilhantada por sua profunda sabedoria e sua experiência. Você tem nas mãos não só um curso extensivo sobre 'como ser Bruxo(a)', mas também um agradável panorama da vida e de como vivê-la com sabedoria."

– Melita Denning e Osborne Phillips, autores da série *Llewellyn's Practical Guide*

"Uma obra de peso, com um excelente conteúdo! Buckland ergueu o último véu da Bruxaria, retirando-a do lugar-comum e devolvendo-lhe a antiga condição de religião popular que ela costumava ter nos tempos antigos."

– Zsuzsanna E. Budapest, autora/ativista

O LIVRO COMPLETO DE
BRUXARIA
DE
RAYMOND BUCKLAND

O LIVRO COMPLETO DE BRUXARIA DE RAYMOND BUCKLAND

Tradição, Rituais, Crenças, História e Prática

Tradução
Denise de Carvalho Rocha

Editora
Pensamento
SÃO PAULO

Título do original: *Buckland's Complete Book of Witchcraft*.

Copyright © 1986, 2002 Raymond Buckland.

Publicado originalmente por Llewellyn Publications, Woodbury, MN 55125-USA – www.llewellyn.com

Copyright da edição brasileira © 2019 Editora Pensamento-Cultrix Ltda.

1ª edição 2019.
7ª reimpressão 2023.

Todos os direitos reservados. Nenhuma parte deste livro pode ser reproduzida ou usada de qualquer forma ou por qualquer meio, eletrônico ou mecânico, inclusive fotocópias, gravações ou sistema de armazenamento em banco de dados, sem permissão por escrito, exceto nos casos de trechos curtos citados em resenhas críticas ou artigos de revista.

A Editora Pensamento não se responsabiliza por eventuais mudanças ocorridas nos endereços convencionais ou eletrônicos citados neste livro.

O Rider-Waite Tarot Deck é uma marca registrada da U.S. Games Systems, Inc. Foto da tabuleta mesopotâmica, página 311, reproduzida com a permissão de Mansell Collection/Timepix. As fotografias do athame, página 95, e da boline, página 333, são cortesia do Monte Plaisance, proprietário do Museu Buckland de Bruxaria, em Nova Orleans, Louisiana (EUA). Todas as fotografias são cortesia de Raymond Buckland.

Editor: Adilson Silva Ramachandra
Gerente editorial: Roseli de S. Ferraz
Produção editorial: Indiara Faria Kayo
Editoração eletrônica: Join Bureau
Revisão: Luciana Soares da Silva

Dados Internacionais de Catalogação na Publicação (CIP)
(Câmara Brasileira do Livro, SP, Brasil)

Buckland, Raymond
  Livro completo de bruxaria de Raymond Buckland: tradição, rituais, crenças, história e prática / tradução Denise de Carvalho Rocha. – 1. ed. – São Paulo: Editora Pensamento Cultrix, 2019.

  Título original: Buckland's complete book of witchcraft.
  ISBN 978-85-315-2078-5

  1. Bruxaria 2. Bruxaria – História 3. Esoterismo 4. Magia 5. Paganismo 6. Rituais I. Título.

19-27559   CDD-133.4309

Índices para catálogo sistemático:
1. Bruxaria: História: Ocultismo   133.4309
Maria Alice Ferreira – Bibliotecária – CRB-8/7964

Direitos de tradução para o Brasil adquiridos com exclusividade pela
EDITORA PENSAMENTO-CULTRIX LTDA., que se reserva a
propriedade literária desta tradução.
Rua Dr. Mário Vicente, 368 – 04270-000 – São Paulo – SP
Fone: (11) 2066-9000
http://www.editorapensamento.com.br
E-mail: atendimento@editorapensamento.com.br
Foi feito o depósito legal.

Para Tara
e em memória de Scire e Olwen

Agradecimentos

Meus agradecimentos a

Ed Fitch, por sua assistência com a quiromancia,
"Mike" F. Shoemaker, pelo material referente aos sonhos e ao processo intuitivo,
Carl L. Weschcke, por seu contínuo estímulo,
Aidan Breac, por todos os detalhes referentes a Pecti-Wita.

Sumário

Prefácio à Segunda Edição.. 15

Introdução.. 19

Introdução à Edição de Aniversário de 25 anos...................... 23

Lição Um: A História e a Filosofia da Bruxaria...................... 29

> A filosofia da Bruxaria. O poder interior. Feitiços e encantamentos. Questões sobre a lição um. Questões avaliatórias sobre a lição um.

Lição Dois: As Crenças... 59

> As divindades. Os nomes das divindades. O Deus e a Deusa da Bruxaria. A reencarnação. O karma. O período entre as vidas. O seu templo. O seu altar e os objetos de altar. Magia – Uma introdução. Questões sobre a lição dois. Questões avaliatórias sobre a lição dois.

Lição Três: Instrumentos, Vestuário e Nomes.......................... 91

> Os instrumentos de trabalho. O punhal. Como marcar o metal. A espada. Outros Instrumentos. As vestimentas. As joias. O capacete com chifres. Inscrições. O seu nome de Bruxo. Questões sobre a lição três. Questões avaliatórias sobre a lição três.

Lição Quatro: O Início 121

Os ritos de passagem. Os Círculos. A autodedicação. A iniciação num coven. Método de amarração para a iniciação. Questões sobre a lição quatro. Questões avaliatórias sobre a lição quatro.

Lição Cinco: Os Covens e os Rituais 147

Os covens e os graus. Hierarquia e sacerdócio. *Covensteads* e *Covendoms*. O livro dos rituais. A consagração dos instrumentos. O Ritual de Consagração. Como entrar e sair do círculo. Ritual de Edificação do Templo. Ritual de Purificação do Templo. Os esbás e os sabás. Ritual de esbá. Ritual da Lua Cheia. Ritual da Lua Nova ou Negra. Cerimônia dos Bolos e da Cerveja. Questões sobre a lição cinco. Questões avaliatórias sobre a lição cinco.

Lição Seis: Os Sabás 179

Samhain – Sabá Maior. Imbolc – Sabá Maior. Beltane – Sabá Maior. Lughnasadh – Sabá Maior. Questões sobre a lição seis. Questões avaliatórias sobre a lição seis.

Lição Sete: A Meditação, os Sonhos e os Sabás Menores 203

A meditação. Como a meditação funciona. A técnica. A postura. O local da meditação. A hora do dia. A persistência. O método. Como encerrar a meditação. Os sonhos. A fonte. A interpretação e a simbologia dos sonhos. A interpretação dos sonhos. Símbolos universais. A recordação dos sonhos. Os símbolos pessoais. O sonho repetitivo. Os sonhos em grupo. Os sonhos *versus* as experiências fora do corpo. Rituais (continuação). Sabá do equinócio da primavera. Sabá do solstício de verão. Sabá do equinócio de outono. Sabá do solstício de inverno. Questões sobre a lição sete. Questões avaliatórias sobre a lição sete.

Lição Oito: Casamento, Nascimento, Morte e Canalização...... 247

Ritual de casamento (*Handfasting*). Ritual de *Handfasting*. Ritual de separação (*Handparting*). Ritual de nascimento (*Wiccaning*). A travessia da ponte (na Morte). O processo intuitivo. As categorias de canalização. Como se preparar para a canalização. Ouvir. Os pontos focais externos. Como usar a psicometria. Como interpretar as informações canalizadas. Privação sensorial. A gaiola das bruxas. Questões sobre a lição oito. Questões avaliatórias sobre a lição oito.

Lição Nove: Adivinhação.. 279

O tarô. A interpretação. A escriação. Os bastões saxônicos. A quiromancia. As primeiras observações. A linha da vida. A linha da cabeça e a linha do coração. A linha da cabeça. A linha do coração. A linha do destino. As linhas do casamento. As linhas dos Punhos. O Monte de Vênus. O Monte da Lua. Os dedos. A leitura da sorte pelas folhas de chá. Interpretação da leitura pelas folhas de chá. Numerologia. O número do nome. Cores primárias. Cores secundárias. Astrologia. A interpretação. Os planetas. Escriação pelo fogo. Questões sobre a lição nove. Questões avaliatórias sobre a lição nove.

Lição Dez: Herbalismo 331

A tradição herbórea. Como tirar o máximo proveito das ervas. Chás, xaropes, pomadas, cataplasmas e pós. Ervas medicinais. Descrição das ações medicinais. As ervas e suas propriedades medicinais. Alterativas. Antelmínticas ou vermífugas. Adstringentes. Tônicas amargas. Calmantes. Carminativas e aromáticas. Catárticas. Demulcentes. Diuréticas. Emolientes. Expectorantes. Nervinas. Estimulantes dos nervos. Refrigerativas. Sedativas. Estimulantes. Vulnerárias. As vitaminas nas ervas. A arte de prescrever medicamentos. A farmacologia dos Bruxos. Questões sobre a lição dez. Questões avaliatórias sobre a lição dez.

Lição Onze: A Magia 375

O corpo físico. O Círculo. A entrada e a saída. O Cone de Poder. A dança e os cânticos. O sentir. Como atrair o poder. A liberação do poder. A escolha do momento certo. A magia com cordas. A magia com velas. Simbolismo das cores na magia. A magia de amor. A magia sexual. Encantamento de amarração. Proteção. A forma do ritual. Lembrete importante. Questões sobre a lição onze. Questões avaliatórias sobre a lição onze.

Lição Doze: O Poder da Palavra Escrita 413

As runas. *Ogam Bethluisnion*. Os hieróglifos egípcios. O alfabeto tebano. Atravessando o rio. O alfabeto angélico. O alfabeto malachim. O alfabeto picto. Os talismãs e amuletos. Os amuletos. As canções, as danças e os jogos para os sabás. A dança para gerar poder. A dança em geral. A música e as canções. Os jogos para os sabás. Jogos ao ar livre. Vinho, cerveja e pães caseiros. Pães e bolos. Lembrete importante. Questões sobre a lição doze. Questões avaliatórias sobre a lição doze.

Lição Treze: A Cura 449

A aura. A cura áurica. A cura prânica. A cura a distância. A cura com cores. Como direcionar a cor. Água energizada com cores. Cura a distância com cores. Terapia com cristais. Atributos dos cristais. Magia com bonecos. Receita de óleo de unção. A meditação e o *Biofeedback*. Os animais e as plantas. O pensamento positivo. Questões sobre a lição treze. Questões avaliatórias sobre a lição treze.

Lição Quatorze: Preparativos 475

Os rituais. A criação do ritual. Os vigias das torres. A fonte. A formação de um coven. O seu coven. Como fundar uma igreja. As saudações utilizadas na Arte. Os acessórios de vestuário. Jovens wiccanos. Falando abertamente. Questões sobre a lição quatorze. Questões avaliatórias sobre a lição quatorze.

Lição Quinze: Os Bruxos Solitários 503

Ritual da edificação do templo. Ritual de esbá. Ritual dos bolos e da cerveja. Ritual da purificação do templo. Ritual da edificação do templo (versão alternativa).

E Agora?... 519

Apêndice A: As Tradições Wiccanas 521

A Wicca alexandrina. A Wicca celta americana. A Wicca australiana. A Igreja de Y Tywyth Teg. Church of the Crescent Moon. Circle Wicca. Coven of the Forest, Far and Forever. A Wicca deboriana. Dianic Feminist Wicce. A Wicca de Yvonne Frost. A Wicca gardeniana. A Wicca georgina. Maidenhill Wicca. Northern Way. Nova-Wicca. Pecti-Wita. Seax-Wica. Tradição tessalônica.

Apêndice B: Respostas das Questões Avaliatórias 531

Apêndice C: As Músicas e os Cânticos 547

Lista de Leituras Recomendadas 563

Sobre o Autor 567

Prefácio à Segunda Edição

VOCÊ NÃO PRECISA TER nascido no Halloween para praticar Bruxaria. Não tem que ter uma estrela de cinco pontas desenhada na palma da mão. Não tem que ser o sétimo filho do sétimo filho. Nem tem que usar túnicas estranhas, ficar nu, usar uma tonelada de joias ou pintar as unhas de preto. Os Bruxos são pessoas comuns que descobriram a religião que mais faz sentido para si mesmos. Eles reverenciam os deuses antigos – o Deus da Vida e da Morte; a Deusa da Natureza e da Fertilidade –, celebrando as estações e praticando as artes antigas da cura, da magia e da divinação.

A Bruxaria, ou Wicca, é uma religião antiga, anterior ao Cristianismo. Seus praticantes não são contra o que disse Jesus Cristo, simplesmente não se autointitulam cristãos. Durante séculos, foi muito difícil para eles sobreviver na clandestinidade, devido à perseguição que sofriam da Igreja. Depois de tantas gerações reprimidas, a Arte quase sucumbiu. No entanto, ela conseguiu subsistir em regiões isoladas, até chegar ao século XX. Em meados desse século, as últimas leis contra a Bruxaria foram finalmente revogadas e os Bruxos que ainda resistiam puderam revelar suas práticas. Poucos, no entanto, sobreviveram para aproveitar essa chance.

O dr. Gerald Brousseau Gardner foi um deles. Ele descobriu a Antiga Religião quando já tinha uma certa idade e ficou encantado ao descobrir que a) ela ainda estava viva e b) não se tratava da prática maléfica e demoníaca que sempre se julgara, e sim algo que ele queria seguir e divulgar ao mundo. Mas foi só vários anos depois de se tornar Bruxo que ele publicou suas descobertas.

Gardner foi praticamente o responsável pelo interesse renovado pela Antiga Religião e, certamente, por torná-la uma alternativa viável às religiões organizadas. Alegra-me dizer que eu mesmo fui responsável por uma pequena parcela desse ressurgimento da Wicca, quando levei os ensinamentos de Gardner para os Estados Unidos. Hoje, a Antiga Religião é praticada no mundo todo.

A Wicca não tem uma estrutura rígida e bem definida, nem uma autoridade central, mas sim uma ampla variedade de denominações ou "tradições". A maioria das tradições tem raízes no que Gardner apresentou na década de 1950. A forma dos rituais, os instrumentos apresentados, a celebração dos sabás; na maioria das tradições, tudo isso segue o que foi revelado por Gardner.

Da década de 1970 até o início dos anos 1980, uma grande variedade de livros foi publicada sobre a Wicca. Como sempre acontece, alguns eram bons e outros nem tanto. Alguns tinham um material factual de valor, que realmente podia ser útil para aqueles que praticavam a Antiga Arte. Outros eram uma mistura de sabedoria popular, magia e superstição, que não contribuía em nada para esclarecer os assuntos relacionados à Wicca. Os praticantes começaram a sair do anonimato, mas não podiam ser "conjurados" sempre que alguém queria se encontrar com um deles. Isso era especialmente frustrante para aqueles que, depois de descobrir a verdade sobre a Wicca, queriam fazer parte do movimento.

Em meados dos anos 1980, publiquei pela primeira vez este livro. Senti que havia uma necessidade real por um "manual básico" e de qualidade; quero dizer, um material que qualquer indivíduo interessado na Arte pudesse usar, fosse ele um Bruxo Solitário ou membro de um coven. Meu objetivo era apresentar todos os fundamentos básicos, mas em profundidade suficiente para permitir a solidificação de um conhecimento duradouro. Como a maioria das tradições segue os preceitos gardnerianos, o mesmo acontece com este livro. O que apresento, porém, não são rituais gardnerianos, tampouco saxônicos ou celtas, nórdicos, galeses ou de qualquer outro tipo específico. Os rituais que descrevo são deliberadamente não sectários. Foram escritos exclusivamente para este livro, com o propósito de servir como diretriz e mostrar como realizar um ritual. Espero que os leitores/buscadores os utilizem para captar o espírito da Antiga Religião e depois os adaptem de acordo com seu próprio gosto, para que possam atender às suas próprias necessidades. Isso porque as necessidades espirituais são individuais... Esse é um campo em que não se devem fazer concessões. Quando se trata da divindade, o indivíduo precisa se sentir totalmente à vontade.

Desde que este livro foi publicado pela primeira vez, anos atrás, ele foi muito bem recebido e atingiu todas as minhas expectativas. Tornou-se, para muitos seguidores (agora para muitas gerações), uma verdadeira introdução à Wicca, tornando-se conhecido pelo afetuoso apelido de *Big Blue* por causa da capa de sua primeira edição e algumas posteriores. Portanto, por que não uma nova edição?

Ele não é novo no sentido de estar cheio de novidades e informações diferentes. Isso não seria justo com quem já comprou o livro e pôs em prática seus rituais. Ele simplesmente tem uma estrutura diferente e, penso eu, mais agradável. Há mais fotos e ilustrações, uma lista maior e mais atual de leituras recomendadas e uma organização ligeiramente diferente (as questões de avaliação, por exemplo, vêm logo após cada lição).

Uma das desvantagens de se incluir uma lista de contatos num livro como este é que os nomes e endereços costumam ficar desatualizados. Por essa razão, ao examinar uma variedade de tradições, eu preferi não mencionar nenhum nome em particular. No mundo de hoje, em que a internet reina absoluta, existe uma fonte inesgotável de informações sobre grupos wiccanos. Muitos covens, e até indivíduos, agora têm websites, que podem ser localizados por meio de ferramentas de busca. É preciso ter cautela, no entanto; só porque alguém tem um website e está oferecendo informações, isso não significa que seja um "especialista". Na minha opinião, os livros publicados ainda são a melhor fonte de informações corretas e comprovadas sobre a Arte. Mas nem mesmo nos livros as informações estão livres de erros. Você ainda tem que ler muito e depois decidir o que serve para você. Nunca deixe que o convençam a fazer, ou aceitar, algo que pareça errado aos seus olhos. Hoje em dia, principalmente, existem muitas possibilidades de se conhecer grupos de praticantes, mas você não precisa aceitar nenhum deles sem um certo questionamento.

A Wicca se baseia no ensinamento do amor por todas as formas de vida. Tenha isso em mente; na verdade, faça disso um ideal. Eu sei, graças às opiniões que recebi ao longo de todos esses anos, que este livro pode ajudar você a descobrir o seu caminho. Espero que o leia, estude-o e o aprecie muito.

Amor e luz
Raymond Buckland, Ohio 2002

Agradecimentos

Lamento não ter me lembrado de agradecer à editora Llewellyn por republicar este livro. Uma grande parte desse agradecimento vai para Kimberly Nightingale, uma editora verdadeiramente dedicada; à coordenadora de arte Hollie Kilroy e ao revisor de provas Tom Bilstad. Todos os três me ajudaram a insuflar uma nova vida ao *Big Blue*. Um sincero muito obrigado a vocês!

Introdução

A BRUXARIA NÃO É apenas lendária; ela foi e é real. Não está extinta; está viva e progride a cada dia. Desde que as últimas leis contra a Bruxaria foram revogadas (e isso só aconteceu nos anos 1950), os Bruxos puderam vir a público e mostrar-se pelo que são.

E o que eles são? São pessoas inteligentes, com elevada consciência de comunidade e poder de reflexão e que vivem nos dias de HOJE. A Bruxaria não é um passo para trás, um retrocesso para uma época repleta de superstições. Longe disso. É um passo à frente. A Bruxaria é uma religião muito mais relevante para esta era do que a maioria das igrejas estabelecidas. É a aceitação da responsabilidade pessoal e social. É o reconhecimento de um universo holístico e um caminho rumo a uma elevação da consciência. Direitos iguais, feminismo, ecologia, sintonia com o universo, amor fraternal, cuidado com o planeta – todas essas coisas são uma parte e uma parcela da Bruxaria, a antiga e, ainda assim, nova religião.

Essa descrição certamente não é o que uma pessoa comum pensa da Bruxaria. Não; as ideias erradas estão profundamente arraigadas, devido a séculos de desinformação. Como e por que essas mentiras surgiram será explicado mais adiante.

Com a disseminação de informações sobre a Bruxaria – o que ela é, sua relevância para o mundo de hoje – surgiu o "buscador". Se existe essa alternativa às religiões convencionais, essa visão moderna da vida, voltada para o futuro, conhecida como "Bruxaria", então como alguém se torna parte dela? Aí está, para muitos, a maior barreira. Informações gerais sobre a antiga religião – informações válidas, oferecidas pelos próprios Bruxos – estão disponíveis, mas a entrada na ordem, não. A grande maioria dos covens (grupos de Bruxos) ainda é muito desconfiada e não abre as portas nem aceita todos os que chegam. Esses covens ficam felizes em corrigir os equívocos, mas não fazem proselitismo. Isso faz com que muitos dos que desejam ser Bruxos, por pura frustração, simplesmente se declarem "Bruxos" e comecem suas práticas por conta própria. Ao fazer isso, eles consultam quaisquer fontes disponíveis, senão todas. O perigo é que não distinguem o que é válido e relevante do que não é. Infelizmente, existem agora muitos covens desse tipo, que se valem de muitos conceitos da Magia Cerimonial mesclados com pitadas de satanismo, vodu e folclore dos nativos norte-americanos. A Bruxaria é uma religião muito "maleável", em termos de prática, mas tem certos princípios básicos e segue certos padrões estabelecidos em seus rituais.

O propósito deste livro é apresentar essas informações necessárias. Com ele, você – como indivíduo ou como um grupo (com alguns amigos de ideias semelhantes) – poderá ter sua própria prática e ficar satisfeito por saber que ela é ao menos tão válida quanto a de qualquer tradição estabelecida ou poderá, quando encontrar um coven, tornar-se um participante iniciado com um treinamento e um conhecimento tão bons quanto os de qualquer membro do coven (senão melhor).

Na Igreja cristã existem muitas denominações (episcopal, católica romana, batista, metodista). Na Bruxaria ocorre o mesmo. Assim como nenhuma religião é correta para todas as pessoas, não existe uma denominação da Bruxaria que seja correta para todos os Bruxos. E é assim que deve ser. Todos somos diferentes. Nossos antecedentes – étnicos e sociais – variam imensamente. Costuma-se dizer que existem muitos caminhos, mas todos levam ao mesmo lugar. Com tantos caminhos, é muito provável que você encontre um que seja adequado para *você*, um que possa percorrer com conforto e segurança.

Para que este livro seja mais útil, as informações apresentadas – o treinamento que você receberá – não pertencem a nenhuma denominação. Extraí exemplos de diferentes tradições (gardneriana, saxônica, alexandrina, escocesa), oferecendo informações genéricas e específicas. Seu conteúdo foi retirado dos meus mais de vinte anos de participação ativa na Arte e quase o dobro disso na esfera do ocultismo em geral. Quando tiver terminado este treinamento (presumindo que o leve a sério), você terá o equivalente ao Terceiro Grau, na tradição gardneriana ou similar. A partir daí você pode, como eu já disse, seguir um treinamento mais específico, caso se sinta atraído por uma tradição em particular. Esta obra, no entanto, lhe proporcionará um conhecimento básico da Bruxaria e um alicerce excelente.

Este é um livro de exercícios... É algo com que você deve trabalhar. Em vez de "capítulos", portanto, eu o dividi em "lições". Ao final de cada lição, serão apresentados exercícios e questões para avaliar sua compreensão do assunto tratado. Leia cada lição. Leia e absorva. Leia duas ou três vezes se necessário. Volte e preste especial atenção àquilo que não absorveu facilmente. Quando você estiver satisfeito com o que aprendeu, responda às questões avaliatórias. Responda com suas próprias palavras, sem se referir ao texto lido. Desse modo, você verá o que assimilou ou não. Não passe para a lição seguinte até que você esteja totalmente satisfeito com a anterior. As respostas das questões avaliatórias podem ser encontradas no Apêndice B.

Escrevi este livro seguindo uma ordem específica. Não tente saltar páginas, passando para lições mais "interessantes"... Você pode descobrir que ainda não tem os requisitos necessários para compreendê-las! Quando tiver trabalhado o livro inteiro, aí sim será a hora de voltar a mergulhar nele, para se lembrar dos conceitos que mais lhe interessam.

Este livro é baseado num curso bem-sucedido de Seax-Wica, que foi útil para milhares de estudantes mundo afora. Essa experiência comprovou que a fórmula funciona e funciona muito bem. Mas já adianto que, embora este livro seja baseado no curso, não se trata do mesmo curso. O curso Seax-Wica englobava especificamente a tradição saxônica; este livro não. Repeti aqui, de fato, muitas informações de cunho geral sobre a Arte, mas não tanto que um aluno do curso também não pudesse apreciar este livro.

Assim, se você for um estudante dedicado da Bruxaria, ou Wicca, seja como um futuro praticante ou por interesse acadêmico, eu lhe dou as boas-vindas. E espero que você o aproveite tanto quanto meus antigos alunos. Bênçãos brilhantes.

Introdução à
Edição de Aniversário de 25 Anos

VINTE CINCO ANOS... UM quarto de século! Isso parece muito tempo para que qualquer livro continue sendo considerado atual, e fico muito feliz que o *Big Blue*, como este livro passou a ser chamado, ainda seja um dos pilares da Antiga Religião. Mas vamos examinar a fundo a palavra *BRUXARIA*. Existe alguma diferença entre Bruxaria e Wicca?

Quando Gerald Gardner escreveu seu revolucionário *Witchcraft Today*, em 1954, ele usou as palavras "Bruxa" e "Bruxaria" ao longo de todo o livro, só mencionando a palavra "wicca" poucas vezes. (O livro de Gardner, por acaso, é o primeiro manual de Bruxaria já escrito por um verdadeiro praticante e, como tal, a mais importante obra sobre o assunto.) Alguns anos depois da publicação de *Witchcraft Today*, quando a Arte estava começando a voltar a ser praticada, havia muitas reivindicações para que se criasse um outro nome para ela. "As pessoas associam a Bruxaria ao satanismo e à magia negra", dizia-se. "Então, por que não mudamos o nome dela?" Gardner e eu conversamos sobre isso várias vezes e nós dois estávamos convencidos de que seria muito melhor ensinar "os ignorantes", explicando o que é a Bruxaria e em que os Bruxos *realmente* acreditam e o que fazem, do que sermos forçados a mudar o nome dela. Naquela época (anos 1960), eu fazia palestras, escrevia artigos, dava entrevistas, principalmente para ensinar as pessoas e para desfazer mal-entendidos. Depois que Gardner morreu e seus livros começaram a sair do catálogo das editoras, escrevi meu *Witchcraft from the Inside* (Llewellyn, 1971; 1975; 1995), para preencher a lacuna que deixaram e garantir que a verdadeira voz da Arte continuasse a ser ouvida.

Durante muitos anos, esse debate continuou entre os praticantes, que queriam, cada vez mais, que sua Arte fosse conhecida como Wicca, não como Bruxaria. Não havia, porém, nenhum debate sobre o que praticavam. Todos concordavam que se tratava da Antiga Religião; que nos reuníamos para reverenciar os antigos deuses e deusas. Diferentes tradições, ou denominações, desenvolveram-se, mas todas se centravam na Arte como religião.

Dentro da religião, havia uma diversidade com relação às práticas auxiliares, tanto individuais quanto em covens. Algumas se restringiram à magia de cura. Outras se expandiram e passaram a incluir várias formas de divinação, herbologia, astrologia etc. Embora todas essas artes fossem incentivadas como práticas individuais, a magia (em geral para promover a cura) era sempre praticada em covens. O ensinamento original era de que, assim, haveria uma salvaguarda contra qualquer tendência para se praticar a magia malevolente... Um indivíduo com um temperamento explosivo, por exemplo, poderia se sentir tentado a se vingar de um ataque, mas o restante do coven poderia equilibrar a situação, convencendo-o a dar mais ênfase à segunda parte do princípio moral da Wicca, "Faça o que quiser, mas não prejudique ninguém".

Nos dias de hoje – nos primeiros anos do século XXI –, vemos uma grande mudança. Se para melhor ou pior ainda não podemos avaliar, e isso vai depender do ponto de vista de cada um. Hoje a palavra "wicca" normalmente é dirigida àqueles que ainda seguem os preceitos da Antiga Religião e reverenciam os deuses de acordo com a Roda do Ano, nos esbás e nos sabás. A palavra "Bruxaria" passou a ser relegada àqueles que gostariam de praticar magia e apenas isso; aqueles que, em grupo ou sozinhos, "lançam feitiços" e tentam influenciar os outros, nem sempre positivamente. Na realidade, esses "lançadores de feitiços" nem devem se autointitular "Bruxos" porque são apenas praticantes de magia. Porém, eles parecem pensar que o termo "Bruxo" tem um certo romantismo, mas num sentido do qual os pioneiros tentaram, com todas as suas forças, se desvencilhar!

Neste livro – o *Big Blue* –, vamos descrever os princípios básicos da Antiga Religião, que gravitam em torno da reverência ao Senhor e à Senhora. Também serão apresentados detalhes de várias práticas, como a cura, a herbologia, a divinação e – sim – a magia. Não conclua, pelo que eu disse anteriormente, que estou dizendo que os Bruxos não devem praticar magia. Longe disso. Mas eu sempre insisto em dizer aos meus alunos que ela só deve ser praticada se de fato houver uma *necessidade real*. Não por brincadeira. Não para provar que a magia funciona. Não para você se exibir para os outros. E a magia praticada pelo que eu chamo de Bruxos "de verdade" é *sempre positiva*. "Faça o que quiser, mas não prejudique ninguém", essa é a doutrina. E esse "ninguém" inclui você, obviamente. Hoje em dia, algumas pessoas que se autodenominam Bruxos parecem se juntar e dizer: "E aí? Que feitiço vamos lançar desta vez?". E sempre há uma ênfase na tentativa de influenciar os pensamentos e atos de outras pessoas. É preciso lembrar que praticar magia para induzir outra pessoa a se apaixonar, por exemplo, é tão negativo quanto tentar lhe incitar o ódio. Ambas as coisas interferem no livre-arbítrio do indivíduo.

Isso me faz lembrar dos praticantes que trabalham sozinhos... os Bruxos Solitários. Até que ponto essa prática solitária é válida? No meu livro *Wicca for One* (Citadel Press, 2004) – e você deve ter reparado que aderi à pratica "Se não pode com eles, junte-se a eles", quando optei por usar a palavra Wicca em vez de Bruxaria –, enfatizei que a prática solitária é na realidade muito mais antiga do que a prática em covens. A falecida dra. Margaret Murray era muito citada nos primeiros tempos do ressurgimento da Antiga Religião. Eu mesmo me sinto culpado por aceitar todas as "cartas brancas" da pesquisa dela. Mas estudos posteriores, realizados por uma variedade de pesquisadores, mostram que a dra. Murray deturpou algumas das suas descobertas para que corroborassem suas teorias – uma prática nada incomum entre os acadêmicos. Ela defendeu a ideia de chamar grupos de Bruxos de "covens". Na verdade, a ideia dos covens só surgiu no julgamento de Bessie Dunlop, em Ayrshire, na Escócia, em 1567. Embora a própria Bessie não usasse a palavra "coven", ela disse que fazia parte de um grupo composto por cinco homens e oito mulheres. Foi só no julgamento de Isobel Gowdie, em Auldearne, em 1662, que a palavra foi usada, em referência a um grupo de treze pessoas. Murray se baseou nesse grupo e disse que *todos* os covens eram compostos de treze pessoas. Cecil L'Estrange Ewen, autora de *Witch Hunting and Witch Trials: the Indictments for Witchcraft from the Records of 1373 Assizes Held for the Home Circuit A.D. 1559-1736* (1929), verificou os números apresentados por Murray e afirmou que, em todos os casos, os grupos de treze pessoas mencionados por Murray "tinham sido obtidos por meio de omissão injustificável, acréscimo ou disposição incongruente". Escritores sensacionalistas posteriores, como Montague Summers, disseminaram a ideia de que o coven era composto de treze pessoas. Portanto, muitos Bruxos de fato praticam em grupo e alguns desses grupos se autodenominam covens, mas eles nem sempre são compostos de treze pessoas.

A pergunta continua, no entanto: "Quem iniciou o primeiro Bruxo?". Se o Bruxo só trabalhava em grupo e iniciava os recém-chegados, então como ele passou a ser Bruxo e quem o iniciou? A resposta é que, muito antes de existirem covens ou grupos, já existiam muitos praticantes solitários. Esses indivíduos dedicavam-se (iniciavam-se) ao serviço aos deuses. Eles se sentiam capazes de se postar num campo, à luz da Lua, para agradecer aos deuses pelo que tinham feito ou pedir que atendessem aos seus pedidos. Eles não precisavam de um grupo para fazer isso. A Bruxaria solitária, portanto, não só é "válida" como é também talvez mais fundamentada que a Bruxaria praticada em covens! As lições apresentadas neste livro servem tanto para praticantes solitários quanto para covens. Hoje em dia eu aposto que existem mais covens praticando do que indivíduos e, como afirmei, ambas as práticas são legítimas.

Os problemas surgem apenas quando um grupo se sente superior aos outros. É preciso que se reconheça que todos nós somos diferentes. Como afirmei várias vezes, existem muitos caminhos, mas todos levam ao mesmo lugar. Você pode preferir o caminho que está trilhando, mas isso não faz com que ele seja melhor do que qualquer outro. Você pode achar que pertence a uma linhagem antiga de Bruxos, ter uma espécie de "estirpe", ser mais reconhecido do que outros Bruxos, mas isso também não faz com que você seja "melhor" do que ninguém. Somos irmãos e irmãs da Arte, todos iguais aos olhos dos deuses.

Referindo-me à Arte como um todo, sei que já fizemos grandes progressos. Nos "primeiros tempos", como costumo dizer – na década de 1960 e no início da década de 1970 –, costumávamos sonhar com o dia em que a Bruxaria seria aceita simplesmente como "mais uma religião". Embora esse dia ainda não tenha chegado, ele não tardará. Hoje em dia existem "capelões" wiccanos ajudando muitas pessoas em penitenciárias dos Estados Unidos e Sacerdotes e Sacerdotisas fazendo o mesmo em hospitais e outros lugares. A Wicca é reconhecida nos Estados Unidos como religião e (em grande parte graças aos esforços de Selena Fox do Circle Sanctuary e à Lady Liberty) o pentagrama (normalmente aceito como símbolo da Wicca) é agora um símbolo religioso aprovado para uso na sepultura de militares. Bruxos e Bruxas participam de conferências religiosas nacionais e internacionais. O Exército norte-americano aceita a Wicca como um dos grupos religiosos não tradicionais. Os wiccanos podem usar joias com símbolos da Arte sem causar estranheza. Conferências wiccanas e pagãs ocorrem em hotéis, centros de convenções e acampamentos. Existem cada vez mais sites na internet, assim como uma variedade imensa de livros, cursos e ideias sobre Bruxaria. Certamente ainda existem bolsões de intolerância e casos isolados de antagonismo, mas isso também acontece com outras religiões e grupos minoritários.

Vinte e cinco anos se passaram desde o lançamento de *O Livro Completo de Bruxaria de Raymond Buckland* e já vimos muitos progressos. A Arte é vista com muito mais aceitação, e pessoas de todas as idades e de todas as procedências buscam abertamente o conhecimento propiciado pela Antiga Religião. Espero que este livro possa continuar ajudando muitas gerações a encontrar o caminho que mais lhe beneficie.

Que o Senhor e a Senhora possam acompanhar seus passos, sempre.

Amor e luz,
Raymond Buckland
Ohio, 2011

Agradecimentos

Meu muito obrigado a Ed Fitch, Mike F. Shoemaker, Aidan Breac, Carl Weschcke, minha mulher Tara e Elysia Gallo e todo o pessoal da Llewellyn, que tornou o *Big Blue* possível e fez com que ele continuasse sendo um sucesso de vendas.

LIÇÃO UM

A História e a Filosofia da Bruxaria

Antes de realmente chegar ao que a Bruxaria é, talvez devamos olhar para trás e ver o que ela *foi* – a história dela. Os Bruxos precisam conhecer suas raízes; conhecer como e por que as perseguições surgiram, por exemplo, e onde e quando o ressurgimento ocorreu. Existe muito a se aprender com o passado. É verdade que muitas partes da História podem parecer sem vida e tediosa a muitos de nós, mas isto está longe de ocorrer com a história da Bruxaria. Ela está muito viva e cheia de episódios empolgantes.

    Muitos livros foram escritos sobre as origens da Bruxaria. A vasta maioria sofreu com o preconceito – como será explicado em breve –, mas uns poucos dentre os mais recentemente publicados contaram a história com exatidão... ou com tanta exatidão quanto se pode apurar. A falecida dra. Margaret Murray procurou e viu as origens da Bruxaria na Era Paleolítica, 25 mil anos atrás. Ela viu a Bruxaria como uma linha mais ou menos contínua até o presente e como uma religião organizada de modo pleno em toda a Europa Ocidental, durante séculos antes do Cristianismo. Recentemente os estudiosos têm contestado muito do que Murray disse. Entretanto, ela conseguiu apresentar muitas evidências tangíveis e muito material que nos induziu a pensar. Como um provável desenvolvimento da magia-religião (em vez da Bruxaria, propriamente dita), suas teorias ainda são respeitadas.

Vinte e cinco mil anos atrás, o ser humano paleolítico dependia da caça para sobreviver. Apenas o sucesso na caçada garantia alimentos para comer, peles para aquecer e abrigar, ossos para confeccionar ferramentas e armas. Naqueles dias, acreditava-se numa multiplicidade de deuses. A Natureza era impressionante. Graças à reverência e ao respeito pelo vento impetuoso, pelo violento relâmpago, pela veloz correnteza, o ser humano deu nome a cada espírito, fez de cada uma divindade... um deus. Isso é o que chamamos de "animismo". Um deus controlava o vento. Um deus controlava o céu. Um deus controlava as águas. Mas, acima de tudo, um deus controlava as caçadas, tão importantes... um Deus da Caça.

Pintura rupestre da Era Paleolítica

A maioria dos animais caçados tinha chifres, por isso o ser humano primitivo representava o Deus da Caça também com chifres. Essa foi a primeira vez que a magia se mesclou com os primeiros passos vacilantes da religião. A primeira forma de magia foi talvez a variedade *simpática*. Coisas parecidas tinham efeitos parecidos, pensava-se; semelhante atrai semelhante. Se fizessem uma estatueta de bisão em argila e de tamanho natural e ela fosse "atacada" e "morta", então a caça a um bisão de verdade também terminaria na morte do animal. O ritual mágico-religioso surgiu quando um homem das cavernas se cobriu com uma pele e uma máscara com chifres e representou o deus da caça, liderando o ataque. Existem ainda pinturas rupestres representando tais rituais, assim como estatuetas em argila de bisões e ursos transpassados por lanças.

É interessante verificar que essa forma de magia simpática sobreviveu até os tempos modernos. Os índios Penobscot, por exemplo, menos de cem anos atrás, usavam máscaras de cervo e chifres quando realizavam rituais para o mesmo propósito. A Dança do Búfalo, dos índios Mandan, é um outro exemplo.

Esse deus da caça tinha uma deusa consorte, mas qual dos dois surgiu primeiro (ou se evoluíram juntos) não se sabe nem é relevante. Para que houvesse animais para caçar, era preciso que os animais fossem férteis. Para que a tribo sobrevivesse (e a taxa de mortalidade era bem alta naqueles dias), era preciso que homens e mulheres fossem férteis. Mais uma vez, a magia simpática era utilizada: faziam-se estatuetas de argila de animais se acasalando e realizavam-se rituais em que os membros da tribo copulavam.

Ainda existem muitas representações esculpidas e modeladas da deusa da fertilidade, em geral conhecidas como figuras de "Vênus". A mais conhecida entre elas é a Vênus de Willendorf, mas outros exemplos incluem a Vênus de Laussel, a de Sireuil e a de Lespugne. Essas figuras têm, todas elas, um ponto em comum: os atributos femininos são representados em enormes medidas, para enfatizá-los. Elas têm seios pesados e flácidos, grandes nádegas, ventre muitas vezes volumoso, como se estivessem grávidas, além de uma genitália exagerada. Há uma falta de identidade com relação ao resto do corpo. O rosto não é definido e os braços e pernas, quando existem, são apenas sugeridos. Isso evidencia o fato de que seus criadores só estavam preocupados com a questão da fertilidade. A mulher é quem carrega e nutre a prole. A Deusa era sua representação, como a Grande Provedora e Nutriz; Mãe Natureza ou Mãe Terra.

Com o desenvolvimento da agricultura, a Deusa foi levada a um patamar mais alto. Ela passou a zelar pela fertilidade dos campos, assim como pela dos animais e da tribo.

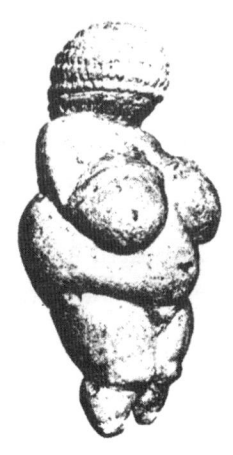

A Vênus de Willendorf

O ano era divido naturalmente em dois. No verão, os alimentos podiam ser cultivados, e por isso a Deusa predominava; no inverno, homens e mulheres tinham de se voltar para a caça, portanto o que predominava era a energia do Deus. As demais divindades (do vento, do trovão, do relâmpago etc.) gradativamente passaram para o segundo plano, adquirindo uma importância secundária.

Cernunnos

Assim como o homem se desenvolveu, a mesma coisa aconteceu com a religião – pois foi nela que tudo isso se tornou, de modo lento e natural. Os seres humanos se espalharam pela Europa, levando com eles seus deuses. À medida que surgiam países diferentes, o Deus e a Deusa eram denominados de maneira diferente (embora nem sempre recebessem nomes totalmente diferentes; algumas vezes, eles eram simples variações). Mas, ainda assim, eram, na essência, as mesmas divindades. Esse fato é muito bem ilustrado na Bretanha: no sul da Inglaterra, o Deus Cornífero é conhecido como Cernunnos (literalmente "o Chifrudo"). No norte do país, o mesmo deus é chamado de Cerne, uma forma mais abreviada do mesmo nome. E ainda, em outra região, o mesmo nome tornou-se Herne. Nessa época, o ser humano aprendeu não apenas a cultivar os alimentos, mas também a estocá-los para o inverno. Logo a caça tornou-se menos importante. O Deus Cornífero passou a ser visto mais como um deus da natureza em geral, um deus da morte e de tudo que existe depois dela. A Deusa ainda regia a Fertilidade e o Renascimento, pois práticas funerárias do período mostram que se passou a acreditar na vida após a morte. Os gravetianos (22000-18000 AEC) foram inovadores nesse aspecto. Enterravam seus mortos completamente vestidos e ornamentados e espalhavam sobre eles ocre vermelho (hematita, ou peróxido de ferro), para lhes devolver a aparência de vida. Membros de uma mesma família eram muitas vezes enterrados sob a lareira do local onde

Jarro de vinho decorado com Deus Cornífero

moravam, para que ficassem próximos dos familiares. Os homens eram enterrados com suas armas; às vezes, até com seu cachorro – tudo de que ele pudesse precisar na vida após a morte.

Não é difícil ver como a crença na vida após a morte surgiu. Na raiz disso, estavam os sonhos. Para citar um trecho de *Witchcraft from the Inside* (Buckland, Llewellyn Publications, 1975):

"Quando o homem dormia, ele estava, aos olhos de sua família e seus amigos, como morto. É verdade que, no sono, ele ocasionalmente se movia e respirava, mas, com exceção disso, estava sem vida. Ainda assim, quando acordava ele podia contar que tinha passado a noite caçando na floresta. Podia contar que havia encontrado e conversado com amigos que, na verdade, estavam mortos. Os outros com quem ele falava podiam acreditar nele, pois também tinham vivenciado esses mesmos sonhos. Eles sabiam que ele não havia tirado os pés da caverna, mas também

sabiam que ele não estava mentindo. Parecia que o mundo dos sonhos era um mundo material. Havia árvores e montanhas, animais e pessoas. Até os mortos estavam lá, parecendo imutáveis muitos anos após a morte. Nesse outro mundo, portanto, o homem devia precisar das mesmas coisas de que precisava neste mundo".

Com o surgimento de diferentes rituais – para a fertilidade, para o sucesso na caçada, para as necessidades sazonais –, foi preciso que se desenvolvesse um sacerdócio: alguns poucos selecionados mais capazes de trazer resultados quando comandavam rituais. Em algumas regiões da Europa (embora provavelmente não em tantos lugares quanto Murray indicou), esses líderes rituais, ou Sacerdotes e Sacerdotisas, tornaram-se conhecidos como os *Wicca* – os "Sábios". Na verdade, na Inglaterra, na época dos reis anglo-saxões, o rei nunca pensaria em agir em relação a um assunto importante sem consultar o *Witan*, o Conselho dos Sábios. E os Wicca precisavam ser realmente sábios. Eles não apenas conduziam os rituais religiosos, mas também deviam ter conhecimento de ervas, magia e adivinhação; eram médicos, advogados, magos, Sacerdotes. Para o povo, os Wicca eram os embaixadores entre eles e os deuses. Mas, nos grandes festivais, quase se tornavam os próprios deuses.

Com o Cristianismo, *não* houve a imediata conversão em massa que muitas vezes se sugere. O Cristianismo era uma religião criada pelo homem. Ele não evoluiu gradativa e naturalmente através dos milhares de anos, como vimos que aconteceu com a Antiga Religião. Países inteiros foram classificados como cristãos, quando, na verdade, apenas seus governantes haviam adotado a nova religião, e com frequência apenas de maneira superficial. Em toda a Europa, a Antiga Religião, em suas muitas e variadas formas, ainda permaneceu proeminente pelos primeiros mil anos do Cristianismo.

Uma tentativa de conversão em massa foi feita pelo Papa Gregório, o Grande. Ele achava que erigir igrejas nos lugares de templos pagãos, onde as pessoas já estavam acostumadas a se reunir, era uma forma de fazer com que elas frequentassem as novas igrejas cristãs. Ele instruiu os bispos a destruir os "ídolos" e jogar água benta nesses templos e dedicá-los ao deus cristão. Em grande medida, Gregório foi bem-sucedido. As pessoas, no entanto, não eram tão ingênuas quanto ele pensava. Quando as primeiras igrejas cristãs foram construídas, os únicos disponíveis para construí-las eram os próprios pagãos. Ao ornamentar as igrejas, os pedreiros e escultores claramente incorporaram à decoração figuras de suas próprias divindades. Dessa maneira, mesmo sendo obrigadas a ir às igrejas, as pessoas ainda podiam cultuar seus próprios deuses ali.

Muitas dessas figuras existem até hoje. A Deusa é geralmente representada como uma divindade da fertilidade, com as pernas abertas e a genitália de tamanho maior do que o natural. Essas figuras são geralmente conhecidas como *Shiela-na-gigs*. O Deus é representado com chifres e cercado de folhas; ele é conhecido como uma "máscara de folhas" e como "Jack of the Green" ou "Robin o' the Woods". Essas figuras do antigo Deus não devem ser confundidas com as gárgulas, figuras monstruosas, esculpidas nos quatro cantos das torres das igrejas, para assustar os demônios.

> Nos primeiros tempos do Cristianismo, principalmente, foram adotados de maneiras mais definitivas outros conceitos oriundos das antigas religiões. A ideia da Trindade, por exemplo, foi extraída da antiga tríade egípcia. Osíris, Ísis e Hórus tornaram-se Deus, Maria e Jesus. O dia 25 de dezembro como nascimento de Jesus foi emprestado do Mitraísmo – que também defendia a segunda vinda de Cristo e o ato de "comer o corpo e beber o sangue de Deus". Em muitas religiões do mundo antigo encontram-se concepções imaculadas e o sacrifício do deus pela salvação do ser humano.
>
> ***Witchcraft Ancient and Modern***
> **Raymond Buckland**
> **HC Publications, Nova York, 1970**

Naqueles primeiros tempos, quando o Cristianismo estava lentamente ganhando forças, a Antiga Religião – os wiccanos e outros pagãos – eram seus rivais. É natural que se queira eliminar um rival, e a Igreja não poupou esforços para fazer exatamente isso. Costuma-se dizer que os deuses de uma antiga religião se tornam os demônios da nova. E esse foi certamente o caso aqui. O Deus da Antiga Religião era um deus cornífero. Portanto, aparentemente, era o demônio cristão. Aos olhos da Igreja, os pagãos eram obviamente adoradores do Demônio! Esse tipo de raciocínio é usado pela Igreja ainda hoje. Os missionários, particularmente, tendiam a rotular todas as tribos primitivas que encontravam como adoradores do Demônio, apenas porque as tribos cultuavam um deus ou deuses que não eram o deus cristão. Não fazia diferença que as pessoas fossem boas, felizes e muitas vezes vivessem melhor do ponto de vista moral e ético do que a vasta maioria dos cristãos... elas tinham que ser convertidas!

Alguns instrumentos de tortura usados nos julgamentos das Bruxas de Bamberg

A acusação de adorar o Demônio, frequentemente associada aos Bruxos, é ridícula. O Demônio é puramente uma invenção cristã; não há nenhuma menção a ele, como tal, antes do Novo Testamento. Na verdade, é interessante notar que todo o conceito de maldade associado ao Demônio decorre de um erro de tradução. A palavra original hebraica *Ha-satan,* que aparece no Velho Testamento, e a palavra grega *diabolos,* do Novo Testamento, significam simplesmente "oponente" ou "adversário". É preciso lembrar que a ideia de dividir o Poder Supremo em dois – o bem e o mal – é de uma civilização avançada e complexa. Os deuses antigos, ao longo de todo o seu gradativo desenvolvimento, eram muito "humanos", o que significa que tinham, por natureza, um lado bom *e* um lado mal. Foi a ideia de uma divindade constituída apenas de bondade e amor que tornou necessário o surgimento de um antagonista. Numa linguagem simples, só se pode ver a cor branca se existir uma cor contrária, o preto, com a qual a comparar. Essa visão de um deus constituído apenas de bondade foi desenvolvida por Zoroastro (Zaratustra), na Pérsia, no século VII BCE. A ideia disseminou-se posteriormente para o oeste e foi adotada pelo Mitraísmo e, depois, pelo Cristianismo.

O *Malleus Maleficarum* é composto de três partes, sendo que a primeira trata das "três condições necessárias para a Bruxaria: o Diabo, a Bruxa e a permissão de Deus Todo-Poderoso". Nesse livro, o leitor é advertido, pela primeira vez, de que *não* acreditar em Bruxaria é heresia. Discutem-se, então, se as crianças podem ser geradas por íncubos e súcubos; a copulação das Bruxas com o Demônio; se as Bruxas podem influenciar a mente dos homens, incitando-os ao amor ou ao ódio; se as Bruxas podem embotar o poder de gestação ou obstruir o ato venéreo; se as Bruxas podem fazer truques de prestidigitação, de modo que o órgão masculino pareça inteiramente afastado e separado do corpo; as várias maneiras pelas quais uma Bruxa pode matar uma criança no útero etc., etc.

A segunda parte trata "dos métodos pelos quais as Bruxas infligem os malefícios e de que modo estes podem ser curados"; explica os "vários métodos pelos quais os demônios, por meio das Bruxas, seduzem e atraem inocentes para o aumento de seu horrível ofício e sua companhia; a forma pela qual é feito um pacto com o diabo; como elas se transportam de um lugar para o outro; como as Bruxas impedem e previnem o poder da procriação; como elas deixam os homens desprovidos do seu membro viril; como as Bruxas parteiras cometiam crimes horrendos quando matavam as crianças ou as ofereciam ao Diabo em blasfemo ritual; como as Bruxas infligiam mal ao gado, desencadeavam e evocavam tempestades de granizo e de como fulminavam homens e animais com raios". Seguiam-se então remédios para as situações acima.

A terceira parte do livro, que trata das "Medidas judiciais no Tribunal Civil e Eclesiástico a serem tomadas contra as Bruxas e contra todos os hereges", é talvez a mais importante. É nessa parte que se descrevem as normas para a instauração dos processos e para lavrar as sentenças. "Quem são os juízes mais indicados para o julgamento de Bruxas?" é a primeira questão. Seguem-se o "método para dar início a um processo; o juramento solene e o interrogatório das testemunhas; a qualidade e a condição das testemunhas; se inimigos mortais podem ser admitidos como testemunhas". Aqui ficamos sabendo que "o testemunho de homens de má reputação e de criminosos, e de servos contra seus mestres, é aceito (...) deve-se notar que uma testemunha não deve ser desqualificada devido a qualquer espécie de inimizade". Nós descobrimos que, em se tratando de Bruxaria, praticamente qualquer pessoa pode fornecer provas, embora em qualquer outra situação elas não fossem admitidas. Até as provas oferecidas por crianças pequenas eram admissíveis.

É óbvio, pelo que foi mencionado, que os autores do *Malleus Maleficarum* tinham certas obsessões. Muitos capítulos são, por exemplo, relacionados a aspectos sexuais da Bruxaria... Quem eram os autores dessa obra infame? Dois dominicanos chamados Jakob Sprenger e Heinrich (Institor) Kramer.

Witchcraft Ancient and Modern
Raymond Buckland
HC Publications, Nova York, 1970

Castelo de Rushen

À medida que o Cristianismo gradativamente se fortalecia, a Antiga Religião perdia terreno. Na época da Reforma, ela só existia em regiões remotas da área rural. Nessa época, os não cristãos passaram a ser conhecidos como pagãos ou gentios. A palavra "pagão" vem do latim *pagani* e significa simplesmente "pessoa que mora no campo". A palavra "gentio" significa "aquele que vive na mata". Os termos, portanto, eram apropriados para os não cristãos daquela época, mas não tinham nenhuma conotação de maldade; seu uso, hoje, de forma depreciativa, é totalmente incorreto.

A campanha difamatória contra os não cristãos continuou ao longo dos séculos. O que os wiccanos faziam era deturpado e usado contra eles. Eles de fato faziam magia para promover a fertilidade e aumentar as colheitas, mas a Igreja dizia que tornavam as mulheres e o gado estéreis e arruinavam as colheitas! Aparentemente, ninguém parava para pensar que, se os Bruxos realmente fizessem tudo aquilo de que eram acusados, eles também sofreriam as consequências. Afinal, eles também tinham que comer para viver. Num antigo ritual para a fertilidade, os camponeses iam para os campos, sob a luz da Lua cheia, e dançavam ao redor deles, montados em forcados, mastros e vassouras, cavalgando-os como cavalos de madeira. Eles deviam saltar no ar enquanto dançavam, para mostrar aos brotos a que altura deviam crescer. Uma forma inofensiva de magia simpática. A Igreja, no entanto, dizia não apenas que eles estavam agindo *contra* as colheitas, mas que na verdade voavam em seus mastros... claramente um ato demoníaco!

Em 1484, o Papa Inocêncio VIII publicou sua Bula contra as Bruxas. Dois anos depois, dois infames monges alemães, Heinrich Institoris Kramer e Jakob Sprenger, produziram sua inacreditável obra antibruxaria, o *Malleus Maleficarum* [*O Martelo das Feiticeiras*]. Nesse livro, davam instruções específicas para a perseguição das Bruxas. Entretanto, quando o livro foi submetido à aprovação da Faculdade de Teologia da Universidade de Colônia, na Alemanha – o censor nomeado da época –, a maioria dos professores considerou-o ilegal e antiético. Kramer e Sprenger não desanimaram e forjaram a aprovação da faculdade, uma farsa que não foi descoberta até 1898.

De modo gradativo, a histeria provocada por Kramer e Sprenger começou a se espalhar. Ela se alastrou como fogo – surgindo em lugares inesperados e espalhando-se rapidamente por toda a Europa. Por quase trezentos anos, a fúria das perseguições continuou. A humanidade

Casa de Salém, cidade onde ocorreram os
julgamentos das Bruxas de Salém

enlouqueceu. Habitantes de vilas inteiras onde se suspeitava haver uma ou duas Bruxas morando eram enviados à morte aos brados de: "Matai-os todos... O Senhor reconhecerá os seus!". Em 1586, o Arcebispo de Treves decidiu que Bruxos tinham causado o inverno severo que assolava a região. Por meio de frequente tortura, obteve uma "confissão", e 120 mulheres e homens morreram na fogueira, sob a acusação de que haviam interferido nos elementos naturais.

Uma vez que a fertilidade tinha grande importância – a fertilidade dos campos e dos animais –, os Wicca, seguidores da religião baseada na natureza, realizavam certos rituais sexuais. Os juízes cristãos devotaram uma atenção exagerada a esses rituais sexuais e pareciam deleitar-se em bisbilhotar cada mínimo detalhe relativo a eles. Os rituais da Arte eram alegres em sua essência, mas totalmente incompreensíveis para os sombrios inquisidores e reformadores, que buscavam reprimi-los.

Uma estimativa grosseira do número total de pessoas queimadas, enforcadas ou torturadas até a morte sob a acusação de Bruxaria é nove milhões. Obviamente nem todas eram seguidoras da Antiga Religião. Tratava-se de uma ótima oportunidade para alguns se verem livres de qualquer um contra o qual tivessem algum rancor! Um excelente exemplo da forma pela qual a histeria se desenvolveu e se espalhou é o caso das chamadas Bruxas de Salém, em Massachusetts. É duvidoso que quaisquer das vítimas enforcadas fossem realmente seguidoras da Antiga

Religião. Bridget Bishop e Sarah Good provavelmente eram, mas as demais eram todos pilares da igreja local, até que crianças histéricas "gritassem" seus nomes.

Mas e quanto ao Satanismo? Os Bruxos eram chamados de adoradores do Diabo. Havia alguma verdade nisso? Não. Ainda que, como em todas as acusações, houvesse uma razão para essa crença. Em seu início, a Igreja era extremamente dura com seus seguidores. Ela não apenas determinava a forma pela qual os camponeses prestavam culto, mas também as formas pelas quais viviam e amavam. Franzia-se o cenho até mesmo para o intercurso sexual entre casais casados. Achava-se que não se devia ter nenhuma alegria no ato, permitido apenas para a procriação. O intercurso era ilegal nas quartas-feiras, nas sextas-feiras e nos domingos; pelos quarenta dias que antecediam o Natal e pelo mesmo tempo antes da Páscoa; por três dias antes de receber a comunhão e da concepção até quarenta dias após o parto. Em outras palavras, somente em aproximadamente dois meses por ano podia-se ter relações sexuais com o cônjuge... mas sem sentir prazer com o ato, é claro!

Não há dúvidas de que tais coisas, juntamente com outras crueldades semelhantes, conduziram a uma rebelião – mesmo que clandestina. As pessoas – desta vez os cristãos –, ao descobrir que seu destino não melhorava quando rezavam ao chamado Deus de Amor, decidiam rezar para o seu adversário. Se Deus não iria ajudá-las, talvez o Diabo ajudasse. Assim surgiu o Satanismo. Uma paródia do Cristianismo, uma imitação dele. Tratava-se de uma revolta contra a rigidez da Igreja. Como se descobriu depois, o "Demônio" também não ajudava o pobre camponês. Mas, pelo menos assim, indo contra o estabelecido, ele demonstrava seu desdém pelas autoridades.

Não levou muito tempo até que a "Santa Madre Igreja" percebesse essa rebelião. O Satanismo era anticristão. A Bruxaria também era – aos olhos da Igreja – anticristã. Logo, Bruxaria e Satanismo eram uma coisa só.

Em 1604, o Rei James I sancionou seu Ato Contra a Bruxaria, que foi revogado em 1736 e substituído por outro, segundo o qual não existia tal coisa como a Bruxaria. Portanto, quem afirmava ter poderes ocultos estava sujeito à acusação de fraude. Por volta do final do século XVII, os membros sobreviventes da Arte viviam na clandestinidade. Pelos trezentos anos seguintes, para todos os efeitos, a Bruxaria estava extinta. Mas uma religião que já havia durado vinte mil anos não morreria tão facilmente.

Em pequenos grupos – covens sobreviventes, às vezes entre membros de uma mesma família –, a Arte sobreviveu.

No campo literário, o Cristianismo chegou ao seu apogeu. A imprensa foi inventada e desenvolvida durante as perseguições, portanto qualquer coisa publicada sobre o tema da Bruxaria era escrita do ponto de vista da Igreja. Os livros posteriores tinham como referência apenas esses primeiros trabalhos; naturalmente, então, o preconceito contra a Antiga Religião era severo. Na verdade, foi apenas em 1921, quando a dra. Margaret Alice Murray escreveu *Witch Cult In Western Europe*, que a Bruxaria foi examinada de um ponto de vista não preconceituoso. Estudando os registros dos julgamentos na Idade Média, Murray (uma eminente antropóloga e professora de Egiptologia da Universidade de Londres) encontrou pistas que pareciam indicar a existência de uma religião pré-cristã, definida e organizada, por trás de toda a "sujeira" disseminada pelas alegações cristãs. Embora as teorias dela tivessem, por fim, se provado um pouco forçadas em algumas áreas, ela realmente conseguiu provocar certo furor. A Wicca não era tão difundida nem conhecida quanto Murray sugeriu (nem há provas de uma linhagem contínua de Bruxos desde os homens das cavernas), mas não há dúvida de que ela existiu como culto religioso, mesmo que esporádico, no espaço e no tempo. Murray ampliou suas ideias em seu segundo livro, *The God of the Witches*, em 1931.

Em 1951, na Inglaterra, as últimas leis contra a Bruxaria foram finalmente revogadas. Isso abriu caminho para que as próprias Bruxas se expressassem. Em 1954, o dr. Gerald Brousseau Gardner, em seu livro *Witchcraft Today*, disse, com efeito: "O que Margaret Murray teorizou é verdade. A Bruxaria foi uma religião e de fato ainda é. Eu sei, porque eu mesmo sou Bruxo".

Gardner revelou que a Arte ainda estava viva, embora oculta. Foi o primeiro a contar a versão bruxa da história. Na época em que escreveu isso, parecia-lhe que a Arte estava declinando e talvez se mantivesse apenas por um fio. Ele ficou muito surpreso, quando, em resultado da publicação de seus livros, começou a receber notícias de muitos covens por toda a Europa, que ainda praticavam alegremente suas crenças. Mas esses covens sobreviventes haviam aprendido sua lição. Não queriam correr o risco de vir a público. Quem poderia garantir que as perseguições não começariam novamente?

Dr. Gerald Gardner

Por algum tempo, Gerald Gardner foi a única voz em defesa da Arte. Ele afirmava ter sido iniciado num coven inglês, perto de Christchurch, na costa sul da Inglaterra, logo antes do início da II Guerra Mundial. Ele ficou empolgado com o que encontrou. Havia passado toda a sua vida estudando magia religiosa e agora era parte dela. Ele queria sair correndo dali e contar para todo mundo. Mas não tinha permissão para tal. Por fim, depois de muito implorar, permitiram que ele apresentasse algumas das verdadeiras crenças e práticas dos Bruxos num romance, *High Magic's Aid*, publicado em 1949. Ele levou mais cinco anos para persuadir o coven a permitir que ele contasse a natureza dos fatos. Para complementar *Witchcraft Today*, ele publicou seu terceiro livro em 1959, intitulado *The Meaning of Witchcraft*.

Com base nos seus próprios estudos de religião e magia, Gardner concluiu que os remanescentes da Bruxaria que ele encontrara estavam incompletos e, em certo sentido, incorretos. Durante milênios, a Antiga Religião havia sido puramente uma tradição oral. Foi apenas com as perseguições, com a separação dos covens e a resultante perda de intercomunicação que surgiram os primeiros registros. Naquela época, quando os Bruxos tinham que se reunir nas sombras, os rituais passaram finalmente a ser descritos no que se tornou conhecido como *O Livro das Sombras,* que era copiado e recopiado à medida que passava, através dos anos, de um líder de coven para outro. É natural que houvesse erros. Gardner reuniu os rituais do coven ao qual pertencia – um grupo basicamente inglês/celta – e os rescreveu do modo que ele sentia que deviam ter sido. Essa foi a base do que se tornou conhecida como "Bruxaria gardneriana". Com o tempo surgiram muitas teorias e acusações acirradas e surpreendentes, desde "Gardner inventou a coisa toda" até "Gardner encarregou Aleister Crowley de escrever *O Livro das Sombras* para ele. Tais acusações nem merecem uma resposta, mas detalhes do trabalho preparatório de Gardner podem ser encontrados nos livros de Stewart Farrar, *What Witches Do* e *Eight Sabbats for Witches.*

Entretanto, quaisquer que sejam os sentimentos que se nutra por Gardner, qualquer que seja a crença de uma pessoa com relação às origens da Wicca, *todos* os Bruxos da atualidade e os que existirão pelos séculos à frente têm com ele uma enorme dívida de gratidão, pela coragem que ele teve de erguer a voz e defender a Bruxaria. É por causa dele que podemos viver a Arte, em suas muitas formas, nos dias de hoje.

Nos Estados Unidos, o primeiro Bruxo a "se reconhecer como tal" fui eu, Raymond Buckland. Naquela época, não havia covens nesse país. Iniciado na Escócia (Perth) pela Grã-Sacerdotisa de Gardner, decidi seguir os passos dele numa tentativa de corrigir os equívocos disseminados havia tanto tempo e mostrar a Arte pelo que ela realmente é. Logo Sybil Leek entrou em cena, seguida de Gavin e Yvonne Frost, entre outros. Foi uma época empolgante, na medida em que mais e mais covens, e muitas diferentes tradições, vinham a público ou, pelo menos, faziam-se conhecer. Hoje, aquele que deseja ser Bruxo tem um vasto leque de tradições entre as quais escolher: gardneriana, celta (em muitas variações), saxônica, alexandrina, druida, Algard, nórdica, irlandesa, escocesa, siciliana, huna etc. Detalhes de algumas dessas diferentes tradições são apresentados no Apêndice A.

É admirável que existam tantos, e tão variados, ramos ("denominações" ou "tradições") de Bruxaria. Como eu disse na introdução deste livro, todos somos diferentes. Não é de surpreender que não exista uma religião que sirva para todas as pessoas. Da mesma maneira, não existe um tipo único de Bruxaria que sirva para todos os Bruxos. Alguns gostam de muitos rituais, enquanto outros prezam a simplicidade. Alguns são de

O Moinho das Bruxas: berço da Wicca gardneriana

origem celta, outros de origem saxã, irlandesa, italiana ou outra. Alguns são a favor do matriarcado; outros, do patriarcado, e ainda existe quem busque o equilíbrio. Alguns preferem cultuar em grupo (coven), enquanto outros preferem o culto solitário. Com o grande número de denominações que existe hoje em dia, é mais provável que todos encontrem um caminho que possam seguir de boa vontade.

A religião percorreu um longo caminho desde suas humildes origens, nas cavernas da Pré-História. A Bruxaria, como uma pequena faceta da religião, também percorreu um longo caminho. Ela cresceu e se tornou religião no mundo inteiro e, muitas vezes, legalmente reconhecida.

Hoje, não é difícil encontrar, nos Estados Unidos, festivais wiccanos abertos e seminários acontecendo em lugares improváveis, como acampamentos familiares e hotéis. Os Bruxos aparecem em programas de rádio e TV; escreve-se sobre eles em jornais e revistas. Cursos de Bruxaria são oferecidos em faculdades. Até mesmo nas forças armadas norte-americanas, a Wicca é reconhecida como uma religião válida (O Panfleto Nº 165-13 do Departamento do Exército, "Necessidades e Práticas Religiosas de Certos Grupos Selecionados – Um Manual para Capelões", inclui instruções sobre os direitos religiosos dos Bruxos, assim como de grupos islâmicos, *sikhs*, cristãos, indígenas, japoneses e judeus.

Sim, a Bruxaria tem um lugar em nosso passado e terá um lugar bem definido no futuro.

A Filosofia da Bruxaria

A Arte é uma religião de amor e alegria. Ela não é sombria como o Cristianismo, com suas ideias de "pecado original", com a salvação e a felicidade possíveis apenas na vida após a morte. A música da Bruxaria é alegre e cheia de vida, contrastando com os hinos de lamentação do Cristianismo. Por quê? Muito disso tem a ver com a empatia que os wiccanos têm com a natureza. Os primeiros povos compactuavam com a natureza por pura necessidade. Eles eram uma parte da natureza, não eram separados dela. Um animal era um irmão, assim como uma árvore. Homens e mulheres cuidavam dos campos e, em troca, recebiam alimento para sua mesa. É claro que eles matavam animais para se alimentar. Mas muitos animais matam outros animais para se alimentar. Em outras palavras, o ser humano era parte da ordem natural das coisas, não estava separado dela. Nem se considerava "acima" dela.

Os homens e mulheres modernos perderam muito dessa proximidade, se não toda ela. A civilização os afastou da natureza. Mas isso não vale para os Bruxos! Mesmo hoje, neste mundo mecanizado e supersofisticado que esse ramo da natureza (homens e mulheres) criou, a Wicca mantém suas ligações com a Mãe Natureza. Em livros como o de Brett Bolton, *The Secret Powers of Plants,* nós aprendemos sobre a "incrível", "extraordinária" reação saudável das plantas à ternura; sobre como elas sentem e reagem ao que é bom e ao que é mau; como elas expressam amor, medo, ódio (algo que pode brotar na mente dos vegetarianos quando se tornam extremamente críticos em relação aos que comem carne, talvez?). Essa não é uma descoberta recente. Os Bruxos sempre souberam disso. Sempre falaram ternamente com as plantas. Não é incomum ver um Bruxo, ao andar num bosque, parar e abraçar uma árvore. Não é raro ver uma Bruxa tirar os sapatos e andar descalça num campo arado. Isso tudo consiste em manter o contato com a natureza; em não perder nossa herança.

Se você alguma vez se sentir completamente esgotado, se estiver zangado ou tenso, saia ao ar livre e sente-se junto a uma árvore. Escolha uma árvore frondosa, sólida (o carvalho e o pinheiro são boas opções), sente-se no chão, com as costas eretas, e se encoste no tronco. Feche os olhos e relaxe. Você sentirá uma mudança gradual em seu corpo. Sua tensão, sua raiva e seu cansaço vão desaparecer. É como se a árvore drenasse tudo isso de você e substituísse esse mal-estar por uma sensação crescente de calor, amor e conforto. Esses sentimentos vêm da árvore. Aceite-os e regozije-se. Fique sentado ali até se sentir renovado. Então, antes de ir embora, fique de pé com os braços ao redor da árvore e a agradeça.

Reserve algum tempo para parar e apreciar tudo ao seu redor. Sinta o cheiro da terra, das árvores, das folhas. Absorva suas energias e envie a eles as suas. Um dos fatores que contribuem para nosso isolamento do resto da natureza é o material isolante de nossos sapatos. Quando puder, fique descalça. Faça contato com a terra. Sinta-a; absorva-a. Mostre seu respeito e seu amor pela natureza e viva *com* a natureza.

Do mesmo modo, viva *com* as outras pessoas. Você vai encontrar muitas, no curso da vida, que podem se beneficiar desse encontro. Sempre esteja pronto para ajudá-las da forma que puder. Não ignore ninguém, nem afaste os olhos se souber que elas precisam de ajuda. Se puder ajudar, ajude de boa vontade. Por outro lado, não tente assumir o controle sobre a vida de outra pessoa. Todos temos que viver nossa própria vida. Mas, se você puder ajudar, aconselhar, apontar o caminho, então faça isso. O que a pessoa fará daí em diante será escolha dela.

A doutrina máxima da Bruxaria, a Rede Wiccana, é:

"Faça o que quiser, mas não prejudique ninguém".

Faça o que você quiser, desde que não faça nada que possa prejudicar outra pessoa. É simples assim.

Em abril de 1974, o Conselho de Bruxos Americanos adotou um conjunto de Princípios da Crença Wiccana. Eu mesmo sigo esses princípios e os relaciono a seguir. Leia-os cuidadosamente.

1. Nós praticamos ritos para nos sintonizar com os ritmos naturais das forças vitais, marcados pelas fases da Lua e pelas mudanças e pelos ápices das estações.

2. Reconhecemos que nossa inteligência nos dá uma responsabilidade única com relação ao nosso meio ambiente. Procuramos viver em harmonia com a natureza, em equilíbrio ecológico, oferecendo condições à vida e à consciência segundo uma visão evolutiva.

3. Reconhecemos a existência de um poder muito maior do que aquele que se manifesta na pessoa comum. Por ser bem maior que o normal, ele é às vezes chamado de "sobrenatural", mas o vemos como uma parte natural do potencial de todos.

4. Compreendemos que o Poder Criativo do Universo se manifesta por meio da polaridade – como masculino e feminino – e que esse mesmo Poder Criativo habita em todas as pessoas e age por meio da interação entre masculino e feminino. Não valorizamos um mais do que o outro, porque sabemos que se complementam. Valorizamos o sexo como prazer, como símbolo e corporificação da vida e uma das fontes de energia usada nas práticas mágicas e nos cultos religiosos.

5. Reconhecemos a existência tanto dos mundos exteriores quanto do interiores, ou psicológicos – às vezes conhecidos como Mundo Espiritual, Inconsciente Coletivo, Planos Interiores etc. –, e vemos na interação dessas duas dimensões a base dos fenômenos paranormais e das práticas de magia. Não negligenciamos nenhuma das dimensões, pois ambas são necessárias para a nossa realização.

6. Rejeitamos toda hierarquia autoritária, mas honramos aqueles que nos ensinam, respeitamos aqueles que compartilham seu conhecimento e sua sabedoria e admiramos aqueles que corajosamente deram de si para exercer funções de liderança.

7. Vemos a religião, a magia e a sabedoria de vida como uma unidade na forma pela qual uma pessoa vê o mundo e vive nele, uma visão do mundo e uma filosofia de vida que identificamos como Bruxaria – O Caminho Wiccano.

8. Dizer-se Bruxo não faz de ninguém um Bruxo – tampouco a hereditariedade ou uma coleção de títulos, graus ou iniciações. O Bruxo busca controlar as forças dentro de si mesmo que tornam a vida possível, de modo a viver com sabedoria e bem, sem prejudicar outras pessoas e em harmonia com a natureza.

9. Acreditamos na afirmação e na plenitude da vida, numa contínua evolução e num contínuo desenvolvimento da consciência, dando sentido ao Universo que conhecemos e ao nosso papel dentro dele.

10. Nossa animosidade com relação ao Cristianismo ou qualquer outra religião ou filosofia de vida só existe na medida em que essas instituições se proclamam "o único caminho", negando liberdade a outras entidades e reprimindo outras formas de crença e prática religiosa.

11. Como Bruxos Americanos, nós não nos sentimos ameaçados por debates sobre a história da Arte, sobre as origens de vários termos, sobre a legitimidade de vários aspectos de diferentes tradições. Nós nos preocupamos com nosso presente e com o nosso futuro.

12. Não aceitamos o conceito de mal absoluto, nem adoramos a entidade conhecida como "Satanás" ou "Demônio", como definido pela tradição cristã. Não buscamos o poder por meio do sofrimento de outros, nem aceitamos o conceito segundo o qual benefícios pessoais só podem ser obtidos pela negação do outro.

13. Acreditamos que devemos buscar na natureza o que pode contribuir para a nossa saúde e o nosso bem-estar.

O Poder Interior

Existem muitas pessoas que parecem, muito obviamente, ter algum tipo de "poder psíquico" (por falta de um termo melhor). Estou falando daquele tipo de pessoa que sabe que o telefone vai tocar antes que ele de fato toque ou sabe quem está do outro lado da linha antes mesmo de atender. Pessoas como Uri Geller são capazes de demonstrar esse poder de forma mais ostensiva, dobrando chaves e colheres sem nenhum contato físico. Outros têm "visões" ou parecem ser capazes de fazer as coisas acontecerem. Essas pessoas muitas vezes têm uma afinidade peculiar com os animais.

Você pode não ser assim. Pode até sentir inveja de tais pessoas. No entanto, você não deveria sentir, pois o poder que essas pessoas têm – e trata-se de um poder muito real – é inerente a todos nós. É verdade que esse poder vem à tona naturalmente em algumas pessoas, mas isso não significa que não possa ser *trazido à tona*. A aura (sobre a qual discorreremos extensivamente numa lição posterior) é uma manifestação visível desse poder. Aqueles capazes de ver a aura – e você vai se tornar um deles – podem vê-la ao redor de *todas as pessoas*, o que demonstra que esse poder existe em todos nós. Os Bruxos sempre tiveram esse poder e o usaram. Ele parece ser inato na maioria deles, mas não em todos, de forma alguma. Por essa razão, os Bruxos têm seus próprios meios para fazê-lo emergir, os quais são especialmente eficazes.

Na revista *Everyday Science and Mechanics*, de setembro de 1932, foi publicado o seguinte relatório:

Tecidos Humanos Produzem Radiações Mortais

"De acordo com o professor Otto Rahn, da Universidade Cornell, raios emitidos do sangue humano, da ponta dos dedos, do nariz e dos olhos são capazes de exterminar o fermento e outros micro--organismos. O fermento, o mesmo usado na manufatura do pão, morreu em cinco minutos meramente pela radiação das pontas dos dedos de uma pessoa. Quando uma placa de quartzo, de 12 mm de espessura, foi interposta, foi preciso quinze minutos para que a mesma coisa acontecesse. Em testes com a ponta dos dedos, descobriu-se que a mão direita é mais forte do que a esquerda, mesmo em pessoas canhotas".

O professor Rahn continuou seus experimentos e publicou os resultados na obra *Radiações Invisíveis dos Organismos* (Berlim, 1936). Numa palestra para a American Association for the Advancement of Science, ele explicou que os "raios" pareciam sair com mais ímpeto da ponta dos dedos, da palma das mãos, da sola dos pés, das axilas, dos órgãos sexuais e – apenas em mulheres – dos seios. O dr. Harold S. Burr, da Universidade de Yale, mencionou experimentos e conclusões similares em sua palestra no Terceiro Congresso Internacional do Câncer.

Os Bruxos sempre acreditaram nesse poder vindo do corpo e desenvolveram meios para aumentá-lo, coletá-lo e usá-lo para o que chamamos de *magia*. Os professores Rahn e Burr demonstraram o uso destrutivo dessa força, mas ela também pode ser usada de forma construtiva.

Eis uma experiência simples que você pode realizar com seus amigos. Peça que seu amigo fique nu da cintura para cima e sente-o de costas para você. Agora, estenda a mão, com a palma voltada para baixo e os dedos juntos, e aponte-a para uma região das costas dele. Mantenha os dedos a uma distância de cerca de 2 a 3 cm da pele. Vagarosamente, mova a mão para cima e para baixo ao longo da linha da coluna (veja a ilustração). Tente manter o braço estendido e concentre-se na ideia de irradiar sua energia, através do seu braço, até que ela saia por sua mão e seus dedos. Você provavelmente vai constatar uma forte reação do seu amigo, quando ele sentir sua energia. Talvez ele sinta formigamento, calor ou até mesmo uma brisa fresca. Esteja certo de que ele sentirá alguma coisa!

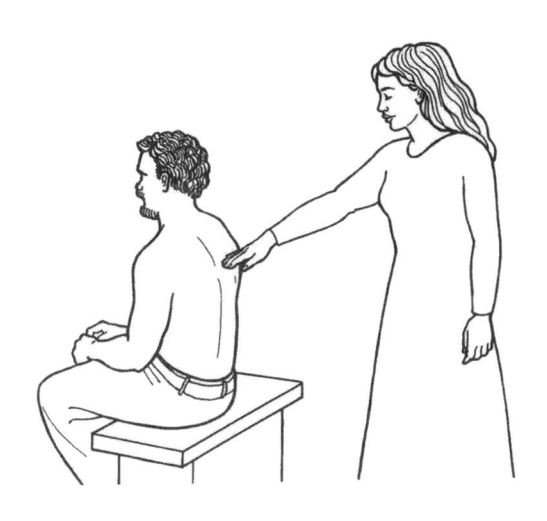

Radiação de energia de um corpo para outro

Feitiços e Encantamentos

Feitiços e encantamentos são a prática da Bruxaria mais usada pelo Bruxo Solitário. Feitiços são lançados por covens inteiros, certamente, mas existem alguns muito eficazes que podem ser lançados por um indivíduo apenas. O mais importante ingrediente para um feitiço é a emoção. Você precisa *querer* que alguma coisa aconteça. Precisa querer com todo o seu ser e, por meio desse desejo, você vai direcionar todo o seu poder para a magia. Essa é a razão pela qual é melhor fazer sua própria magia em vez de pedir a outra pessoa que a faça por você. Quando se lança um feitiço para outra pessoa, não há como colocar a mesma dose de impulso emocional de que ela própria é capaz.

Feitiços e encantamentos não estão necessariamente ligados ao aspecto religioso da Bruxaria. Um feitiço lançado dentro de um Círculo, logo depois de um ritual de esbá, muito provavelmente será eficaz. Porém, você pode lançar um Círculo simples e realizar seu feitiço em qualquer outra época e, mesmo assim, obter resultados.

Qual a real mecânica do lançamento de um feitiço, de se fazer magia? Vamos deixar isso para quando você estiver um pouco mais versado no aspecto religioso; afinal, a Bruxaria é uma religião.

Questões sobre a Lição Um

1. É muitas vezes benéfico examinar nossos sentimentos e atitudes com relação a uma filosofia ou um tópico no qual estamos interessados. Qual é a *sua* compreensão ou o *seu* sentimento com relação à Bruxaria? Examine suas impressões, seus preconceitos, suas suposições etc. Como suas reações com respeito à Bruxaria mudaram ao longo da sua vida?

2. Existem muitas tradições de Bruxaria. (Informações sobre elas podem ser encontradas no Apêndice A.) Com base no que você já sabe, que tradição você acha que gostaria de praticar e por quê?

3. Os primeiros conceitos de magia primitiva se relacionavam à magia simpática. Como a magia simpática pode ajudar você hoje? De que formas você prevê que vai usá-la? Faça uma lista de algumas possibilidades.

4. Faça uma gravação, citando os princípios da Bruxaria aos quais você pretende aderir. Use o mesmo método para gravar seus rituais favoritos. Falar em voz alta ajuda a consolidar suas crenças e torná-las mais claras para você.

Questões Avaliatórias sobre a Lição Um

Responda às perguntas com as suas próprias palavras, sem se referir ao texto lido. Não passe para a lição seguinte até que esteja totalmente satisfeito com a anterior. As respostas a essas perguntas encontram-se no Apêndice B.

1. Quais são as duas divindades mais importantes para a existência do ser humano primitivo?

2. O que é magia "simpática"? Dê um exemplo.

3. Onde o Papa Gregório construiu as primeiras igrejas e por quê?

4. Quem era "Jack of the Green"?

5. O que é o *Malleus Maleficarum* e quem foi responsável por ele?

6. Quem foi a antropóloga/egiptologista que, nos anos 1930, defendeu a teoria de que a Bruxaria era uma religião organizada?

7. Quando a última lei contra a Bruxaria foi revogada na Inglaterra?

8. Quem foi o primeiro Bruxo que defendeu a Arte a) na Inglaterra; b) nos Estados Unidos?

9. Qual é a única animosidade dos Bruxos contra o Cristianismo ou qualquer outra religião ou filosofia?

10. Você precisa pertencer a um coven para lançar um feitiço?

Leitura Recomendada

Capítulos de 1 a 6 de *Witchcraft From the Inside*, de Raymond Bukland.

Leituras Complementares

The God of the Witches, da dra. Margaret A. Murray.
Witches: Investigating an Ancient Religion, de T. C. Lethbridge.
The Devil in Massachussetts, de Marion Starkey.

LIÇÃO DOIS

As Crenças

As Divindades

POR MAIS DIFERENTES QUE sejam as muitas religiões do mundo, na essência todas são iguais. Frequentemente se diz que existem muitos caminhos, mas que todos levam ao mesmo lugar, e isso é verdade. Os ensinamentos básicos são todos iguais; o que difere é o método pelo qual se ensina. Existem diferentes rituais, diferentes festivais e até diferentes *nomes* para os deuses... Perceba que eu disse "diferentes nomes para os deuses", em vez de simplesmente "diferentes deuses".

Friedrich Max Muller diz que a origem da religião é um "indelével sentimento de dependência" em relação a um poder superior que é inato na mente humana. E *sir* James George Frazer (em *O Ramo de Ouro*) define a religião como sendo uma "propiciação ou conciliação dos poderes superiores ao Homem, os quais se acredita que direcionem e controlem o curso da natureza e a vida humana".

O poder superior – "a Divindade Suprema" – é uma força sem gênero, que está tão além de nossa compreensão que podemos apenas ter um vago entendimento do seu ser. Ainda assim sabemos que ela existe e, muitas vezes, desejamos nos comunicar com ela. Como indivíduos, desejamos agradecê-la pelo que temos e pedir pelo que precisamos. Como podemos fazer isso com um poder tão incompreensível?

Imagem da Deusa

Imagem do Deus

No século VI AEC, o filósofo Xenófanes evidenciou o fato de que as divindades são determinadas por fatores étnicos. Ele sublinhou que os negros da Etiópia viam seus deuses com traços negroides, enquanto os deuses dos trácios eram brancos, com cabelos vermelhos e olhos cinzentos. Ele cinicamente comentou que, se os cavalos e bois pudessem esculpir, eles provavelmente representariam seus deuses na forma animal! Cerca de 750 anos depois, Máximo de Tiro disse exatamente a mesma coisa: que os homens reverenciam seus deuses em qualquer forma que lhes pareça inteligível.

Na Lição Um, você aprendeu que, em seu desenvolvimento inicial, as pessoas passaram a adorar duas divindades principais: O Deus Cornífero da Caça e a Deusa da Fertilidade. Eles eram nossas representações – sob formas compreensíveis – do Poder Supremo que de fato rege a vida. Nas várias áreas do desenvolvimento humano, vemos que essas representações tornaram-se, para os antigos egípcios, Ísis e Osíris; para os hindus, Shiva e Parvati; para os cristãos, Jesus e Maria. Em quase todos os exemplos (existem exceções), a Divindade Suprema era equalizada com o masculino e o feminino... dividida em um Deus e uma Deusa. Isso parece ser o mais natural, uma vez que em qualquer lugar na natureza pode-se encontrar essa dualidade. Com o desenvolvimento da Arte, como a conhecemos, existiu também, como vimos, essa dualidade de um Deus e uma Deusa.

Os Nomes das Divindades

Conforme mencionado na Lição Um, os nomes das divindades variam dependendo do lugar. E não apenas isso. Com a Deusa, especialmente, a questão dos nomes pode se tornar muito complexa. Por exemplo, um homem jovem com problemas amorosos pode reverenciar a Deusa em seu aspecto de linda donzela. Uma mulher durante o parto pode se sentir mais confortável relacionando-se com a Deusa numa forma de mulher mais madura, "na meia-idade". Assim como uma pessoa mais velha vai tender a pensar na Deusa como uma anciã. Logo, temos três aspectos separados e bem distintos da mesma Deusa, cada uma delas com um nome diferente, mas ainda assim a mesma divindade. Como se não bastasse, as divindades terão nomes conhecidos aos adoradores em geral, mas também outros, secretos (muitas vezes dois ou três), conhecidos apenas pelo sacerdócio. Essa era uma medida de proteção.

"PAN – deus grego da natureza e da fertilidade, nativo da Arcadia. Como tal, ele é o deus dos rebanhos de ovelhas e é geralmente representado como uma criatura muito sensual; um homem com os cabelos despenteados até os quadris, com orelhas pontudas, chifres e pés de bode. Ele perambula pelas montanhas e pelos vales, perseguindo ninfas ou liderando-as em suas danças. É um deus muito musical, inventor da siringe, ou "flauta de Pan". Ele é considerado filho de Hermes."

Putnan's Concise Mythological Dictionary
Joseph Kaster
Putnan, Nova York, 1963

Na Bruxaria de hoje existem muitas tradições que mantêm essa multiplicidade de nomes. Tradições com sistemas de graus, por exemplo, muitas vezes usam diferentes nomes para as divindades em seus graus superiores. A gardneriana é um exemplo disso.

Portanto, temos essa ideia de uma Divindade Suprema, um poder incompreensível e, na tentativa de nos relacionarmos com ela, nós a dividimos em duas entidades, uma masculina e outra feminina, atribuindo nomes a elas. Parece que, ao fazer isso, estamos limitando o que é, por definição, ilimitado. *Mas, contanto que você saiba e tenha sempre em mente que esse poder é ilimitado,* você vai perceber que esse é o caminho mais fácil a seguir. Afinal, é muito difícil rezar para uma "Coisa", um Poder Supremo, sem conseguir representá-la como *alguém* em sua mente.

No Judaísmo, existe esse problema em certa medida (embora o Judaísmo seja uma fé teocêntrica). O Poder Supremo, nesse credo, tem um nome que não pode ser pronunciado nem escrito. *Yahweh* é a forma vocalizada mais usada, mas ela é derivada de quatro letras, YHWH (o "Tetragramaton Divino"), um nome sagrado demais para ser pronunciado.

No Cristianismo, designa-se um homem, Jesus, como "Filho de Deus", o Cristo, conferindo assim uma forma "reconhecível" para a divindade, uma forma com a qual os seguidores pudessem se relacionar. Com Maria, a figura da Mãe, a dualidade está completa. Assim, ficou muito mais confortável rezar para Jesus, como uma extensão de Deus/Ser Supremo, sabendo-se o tempo todo da existência do indefinível, incompreensível, além dele. Jesus e Maria são os intermediários.

Na Bruxaria, acontece a mesma coisa: aqueles que conhecemos como Deus e Deusa são nossos intermediários. Como já mencionado, cada tradição usa um nome diferente para designar "formas compreensíveis" do Ser Supremo, da Divindade Máxima. Eles são as divindades honradas e cultuadas nos rituais wiccanos.

O Deus e a Deusa da Bruxaria

Uma queixa geral dos Bruxos contra o Cristianismo é que se cultua uma divindade masculina, com a exclusão da feminina. De fato, essa é uma das principais razões pelas quais as pessoas (especialmente as mulheres) deixam o Cristianismo de lado e se voltam para a Antiga Religião. E ainda assim é paradoxal que muitas – senão a maioria – das tradições de

Bruxaria sejam culpadas desse mesmo "crime", mas pelo motivo contrário: por reverenciar a Deusa, excluindo o Deus quase totalmente.

A Bruxaria é uma religião da natureza, como qualquer Bruxo lhe dirá. Tudo o que existe na natureza é masculino e feminino, e *ambos* são necessários (eu ainda não encontrei ninguém que não tenha uma mãe e um pai). Segue-se daí que ambos, o Deus e a Deusa, são importantes e devem ser igualmente reverenciados. É preciso que haja *equilíbrio*. Mas, lamentavelmente, falta equilíbrio na maioria das tradições da Arte, assim como falta no Cristianismo.

Podemos nos surpreender ao descobrir quais são os nomes usados para as divindades em diferentes tradições. Uma tradição galesa muito forte usa o nome "Diana" para a Deusa e "Pan" para o Deus... Diana, é claro, era uma Deusa *romana*, e Pan era um deus *grego*! A ligação desses deuses com os galeses deve ser um dos mistérios!

Calendário astrológico medieval

Todos nós temos atributos masculinos e femininos. Até o homem mais viril e durão tem aspectos femininos, assim como a mais feminina das mulheres tem aspectos masculinos. Também é assim com as divindades. O Deus tem aspectos femininos assim como masculinos, e a Deusa tem aspectos masculinos assim como femininos. Vamos examinar isso com mais detalhes numa lição posterior.

Os nomes que você usa para designar suas divindades é uma questão de preferência pessoal. Na Bruxaria saxã, o nome *Woden* é conferido ao Deus; na gardneriana, usa-se o nome latino *Cernunnos*; na Escocesa, *Dev'la*. Cada tradição tem seu próprio nome. Mas nomes são apenas rótulos; são apenas formas de identificação. Você precisa se identificar com o Deus, por isso usa um nome com o qual se sinta confortável. Afinal, a religião é a coisa mais pessoal que existe, está lá no fundo de nós, e, para atingir seu propósito verdadeiro, precisa estar relacionada conosco da maneira mais pessoal possível. Isso é válido mesmo que você siga uma tradição estabelecida: encontre uma tradição que pareça correta para você (como eu disse na Lição Um), mas... não tenha medo de modificar o que for necessário para torná-la totalmente certa para você. Se o nome usado para identificar o Deus, na tradição que você escolheu, for Cernunnos, por exemplo, e você tiver dificuldade para se relacionar com esse nome, então escolha outro. Em outras palavras, respeite o nome Cernunnos nos cultos em grupo e em todos os assuntos pertinentes ao coven mas, em sua mente – e seus rituais pessoais – não hesite em substituí-lo por Pan ou Mananna ou Lief ou qualquer outro. Um nome, como eu já disse, é um rótulo. O Deus sabe que você está "falando" com ele; ele não vai se confundir! (Isso também se aplica à Deusa, é claro.)

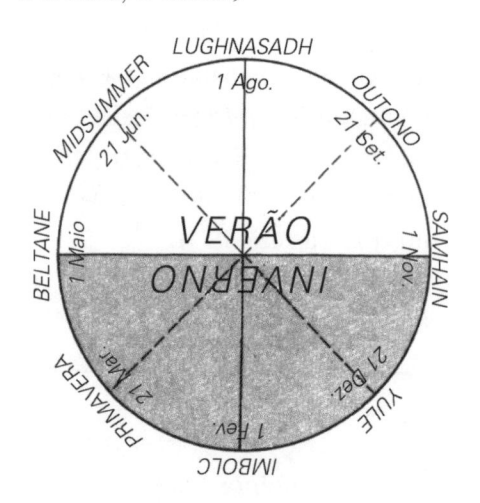

Figura 2.1
Roda do Ano no hemisfério Norte

Pode ser por isso que o nome Cernunnos está presente em tantas ramificações da Arte. Como já mencionei, ele é a palavra latina para "Cornífero". Por isso o acréscimo de uma identificação pessoal, com a qual você se sinta mais confortável, não causa nenhum conflito.

Por tradição, a "metade escura" do ano (veja a Figura 2.1) está associada ao Deus. Mas isso não significa que ele esteja "morto" ou "inacessível" na "metade clara" do ano (e isso também pode ser dito com relação à Deusa). Durante a metade clara, ele está plenamente ativo em seu aspecto *feminino*; assim como a Deusa está ativa, na metade escura do ano, em seu aspecto *masculino*. Assim, *ambas* as divindades estão ativas durante o ano todo, mesmo que uma receba mais atenção do que a outra em certas épocas.

Existe um tema comum em mitos pelo mundo afora, o relacionado à morte e à ressurreição. O simbolismo é muitas vezes aprofundado, acrescentando-se uma descida ao submundo, com um posterior retorno. Nós encontramos esse mito na descida de Ishtar ao Mundo dos Mortos e na busca por Tannaz; na perda dos cachos dourados de Sif; na perda das maçãs douradas de Idunn; na morte e na ressurreição de Jesus; na morte e na ressurreição de Shiva e muitos mais. Basicamente, todos representam a chegada do outono e do inverno, seguida pelo retorno da primavera e do verão; a figura principal representando o espírito da vegetação. Eis o "Mito da Deusa" como encontrado na Wicca gardneriana (a) e na Wicca saxônica (b).

"D nunca tinha amado, mas ela tinha de resolver todos os Mistérios, até mesmo o Mistério da Morte; e por isso ela iniciou sua jornada às Terras Baixas.

Os Guardiões dos Portais a desafiaram: 'Despe-te de tuas vestes, deixa de lado tuas joias, pois nada disso podes trazer contigo para as nossas terras'.

E assim ela se despojou das vestes e das joias e foi amarrada, como todos os que adentram nos reinos da Morte Todo-Poderosa. Tal era sua beleza que a própria Morte ajoelhou-se e beijou-lhe os pés, dizendo: 'Abençoados sejam os pés que te trouxeram a este caminho. Fique comigo, deixe-me colocar minha mão fria em teu coração'.

Ela respondeu: 'Eu não te amo. Por que causas o declínio e a morte de todas as coisas que eu amo e que me são caras?'.

'Senhora', respondeu Morte, 'é a idade e o destino, contra os quais sou impotente. A idade faz com que todas as coisas minguem, mas, quando os homens morrem, quando chega sua hora, eu lhes dou descanso e paz, além de força para que possam retornar. Mas tu, tu és adorável. Não volte, fique comigo'.

Mas ela respondeu: 'Eu não te amo'.

'Então', disse a Morte, 'Se não recebes minha mão em teu coração, deves receber o chicote da Morte'.

'Se é o destino, que seja', disse ela, ajoelhando-se; e Morte a chicoteou, e ela gritou: 'Eu sinto as dores do amor'.

E a Morte disse: 'Abençoada Sejas' e lhe deu o Beijo Quíntuplo, dizendo: 'Que você conheça a alegria e o conhecimento'.

E a Morte ensinou a ela todos os mistérios. E elas se amaram e foram um só, e a Morte ensinou a ela todas as magias.

Pois existem três grandes eventos na vida do homem: o Amor, a Morte e a Ressurreição num novo corpo; e a Magia controla todos os três. Pois, para conhecer plenamente o amor, você deve voltar à mesma época e ao mesmo lugar que a pessoa amada, e deve se lembrar e amá-la novamente. Mas, para renascer, você tem de morrer e estar pronto para um novo corpo; para morrer, você tem de nascer; e, sem amor, você não pode nascer. E tudo isso é Magia."

The Meaning of Witchcraft
Gerald. B. Gardner
Aquarian Press,
Londres, 1959

"Todos os dias, Freya, a mais adorável das deusas, brincava e corria pelos campos. Um dia, ela se deitou para descansar.

Enquanto dormia, o hábil Loki, o Travesso, o Enganador dos Deuses, espiava o resplendor do Brosingamene, o colar mágico dela, feito de Galdra, seu companheiro constante. Silencioso como a noite, Loki foi até a Deusa e, com dedos de uma leveza adquirida ao longo das eras, removeu o colar de prata do níveo pescoço da Deusa.

Assim que sentiu sua ausência, Freya despertou. E, embora Loki se movesse com a velocidade dos ventos, ela viu quando ele passou velozmente e sumiu de vista, em direção a Drëun, embaixo da terra.

Freya ficou desesperada. As trevas desceram sobre ela para encobrir suas lágrimas. Grande era sua angústia. Toda a luz, toda a vida, todas as criaturas se uniram à sua dor.

A todos os cantos do mundo foram enviados exploradores, em busca de Loki, ainda que

Freya e Loki

soubessem que não o encontrariam. Pois quem haveria de descer a Drëun e de lá retornar?

Exceto pelos próprios deuses e pelo enganador Loki.

Ainda que debilitada pelo sofrimento, Freya decidiu descer ela mesma em busca do Brosingamene. Nos portais da Terra dos Mortos, ela foi desafiada, reconhecida e passou.

A multidão de almas lá dentro gritou de alegria ao vê-la, mas ela não podia se demorar, pois buscava sua luz roubada.

O infame Loki não deixara pistas a seguir, mas, ainda assim, ele fora visto em todos os lugares por que passara. Aqueles com quem Freya falava diziam que Loki não carregava consigo nenhuma joia.

Onde, então, ele a escondera?

Em desespero, ela procurou durante uma era.

Quando Hearhden, o poderoso ferreiro dos deuses, acordou do seu descanso ao sentir o lamento das almas pela dor de Freya e deixou sua forja para descobrir a causa de tamanha tristeza, ele viu o Colar de Prata onde Loki, o Enganador, o deixara: sobre uma rocha, diante de sua porta.

Então tudo ficou claro. No momento em que Hearhden pegou o Brosingamene, Loki apareceu diante dele, o rosto enfurecido.

Ainda assim, Loki não atacou Hearhden, o poderoso ferreiro cuja força era conhecida até mesmo além de Drëun.

Usando truques e engodos, ele disputou o colar de prata. Mudava de forma e corria de um lugar para o outro; ficava ora visível, ora invisível. E ainda assim não conseguiu vencer o ferreiro.

Cansado da luta, Hearhden levantou sua poderosa clava e afugentou Loki.

Grande foi a alegria de Freya quando Hearhden colocou o Brosingamene novamente em seu pescoço branco.

Grandes foram os gritos de alegria vindos de Drëun e acima.

Grande foi a gratidão de Freya, e de todos os homens, aos deuses, pela volta do Brosingamene."

**The Tree: The Complete Book
of Saxon Witchcraft
Raymond Buckland
Samuel Weiser, Nova York, 1974**

Com referência ao assunto dos nomes das divindades, deixe-me explicar os nomes escolhidos pela Seax-Wica. De tempos em tempos, eu ouço comentários de pessoas que nunca se dão ao trabalho de olhar além do próprio nariz, dizendo que Woden e Freya não eram o "par" original de divindades saxônicas. É claro que não eram, e ninguém – eu muito menos – disse que eram. Eis aqui como a origem da tradição foi explicada, pela primeira vez, em 1973: "Parece que a maioria das pessoas que se interessa pela Wicca também se interessa por uma tradição (será que isso explica a disputa pelo título de 'tradição mais antiga'?). Por essa razão, dei à minha tradição uma base histórica sobre a qual se apoiar. Especificamente, uma base saxônica. Ao dar essa ênfase, não estou afirmando que sua liturgia tenha uma origem saxônica direta! (...) Mas era preciso, por exemplo, dar nomes às divindades... o deus e a deusa principais dos saxões eram Woden e Frig. Infelizmente, na língua inglesa, 'frig' tem certas conotações vulgares, hoje em dia, que poderiam gerar uma interpretação equivocada! Eu adotei, então, a variação nórdica, Freya. Por isso, Woden e Freya são os rótulos usados para o Deus e a Deusa cultuados na Seax-Wica".

Earth Religion News
Raymond Buckland
Yule, 1973

A Seax-Wica não afirma ser uma reconstrução da Arte Saxônica original – tal tarefa seria impossível. Ela é meramente uma tradição funcional, construída dentro de arcabouço saxônico, e os nomes das divindades foram escolhidos a dedo e pelas razões apresentadas. Qualquer comentário sobre o fato de serem "incorretos" é equivocado.

A Reencarnação

A crença na reencarnação é antiga. Ela faz parte de muitas religiões (Hinduísmo e Budismo, por exemplo) e era, inclusive, um dos dogmas originais do Cristianismo, até ser condenado pelo Segundo Concílio de Constantinopla, em 553. Acredita-se que o espírito humano, ou alma, seja um fragmento do divino e que um dia retornará à sua fonte divina. Mas, para sua própria evolução, é necessário que a alma experimente todas as coisas da vida.

Essa crença parece a mais sensível e mais lógica explicação para tudo o que acontece na vida. Por que uma pessoa nasce numa família rica e outra, na pobreza? Por que uma pessoa nasce com deficiência e outra, forte e perfeita?... Será que não é porque devemos todos experimentar todas as coisas? A reencarnação parece a explicação mais lógica para as crianças prodígios. Um gênio da música, que compõe concertos aos 5 anos de idade (como Mozart), obviamente carrega consigo conhecimentos adquiridos numa vida passada. Isso não acontece com frequência, mas pode acontecer. Do mesmo modo, a reencarnação também pode explicar a homossexualidade: uma pessoa que foi homem numa vida e mulher na seguinte (ou vice-versa) pode estar transferindo sentimentos e preferências de uma vida para a outra.

Para alguém que não acredita em reencarnação, é difícil aceitar a morte de uma criança. Qual é a razão de alguém viver apenas poucos anos? Para o reincarnacionista, é evidente que a criança aprendeu tudo o que deveria nesta vida e está avançando para a próxima. Uma metáfora muito boa para explicar isso é a escola. Você entra na escola no primeiro ano e aprende o básico. Quando assimilou tudo, passa de ano, tira férias e depois volta para aprender e experimentar coisas no ano seguinte. Quando termina, você se gradua (isto é, morre). Para voltar à escola numa classe mais avançada, você nasce num novo corpo. Ocasionalmente, você tem lembranças das vidas passadas, ou de partes delas, mas de modo geral não se lembra de nada. (É possível, é claro, que, por meio de técnicas como regressão sob hipnose, você possa voltar a vidas anteriores e trazer suas memórias à tona.) Talvez uma das experiências do Oculto mais comuns seja o *déjà-vu* – a sensação de que algo já aconteceu antes –, que é tantas vezes atribuído à reencarnação (embora de forma alguma a reencarnação seja a explicação para todas as formas de *déjà-vu*): a sensação de ter um breve vislumbre de algo que aconteceu em outra vida.

De que modo retornamos à Terra? Alguns acreditam (os hindus, por exemplo) que não voltamos necessariamente sempre na forma humana. Certas seitas hinduístas ensinam que a alma pode renascer como uma planta ou um animal. Entretanto, tais crenças não costumam ser adotadas pela civilização ocidental. Alguns dizem que existe uma escala de evolução da forma de vida mais inferior até a mais elevada – com os seres humanos no topo. Mas quem pode dizer qual é a ordem? O cão é mais evoluído do que o gato ou o gato é mais evoluído do que o cão? A centopeia é mais ou menos evoluída que uma lacraia? Isso significa que, quando todas as almas finalmente tiverem atingido o nível máximo da escala e se "graduado", não haverá plantas, animais ou insetos na vida após a morte? Isso parece bem improvável. Na Bruxaria, a crença é a de que *todas* as coisas têm alma. Na Bruxaria saxônica, por exemplo, acredita-se que um cão passará por muitas encarnações, mas sempre como um cão; um gato sempre como um gato; um ser humano sempre como um ser humano. Existe uma razão para todas as coisas estarem aqui... o que chamamos de "equilíbrio da natureza". Parece que temos uma escolha, dentro da nossa espécie, de sermos machos ou fêmeas, para podermos experimentar e avaliar os diferentes aspectos dessa condição.

Um argumento muito usado por não reencarnacionistas é: "Se o que diz é verdade, como você explica o fato de que a população mundial está sempre crescendo?". É claro que está! A mesma coisa está ocorrendo com a população de almas/espíritos. Não existe simplesmente um número X de almas, que começaram seu desenvolvimento juntas. Novas almas são criadas o tempo todo. Por isso temos as chamadas "almas infantis" – aquelas em sua primeira encarnação – e "almas antigas" – aquelas que já viveram um grande número de vidas. É possível que um dia, quando os deuses decidirem que um número suficiente de almas já foi criado, a população da Terra se estabilize e depois comece a passar por um declínio, à medida que as almas antigas forem se graduando.

Existe ainda uma outra questão que deve ser considerada: de onde vêm as almas e para onde elas vão, depois da graduação final? Uma possibilidade é a de que não vivemos apenas aqui na Terra, mas também em outros planetas e outros sistemas de realidade. Quem sabe?... Talvez passemos pelo ciclo aqui após termos passado por ele uma dezena de vezes ou mais em outros mundos. Existe obviamente muita coisa para se pensar, pouquíssimas provas (se é que existe alguma) e muito espaço para novos conceitos.

O Karma

Junto com a reencarnação, vem o conceito de karma. Acredita-se que o karma seja um sistema de punições e recompensas que ocorre ao longo de todas as vidas; se você fizer algo ruim numa vida, terá que pagar por isso na vida seguinte. Entretanto, parece que sempre se ouve falar em "dívidas kármicas" ou "expiação do karma", mas muito raramente se ouve falar em "recompensas kármicas". A visão da Bruxaria parece fazer mais sentido.

Existe uma crença wiccana nas punições e recompensas que ocorrem *em cada vida*. Em outras palavras, em vez de ser recompensado e punido após a morte pelo que você fez na vida (o ponto de vista cristão), os Bruxos acreditam que você recebe suas punições e recompensas nesta vida, de acordo com a forma como vive. Faça o bem e você receberá o bem. Mas faça o mal e o mal vai retornar para você. Mais do que isso, a consequência vem triplicada. Faça o bem e o bem voltará para você triplicado; faça o mal e você o receberá de volta três vezes mais forte. Obviamente, isso não é nenhum incentivo para se fazer o mal a alguém. É claro que não se trata de um mal triplicado literal. Se você der um soco no olho de alguém, isso não significa que você receberá três socos. Não. Mas, em algum momento, no futuro, pode ser que você quebre a perna "de repente"... algo que pode ser considerado três vezes pior do que ser esmurrado no olho.

Segundo a crença dos Bruxos, portanto, as experiências de uma vida não dependem das experiências da vida passada. Por exemplo, se você sofreu abuso sexual nesta vida, isso não significa, necessariamente, que tenha sido um agressor na outra. É *possível* que você tenha sido, sim. Mas também é possível que não tenha, mas será na próxima. Em outras palavras, é o caso de experimentar todas as coisas – ser o agressor e a vítima –, mas um não dependente necessariamente do outro. Muitas vidas podem se passar entre uma experiência e suas consequências.

Só porque você escolheu uma vida em particular e deve passar por certas experiências, isso não significa que você possa apenas se sentar e dizer "Tudo está predeterminado. Só me resta relaxar e apreciar o passeio". O Deus e a Deusa vão garantir que você tenha as experiências certas, mas sua tarefa é progredir, dar o melhor de si para alcançar a perfeição. *Você cria sua própria realidade.* O que quer que queira, você pode conseguir. Mas sempre se lembre da Rede Wiccana: "Faça o que quiser, mas não prejudique ninguém".

Sempre que possível, ajude os menos afortunados que você. Quando digo "ajudar", eu não quero dizer "interferir". A ajuda pode ser dada simplesmente oferecendo conselho; mostrando compaixão; até mesmo, algumas vezes, recusando-se a ajudar. Pois, nesse último caso, às vezes a maior ajuda é dar ao outro a oportunidade de se esforçar um pouco mais, de pensar por si mesmo.

O Período entre as Vidas

O tempo decorrido entre as vidas pode variar, dependendo de seu estudo das lições aprendidas, de quanto absorveu das lições anteriores e da preparação necessária para o próximo "ano".

Enquanto está no período entre as vidas, você pode se incumbir da tarefa de ajudar algum outro espírito aqui no plano terreno. Assim como nos desenvolvemos e avançamos nesta vida, isso também ocorre entre as vidas. Você pode ter ouvido falar de seres como "anjos da guarda" e "guias espirituais" e se perguntado se eles realmente existem. De certo modo, eles existem. Isso significa que um espírito está sempre velando por outro menos desenvolvido, aqui neste plano. Como o tempo não existe no período entre as vidas (o tempo é um conceito criado aqui, pelo ser humano, apenas para servir de referência), a tarefa de cuidar de uma pessoa encarnada durante toda a existência terrena não vai atrasar o progresso do espírito protetor. Na verdade, vai acrescentar a experiência de "estudante-professor" ao currículo dele.

Os Bruxos sempre esperam que possam renascer na próxima vida com aqueles a quem amaram nesta. Experiências psíquicas provam que parece ser esse o caso. Muitas vezes, um casal permanece junto por muitas vidas, em diferentes relacionamentos (como amantes, marido e esposa, irmão e irmã, mãe e filha).

O Seu Templo

Embora muitos Bruxos se reúnam e pratiquem ao ar livre – talvez num campo ou na clareira de um bosque –, isso nem sempre é possível para todos. Muitos moram em cidades, sejam elas grandes ou pequenas, e não podem ter um contato direto com a terra. Isso não significa que não possam realizar rituais ou praticar magia. Seu templo pode ser ao ar livre ou dentro de casa. Vamos dar uma olhada nas possibilidades.

A área de que você vai precisar para celebrar seus rituais e praticar magia pode ser uma casa inteira, um cômodo ou um pequeno espaço dentro de um cômodo. Qualquer que seja o tamanho ou o formato dele, esse é o seu templo, ou espaço sagrado. Um cômodo inteiro – talvez o porão ou o sótão de uma casa – é o ideal. Se tiver um cômodo assim, que possa ser convertido em templo e usado apenas para esse propósito, você tem sorte. Vamos examinar essa possibilidade primeiro e depois passar para o caso daqueles que só dispõem de um pequeno espaço no quarto.

Antes de mais nada, providencie uma bússola e identifique as direções da casa. Marque Norte, Leste, Sul e Oeste. Seu altar será colocado no centro do cômodo, e é preferível que, ao ficar de pé diante dele, você esteja voltado para o Leste. Você poderá deixar suas velas e representações das divindades nesse altar o tempo todo, mas trataremos desse assunto um pouco mais à frente. No chão, ao redor do altar, você deve desenhar um círculo (as dimensões exatas e a forma de construí-lo serão descritas na próxima lição).

Quando entrar e deixar o Círculo, antes e depois de um ritual, você fará isso pela direção Leste; portanto, se a sua sala é mais retangular, você deve deixar um espaço maior desse lado do Círculo (veja a Figura 2.2). Armários para guardar seus suprimentos também devem ser colocados nessa área maior.

A não ser que você more sozinho ou com pessoas que tenham as suas mesmas crenças, você vai precisar de armários que possam ser trancados. Neles, você vai guardar velas, incensos, carvão, vinho e, o mais importante, seus instrumentos e seu livro de trabalho. É claro, se você puder trancar o cômodo, então será possível deixar

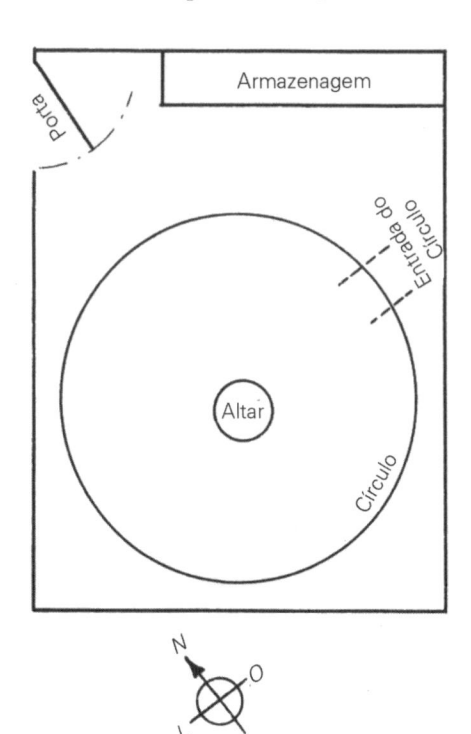

Figura 2.2

seu altar permanentemente montado e manter seus suprimentos em prateleiras abertas. Na verdade, essa é uma opção muito melhor.

A decoração do cômodo onde está o templo é uma questão de gosto pessoal. Ela pode variar; pode ter paredes pintadas com tons neutros ou com desenhos realísticos. Alguns preferem que esse cômodo pareça uma caverna pré-histórica – com reproduções das antigas pinturas rupestres – ou que tenha murais com a foto de uma floresta, com árvores, e estrelas no teto. Outros (normalmente aqueles que tem um cômodo no eixo Norte-Sul ou Leste-Oeste) preferem cores simbólicas para os Bruxos: a parede norte pintada de verde, a leste de amarelo, a sul de vermelho e a oeste de azul.

Obviamente, antes de incluir qualquer decoração ou usar o cômodo para fazer rituais ou praticar magia, ele deve ser totalmente purificado. O chão, as paredes e o teto devem ser limpos com uma mistura de água, sal marinho e um produto de limpeza. Não é necessário utilizar nesse ponto um ritual de limpeza elaborado, uma vez que o Círculo será consagrado antes de cada ritual realizado. Entretanto, quando a decoração do cômodo estiver terminada (faltando apenas o lançamento do círculo propriamente dito), você deve fazer uma purificação inicial, como indicado a seguir:

Espere uma noite de Lua nova. Encha um recipiente (um pires é suficiente) com água e ajoelhe-se, para colocá-lo no chão à sua frente. Coloque o indicador direito (esquerdo, se você for canhoto) na água. Imagine uma luz branca brilhante vinda de cima e entrando em seu corpo pelo topo da cabeça. Sinta-a se espalhar pelo seu corpo inteiro e então direcione-a para o seu braço. Concentre todas as suas energias para enviá-la para o seu braço, pelo dedo e para dentro da água. Se quiser, pode fechar os olhos. Quando sentir que direcionou todo o seu poder para a água, mantenha o dedo ali e diga:

> "Aqui direciono meu poder,
> Pela ação da Deusa e do Deus,
> Magnetizando esta água, para que ela seja pura e imaculada
> Como meu amor pelo Senhor e pela Senhora".

Agora coloque uma colher de chá de sal marinho na água. Mecha nove vezes, no sentido horário, ou deosil, com os dedos, e diga três vezes:

"Sal é vida, a vida que aqui está,
Sagrada e nova e sem conflito permanecerá".

Pegue o recipiente com a água salgada e esparja-a (usando os dedos) em cada canto do cômodo do templo. Se o formato do cômodo for irregular, com alcovas e armários, esparja cada canto de cada alcova e armário também. Enquanto faz isso, repita um dos encantamentos a seguir (ou crie outro, usando este como base):

"Em todos os meus caminhos
Sempre sinto a presença dos deuses.
Sei que, em tudo o que faço,
Eles estão comigo!
Em mim eles fazem sua morada
e eu faço minha morada dentro deles,
para sempre.
Nenhum mal pode me invadir,
pois a pureza mora em mim.
Pelo bem eu luto
E pelo bem eu vivo.
Amor por todas as coisas.
Que assim seja, para sempre".

Salmo Seax-Wica

ou

"Suave é a chuva que se derrama
sobre campos abençoados.
Ela acalma o coração, apazigua a mente
E traz a solidão que tanto busco.
Ela cai tão doce, tão suave, que
nada perturba, sequer curva uma folha.
E, ainda assim, a água que vem
levará embora todo o sofrimento.
A doçura acompanha sua queda
e a quietude e o amor e a paz
estão a toda volta, em novo frescor.

É isso o que a chuva traz.
Que nenhuma negatividade invada
este cômodo outra vez.
Pois o amor agora o habita,
tão leve, tão calmo, tão puro;
e posso realizar meus rituais
enquanto a paz aqui perdura".

Agora acenda um incenso. Podem ser varetas ou cones de incenso, mas, para rituais e trabalhos de magia, o melhor é queimar incenso em pó num turíbulo, sobre carvão (darei mais explicações a seguir). Vá novamente até a porta, desta vez balançando o incenso e defumando cada canto. Repita as palavras que você disse quando espargiu a água.

Mas e se você não tiver um cômodo inteiro para dedicar ao seu templo? Tudo bem. Você pode usar um canto de qualquer cômodo (sala de estar, quarto ou cozinha) e fazer dele seu templo. Mais uma vez, vamos descrever primeiro o que seria ideal.

Você vai precisar de uma área de um metro e meio quadrado. Se quiser, pode colocar cortinas ou um biombo, para que a área fique isolada do resto do cômodo, embora isso não seja necessário. Pode pintar essa parte de uma cor diferente do resto do cômodo, se preferir. Se puder optar por uma área a leste, é melhor. Guarde seus instrumentos de trabalho e suprimentos num armário trancado, mas mantenha seu altar montado na área do templo. Se quiser, você pode deixá-lo encostado na parede enquanto não o está usando. Sobre o altar, sempre deixe uma vela de altar (geralmente branca, mas, ao longo do livro, você vai aprender como usar velas de outras cores) e suas representações das divindades, que podem ser estátuas ou imagens, como mostrado a seguir. Essa área do templo deve ser limpa, espargida com água e defumada com incenso, assim como feito com o cômodo inteiro.

Caso você more num apartamento muito pequeno ou divida seu quarto com alguém que não simpatize ou não seja compreensivo com relação à Arte, saiba que isso também não é problema. Você só precisará de um armário com chave onde possa guardar seus instrumentos de trabalho. Se puder ter um altar e deixá-lo montado com as velas e figuras das divindades, poderá colocá-lo em qualquer lugar do quarto. O Leste, porém, é preferível. E tente evitar que seu companheiro de quarto use seu altar como mesa, para apoiar coisas! Se não for possível manter um altar – feito, adaptado e montado especialmente para o uso ritual –, então você pode usar um criado-mudo ou algo parecido. Nesse caso, mantenha suas representações das divindades onde for mais conveniente... em mesa, prateleira ou cantoneira. Elas deverão ser respeitadas por seu companheiro de quarto, assim como você respeitaria o crucifixo ou a imagem da Virgem Maria, caso ele tivesse tal coisa ali. Quando você puder realizar seus rituais (presumivelmente sozinho), tudo o que precisará fazer é liberar espaço suficiente no chão e montar seu Círculo, altar etc. Depois, é só arrumar tudo de novo.

Existem muitos covens que se reúnem regularmente em apartamentos de um só cômodo. Basta mudar alguns móveis de lugar e o Círculo pode ser traçado e o ritual, realizado. Assim, não há nada que possa impedir que você tenha seu templo. Uma palavra final: como mencionei anteriormente, alguns Bruxos/covens fazem seus rituais ao ar livre. Na verdade, a maioria prefere assim, embora isso nem sempre seja possível devido (a) à falta de um local apropriado ou (b) ao clima rigoroso. Se você tiver acesso a uma pequena clareira num bosque ou a qualquer outro espaço onde possa ter privacidade, não hesite em usá-lo.

O Seu Altar e os Objetos de Altar

Você pode usar praticamente qualquer coisa como altar. Se estiver lançando o Círculo ao ar livre, então uma grande pedra ou um tronco de árvore é o ideal. Se estiver dentro de casa, então pode utilizar uma mesinha de centro, uma caixa de madeira ou até mesmo tábuas apoiadas em tijolos.

É melhor que o altar não contenha metal, por isso uma peça comprada pronta talvez não seja a melhor opção (a não ser que ela seja colada ou tenha cavilhas em vez de pregos ou parafusos). Se for necessário que haja metal na mesa, latão é o mais aceitável. Por quê? Por causa da condutividade. O punhal e a espada do Bruxo (e a varinha, se for o caso) são os únicos instrumentos usados para acumular e direcionar energia. Por isso podem ser de metal condutor – ferro ou aço. Todos os demais itens devem ser feitos de material não condutor – prata, ouro, latão, pedra, madeira –, uma vez que não serão utilizados com essa função.

Mas por que não acrescentar um pouco de beleza ao seu altar? Por que não fazer as coisas da maneira certa? Você está trabalhando num círculo, então por que não um altar circular? Para mim, um altar retangular num círculo sempre parece algo incongruente. Essa é uma das razões pelas quais um tronco de árvore é o ideal. Aliás, podemos fazer um belo altar colocando pés num toco de árvore. Mas os pés devem ser colados. Eu já vi um belo altar assim feito por um artesão, um homem da Arte em ambos os sentidos, que esculpe imagens da Deusa e do Deus nos pés do altar.

Os acessórios do altar consistem numa vela, ou várias; o incensário (também conhecido como "turíbulo"); dois recipientes, um para o sal e o outro para a água; prato para libação; e taças e imagens representando as divindades. É claro, essa lista pode ser alterada. Sinta-se livre para acrescentar ou subtrair objetos de acordo com suas necessidades. (Esses objetos também mudam de acordo com a tradição seguida; por exemplo, a Wicca gardneriana usa cordas e um chicote.)

Diagrama de um altar

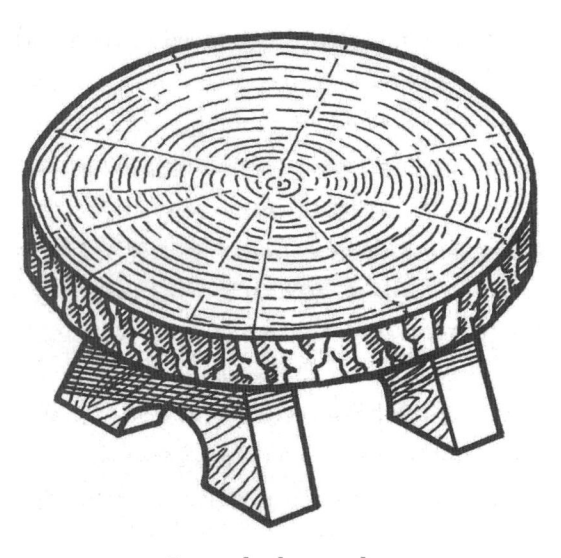

Exemplo de um altar

A maioria dos Bruxos "pratica" à noite (não é uma necessidade, é claro) e ilumina o Círculo com velas ao redor do altar e sobre ele. Uma vela sobre o altar também ajuda na iluminação, caso seja preciso ler algo no livro de rituais. A decisão de ter uma ou duas velas sobre o altar é sua.

O incensário é uma necessidade. O incenso tem sido usado em rituais religiosos há milhares de anos. Segundo uma antiga crença, a fumaça dos incensos leva as preces até os deuses. Certamente, o incenso contribui muito para gerar uma atmosfera ritual. Como sempre é necessário mover o incensário ao redor do Círculo (para purificar ou "incensar" o Círculo durante o ritual), assim o ideal não é usar um simples prato para colocar o cone ou a vareta. É muito melhor ter um incensário com alças, que você pode comprar ou mesmo fazer. Um briquete especial de carvão é colocado no incensário e aceso, e depois o incenso em pó é adicionado aos punhados. Isso é muito mais econômico do que

Tabela de conversão de polegadas para milímetros (os valores foram aproximados)		
¼" – 6 mm	3 ¾" – 95 mm	11" – 279 mm
¾" – 19 mm	5 ½" – 140 mm	13" – 330 mm
1 ½" – 38 mm	5 ¾" – 146 mm	15 ¼" – 387 mm
1 ¾ – 44 mm	8" – 203 mm	20 ½" – 520 mm
1 ⁷/₈" – 48 mm	9 ⁵/₈" – 244 mm	22" – 559 mm
2 ½" – 63 mm	9 ¾" 247 mm	
2 ⁵/₈" – 67 mm	10" – 254 mm	

Como construir um altar

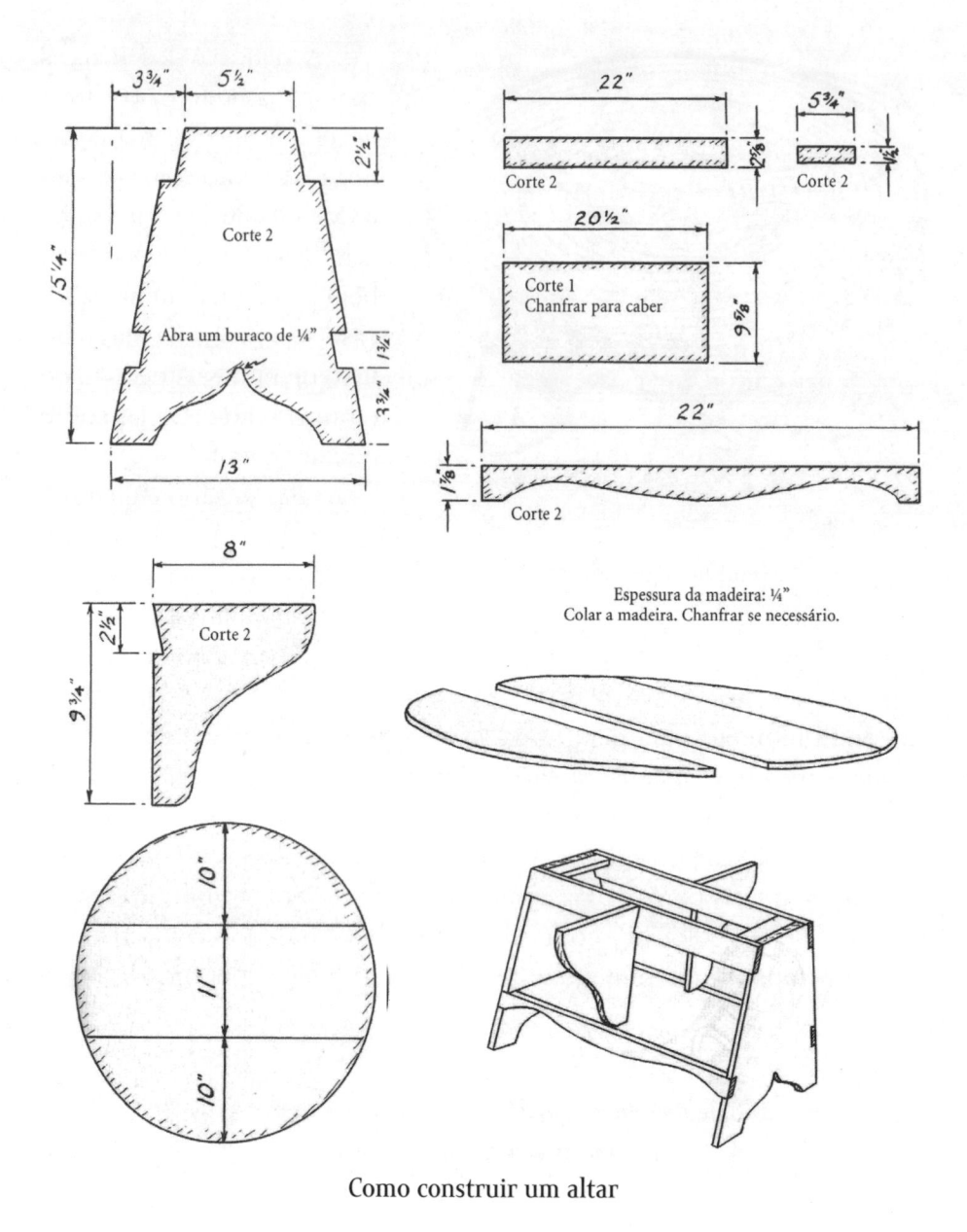

queimar cones ou varetas, pois um briquete de carvão queima por duas horas ou mais. Tanto o incenso em pó quanto o briquete de carvão podem ser adquiridos em qualquer loja de artigos religiosos. Nada contra cones ou varetas, é claro, se você preferir usá-los. Escolha um incenso cujo perfume você goste; nada muito doce ou enjoativo. Se você achar que deve ter um determinado incenso para um tipo específico de ritual,

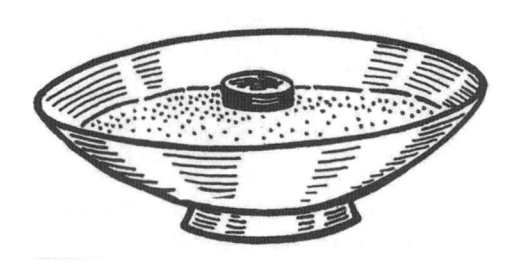

Incensário

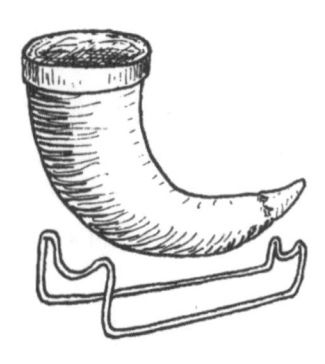

Chifre

tudo bem, mas normalmente sinto que não faz nenhuma diferença qual aroma você usa. Eu pessoalmente gosto muito de sândalo ou olíbano, ou uma das misturas usadas na Igreja Cristã. Se você não tiver um recipiente adequado à mão, pode queimar incenso num prato ou numa vasilha comum. Se estiver usando briquetes de carvão e tiver medo de o prato ou a vasilha trincar, simplesmente encha-os com areia e ela absorverá o calor.

A maioria dos altares dos Bruxos tem recipientes para o sal e a água. A água salgada representa a vida (como descrito num ensaio interessante de Ernest Jones, intitulado *The Symbolic Significance of Salt*, o sal simboliza o sêmen). A água batismal, ou "água benta", nada mais é do que sal e água. Você pode usar qualquer tipo de recipiente. Algumas pessoas usam até conchas do mar.

Durante os rituais, costuma-se beber vinho (ou suco de frutas, se a pessoa não puder ingerir bebidas alcoólicas). Para se brindar aos deuses, sempre se derrama a libação, ou oferenda, primeiro. Quando o ritual é realizado ao ar livre, pode-se simplesmente derramar a libação no chão. Mas, quando ele é feito dentro de casa, o melhor, e mais comum, é derramá-la dentro de um recipiente próprio para a libação. Após a cerimônia, o recipiente pode ser levado para fora e o vinho, derramado no chão. Como no caso dos recipientes de sal e água, pode se usar qualquer tipo de recipiente para a libação.

As taças de vinho do Sacerdote e da Sacerdotisa permanecem no altar; as dos outros celebrantes são colocadas no chão, aos pés deles. A taça pode ser de qualquer material que lhe agrade. Pode ser simplesmente um copo ou um chifre decorado, usado para beber. Ele pode ser feito de chifres de boi (comprados em lojas de artesanato), com suportes fixos ou removíveis, feitos de prata, cobre ou madeira. Alguns Bruxos chamam suas taças de "cálices" mas, na minha opinião, "cálice" me parece um termo mais usado no Cristianismo, por isso tenho a tendência de evitá-lo.

Alguns Bruxos não fazem questão de ter imagens das divindades em seus altares. A maioria, entretanto, faz. Você pode procurar estatuetas, embora boas réplicas sejam difíceis de encontrar (cópias de "O Nascimento de Vênus", de Boticelli – obra conhecida pelo apelido irreverente de "Vênus sobre a concha pela metade"! –, são ideais para representar a Deusa). Muitos Bruxos procuram durante anos até encontrar uma estátua que retrate a exata imagem mental que eles têm da divindade. Antiquários e feiras de antiguidades parecem ser os melhores lugares para se procurar. Alguns wiccanos usam símbolos, tais como uma concha para a Deusa e uma galhada para o Deus. Eu tenho visto velas, peças de xadrez, pedras, plantas etc., usadas como representações. Uma possibilidade é

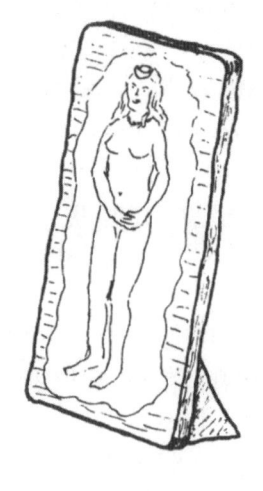

Estatueta da Deusa

Imagem da Deusa

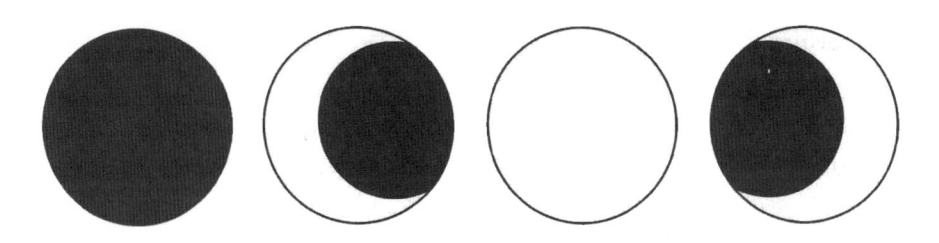

Fases da Lua
Lua Nova, Quarto Crescente, Lua Cheia, Quarto Minguante

usar quadros. Eu tenho visto representações belíssimas das divindades compostas de colagens de imagens coloridas em pedaços de madeira bonitos. Se você tiver talento para trabalhos manuais, não há razão para não esculpir ou confeccionar suas próprias representações.

Magia – Uma Introdução

Na Lição Onze, trataremos da magia em mais detalhes. Lá você vai aprender todas as muitas e variadas formas de magia e suas práticas. Entretanto, eu gostaria de fazer aqui um apanhado rápido de alguns fatores essenciais da magia.

O primeiro deles é a *ocasião* em que a magia é realizada. Você talvez saiba que a Lua é muito associada à Bruxaria, mas pode não saber por quê. Uma das razões é que as fases da Lua são importantes para que o trabalho de magia seja mais eficaz. As duas fases principais são: o intervalo entre a Lua nova e a Lua cheia, conhecido como o quarto crescente, e o intervalo da Lua cheia até a Lua nova, que é o quarto minguante. Quando a Lua cresce em tamanho, ela é crescente; quando ela diminui de tamanho, é minguante.

A magia *construtiva* (para o crescimento) é realizada, basicamente, durante o quarto crescente, e a magia para a destruição é realizada durante o quarto minguante. A magia construtiva consiste em estimular coisas como o amor, o sucesso, a proteção, a saúde, a fertilidade. A magia destrutiva inclui feitiços de amarração, separação, eliminação, extermínio. Essas magias têm um elemento de magia simpática apenas com relação à época em que são realizadas. Por exemplo, à medida que a Lua cresce, crescem também as oportunidades (ou o que quer que seja) em favor das quais você está trabalhando. Ou, à medida que a Lua mingua, também mingua o mau hábito que você está tentando vencer, ou a verruga que você está tentando eliminar.

O segundo fator essencial da magia é o *sentimento*. Você precisa realmente querer que aconteça aquilo pelo que você está trabalhando. Precisa querer com todo o seu ser. Investir cada infinita partícula de poder nesse desejo, nessa vontade de ver algo acontecer. Por essa razão, é muito mais eficiente fazer magia para si mesmo do que a fazer por outra pessoa. É difícil que outra pessoa sinta com o mesmo ímpeto os nossos próprios desejos. Esse forte "sentimento" é, com efeito, o "poder" acumulado usado na magia. Como auxiliares, ou propulsores do seu poder, podem ser usados um grande número de amplificadores. Um desses é o *canto* e outro é a *rima*. O cantar ritmado de um feitiço, com uma batida seca, regular, pode ajudar a intensificar seus sentimentos e, dessa maneira, aumentar seu poder. Do mesmo modo, a dança pode aumentar o seu poder, assim como muitos outros artifícios, incluindo o sexo, que serão discutidos em detalhes na Lição Onze.

A *limpeza* é o terceiro fator essencial da magia. Quando praticar magia, é aconselhável estar com o corpo limpo. Interna e externamente. Tome um banho com uma colher cheia de sal marinho adicionada à água. (Esse sal pode ser comprado na maioria dos supermercados ou lojas de produtos naturais.) Também prepare o corpo interior removendo as toxinas. Faça isso jejuando durante 24 horas, antes de realizar o trabalho mágico. Abstenha-se do álcool, da nicotina e da atividade sexual.

Quando for praticar magia, tenha sempre em mente a Rede Wiccana. Seus atos vão prejudicar alguém? Se a resposta é "sim"... pare. Mais informações a respeito serão apresentadas posteriormente.

Questões sobre a Lição Dois

1. Esta lição é sobre as crenças. Examine suas crenças sobre a reencarnação. Você tem lembranças de vidas passadas?

2. Desenhe um altar. Indique o que será colocado sobre ele e mostre como os objetos estarão dispostos.

3. Faça o diagrama do templo que seria ideal para as suas necessidades. Indique a área que melhor refletiria suas afinidades (ao ar livre ou dentro de casa?). Que objetos você gostaria que ele contivesse? Faça um desenho realista de como seu templo será.

4. Relacione alguns trabalhos de magia apropriados para as suas necessidades que você faria durante o quarto crescente da Lua.

5. Dê exemplos de trabalhos de magia que você faria no quarto minguante da Lua.

Questões Avaliatórias sobre a Lição Dois

1. Estude os mitos da Deusa apresentados nesta lição e examine seu simbolismo. No mito saxão de Freya, o que o colar Brosingamene representa?

2. Quais são os três fatores essenciais da magia?

3. Os cristãos algum dia acreditaram em reencarnação?

4. De acordo com as crenças da Arte, se você faz mal a alguém nesta vida, você (a) só será castigado depois da morte? e (b) isso significa que alguém lhe fará o mesmo mal numa vida futura?

5. Imagine que você divida seu apartamento com alguém que não é wiccano. Você tem seu próprio quarto, mas compartilha a sala e a cozinha. É possível que você tenha seu próprio templo? Se a resposta é sim, qual seria o melhor lugar para ele?

6. A partir de que direção você entra num Círculo no qual pratica rituais?

7. Norte, Sul, Leste, Oeste... Azul, verde, vermelho, amarelo. Indique as cores tradicionalmente associadas a cada direção.

8. Quais dos objetos a seguir (em ordem de preferência) poderiam ser usados como altar? (a) Uma mesa dobrável de metal; (b) Um caixote de madeira; (c) Uma prancha de madeira apoiada em dois blocos de concreto; (d) Um toco de árvore.

9. Qual é a Rede Wiccana?

10. Você poderia usar um cinzeiro de vidro como incensário?

Leituras Recomendadas

Capítulos 1, 2, 3, 5, 6, 8, 9 de *Lost Gods of England*, de Brian Branston.

Leituras Complementares

Witchcraft Today, de Gerald B. Gardner.

LIÇÃO TRÊS

Instrumentos, Vestuário e Nomes

Os Instrumentos de Trabalho

OS INSTRUMENTOS QUE VOCÊ usará nos rituais e na prática da magia dependem da tradição à qual você pertence. Na Wicca gardneriana, por exemplo, são usados oito instrumentos de trabalho: o athame (punhal), a aspada, a varinha, o chicote, as cordas, a faca de cabo branco e o pentáculo. Na tradição saxã, o número é menor: o *seax* (punhal), a espada e a lança. Se você estiver criando sua própria denominação, então pode decidir por si mesmo o que ter e o que não ter. Todos os instrumentos, depois de manufaturados, devem passar por um ritual de limpeza e purificação antes de serem usados, para que sejam eliminadas todas as vibrações negativas. Eles devem ser então consagrados e carregados pela pessoa que vai usá-los. Você encontrará na próxima lição mais detalhes sobre esses procedimentos. Por ora, saiba que, depois de manufaturar cada instrumento, deve embrulhá-lo limpo, num pedaço de linho branco, e guardá-lo num lugar seguro, até o dia da consagração.

O Punhal

Todo Bruxo tem seu próprio punhal. Em muitas tradições, esse punhal é chamado de athame. Na tradição escocesa, ele é o *yag-dirk* e, na tradição saxã, é o *seax*. O punhal normalmente tem uma lâmina de aço de dois gumes, embora haja uma exceção, na tradição dos Frost, na qual ele é feito de latão e tem um único gume. Vale a pena citar um trecho de *Anglo-Saxon Magic* (Gordon Press, Nova York, 1974), do dr. G. Storms, que é uma tradução comentada de vários manuscritos anglo-saxões antigos:

"O ferro evidentemente extrai seu poder do fato de que era um material melhor e mais escasso do que a madeira ou a pedra para a manufatura de ferramentas e, em segundo lugar, do modo misterioso pelo qual foi encontrado: em meteoros. Era preciso ser especialista e muito habilidoso para obter o ferro do minério e endurecê-lo. Na verdade, são muitos os povos que consideram seus ferreiros como possuidores de poderes mágicos... entre eles os Wayland aparecem como ferreiros por excelência. A figura de seu impressionante ferreiro (saxão), simbolizando inicialmente as maravilhas do trabalho com metais... tornou-se tema de lendas heroicas".

Logo, o ferro ou o aço pareciam ser os melhores materiais para se usar.

O tamanho do punhal deve ser o mais conveniente para você; use aquele que lhe parecer mais confortável. Esse é o seu instrumento pessoal – um instrumento *mágico* – e, como tal, é algo muito especial. Não basta, portanto, você simplesmente ir a uma loja e comprar uma faca pronta. De longe, a melhor coisa é fazer a sua própria. É claro, nem todo mundo é capaz de fazer isso, mas, para aqueles que são, quero começar mostrando como fazer.

Se você não conseguir comprar uma lâmina de aço, pegue uma lima ou um cinzel e mãos à obra. Qualquer que seja o aço que você estiver usando, tenha a certeza de que ele será duro, portanto sua primeira tarefa será amaciá-lo. Aqueça o aço até que ele esteja vermelho-escuro. Se você não tiver nenhuma outra forma de fazer isso, deixe-o sobre um queimador do fogão ou num forno elétrico. Você pode ter que deixar o aparelho ligado por várias horas, mas o aço acabará aquecendo até ficar vermelho-escuro. Quando ele estiver dessa cor, desligue o fogo ou o forno e deixe o metal esfriar naturalmente. É tudo que precisa ser feito. Agora ele estará mais macio e mais fácil de trabalhar.

Marque no metal, com um lápis, a forma que você quer dar a ele (veja a Figura 3.1). Com uma serra elétrica (se tiver uma) ou uma serra comum, corte o metal no formato certo e lime as arestas. Em seguida, comece a amolar a lâmina para deixá-la afiada. Um esmeril é útil nesse caso, embora você possa usar lixas grossas e finas. A lâmina deverá ter dois gumes, pois ela terá uma ponta em formato de diamante (veja a Figura 3.2). Termine de amolar a lâmina com duas graduações de lixa, a lixa de água e a normal.

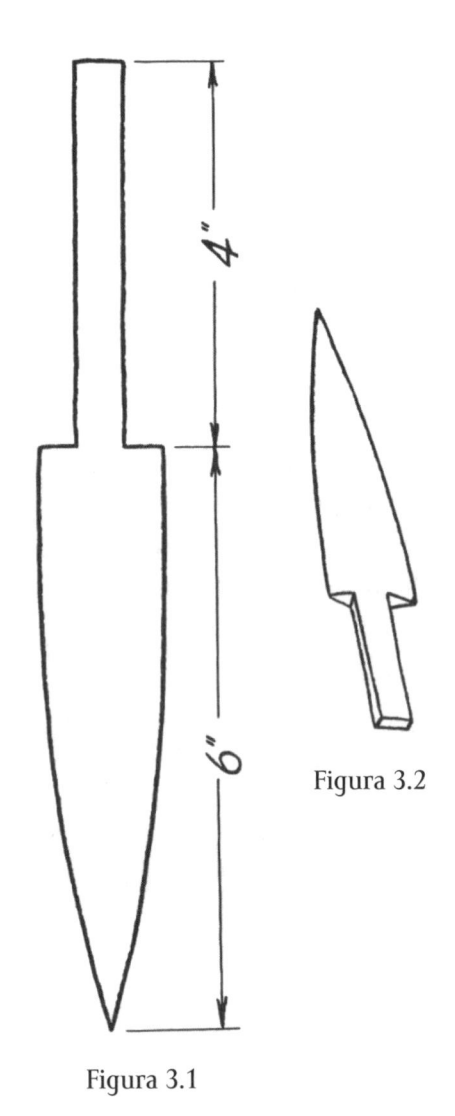

Agora sua lâmina precisa ser endurecida e temperada. Aqueça-a novamente, desta vez até que fique vermelho-vivo. Então, pegue-a com um par de alicates e mergulhe-a em água tépida (não fria, ou a lâmina vai se partir) ou óleo. Deixe que ela esfrie e depois a limpe com um papel úmido e em seguida com outro seco.

Agora, para temperá-la, reaqueça a lâmina até que ela fique vermelho-vivo. Novamente a mergulhe, com a ponta para baixo, na água tépida ou no óleo, movendo-a para cima e para baixo no líquido. Seque-a com papel úmido e com um seco, depois aqueça outra vez. Observe a lâmina atentamente enquanto ela muda de cor. Ela adquirirá uma tonalidade palha, clara e brilhante, e depois escurecerá um pouco, adquirindo um tom palha médio. Mergulhe imediatamente a lâmina na água e deixe-a esfriar (não deixe que ela passe da cor de palha para o azul e depois violeta e verde). Observe a ponta, pois ela muda de cor primeiro. Ao primeiro sinal de que a ponta está ficando azul, mergulhe a lâmina na água. Cuidado, as cores mudam rapidamente. Mantenha a ponta o mais longe possível do calor.

Depois que a lâmina estiver fria, leve-a para algum lugar ao ar livre e crave-a na terra umas duas vezes. Agora você:

Figura 3.1

Figura 3.2

moveu a lâmina pelo *ar,*
aqueceu a lâmina com o *fogo,*
mergulhou-a na *água*
e cravou-a na *terra.*

Para fazer o cabo, providencie dois pedaços de madeira. Faça a lápis o contorno do espigão (a parte da lâmina que forma o punho) em cada um dos pedaços de madeira (veja as Figuras 3.3 e 3.4). Depois, escave a madeira nas seções marcadas, cada uma com *metade* da espessura do espigão, deixando a madeira áspera no local onde ele será colocado. Quando terminar, os dois pedaços de madeira deverão se ajustar perfeitamente ao espigão inserido entre eles. Quando você estiver satisfeito com o encaixe entre eles, espalhe resina epóxi no local em que ficará o espigão. Coloque o espigão no lugar, pressione as duas metades do cabo e prenda-as juntas, com uma abraçadeira de náilon. Quando estiver fazendo isso, pressione as duas madeiras para que a cola se espalhe. Deixe o cabo preso por pelo menos três dias.

Quando remover a abraçadeira, faça um desenho do formato do cabo que você deseja na madeira e comece a esculpir.

Algumas tradições pedem que certos símbolos sejam esculpidos no cabo. Mesmo que esse não seja o caso da sua tradição, você pode

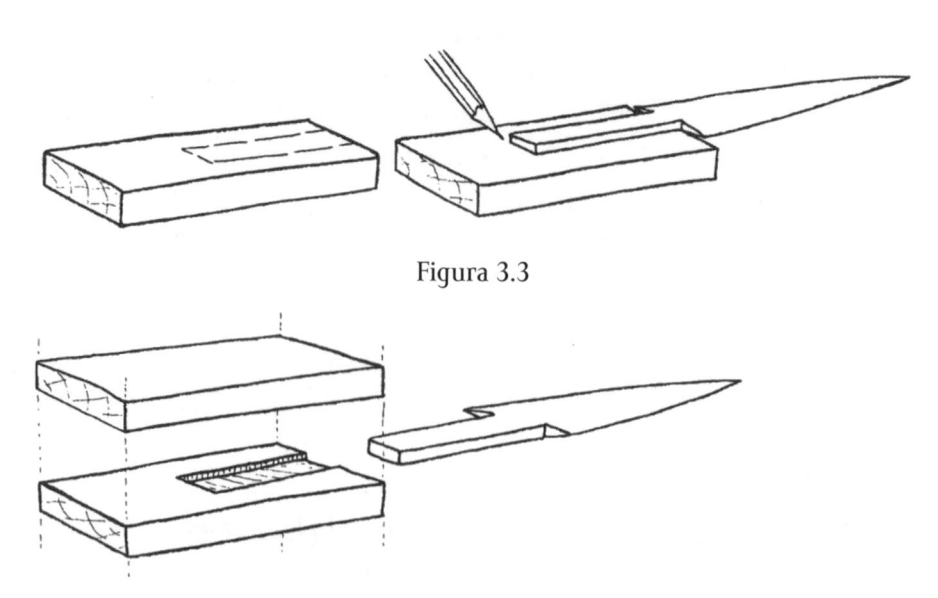

Figura 3.3

Figura 3.4

acrescentar alguns adornos ao seu athame. Eu recomendo que você pelo menos coloque seu nome da Arte (algo que descreverei posteriormente) ou o seu monograma. Você pode também gravar algo na lâmina. Não é muito difícil fazer isso.

Como Marcar o Metal

Derreta um pouco de cera de abelha e cubra a lâmina com ela. Depois, com uma ferramenta afiada para esculpir (uma unha afiada também serve), recorte a cera no formato que você quer. Assegure-se de retirar toda a cera até expor o metal da lâmina. Em seguida, despeje ácido sulfúrico, iodo ou outro tipo de agente corrosivo. Deixe-o agir por alguns minutos e depois segure a lâmina sob água corrente. O ácido vai corroer o metal onde você fez a inscrição, "gravando-o", mas a cera protegerá o resto da lâmina. Após eliminar o ácido, limpe a cera e você terá seu punhal gravado. Uma boa ideia é praticar primeiro num pedaço de metal *do mesmo tipo que a sua lâmina*, para calcular o tempo exato que você deverá deixar o ácido agir antes de lavar a lâmina.

Você também pode comprar uma "caneta de gravação". Ela se parece com uma caneta esferográfica, mas contém ácido para gravar. Ela vai funcionar no aço, no

Athame

Athame gravado

latão, no alumínio e no cobre e possui cartuchos recarregáveis. Há muitas marcas diferentes no mercado, e elas podem ser compradas em qualquer loja de ferragens ou de artesanato.

Uma alternativa é entalhar a lâmina do athame. Nesse caso, em vez da caneta, basta usar uma ferramenta de gravação, que você pode comprar numa loja de artesanato, ou simplesmente usar um prego afiado com uma lima. Um problema que muitas pessoas enfrentam ao fazer gravações é o risco de deixar o instrumento escorregar e marcar o metal no lugar errado (é necessário segurar firme o instrumento para fazer a gravação, e isso pode não ser tão fácil). Uma forma de evitar esse problema é colar sobre o local que será gravado uma fita adesiva transparente e fazer a inscrição com uma caneta antes de fazer a gravação. Depois, basta seguir as marcas feitas a caneta, com a ferramenta de gravação (a fita não será obstáculo e vai impedir que o instrumento deslize).

Você também pode usar um pirógrafo para gravar inscrições no seu athame.

Se, por qualquer razão, você não pode confeccionar o seu próprio punhal, como descrito, não se preocupe. Você pode adaptar uma faca que já tem. O importante é que seu athame tenha algo de *você*. Para isso, providencie um punhal com uma lâmina de dois gumes, como uma faca de caça (se a lâmina tiver um só gume, lime-a ou lixe-a para amolar o outro lado), e remova o cabo. Os cabos costumam ser encaixados de diversas maneiras. Alguns são parafusados, outros só têm um parafuso na ponta, e existem aqueles que são rebitados. Seja qual for o seu caso, remova o cabo. Agora, substitua-o por um feito por você mesmo. Para fazer isso, você pode seguir as instruções que eu dei anteriormente ou pode esculpir ou gravar o próprio cabo que você removeu da faca (veja a Figura 3.5).

Pomo removível

Lâmina comprada pronta

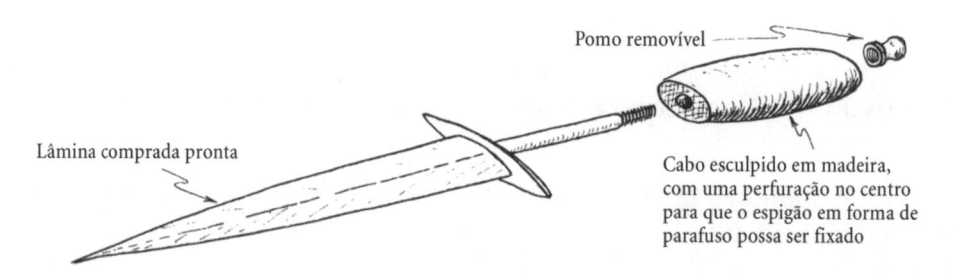

Cabo esculpido em madeira, com uma perfuração no centro para que o espigão em forma de parafuso possa ser fixado

Figura 3.5

Como eu já mencionei, se quiser, você pode esculpir no cabo ou gravar na lâmina o seu nome da Arte (escrito num dos alfabetos mágicos descritos posteriormente) ou o seu monograma mágico. Existem athames muito bonitos feitos de modo artesanal ou adaptados. Eu já vi, por exemplo, uma baioneta curta do século XVIII adaptada para se tornar um magnífico athame. Também já vi cabos feitos de casco de cervo.

Em algumas tradições da Arte (por exemplo, a gardneriana), o punhal deve ser usado apenas dentro do Círculo, em rituais. Em outras tradições (por exemplo, a escocesa), incentiva-se o Bruxo a usar esse instrumento com a maior frequência possível, pois acredita-se que, quanto mais ele for usado, mais *mana* (ou poder) vai adquirir.

A Espada

Espada

A espada não é essencial, pois o punhal sempre pode substituí-la. Mas, embora cada Bruxo tenha seu athame, muitos covens gostam de ter uma espada de coven, usada pelo grupo inteiro. A espada normalmente é utilizada no início do encontro, para que o Sacerdote, a Sacerdotisa ou outra pessoa trace o Círculo. Ela pode ser confeccionada da mesma maneira que o punhal ou comprada pronta. Existem muitos lugares que vendem réplicas de espadas antigas, hoje em dia. Se você decidir comprar uma pronta, grave algo nela você mesmo. Na verdade, como é um instrumento do coven, seria bom se todo o coven se reunisse para confeccionar a espada, gravá-la ou ornamentá-la.

Outros Instrumentos

Existem outros instrumentos rituais, como a varinha, o cajado, o sino, o buril ou a faca de cabo branco e os cordões.

> Num recente debate sobre Bruxaria, surguiram as seguintes questões: "Que provas existem de que os Bruxos sempre trabalharam nus? Esse é um costume tradicional ou uma inovação mais recente?".
>
> Certamente existem muitas ilustrações antigas de Bruxas nuas untando-se de óleo, preparando-se para o sabá, mas também existem ilustrações de Bruxas participando de sabá vestidas. Por curiosidade, fiz uma pesquisa para ver quantas, se alguma, ilustração antiga mostrava as Bruxas realmente nuas no sabá. Os resultados foram inconclusivos.
>
> Hans Baldung Grun, um alemão do século XVI, fez várias ilustrações de Bruxas (*Bruxas Trabalhando* e o *Sabá das Bruxas* são duas típicas), todas retratadas nuas. *As Quatro Feiticeiras,* de Albrecht Durer, mostra Bruxas nuas. A Coleção Douce, da Biblioteca Bodleiana, da Universidade de Oxford, contém uma ilustração de *O Sabá das Bruxas no Brocken,* com a maioria das participantes nua. Praticamente todas as pinturas de Bruxas de Goya mostram-nas nuas (*Duas Bruxas Voando em uma Vassoura* é um exemplo típico), e especialmente interessante é a edição de 1613 (Paris) do *Tableau de l'Inconstance des Mauvais Anges,* de Pierre de Lancre, que, numa parte, mostra uma grande reunião de Bruxas dançando nuas, num Círculo, e, em outra parte, uma mãe nua apresentando o filho, igualmente nu, ao Deus Cornífero.
>
> Parece, portanto, que não há uma regra. Como se vê hoje, alguns covens se despem apenas quando estão praticando magia, mas, em outras situações, usam túnicas. Outros covens trabalham nus em todos os seus rituais.
>
> ***Witchcraft Ancient and Modern***
> **Raymond Buckland**
> **HC Publications, Nova York, 1970**

No século XV, o chapéu cônico, alto, conhecido como "chapéu de burro" era muito popular entre as mulheres; às vezes com uma aba, mas mais frequentemente sem ela. Por volta do início do século XVI, eles não estavam mais tão em voga nas cortes ou nas grandes cidades. A moda, e na verdade os próprios chapéus, acabou chegando nas aldeias e fazendas. Parte da "limpeza" feita pela nova religião foi mostrar que a Antiga Religião estava ultrapassada. As Bruxas eram representadas, nessa época, usando um chapéu *démodé*, como se estivessem "atrás do seu tempo", fora de moda.
Witchcraf from the Inside
Raymond Buckland
Llewellyn, Mn., 1971

Quais desses instrumentos você vai usar – nenhum, alguns ou todos –, isso depende do caminho que decidir trilhar. Se seguir uma das tradições estabelecidas, então isso já terá sido decidido por você. Se está começando do zero, então pode levar algum tempo (semanas, meses, talvez até anos) para descobrir de quais realmente precisa.

Se você quiser uma varinha, existem muitas opções. Alguns dizem que ela deve ser de sorveira-brava, outros dizem que deve ser de freixo ou salgueiro ou aveleira... você é quem escolhe. O problema aqui é que grande parte da Magia Cerimonial se mesclou com a Bruxaria (não apenas no caso da varinha, mas de outros instrumentos e aspectos da Arte também). Por exemplo, algumas pessoas juram que "a varinha deve ter exatamente 21 polegadas de comprimento (53 cm), ser feita da madeira de uma aveleira virgem (que nunca tenha dado frutos), na hora de Mercúrio, no

Varinha

dia de Mercúrio (quarta-feira), etc. etc. etc.". Outros simplesmente compram uma peça cilíndrica de madeira numa loja de ferragens e pintam de dourado! O fato de ambas as varinhas funcionarem perfeitamente bem deveria demonstrar que a verdadeira magia não vem do instrumento e sim de dentro do mago – ou, neste caso, da Bruxa ou do Bruxo. A varinha, portanto, é meramente uma extensão do seu portador. Assim sendo, faça sua varinha da maneira que lhe parecer mais correta. Se você sentir que deve fazer inscrições místicas ou símbolos nela, faça isso. Não se preocupe com o que os outros dirão. Como afirmei na Introdução, não existe um único jeito certo de se fazer as coisas. Se funciona para você, então está certo. Como sugestão (e apenas isso), eu diria que 21 polegadas é certamente um comprimento conveniente para uma varinha. Uma outra sugestão é que ela tenha o mesmo comprimento da distância entre seu cotovelo e a ponta dos seus dedos. Qualquer que seja a madeira usada, afunile-a suavemente da base até a ponta. Você pode fazer

Raymond Buckland usando trajes rituais e segurando uma varinha de cristal

inscrições na varinha, se desejar, esculpindo ou gravando a madeira. Pinte-a, tinja-a ou deixe-a da cor natural. Tiras decorativas de prata ou cobre podem deixar a varinha mais atraente. Algumas tradições (como a dos Frost, por exemplo) perfuram a varinha no sentido do comprimento e inserem ali uma vareta de metal.

O que eu disse sobre a varinha se aplica igualmente ao cajado, que pode, na verdade, ser uma varinha grande, como a usada em algumas tradições, entre elas a escocesa (Pecti-Wita). Eu já vi alguns cajados maravilhosos, decorados com couro, penas, pedras; gravados e esculpidos. Todos eram apropriados para quem os portava. Um bom tamanho para um cajado é a altura do seu portador. Uma madeira dura é preferível à macia, e use um galho bem seco e o mais reto possível.

O sino é usado só por alguns praticantes, mas eu o incluí nos rituais deste livro. Durante séculos, acreditou-se que ele possuía certas qualidades mágicas. No meu livro *Practical Color Magick* (Llewellyn Publications, 1983 e 2002), explico sobre as vibrações sonoras. O som alto e claro de um sininho pode gerar vibrações que, em vários sentidos, amplificam o poder gerado num ritual e criam harmonia entre os presentes. Escolha um sino pequeno que você possa carregar na mão e cujo som seja agradável. Alguns sinos – especialmente os produzidos com materiais baratos – podem ter um som estridente; evite-os. Se você quiser gravar inscrições nele, faça isso. Se ele tiver um cabo de madeira, você pode fazer as gravações nele.

O buril é simplesmente uma ferramenta de gravação usada para marcar o nome mágico ou sigilo (símbolo), ritualmente, em seus instrumentoss mágicos. Algumas tradições (por exemplo, a gardneriana) utilizam a mesma faca de cabo branco usada na Magia Cerimonial para esse fim. Eu, pessoalmente, não vejo necessidade de se considerar esse um instrumento ritual na Arte, não mais do que uma lima ou uma serra de metais. Entretanto, se você prefere vê-lo como um complemento, faça isso. O buril é apenas uma ferramenta de gravação com um cabo, que pode ser feito fixando-se um prego afiado grande, ou algo similar, a um cabo de madeira, da mesma forma que você fixou a lâmina do athame no cabo usando dois pedaços de madeira.

Algumas tradições (por exemplo, a alexandrina) usam cordões de diferentes cores para representar o grau do seu portador. Mas o uso mais importante das cordas e dos cordões é no trabalho mágico. Deixarei os detalhes do uso das cordas para uma lição posterior, quando discorrer sobre a magia em geral e, especificamente, sobre a Magia com Cordas.

As Vestimentas

Muitos covens – e certamente a maioria dos Bruxos Solitários – trabalham nus... um ato conhecido na Arte como estar "vestido de céu". Essa, com certeza, parece a prática preferida e recomendada. Mas haverá ocasiões em que, talvez devido à temperatura, você pode preferir usar uma túnica. Pode até ser que você prefira usar a túnica na maioria das vezes... não há problema.

As túnicas podem ser simples ou elaboradas, você é quem decide. A seguir, dou instruções para fazer uma simples. Se você tiver talento para a costura, fique à vontade para fazer algo mais elaborado.

Qualquer tipo de material serve, a escolha é sua – poliéster (se você ousar!), seda, algodão, lã... Considere, entretanto, o peso do tecido: ela será muito pesada e quente ou muito leve e fresca? Também considere quanto vai amarrotar. E ela será de um tecido elástico? Lavável? Antialérgico? Como os Bruxos não usam nada sob a túnica, isso é algo que você tem que levar em consideração!

Meça o seu corpo, de um pulso ao outro, com os braços abertos (Figura 3.6, medida A), depois da nuca até o chão (medida B). Você precisará comprar um tecido com a medida A de largura e duas vezes a medida B de comprimento. Dobre o tecido ao meio, como mostrado na Figura 3.6. Se ele tiver avesso, dobre-o com o lado acetinado para fora. Agora corte a peça em ambos os lados, conforme indicado na figura. O resultado será o que mostra a Figura 3.7; um formato parecido com um T.

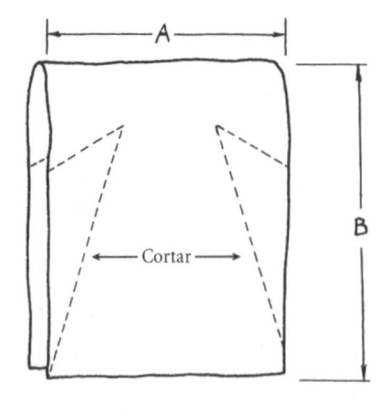

Figura 3.6

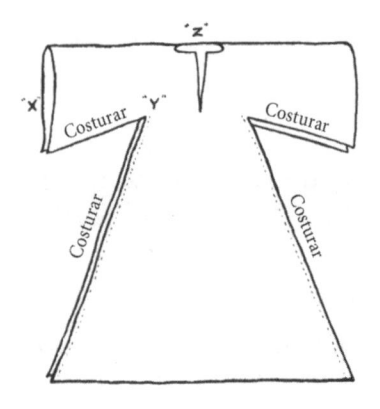

Figura 3.7

As dimensões exatas dos cortes vão depender de você. Deixe o suficiente para fazer uma manga larga no ponto "x" mostrado na ilustração, mas não afunile muito o corte para que ela não fique muito apertada na axila (ponto "y"). Eu recomendo que você faça um molde em papel primeiro (compre papel para molde em lojas de artesanato). No ponto "z", corte uma abertura para a cabeça, como mostrado na figura. Costure na linha pontilhada: a parte de baixo das mangas e as laterais. Agora você só precisará virar o tecido para o lado certo, experimentar a túnica e fazer a bainha no comprimento conveniente (cerca de 3 cm acima do chão). Se você quiser acrescentar um capuz, pode fazer isso, pois ainda haverá muito material disponível. Um capuz pontudo ou arredondado é o mais apropriado.

Adicione um cordão ao redor da cintura para dar um toque final. Alguns praticantes usam um cordão mágico, mas, na minha opinião, o cordão mágico serve para se fazer magia, não para amarrar uma túnica (as coisas eram diferentes na época das perseguições, quando era necessário ocultar os instrumentos mágicos. Isso não é mais necessário hoje em dia).

Escolha com cuidado a cor da sua túnica. Antigamente, a maioria dos Bruxos usava túnicas brancas, mas eu fico feliz em ver um número cada vez maior de cores nos festivais. Na Bruxaria saxã, o Sacerdote e a Sacerdotisa usam branco, púrpura ou verde-escuro, enquanto os demais usam verde, marrom, amarelo ou azul, embora não haja uma regra. Combinações de cores podem ser atraentes, é claro, assim como uma cor básica com adornos dourados ou prateados, ou de uma outra cor. Alguns Bruxos usam preto, mas, embora o preto seja considerado uma cor muito "poderosa" (na verdade, não é uma cor, mas a ausência delas), eu, pessoalmente, acho que ele reforça o equívoco de que a Bruxaria é algum tipo de Satanismo e, apenas por essa razão, deve ser evitada. Nós somos uma religião da Natureza, então vamos usar as cores da Natureza... os tons claros e escuros da terra (existe, na verdade, muito pouco preto na natureza). Mas a decisão é sempre sua.

As Joias

Em algumas tradições, certas joias servem para mostrar a posição da pessoa que as usa. Por exemplo, na Bruxaria gardneriana, Bruxos de todos os graus usam colares (que representa o círculo do renascimento); a

Grã-Sacerdotisa do Terceiro Grau usa um bracelete largo de prata, com certas inscrições específicas; o Grão-Sacerdote usa um bracelete em forma de torque de ouro ou latão (também com certas inscrições nele); e a Rainha usa uma coroa de prata em forma de Lua crescente e uma liga verde com uma fivela de prata. Em outras tradições, existem diferentes regras.

Em geral, os Bruxos – especialmente as mulheres – usam um adorno na cabeça.

Joias usadas pelos Bruxos

Colares e pingentes são muito populares, incluindo colares de sementes ou bolotas de carvalho, feijões, contas de madeira ou similares. Anéis, muitas vezes contendo inscrições ou representações das divindades, também são muito populares. Certamente existem joalheiros Bruxos que produzem peças incrivelmente bonitas e que merecem ser exibidas.

Mas algumas pessoas acham que não se deve usar joias dentro do Círculo, pois sentem que elas são um obstáculo à geração de poder (embora eu nunca tenha constatado isso, nem depois de 25 anos de prática). Respeito, porém, aqueles que são dessa opinião. Se eles realmente acreditam que as joias restringem o poder, elas de fato *vão* restringir. Assim sendo, decida por si mesmo se vai incentivar, limitar ou proibir o uso de joias ou se vai usá-las para representar posição.

O Capacete com Chifres

Embora a Sacerdotisa e o Sacerdote possam usar uma tira de cobre ou prata na cabeça, com uma Lua crescente, um sol ou algo semelhante na testa, o Sacerdote pode usar um capacete com chifres em certos rituais, quando ele estiver representando o Deus, e a Sacerdotisa pode usar uma coroa de deusa em certos rituais, quando ela estiver representando a Deusa. Não é muito difícil confeccionar essas peças. Na verdade, existem duas ou três formas possíveis de fazer o capacete com chifres (se procurar, você pode até conseguir comprar uma réplica de um capacete viking pela internet). Uma alternativa é encontrar uma vasilha de aço ou cobre de um tamanho que caiba na sua cabeça. Você pode ter que ajustar um pouco dos lados para deixá-la mais parecida com uma elipse do que com um círculo. Remova qualquer cabo ou alça que ela tenha. Depois arranje dois chifres de boi e insira e cole dois pequenos círculos de madeira em suas aberturas (veja a Figura 3.8). Agora faça dois buracos na vasilha, um de cada lado, e atarraxe os parafusos de dentro para fora, fixando os pedaços de madeira colados aos chifres. Coloque um pouco de cola epóxi entre os chifres, os pedaços de madeira e a vasilha, para ajudar a manter todas as peças firmes no lugar. A parte dos chifres que está em contato com a vasilha pode ser revestida de couro, para que a junção não fique à mostra.

Figura 3.8

Capacete com chifres

Uma outra possibilidade é adicionar chifres a um chapéu de couro. Modelos básicos de chapéu podem ser comprados em qualquer loja de departamentos ou de acessórios. Na maioria dos casos, só é preciso costurar as peças. Você pode prender os chifres da maneira descrita anteriormente, mas vai precisar de um pedaço de material rígido, quadrado ou circular, para fixar os parafusos pelo lado de dentro do chapéu.

Você também pode fazer um círculo aberto de cobre ou outro metal para a cabeça e fixar os chifres nele. Em todas as possibilidades descritas, galhadas de cervo podem ser usadas no lugar dos chifres de boi. Será necessário, entretanto, fazer um furo na base da galhada para inserir os parafusos.

Inscrições

Eu já mencionei que você pode gravar ou esculpir, nos seus instrumentos rituais, seu nome mágico (vou dar mais informações sobre ele e como escolhê-lo posteriormente). Existe um grande número de "alfabetos mágicos" que podem ser usados em inscrições feitas não só nos instrumentos, mas também em talismãs e amuletos. As várias formas do alfabeto rúnico e o alfabeto tebana, usados na Magia Cerimonial, são os mais populares. Vamos examinar as runas primeiro.

A palavra *runa* significa "mistério" ou "segredo", em inglês antigo e em línguas correlatas. Ela é certamente carregada de significados ocultos, e por uma boa razão. As runas nunca foram apenas uma forma utilitária de escrita. Desde sua mais antiga adaptação para uso entre os germânicos, elas foram usadas para fins rituais e divinatórios. A Seax-Wica usa um alfabeto como o que se segue:

> Ao que parece, as runas têm mais variações do que qualquer outro alfabeto. Adotadas tanto pelos Magos quanto pelos Bruxos, as runas servem como uma forma muito popular de escrita oculta. Existem três tipos principais de runas: germânicas, escandinavas e anglo-saxônicas. Cada um deles, por sua vez, têm inúmeras variações/subdivisões.
>
> Quanto às germânicas, existem basicamente 24 runas diferentes, embora possa haver variações em diferentes áreas. Um nome comum para as runas germânicas é **futhark**, devido às suas seis primeiras letras ("th"

corresponde a uma letra ᚺ). O modelo escandinavo (dinamarquês e sueco-norueguês, ou nórdico) é composto de dezesseis runas, também com (inúmeras) variações.

As runas anglo-saxônicas variam em número, de 28 a 31. Na verdade, por volta do século IX, em Northumbria, encontramos 33 runas. Um nome comum para as runas anglo-saxônicas é **futhorc**, também devido às suas seis primeiras letras.

The Tree: The Complete Book of Saxon Witchcraft
Raymond Buckland
Samuel Weiser, Nova York, 1974

ᚠ	ᛒ	ᚳ	ᚻ	ᛖ	ᚨ	ᚷ	ᚾ	ᛁ	ᚴ	ᛚ	ᛗ
A	B	C	D	E	F	G	H	I,J	K	L	M

ᛏ	ᛟ	ᛈ	ᚱ	ᛋ	ᛐ	ᚢ	ᚦ	ᚹ	ᛉ	ᛁ	ᛋ
N	O,Q	P	R	S	T	U	V	W	X	Y	Z

ᛝ	ᛄ	ᛠ	ᚨ	ᛟ	ᚦ
NG	GH	EA	AE	OE	TH

Alfabeto rúnico da Seax-Wica

É preciso observar que qualquer um dos caracteres pode ser escrito ao contrário (isso algumas vezes é conhecido como "escrita especular"). Se houver letras duplicadas na palavra (por exemplo, *merry* [alegre] ou *boss* [chefe], em inglês), então uma delas será invertida, dando o efeito de escrita especular:

MERRY = ᛗᛖᚱᚱᛁ

BOSS = ᛒᛟᛋᛋ

Como o "th" e o "ng", por exemplo, são grafados com um único símbolo, pode-se escrever uma palavra de cinco letras em inglês, como "thing" [coisa], com apenas três símbolos.

Þ I ᛪ

... Saber o nome de uma pessoa é ter poder, influência sobre ela. Pois quem conhece um nome é capaz de conjurar com ele. *Sir* James Frazer conta a história de como Ísis veio a obter o nome mais secreto de Rá, o grande deus solar egípcio, e de como conseguiu usá-lo para se tornar uma deusa. Ela moldou uma serpente, misturando a saliva de Rá com a terra na qual ela caiu, e deixou-a no caminho dele para que o picasse. Ele gritou pela ajuda dos "filhos dos deuses com palavras de cura e lábios compreensivos, cujo poder alcançam o céu (...) e Ísis acudiu-o com sua arte, cuja boca é repleta com o sopro da vida, cujos feitiços eliminam a dor, cuja palavra faz os mortos reviverem". Rá contou a ela que havia sido picado enquanto caminhava e Ísis disse: "Diga-me seu nome, Pai divino, pois para fazer viver um homem é preciso chamá-lo pelo nome". Rá revelou a ela muitos dos nomes pelos quais era conhecido e foi ficando mais fraco a cada instante. Ísis, entretanto, recusava-se a curá-lo, repetindo: "Este que me falas não é o teu nome. Oh, diga-me teu nome, para que o veneno desapareça; pois viverá aquele que é chamado por seu nome". Por fim, Rá disse a Ísis seu nome verdadeiro, e ela fez com que o veneno evaporasse, tornando-se conhecida como a "rainha dos deuses", aquela que conhece Rá e seu nome verdadeiro.

Witchcraft from the Inside
Raymond Buckland
Llewellyn Publications
St. Paul, Mn., 1971

Exemplos de nomes escritos em runas:

DIANA = ᚺᛁᚠᛏᚠ

MERLIN = ᛗᛖᚱᛚᛁᛏ

NAUDIA = ᛏᚠᚢᚺᛁᚠ

ISSBIA = ᛁᛋᛚᛒᛁᚠ

THRENG = ᚦᚱᛖᛝ

Um monograma mágico interessante pode ser feito com a sobreposição de letras rúnicas, para que você obtenha seu nome na Arte. Por exemplo, "Diana" seria:

$$ᚺ + ᛁ + ᚠ + ᛏ + ᚠ$$

A primeira letra ᚺ

já contém a segunda ᚺ

Adicionando a terceira: ᚠ

teríamos ᚠᚺ = ᚼ

Agora adicione a quarta ᛏ

formando ᚼᛏ = ᚼ

E a quinta ᚠ

é a mesma que a terceira, então ela já está grafada.

Assim, o monograma mágico para Diana é: ᚼ

Esse único símbolo contém o nome inteiro, com todo o seu poder. Outro exemplo:

MERLIN

ᛗ + M + ᚱ + ᛚ + I + ᛏ = ᛗ

Nesse exemplo, eu tomei a liberdade de "elevar" o centro da letra E M assim: M

de forma que ela se ajustasse perfeitamente sobre o M, ᛗ assim: ᛗ.

É sempre possível inverter uma letra (qualquer letra) para que o monograma não fique deselegante. O objetivo é torná-lo tão simples quanto possível e ainda assim incorporar todas as letras. Pratique com os monogramas. O importante é chegar ao sigilo mais simples possível.

Lembre-se sempre ao escrever runas: mantenha os caracteres eretos.

Assim: ᛗMᚱᛚIᛏ

Não os incline assim: ᛗMᚱᛚIᛏ

Sem contar o fato de que é incorreto incliná-los, isso poderia causar confusão. Por exemplo, nas runas Seax-Wica, o N inclinado pareceria um G.

O alfabeto tebano é muito usado na Arte. Na tradição gardneriana, por exemplo, ele é usado na inscrição do nome da Grã-Sacerdotisa em seu bracelete. Essa é uma forma atraente de se escrever. As runas são caracteres angulares, sem curvas, porque eram usadas para inscrições em madeira e pedra. Mas o alfabeto tebano, mostrado na Figura 3.9, era usado para se escrever em pergaminhos e em talismãs, então podia ser mais elaborado. Eu vou falar mais sobre ele, e vários outros, na lição sobre encantamentos e talismãs.

O Seu Nome de Bruxo

Você está começando uma nova vida (de verdade). Por que não começar, então, com um nome da sua escolha, em vez de usar um que lhe foi dado pelos seus pais (e de que talvez não goste muito)? Muitos Bruxos escolhem um nome mágico que pareça refletir sua personalidade ou, de algum modo, descreva seus interesses e sentimentos. Nomes são importantes. Costumava-se acreditar que conhecer o nome de alguém era ter poder sobre essa pessoa, pois, se você conhece o nome do seu inimigo, pode conjurar com ele. Os dyaks, uma etnia de Bornéu, têm uma forte crença no poder dos nomes. Uma mãe dessa etnia jamais chama o filho para voltar para casa, depois de escurecer, pelo nome real, pois assim evita o risco de que um espírito maligno escute o nome da criança e a chame. A mãe chama o filho apenas por um "apelido".

Seu nome de Bruxo, ou mágico, não precisa ser mantido em segredo absoluto, mas deve ser respeitado. Use-o apenas quando estiver com outros Bruxos ou, se preciso, com aqueles que são próximos a você. Evidentemente, você já pode estar muito satisfeito com seu nome civil. Se quiser usá-lo como seu nome mágico, tudo bem. De qualquer forma, avalie-o com base na numerologia, conforme descrito abaixo, antes de tomar uma decisão final. Alguns Bruxos emprestam seu nome da História ou da mitologia, especialmente aqueles associados com seu ramo da Arte (nomes galeses em tradições galesas; nomes saxônicos em tradições saxônicas etc.). Outros criam um nome. Você será chamado apenas pelo seu nome; não é preciso usar antes do nome o título "Bruxo", como em "Bruxa Morgana" ou "Bruxa Hazel"(!), como se vê em romances baratos.

Figura 3.9
Alfabeto tebano

Em algumas tradições, usa-se o título "Senhora" ou até mesmo "Senhor". Na tradição gardneriana, sempre se usa o título "Senhora" antes do nome da Grã-Sacerdotisa. Quando se fala diretamente com ela, é de bom-tom dizer "Minha Senhora". Ela é a única a ser chamada assim nessa tradição, e nenhum homem na tradição gardneriana é chamado de "Senhor Fulano de Tal".

Qualquer que seja o nome da sua escolha, ou pelo qual se sinta especialmente atraído, verifique, por meio da numerologia, se ele é de fato correto para você. Veja a seguir a maneira mais usada de se fazer isso. Siga as instruções, passo a passo.

1. Encontre seu número de nascimento somando os dígitos de sua data de nascimento. Por exemplo, se você nasceu em 23 de junho de 1956, seu número será:

   23-6-1956 = 2 + 3 + 6 + 1 + 9 + 5 + 6 = 32

   Depois reduza a soma a um único número: 3 + 2 = 5
   Portanto, 5 é seu número de nascimento.

   Observação: sempre inclua os dois primeiros dígitos do ano de nascimento. (No caso do exemplo anterior, o "19" de 1956.) A maioria de nós nasceu nos anos 1900 e já estamos no século XXI, logo, isso é importante.

2. Encontre o número do nome que você escolheu. Isso é feito por meio da tabela a seguir, em que se classifica todas as letras do alfabeto de acordo com os primeiros 9 números:

1	2	3	4	5	6	7	8	9
A	B	C	D	E	F	G	H	I
J	K	L	M	N	O	P	Q	R
S	T	U	V	W	X	Y	Z	

   Suponhamos que você goste do nome DIANA. De acordo com a tabela acima, D = 4, I = 9, A = 1, N = 5 e A = 1. Assim, DIANA = 4 + 9 + 1 + 5 + 1 = 20 = 2. Seu número de nascimento, no entanto, é 5. Assim, como convém que seu nome de Bruxo corresponda a um número igual ao seu número de nascimento, você pode fazer isso adicionando ao nome DIANA uma letra que corresponda ao número "3", ou seja um C, um L ou um U. Então você teria DICANA, DILANA ou DIANAU, todos somando 5. Se você não gostar de nenhuma dessas opções, pense novamente num outro nome possível e cheque-o de acordo com a numerologia.

Pode ser que leve tempo até você encontrar seu nome ou escolher entre vários nomes de que goste e que sejam numerologicamente corretos, mas vai valer a pena. Talvez o melhor método seja definir as letras apropriadas e reorganizá-las até encontrar uma combinação que o agrade (partindo do nome Diana acima, NAUDIA pode vir a ser uma possibilidade). Dou mais informações sobre numerologia na Lição Nove.

Por que o número do nome tem que ser igual ao número de nascimento? Porque seu número de nascimento não muda. As pessoas podem mudar de nome, endereço etc., mas não podem mudar sua data de nascimento. Ao escolher um novo nome que combine com seu número de nascimento, você estará entrando em sintonia com a mesma vibração do momento em que escolheu nascer.

Como mencionado antes, existem muitos sistemas diferentes de numerologia. Esse é provavelmente o mais popular e, como descobri, o mais preciso. Mas se você preferir um sistema diferente, então o use. O importante é que, usando qualquer sistema que seja, o número do seu nome seja igual ao seu número de nascimento.

Questões sobre a Lição Três

1. A Lição Três descreve a confecção dos instrumentos mágicos. Decida como você fará seus instrumentos. Que materiais vai usar? Você pode fazer um instrumento ou adaptar um já existente. Cite aqueles que planeja usar.

2. Explique como você pretende fazer/obter o seu athame. O que você fará para torná-lo especificamente *seu*?

3. Que nome mágico você vai escolher?

4. Determine o número do seu nome civil e do seu nome mágico, escolhido por meio da numerologia.

1	2	3	4	5	6	7	8	9
A	B	C	D	E	F	G	H	I
J	K	L	M	N	O	P	Q	R
S	T	U	V	W	X	Y	Z	

5. Como será a sua túnica? Que cor e que tecido você vai usar? Quais são as razões dessa escolha? Faça um desenho ou diagrama da sua túnica abaixo:

Questões Avaliatórias sobre a Lição Três

1. A faca do Bruxo tem que ter um comprimento predeterminado?

2. Você tem uma faca antiga que está convicto de que foi usada para matar um homem. Você pode usá-la como athame?

3. Você pode usar como athame uma faca comprada numa loja, sem fazer nenhum tipo de alteração?

4. Cite um método para marcar o metal.

5. É necessário ter uma espada ou ela pode ser substituída por outra coisa?

6. O que é um buril?

7. Jessica Wells nasceu em 15 de março de 1962. Ela gosta do nome ROWENA e gostaria de usá-lo na Arte. Essa é uma boa escolha? Se não for, o que você sugere que ela faça?

8. Escolha um nome mágico para você. Agora faça uma análise numerológica para verificar se é uma boa alternativa. Tente escrevê-lo de várias formas com alfabetos mágicos.

9. Como você escreveria o nome GALADRIEL em runas saxônicas? Qual seria o monograma mágico para esse nome?

Leituras Recomendadas

Capítulos 7, 8, 9 e 10 de *Witchcraft from the Inside*, de Raymond Buckland.

Capítulos de 1 a 5 de *The Meaning of Witchcraft,* de Gerald B. Gardner.

Leitura Complementar

Numerologia, de Vincent Lopez.

LIÇÃO QUATRO

O Início

Os Ritos de Passagem

Um "rito de passagem" é uma transição de um estado da vida para outro. Nascimento, casamento e morte são exemplos. Van Gennep, um antropólogo flamengo, foi o primeiro a dar esse rótulo a esses rituais, em 1909. Na Bruxaria, o principal rito de passagem com o qual você deve se preocupar é a iniciação. É importante que você conheça e entenda as diferentes partes de um ritual e seu simbolismo.

Em termos mais gerais, a iniciação é um conjunto de rituais e ensinamentos orais criados para causar uma mudança definitiva no *status* religioso e social da pessoa que passa pelo ritual. Ocorre uma *catarse*, uma purificação espiritual. Ela se torna, de fato, outra pessoa. O tema central da iniciação (qualquer iniciação, quer seja na Bruxaria, numa tribo primitiva ou mesmo no Cristianismo) é o que se chama de *palingênese:* um renascimento. Você está colocando um ponto-final na vida como a conheceu até este ponto e "renascendo"... com novo conhecimento.

Todos os rituais de iniciação seguem o mesmo padrão básico. E é assim no mundo todo: com os aborígenes australianos, os africanos, os ameríndios, os esquimós, os habitantes das ilhas do Pacífico, os Bruxos e os antigos egípcios, os gregos e os romanos, para citar alguns. Todos incluem os mesmos elementos básicos em seus rituais.

Primeiro, vem a *separação*. Em muitos povos, ocorre uma separação literal dos amigos e especialmente da família, ou seja, de todos os conhecidos até aquele ponto. Muitas vezes, usa-se uma caverna especial, uma cabana ou outra construção, para onde os noviços são levados. Ali eles começam o seu treinamento.

A *purificação*, interna e externa, é a etapa seguinte mais importante. Em alguns cultos primitivos, isso pode incluir a remoção completa de todos os pelos do corpo. Ela certamente também inclui um período ou vários períodos de jejum e abstinência sexual. Em certas regiões, existem também vários tabus com relação à alimentação antes do jejum.

> Na Bruxaria gardneriana, os seguidores passam por uma cerimônia de iniciação típica, composta de quatro partes. A primeira é conhecida como o Desafio. Pergunta-se à postulante se ela realmente deseja continuar. Essa pode parecer uma pergunta simples e sem sentido. Mas, a partir do primeiro contato com um coven, é necessário um ano inteiro até que o aspirante a Bruxo chegue ao ponto de iniciação. Esse tempo é necessário, do ponto de vista da Arte, para separar o joio do trigo; aqueles que estão sinceramente interessados na Bruxaria como *religião*, em oposição àqueles que têm todas as ideias erradas sobre ela: acreditam que ela seja um culto ao demônio, buscam orgias selvagens, querem fazer parte "apenas por diversão" etc. etc. Então, após o longo período de espera, durante o qual ela estudou e leu muito, a postulante por fim se encontra num limiar. Ela vê o santuário interior pela primeira vez – o tremeluzir das velas, a fumaça do incenso, a face severa do Sacerdote apontando uma espada diretamente para ela. Isso deve lhe parecer levemente sinistro, até um pouco assustador. Seria um espanto se ali, naquela hora, ela dissesse que não pretende seguir adiante... talvez prefira começar um macramê!!! Se essa for a decisão dela, ela é livre para virar as costas e ir embora. Mas, depois do longo período de espera, são poucos, se é que existe alguém, os que decidem fazer isso. Portanto, após o desafio, a postulante é vendada e amarrada e conduzida ao círculo... onde, na

maioria das tradições, um Voto de Sigilo é exigido dela. Uma vez que ele tenha sido feito, a venda é retirada e, logo depois, as cordas. Esse voto é estritamente uma promessa de segredo. Não há repúdio a qualquer religião anterior. Ninguém cospe numa cruz, ninguém assina pactos com sangue, não se beija pés de bode! Após o voto, vem a apresentação dos instrumentos. Cada coven possui um determinado número de "instrumentos de trabalho". Eles são apresentados, um a um, à postulante, pelo Sacerdote. A cada instrumento apresentado é explicado seu uso e, para mostrar que ela entendeu a explicação, a postulante coloca as mãos brevemente sobre cada um deles... Ao final da cerimônia, a iniciada é levada pelo Grande Sacerdote ao redor do Círculo, até os quatro pontos cardeais. Em cada um desses pontos, ela é apresentada aos deuses – que se acredita que tenham testemunhado a cerimônia – como uma Sacerdotisa e Bruxa recém-formada.

Anatomy of the Occult
Raymond Buckland
Samuel Weiser, Nova York, 1977

A *morte simbólica* é uma das partes mais importantes da iniciação, embora alguns povos primitivos não entendam que a morte será apenas simbólica e acreditam plenamente que serão levados à morte. Em algumas tribos, isso inclui um desmembramento real; talvez uma circuncisão, uma tatuagem, a amputação de um dedo ou um dente arrancado. As chicotadas rituais são uma forma mais comum de morte simbólica. Ou a morte pode tomar a forma de um "monstro" – talvez o animal totem da tribo – engolindo o iniciado.

Depois da "morte", o postulante encontra-se no útero, esperando seu novo nascimento. Em algumas sociedades, ele é levado para uma cabana, que representa o mundo. Ele fica no centro, como se habitasse um microcosmo sagrado. Está dentro da Grande Mãe – a Mãe Terra. Existem inúmeros mitos de grandes heróis, deuses e deusas, que descem até as entranhas da Mãe Terra (lembre-se do mito da Deusa da Seax-Wica, apresentado na Lição Dois) e voltam triunfantes. Dentro do útero/Mãe

Terra eles invariavelmente encontram um grande conhecimento, pois ela é muitas vezes a terra dos mortos que, por tradição, pode ver o futuro e por isso conhecer todas as coisas. O iniciante, portanto, por estar no útero, irá aprender um *novo conhecimento*. Isso é enfatizado no Congo, por exemplo, onde aqueles que ainda não se iniciaram são chamados de *vanga* ("os não iluminados") e aqueles que se iniciaram são chamados de *nganga* ("os que sabem").

Depois de receber o novo conhecimento, o iniciado *renasce*. Se ele tiver sido engolido por um monstro, pode nascer dele ou ser regurgitado (a boca algumas vezes substitui a vagina). Em algumas tribos africanas, ele se arrasta por entre as pernas das mulheres da tribo, que ficam numa longa fila. E agora recebe um novo nome e inicia uma nova vida. O mais interessante é que existem vários paralelos desse ato de renomeação na Igreja Católica Romana: um novo nome é assumido na crisma; ao se tornar freira, a mulher recebe um novo nome; um novo nome é dado a um papa recém-eleito.

Nas escavações de Pompeia, encontraram uma vila chamada de "Vila dos Mistérios". Esse era o lugar onde todos, na Itália Antiga, eram iniciados nos Mistérios Órficos. Na sala de iniciação propriamente dita, existiam pinturas nas paredes que mostravam uma mulher passando pelos vários estágios da iniciação. Nesse exemplo, a morte simbólica era um açoitamento. Parte da revelação do conhecimento vinha do procedimento de olhar (veja a Lição Nove: Adivinhação) dentro de um recipiente polido. A cena final mostra-a nua, dançando em celebração ao seu renascimento. As cenas são típicas da palingênese da iniciação.

A iniciação plena na Bruxaria contém todos esses elementos. Não há uma separação literal no começo, mas o postulante fica separado dos outros no sentido de mergulhar nos estudos da Arte. Ele também passa muito tempo sozinho, meditando no que está prestes a passar. E ele deve se purificar, através do banho, do jejum (apenas pão, mel e água são permitidos nas 24 horas que antecedem a iniciação propriamente dita) e da abstinência sexual.

No ritual em si, em vez de uma morte simbólica rigorosa ou do desmembramento, o postulante é amarrado e vendado, o que simboliza a restrição e a escuridão do útero. Quando ele "nasce", essas restrições são retiradas. Ele ganha um novo conhecimento, visto que certas coisas lhe são reveladas, e recebe um novo nome. Ele é então recebido, para sua nova vida, por seus irmãos e irmãs da Arte. A iniciação plena é uma experiência emocionante – muitos a consideram a mais emocionante de toda a sua vida.

O processo normal é que você encontre um coven e, depois de um certo período, seja aceito nele e iniciado. Suponhamos que você esteja começando do zero ou que faça parte de um grupo de amigos que vai formar seu próprio coven e, basicamente, iniciar sua própria tradição. Como a primeira pessoa será iniciada, de modo a poder iniciar as demais? Do mesmo modo, se você for um solitário e não quiser se unir a um grupo, como vai proceder? A resposta é: por meio da autoiniciação.

Alguns anos atrás, a maioria dos Bruxos (inclusive eu mesmo) franzia o cenho à ideia da autoiniciação. Não paramos para pensar em (a) como teria sido feito antigamente, com aqueles que viviam a quilômetros de um coven, ou (b) como o *primeiro* Bruxo se iniciou? Hoje alguns de nós estão mais iluminados.

A autodedicação é exatamente isto: a dedicação de si mesmo ao serviço dos deuses. Ela não contém todos os elementos mencionados, mas nem por isso é menos comovente. Uma iniciação plena num coven pode vir a ocorrer posteriormente, mas não é obrigatória – é apenas uma questão de preferência pessoal.

Uma pergunta que sempre se faz é: "Até que ponto a autoiniciação é válida?". Para algumas tradições, não é válida em absoluto (embora o que se deva questionar é a "validade" dessas tradições!). Certamente, você não pode se autoiniciar como um gardneriano, por exemplo. Mas o mais importante nesse caso é perguntar até que ponto a autoiniciação é válida para *você?* Se você é sincero; se deseja ser um Bruxo e adorar os antigos deuses; se você não tem nenhum motivo oculto... *ela é válida*, e não ouça ninguém que diga que não é.

Obviamente, se você quer ser parte de uma tradição em particular e essa tradição tem seu próprio rito de iniciação (como a gardneriana, que mencionei), então você precisa passar por esse rito para se unir a essa tradição. Mas nenhuma tradição tem o direito de dizer o que é certo ou errado para outra. Me parece que muitas pessoas estão se prendendo a uma "linha de descendência" – quem iniciou quem e por meio de quem? – em vez de se dedicar ao ato de cultuar. Uma das mais antigas tradições modernas é a gardneriana e, na época em que este livro foi escrito, ela tinha (em sua forma atual) apenas 35 anos. Não é muito antiga se pensarmos em toda a história da Bruxaria. Portanto, se uma iniciação gardneriana, por exemplo, é considerada válida, a sua também é.

Os Círculos

Um embaixador romano, num país estrangeiro, formava um círculo de subalternos ao seu redor, para mostrar que estava protegido de ataques; os babilônios faziam um círculo de farinha ao redor da cama de um homem doente, para manter os demônios afastados; os judeus alemães, na Idade Média, desenhavam um círculo ao redor da cama de uma mulher em trabalho de parto, para protegê-la contra espíritos malignos. O uso de um círculo para marcar a fronteira de uma área que é sagrada é muito antigo (veja Stonehenge, por exemplo). Mas o Círculo não apenas mantém os indesejados do lado de fora, ele também mantém o que se deseja – o poder elevado, a energia mágica – contido dentro dele.

As dimensões do Círculo dependem inteiramente de quem o traça e do seu propósito. Na Magia Cerimonial, na qual o mago conjura entidades, a exatidão do Círculo (e tudo dentro dele) é decisiva. Mas o oposto também é verdadeiro. Antigamente, quando aldeões se uniam para dar graças aos deuses, eles simplesmente desenhavam um círculo no chão, em geral de forma bem rústica, e o usavam, quer fosse um círculo perfeito quer não. Seu propósito era meramente o de delimitar um espaço para ser consagrado aos rituais; um lugar "especial" para esse propósito. O seu Círculo não tem que ser tão preciso quanto o dos magos cerimoniais (mais informações sobre isso na Lição Onze: A Magia), ainda assim ele deve ser traçado com uma certa precisão e cuidado. O Círculo de um coven deve ter 3 metros de diâmetro; o Círculo individual, apenas 1,5 metros. O traçado do Círculo começa e termina no Leste e *sempre* é desenhado no sentido horário, ou deosil. Se o coven está se reunindo ao ar livre, então o Círculo é marcado no chão com a espada, enquanto o Sacerdote ou a Sacerdotisa anda ao redor dele. Num ambiente interno, o Círculo deve ser primeiro marcado com uma corda branca, desenhado com giz ou (se você quiser um Círculo permanente) pintado com tinta branca. Mas a Sacerdotisa ou o Sacerdote ainda devem caminhar ao redor dele com a espada na mão, começando o traçado pelo Leste e terminando-o nesse mesmo ponto, "marcando-o" e projetando poder nele através da ponta da espada.

Existem várias maneiras de se criar um Círculo temporário. Uma delas é traçar o Círculo num tapete que possa ser enrolado e guardado entre os rituais e desenrolado e colocado sobre o piso quando necessário. Uma outra forma é ter um tecido de 15 a 30 cm de largura em forma de círculo, com o Círculo ritual desenhado nele. Ele também pode ser retirado e colocado de volta quando necessário. A vantagem desse tipo de Círculo é ser muito menos volumoso do que um tapete ou pedaço de carpete e bem mais fácil de guardar.

Sobre a linha do Círculo, devem ficar quatro velas brancas, apagadas; uma no Norte, uma no Leste, uma no Sul e uma no Oeste. Se você quiser, pode acrescentar velas adicionais, já acesas, entre essas quatro. Elas devem ficar ao redor do círculo, mas *fora* da linha demarcatória. Elas servirão apenas para proporcionar iluminação extra, se necessário.

O primeiro ritual realizado sempre é o que se chama, na Bruxaria saxônica, de a *Edificação do Templo*. Outras tradições o chamam de *Abertura do Círculo, Lançamento do Círculo* ou coisa parecida. Nesse ritual, o Círculo e tudo dentro dele é purificado e consagrado. A seguir, vou descrever o lançamento do Círculo de um modo que seja suficiente apenas para sua autodedicação/iniciação. Presumindo que você ainda não tenha feito seu athame, esse lançamento será o mais básico. Você vai precisar dos objetos do seu altar: vela, incensário, taça ou chifre para beber, sal e água, recipiente de libação e (se você desejar) imagens representando as divindades. Deve haver vinho na taça.

A Autodedicação

Este ritual deve ser realizado durante a Lua crescente, mas no dia mais próximo possível da Lua cheia. Para o ritual, eu sugiro que você esteja completamente nu e sem nenhum tipo de acessório.

Além dos objetos de altar mencionados, deve haver um pequeno recipiente com óleo para unção (veja a Lição Treze, página 449), entre a água e o sal.

O altar deve ser colocado no centro do cômodo, de modo que, quando você estiver na frente dele, esteja voltado para o Leste. O Círculo deve ser traçado ao seu redor (com corda, giz ou tinta). Sente-se ou

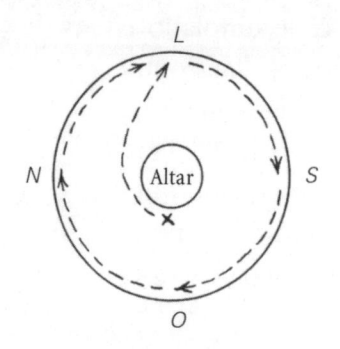

Figura 4.1A

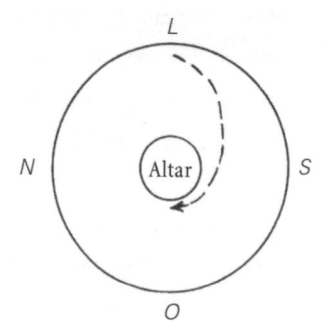

Figura 4.1B

ajoelhe-se diante do altar, com os olhos fechados. Concentre seus pensamentos e visualize, com os olhos da sua mente, que você está dentro de uma bola de luz branca. Projete suas energias para que a luz se expanda, até preencher completamente o Círculo. Continue por alguns instantes e relaxe. Abra os olhos, fique de pé e mova-se para o Leste. Aponte o dedo indicador da sua mão direita (esquerda, se for canhoto) para a linha demarcatória do Círculo. Ande vagarosamente ao redor dele, deosil, traçando o Círculo com o poder projetado ao longo do seu braço e do seu dedo (Figura 4.1A). Quando tiver percorrido toda a circunferência, volte ao altar (Figura 4.1B). Acenda a vela do altar e o incenso. Agora pegue a vela do altar e, movendo-se ao redor do altar, acenda com a vela do altar a vela do Leste. Continue e acenda a vela do Sul, do Oeste e do Norte (Figura 4.1A). Continue caminhando de volta para o Leste e então de volta ao altar, colocando a vela do altar de volta em seu lugar (Figura 4.1B). Agora, novamente concentre suas energias ao longo do braço e do dedo e coloque a ponta do dedo no sal, dizendo:

> "O sal é vida. Que este sal esteja puro e purifique minha vida quando eu o usar neste rito, dedicado à Deusa e ao Deus (ou use os nomes que você escolheu para eles), nos quais eu acredito".

Agora pegue três punhados de sal e jogue-os na água, um de cada vez. Mexa a água com o dedo três vezes, deosil, e diga:

> "Que o sal sagrado leve embora as impurezas desta água, que juntos eles possam ser usados a serviço destas divindades; através destes rituais e a qualquer hora e por qualquer meio que eu os utilize".

Pegue o recipiente de água com sal, leve-o para o Leste e, caminhando deosil, borrife a água na borda do Círculo. Recoloque-a no altar; pegue o incensário e, no Leste, percorra o Círculo mais uma vez, balançando o incensário. Volte ao altar, coloque-o ali e diga:

"O Círculo Sagrado está ao meu redor. Aqui me encontro
de livre e espontânea vontade, em paz e amor".

Mergulhe o dedo na água salgada e com ele trace uma cruz dentro de um círculo em sua testa, na altura do Terceiro Olho (entre as sobrancelhas). Depois trace um pentagrama (☆) no peito, sobre o coração, e diga:

"Eu agora convido os deuses para testemunhar este rito
que eu conduzo em sua honra".

Erga a mão, com o dedo apontado para cima, em saudação, enquanto diz:

"Deus e Deusa; Senhor e Senhora; Pai e Mãe de toda a vida,
protejam-me e me guiem dentro e fora deste Círculo, em
todas as coisas. Que assim seja".

Beije a sua própria mão, como se beijasse a da Senhora e do Senhor, então pegue a taça e derrame um pouco do vinho no chão (ou no recipiente de libação) como uma oferenda para os deuses, com as palavras:

"Senhor e Senhora!".

Beba um gole e recoloque a taça no altar com as palavras:

"Agora o Templo foi edificado. Eu não devo deixá-lo, a não
ser por uma boa razão. Que assim seja".

Sente-se ou ajoelhe-se diante do altar, com a cabeça baixa, e medite por alguns minutos sobre o Deus e a Deusa, a Arte e o que a Antiga Religião significa para você. Então fique de pé e erga ambas as mãos bem acima do altar e diga:

"Senhor e Senhora, ouçam-me agora!
Aqui estou, um simples pagão, honrando-os.
Pois longa foi minha jornada e longa foi a minha busca,
buscando aquilo que desejo acima de todas as coisas.
Eu venho das árvores e dos campos.
Eu venho dos bosques e das fontes;
das correntezas e das colinas.
Eu venho de vocês e vocês vêm de mim".

Abaixe os braços.

"Tragam-me o que eu desejo.
Permitam que eu reverencie os deuses
e tudo o que os deuses representam.
Façam de mim um amante da vida em todas as coisas.
Bem sei eu o credo:
Se eu não encontrar uma centelha de amor dentro de mim,
nunca a encontrarei fora de mim.
O amor é a lei e o amor é o laço.
Isso eu honrarei acima de tudo."

Beije sua mão direita e erga-a ao alto.

"Meu Senhor e minha Senhora, aqui estou diante de vocês,
nu e sem adornos, para me dedicar à sua honra.
Eu sempre hei de protegê-los e ao que é seu.
Que ninguém fale mal de vocês, pois sempre os defenderei.
De hoje em diante,
vocês são minha vida e eu a sua.
Eu aceito e sempre viverei pela Rede Wiccana:
'Faça o que quiser, mas não prejudique ninguém'.
Que assim seja."

Pegue a taça e despeje lentamente o resto do vinho no chão, dizendo:

"Como este vinho é drenado desta taça (ou chifre),
que o sangue seja drenado do meu corpo

se eu algum dia fizer algo que prejudique os deuses
ou aqueles em harmonia com o amor divino.
Que assim seja!"

Mergulhe o dedo no óleo e, mais uma vez, faça o sinal da cruz dentro de um círculo sobre o Terceiro Olho e o pentagrama sobre o coração. Depois, toque com o óleo seus genitais, o peito (mamilo) direito, o peito esquerdo e novamente os genitais (formando, assim, o Triângulo Sagrado, que simboliza o ato de extrair o poder da raiz desse poder). Diga:

"Como um sinal do meu renascimento,
assumo um novo nome.
De hoje em diante serei conhecido na Arte
como (seu nome mágico).
Que assim seja!".

Agora, sente-se confortavelmente, com os olhos fechados, e medite sobre o que a Arte significa para você. Pode ser que, nesse momento, você receba algum sinal de que está verdadeiramente em contato com os deuses. Mas, quer você receba ou não, deixe que seus sentimentos por eles e pela Antiga Religião fluam do seu corpo. Regozije-se com o sentimento de ter "chegado em casa"; de finalmente estar em comunhão com a Antiga Religião.

Quando tiver terminado de meditar, se sentir vontade de dançar, cantar e celebrar de algum modo, faça isso. Então, quando estiver pronto, fique em pé, erga ambas as mãos e diga:

"Eu agradeço aos deuses por sua presença.
Assim como cheguei aqui por amor a eles,
por amor a eles sigo meu caminho.
O amor é a lei, o amor é o laço.
Que assim seja! O Templo agora se fecha".

O texto acima é adaptado do *Ritual Seax-Wica de Autodedicação*.

Embora eu ainda não tenha dado todos os detalhes do Ritual de Edificação do Templo (e você nem tenha consagrado seus instrumentos até então), vou dar prosseguimento a esse Ritual de Autodedicação, descrevendo uma cerimônia completa de iniciação num coven, para concluir esse assunto. Na próxima lição, continuo de onde parei.

A Iniciação num Coven

Todos os rituais deste livro podem ser usados como um modelo, que você pode adotar ou adaptar. Você perceberá que o ritual a seguir contém todos os elementos que já mencionei. Se decidir criar o seu próprio ritual, peço que siga o padrão geral.

Eu criei esta cerimônia pensando num Sacerdote iniciando uma mulher. Ela pode, obviamente, ser reescrita para ser o contrário (em praticamente todas as religiões, os homens iniciam as mulheres e vice-versa).

Normalmente, a pessoa que será iniciada fica nua neste ritual. Se o coven costuma trabalhar nu, tudo bem. Entretanto, se o coven em geral usa túnica, então o postulante será o único nu ou deverá usar uma túnica que possa ser aberta na frente quando indicado (até mesmo covens que trabalham vestidos costumam não usar nada embaixo da túnica).

A iniciação pode ocorrer na presença de todos, apenas na presença do Sacerdote, da Sacerdotisa e do iniciado; ou na presença do Sacerdote, da Sacerdotisa, de um ou dois assistentes e do postulante. O coven deve decidir que método prefere. O ritual a seguir foi projetado para o Sacerdote, a Sacerdotisa, dois assistentes (que eu chamo de donzela e escudeiro) e o postulante (a pessoa que passará pela iniciação). Junto com os objetos do altar, haverá um recipiente com óleo de unção, entre a água e o sal, uma corda vermelha de três metros de comprimento e uma venda para os olhos. A coroa da deusa usada pela Sacerdotisa e o capacete de chifres do Sacerdote devem estar ao lado do altar. O postulante não deve usar nenhum tipo de joia, nem maquiagem, e precisa aguardar fora da sala do Templo. A unção será feita conforme foi descrita no Ritual de Autodedicação. Uma cruz celta dentro de um círculo é traçada acima e entre os olhos do postulante, na posição do Terceiro Olho; um pentagrama é traçado sobre o coração dele; um triângulo invertido é traçado tocando-se seus genitais, o peito direito, o peito esquerdo e os genitais novamente.

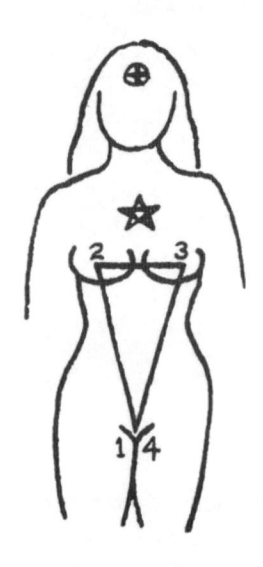

Beijo iniciatório

O Ritual de Edificação do Templo é realizado da forma costumeira (veja a próxima lição). Toca-se o sino três vezes.

> **Sacerdotisa:** "Que ninguém sofra de solidão; ninguém fique sem um amigo ou sem irmã ou irmão. Pois todos encontrarão amor e paz dentro do Círculo".
>
> **Sacerdote:** "Com os braços abertos, o Senhor e a Senhora dão as boas-vindas a todos".
>
> **Escudeiro:** "Eu trago notícias de alguém que veio de longe para buscar o que temos aqui".
>
> **Donzela:** "Longa foi sua jornada, mas agora essa pessoa sente que o destino está próximo".
>
> **Sacerdote:** "De quem vocês falam?".

Método de Amarração para a Iniciação

1. Uma corda vermelha de três metros é passada em torno do braço esquerdo do postulante, atrás das costas. Um único nó é dado no ponto médio da corda.
2. O braço direito do postulante é posicionado sobre o esquerdo, pulso contra pulso, e um nó é dado. *Observação:* os braços formam a base de um triângulo, cujo vértice é a cabeça (veja a ilustração).
3. As duas pontas da corda são passadas ao redor da cabeça do postulante e cruzadas na frente.
4. Uma das pontas é novamente passada por trás da cabeça, e as duas pontas são amarradas com um laço sobre o ombro direito.

1º Passo   2º Passo   3º Passo   4º Passo

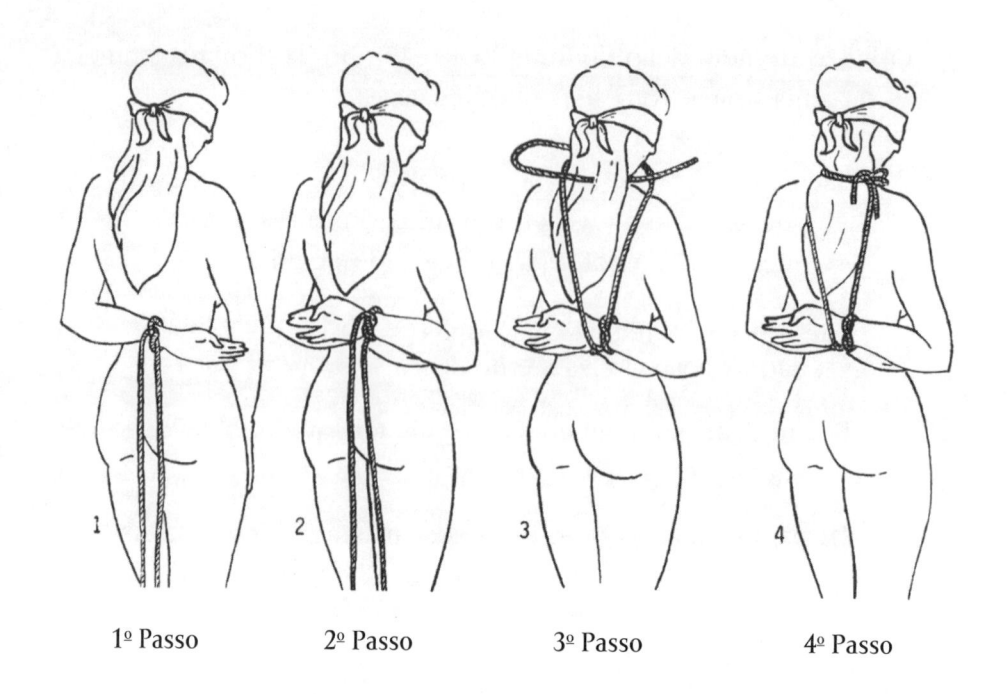

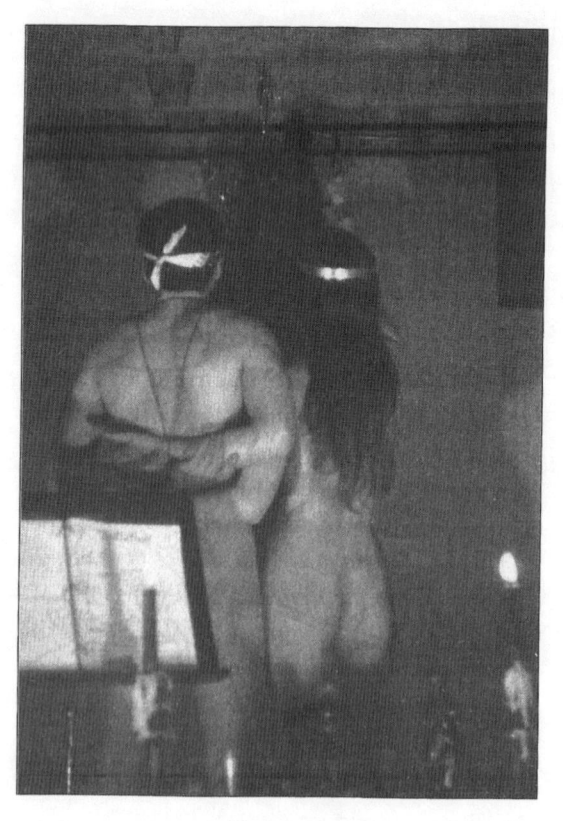

Apresentação

Escudeiro: "Daquela que, neste instante, espera fora do Templo, aguardando para entrar".

Sacerdotisa: "Quem a trouxe aqui?".

Donzela: "Ela veio sozinha, por sua livre e espontânea vontade".

Sacerdote: "O que ela busca?".

Donzela: "Ela busca tornar-se uma só com o Senhor e a Senhora. Ela busca se unir a nós em nossa reverência a eles".

Sacerdotisa: "Quem fala por ela?".

Escudeiro: "Eu falo. Como seu professor[*], mostrei a ela os costumes; apontei a direção certa e coloquei seus pés no caminho. Mas ela escolheu dar este passo e agora pede que lhe deixem entrar".

Sacerdote: "Ela pode ser trazida à nossa presença?".

Escudeiro: "Sim, ela pode".

Sacerdotisa: "Então que assim seja".

O Escudeiro pega a corda e o athame; a Donzela pega a venda e a vela. Eles caminham, deosil, ao redor do Círculo, para o Leste, e por ali saem do Círculo. (Veja detalhes sobre entrar e sair do Círculo na Lição Dez.) Eles saem do Templo e vão até a postulante. A Donzela deve vendá-la enquanto o escudeiro a amarra (veja a ilustração). Com a postulante entre eles, eles se aproximam da porta da sala do Templo. O Escudeiro bate à porta com o cabo do athame.

---

[*] Esta parte deve ser falada, obviamente, pela pessoa que veio trabalhando com o postulante até este ponto.

>**Sacerdote:** "Quem bate?".
>
>**Escudeiro:** "Nós voltamos com aquela que deseja se juntar a nós".
>
>**Sacerdotisa:** "Qual é o nome dela?".
>
>**Postulante:** "Meu nome é (nome civil). Eu peço para entrar".
>
>**Sacerdotisa:** "Entre, pois, no nosso Templo".

Os três entram na sala do Templo e ficam do lado de fora do Círculo, no Leste. A Donzela segura a vela; o Escudeiro, o athame. O sino é tocado uma vez.

>**Sacerdote:** "(Nome), por que você veio aqui?".
>
>**Postulante:** "Para reverenciar os deuses nos quais acredito e me tornar uma só com eles e com meus irmãos e irmãs da Arte".
>
>**Sacerdotisa:** "O que traz com você?".
>
>**Postulante:** "Não trago nada a não ser meu eu verdadeiro, nu e sem adornos".
>
>**Sacerdotisa:** "Então, eu a convido a entrar neste Círculo de reverência e magia".

O Escudeiro as admite no Círculo. Elas ficam dentro dele, ainda no Leste. O Sacerdote e a Sacerdotisa caminham ao redor deles; o Sacerdote carrega o incensário e a Sacerdotisa, a água com sal.

>**Sacerdote:** "Para entrar em nosso Círculo Sagrado, devo consagrá-la em nome do Deus e da Deusa".

Se a Postulante está de túnica, a Sacerdotisa abre a túnica, enquanto o Sacerdote passa o incenso por ela e esparge gotas da água sobre o corpo dela, e depois fecha a túnica novamente. O Sacerdote e a Sacerdotisa voltam para o altar, seguidos pelo Escudeiro, a postulante e a Donzela. O Sacerdote e a Sacerdotisa ficam na frente do altar, enquanto o Escudeiro e a Donzela vão para o lado oposto, com a postulante entre eles. Eles ficam de frente para a Sacerdotisa e o Sacerdote. Toca-se o sino duas vezes.

> **Sacerdotisa:** "Eu falo pela Senhora. Por que você está aqui?".
>
> **Postulante:** "Eu estou aqui para tornar-me uma só com o Senhor e a Senhora; para me unir a seu culto".
>
> **Sacerdote:** "Eu sou aquele que fala pelo Senhor. Quem fez você vir até aqui?".
>
> **Postulante:** "Ninguém me fez vir, eu vim de livre e espontânea vontade".
>
> **Sacerdote:** "Você deseja ver terminada a vida que viveu até agora?".
>
> **Postulante:** "Eu desejo".
>
> **Sacerdote:** "Então que assim seja".

Com seu athame, o Escudeiro corta uma mecha do cabelo da postulante e atira essa mecha no incensário. O Escudeiro e a Donzela conduzem a postulante ao redor do Círculo, até o Leste.

> **Donzela:** "Ouçam, todos vocês do Portal do Leste. Aqui está alguém que se unirá a nós. Deem-lhe as boas-vindas e lhe tragam alegria".

Eles caminham para o Sul.

> **Escudeiro:** "Ouçam, todos vocês do Portal do Sul. Aqui está alguém que se unirá a nós. Deem-lhe as boas-vindas e lhe tragam alegria".

Eles caminham para o Oeste.

> **Donzela:** "Ouçam, todos vocês do Portal do Oeste. Aqui está alguém que se unirá a nós. Deem-lhe as boas- -vindas e lhe tragam alegria".

Eles caminham para o Norte.

> **Escudeiro:** "Ouçam, todos vocês do Portal do Norte. Aqui está alguém que se unirá a nós. Deem-lhe as boas- -vindas e lhe tragam alegria".

O Escudeiro e a Donzela conduzem a postulante de volta para trás do altar, de frente para a Sacerdotisa e o Sacerdote. O Sacerdote e a Sacerdotisa colocam suas coroas e, pegando seus athames, ficam lado a lado, com o braço direito erguido, segurando seu punhal em saudação. O Escudeiro toca o sino três vezes.

> **Donzela:** "Agora você deve ficar face a face com aqueles que busca".

A Donzela remove a venda.

> **Donzela:** "Veja, nestes dois Sacerdotes vemos de fato os deuses. E assim sabemos que eles e nós somos um só".
>
> **Escudeiro:** "Assim como precisamos dos deuses, os deuses precisam de nós".
>
> **Sacerdote:** "Eu sou aquele que fala pelo Deus. E ainda assim você e eu somos iguais".
>
> **Sacerdotisa:** "Eu sou aquela que fala pela Deusa. E ainda assim você e eu somos iguais".

O Sacerdote e a Sacerdotisa baixam seus athames e estendem as lâminas para a postulante, que as beija.

Postulante: "Eu saúdo o Senhor e a Senhora, como saúdo aqueles que os representam. Eu juro dar meu amor e meu apoio a eles e a meus irmãos e irmãs da Arte".

Sacerdote: "Você conhece a Rede Wiccana?".

Postulante: "Sim. Faça o que quiser, mas não prejudique ninguém".

Sacerdotisa: "E você obedecerá à Rede?".

Postulante: "Sim".

Sacerdote: "Muito bem. Que suas amarras caiam para que você possa renascer".

O Escudeiro desamarra a corda. A Donzela conduz a postulante ao redor do Círculo, para que ela fique diante da Sacerdotisa e do Sacerdote. A Donzela então retorna ao seu lugar, ao lado do Escudeiro.

Sacerdotisa: "Para que você comece uma nova vida convém que faça isso com um novo nome da sua escolha. Você já tem esse nome?".

Postulante: "Eu tenho, é (nome mágico)".

Sacerdote: "Então, que você seja conhecida por esse nome de hoje em diante, por seus irmãos e irmãs da Arte".

O Sacerdote pega o recipiente com o óleo de unção. Se a postulante está de túnica, a Sacerdotisa abre a túnica. O Sacerdote traça com óleo a cruz, o pentagrama e o triângulo e diz:

Sacerdote: "Com este óleo sagrado eu a unto e a consagro, dando nova vida a mais um dos filhos dos deuses. Deste dia em diante, que você seja conhecida como (nome mágico), dentro e fora deste Círculo, por todos os seus irmãos e irmãs da Arte. Que assim seja".

Todos: "Que assim seja!".

Sacerdotisa: "Agora você é verdadeiramente uma de nós. Como uma de nós, você partilhará nosso conhecimento dos deuses e das artes da cura, da adivinhação, da magia e de todas as artes místicas. Essas serão as matérias do seu aprendizado à medida que progride".

Sacerdote: "Mas nós a avisamos de que deve para sempre se lembrar da Rede Wiccana. Faça o que quiser, mas não prejudique ninguém".

Sacerdotisa: "Faça o que quiser, mas não prejudique ninguém. Venha agora, (nome mágico), e encontre seus iguais".

A postulante saúda a Sacerdotisa e o Sacerdote e então caminha ao redor, saudando todos os demais no Círculo. Se a iniciação estiver acontecendo sem a presença dos outros membros do coven, eles agora retornam para o Círculo e se juntam às celebrações. Se é costume do coven presentear um novo membro, isso deve ser feito neste momento. O sino é tocado três vezes.

Sacerdote: "Agora é a verdadeira hora da celebração".

A celebração prossegue até o Templo ser fechado.
Na próxima lição você vai consagrar seus instrumentos, para que eles possam ser usados em futuros rituais.

Questões sobre a Lição Quatro

1. Como você se preparou para a iniciação?

2. Se você está se unindo a um coven, descreva seus membros, o Sacerdote e a Sacerdotisa, e os objetivos que eles têm. Por que você está se unindo a esse coven em particular?

O Ritual de Iniciação

Os membros do coven

Os objetivos do coven

Questões Avaliatórias sobre a Lição Quatro

1. Qual o termo usado para o tema central da iniciação?

2. Descreva, em poucas palavras, o padrão geral da iniciação.

3. Por que o postulante é amarrado e vendado?

4. Qual é a Rede Wiccana e o que ela significa?

5. É costume uma mulher iniciar outra mulher?

6. Escreva um breve texto sobre o que a Arte significa para você e por que você quer ser um seguidor.

Leituras Recomendadas

Witchcraft Today, de Gerald B. Gardner.

Rites and Symbols of Iniciation – Birth and Rebirth, de Mircea Eliade.

Leitura Complementar

The Rites of Passages, de Arnold Van Gennep.

LIÇÃO CINCO

Os Covens e os Rituais

Os Covens e os Graus

Ao longo da história, sempre existiram Bruxos Solitários... Bruxos que trabalhavam (e muitas vezes moravam) sozinhos. Ainda existem muitos, hoje em dia, que se sentem melhor praticando a Arte dessa maneira, e eu discorrerei sobre eles posteriormente. Mas a maioria dos Bruxos trabalha em grupos conhecidos como covens. A origem da palavra não é clara. Margaret Murray, autora de *The Witch Cult in Western Europe*, sugere que ela "deriva da palavra *convene* [convocar, em inglês]".

O coven é um grupo pequeno; normalmente não tem mais que uma dezena de membros. O número "tradicional" é treze, embora não exista nenhuma razão para que esse número em particular seja seguido. Por experiência própria, descobri que o número mais adequado é cerca de oito. Uma das coisas que determina o melhor número de pessoas num coven é o tamanho do Círculo onde eles realizam seus rituais. Por tradição, o diâmetro do Círculo é de 3 metros, por isso o número de pessoas que pode ficar confortavelmente dentro dele é limitado. Mas não se deve colocar o carro na frente dos bois. Na verdade, vocês devem basear o tamanho do Círculo no número de pessoas do coven, não o contrário. Para chegar ao tamanho ideal, todos devem ficar de pé e se dar as mãos, formando uma roda. Então, todos devem dar alguns passos para trás, sem largar as mãos e estendendo os braços ao máximo. O Círculo então terá o tamanho certo para conter todos confortavelmente. Se isso significar que será preciso traçar um Círculo de 2 metros, 2 metros e meio, 3 metros ou 5 metros, não importa. O que importa é que esse Círculo contenha o grupo com conforto, sem que ninguém tenha receio de ultrapassar seus limites quando estiver dançando e sem que seja grande demais.

O coven é um grupo pequeno, e seus membros são bem próximos. Na verdade, os membros do coven algumas vezes são mais próximos dos seus irmãos da Arte do que da própria família sanguínea, por isso a Arte é muitas vezes chamada de "religião de família". Por essa razão, você deve escolher seus companheiros Bruxos com muito cuidado. Não basta que todos vocês tenham interesse pela Antiga Religião. Vocês devem ser compatíveis e se sentir totalmente confortáveis uns com os outros. Chegar a esse ponto leva tempo e, por esse motivo, não se deve ter pressa ao se formar um coven.

Estude a Arte junto com seus amigos. Leia todos os livros de Bruxaria que estiverem ao seu alcance, discutam sobre eles e façam perguntas uns aos outros. Se você conhecer algum Bruxo iniciado ou puder entrar em contato com autores de livros dispostos a se corresponder, não tenha receio de lhes fazer perguntas.

No entanto, não encare com tanta seriedade essas questões a ponto de perder todo o seu senso de humor. A religião é um assunto sério, sem dúvida, mas os deuses sabem se divertir e os Bruxos sempre sentiram prazer em praticar sua Arte. Os rituais de um coven não devem ser realizados levianamente, é claro, mas, se alguém cometer um erro (ou se sentar sobre uma vela!), não tenha medo de assumir seu lado humano e cair na risada. Os rituais religiosos devem ser realizados porque você *quer* realizá-los e *gosta* de realizá-los, não porque você *tem* de realizá-los (podemos deixar isso para outras crenças!)

Hierarquia e Sacerdócio

O coven precisa de um líder, ou de vários. Os líderes, como Sacerdotes do grupo, estarão representando a Deusa e o Deus, por isso o ideal é que sejam um homem e uma mulher. Na tradição saxônica (e em algumas outras), eles são escolhidos democraticamente pelos membros do coven. Lideram durante um ano e depois há uma reeleição (se reeleitos, juntos ou não, eles serão conhecidos em seus mandatos subsequentes como Grão-Sacerdote e Grã-Sacerdotisa, para indicar essa experiência). Esse sistema tem a nítida vantagem de (a) impedir a vaidade e jogos de poder por parte dos Sacerdotes, (b) dar a quem quiser a chance de liderar um grupo e ter a experiência de governar um coven e (c) permitir que aqueles que são eficazes permaneçam e aqueles que abusam do poder sejam afastados da liderança.

Em muitas tradições, entretanto, existe um sistema de graus (de avanço por meio de promoções) e é impossível ser líder sem conquistar o grau necessário. Lamentavelmente, esses sistemas muitas vezes levam a jogos de poder (Eu tenho um grau mais alto, logo sou melhor do que você!") e a todas as ramificações de favoritismo/abuso/autoglorificação. Quero frisar que isso não ocorre sempre, embora exista esse risco. Há covens que se mantiveram felizes por anos a fio seguindo esse sistema.

Na maioria dos sistemas de grau, o Bruxo alcança o primeiro grau ao passar pelo Ritual de Iniciação. Vamos usar a tradição gardneriana como um exemplo típico. Nessa tradição, no Primeiro Grau, o Bruxo participa dos rituais junto com o "coro" e aprende com os Anciãos, ou *Elders*. O Bruxo permanece nesse grau por um ano e um dia, pelo menos. Quando alcança o Segundo Grau, ele pode ter uma participação mais ativa nos rituais. Por exemplo, uma Bruxa gardneriana do Segundo Grau pode traçar o Círculo para a Grã-Sacerdotisa. Entretanto, ela não pode iniciar ninguém. Depois de pelo menos um ano e um dia nessa posição, é possível atingir o Terceiro Grau, se o Bruxo estiver pronto. Como Bruxo de Terceiro Grau, o gardneriano pode formar seu próprio coven, se assim desejar. Ele lidera seu coven, iniciando quem quiser, sem interferência da Grã-Sacerdotisa original. Os covens, como se vê, são autônomos. É claro que o Bruxo de Terceiro Grau não tem que deixar seu coven e começar outro do zero. Muitos, nessa posição, ficam satisfeitos em permanecer em seu próprio coven, onde passam a ser conhecidos como Anciãos.

Cada tradição segue um sistema diferente. Alguns têm mais do que três graus, outros insistem num tempo mínimo maior entre os graus, e existem aqueles em que o Sacerdote têm poderes iguais aos da Sacerdotisa.

Que tipo de pessoa deve ser um Sacerdote ou uma Sacerdotisa? Quando eu fui iniciado por Lady Olwen (Grã-Sacerdotisa de Gerald Gardner), em Perth, na Escócia, em 1963, ela me deu um ideia de como um líder realmente bom deveria ser. Eu não sei quem é o autor, mas este é o texto que me foi transmitido:

O Amor do Sacerdote e da Sacerdotisa

Você pode ir até eles por apenas alguns instantes e depois ir embora e fazer o que quiser. O amor deles continuará o mesmo.

Você pode negá-los diante deles ou para si mesmo, depois amaldiçoá-los para qualquer um que o ouça. O amor deles continuará o mesmo.

Você pode se tornar a mais desprezível das criaturas e depois voltar a procurá-los. O amor deles continuará o mesmo.

Você pode se tornar inimigo dos próprios deuses e depois voltar para eles. O amor deles continuará o mesmo.

Vá para onde for, fique longe pelo tempo que quiser e depois volte para eles. O amor deles continuará o mesmo.

Abuse de outras pessoas, abuse de si mesmo; abuse deles e depois volte para eles. O amor deles continuará o mesmo.

Eles nunca vão criticar você; nunca vão diminuí-lo; nunca falharão com você; porque para eles você é tudo e eles não são nada. Eles nunca vão decepcionar você; nunca vão ridicularizar você; nunca vão falhar com você, porque, para eles, você é da mesma natureza que o Deus e a Deusa. Existe para ser servido e eles são seus servos.

Não importa o que lhe aconteça,
Não importa o que você se torne,
Eles sempre irão esperar por você.
Eles conhecem você, eles servem você, eles amam você.

O amor deles por você, neste mundo sempre em mutação, continuará sempre o mesmo.

O amor deles, amado, é imutável.

Dentro do coven, a pessoa não iniciada, não wiccana, é chamada de *cowan*. Normalmente, os *cowans* não podem participar dos Círculos, embora algumas tradições tenham formas de permitir esses visitantes. Eu, pessoalmente, acho que os *cowans* devem ter permissão para assistir aos rituais religiosos (não aos trabalhos mágicos, entretanto), caso todos os membros do coven concordem e trabalhem vestindo túnicas, não vestidos de céu. Que melhor maneira de aprender sobre o verdadeiro espírito da Antiga Religião e de determinar se esse é o caminho que se busca?

Essa também é, por acaso, uma excelente forma de relações públicas, pois ajuda a corrigir conceitos equivocados sobre a Bruxaria.

A participação dos seguidores é algo muito importante numa religião. Um dos deméritos do Cristianismo, a meu ver, é o fato de o seguidor comum ser pouco mais do que um espectador. Sentado na audiência, como é o procedimento normal, ele pode apenas observar a maior parte do ritual junto com o resto da multidão. Quão diferente é a Arte, em que você, como membro da "família", está bem lá no meio, tomando parte.

Divulgue essa ideia. Sempre que possível, delegue atividades a diferentes membros do coven. A cada encontro (ou num sistema rotativo), peça que uma pessoa se encarregue do incenso; outra verifique se há vinho; outra vire as páginas do Livro etc. Todos são supostamente iguais no Círculo; os líderes rituais (o Sacerdote e a Sacerdotisa do coven) são apenas isso... líderes, *não* governantes. O Sacerdócio é *liderança, não é poder*. Você vai notar que os rituais descritos nas páginas seguintes foram projetados para incluir o maior número possível de pessoas.

Uma vez iniciado, você é um Bruxo e um Sacerdote ou uma Sacerdotisa. A Arte é uma religião de sacerdócio, e é por isso que os Solitários podem conduzir seus próprios rituais. No que diz respeito aos títulos, quero frisar que todo iniciado é um Bruxo, mas, como mencionei brevemente na Lição Três, em nenhuma das grandes tradições essa palavra é usada como um título. Em outras palavras, você não é conhecido como "Bruxa Lena" ou "Bruxo Cirano", ou qualquer que seja seu nome. Você é simplesmente "Lena" ou "Cirano" Algumas tradições, entretanto, usam os termos "Senhor" e "Senhora". Na tradição gardneriana e na tradição saxônica, a Grã-Sacerdotisa (apenas) é conhecida como "Lady Freyan" [Senhora Freyan] (ou qualquer que seja o nome dela) e, ao falar com ela, deve-se usar o termo "minha Senhora". Nenhuma das outras mulheres, no entanto, é chamada assim. Como eu disse, em outras tradições os termos "Senhor" e "Senhora" parecem ser aplicados indiscriminadamente. Eu não sei se há um precedente histórico para isso, mas, como muitas outras coisas, isso realmente não faz diferença... É só uma questão de saber o que faz mais sentido para você.

Vou deixar completamente de lado qualquer discussão sobre os títulos "Rainha" ou "Rei". Os covens são autônomos e *não* existe nenhum "líder de todos os Bruxos" reconhecido na Wicca, portanto desconsidere quaisquer afirmações em contrário.

Covensteads e Covendoms

O nome dado à sede do coven (o local onde ele sempre ou quase sempre se reúne) é *covenstead*. É no *covenstead*, portanto, que se encontra o Templo. O *covendom* tradicionalmente se estende por uma légua, ou cerca de cinco quilômetros, em todas as direções a partir do *covenstead*. Por tradição, essa é a área onde moram os Bruxos que formam o coven. Dizia-se que um *covendom* não podia se misturar com outro, logo nenhum *covenstead* deveria estar a menos de dez quilômetros do outro. Hoje em dia, essas velhas fronteiras são raramente obedecidas. Entretanto, você ainda deve se referir ao local de encontro do seu coven como *covenstead* e, se assim desejar, pode imaginar que a metade do caminho entre seu *covenstead* e o próximo é a fronteira entre eles.

O Livro dos Rituais

Em sua origem, a Arte era uma tradição puramente oral – nada nunca era escrito, tudo era passado de boca em boca. Mas, com o início das perseguições, os Bruxos e covens tiveram que se esconder e, consequentemente, começaram a perder contato uns com os outros. Assim, para que os rituais não fossem esquecidos, os Bruxos começaram a registrá-los por escrito. Mas não todos, apenas os básicos. Uma vez que os covens passaram a se reunir em segredo – "nas sombras" –, o livro no qual se registravam os rituais passou a ser conhecido como "O Livro das Sombras", e assim ainda é chamado até hoje.

Cada coven costuma ter um Livro das Sombras. Cada um dos membros do coven também deve ter seu próprio livro, no qual faz anotações sobre sua própria especialidade (isto é, conhecimento de ervas, astrologia, cura), mas deve haver apenas um livro que contenha todos os rituais e que deve ficar bem guardado, nas mãos da Sacerdotisa ou do Sacerdote. Esse costume, obviamente, deveu-se à necessidade de garantir que houvesse pouquíssimas chances de o livro ser descoberto pelos antagonistas da Arte.

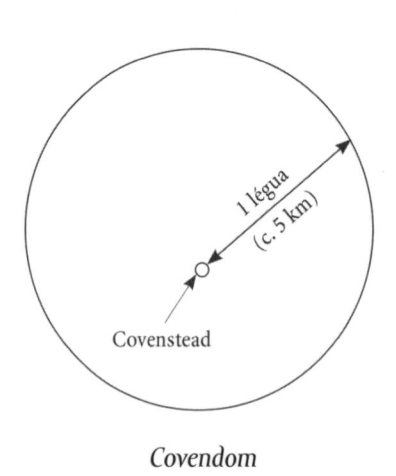

Covendom

(1 légua (c. 5 km))

Covenstead

Nos últimos anos, tornou-se mais e mais comum que todos os Bruxos tenham um Livro das Sombras, no qual tudo é registrado. Você, portanto, deve começar seu próprio livro. É possível comprar cadernos de capa dura em papelarias e lojas de suprimentos para escritórios, e estes servem perfeitamente. Algumas tradições afirmam que o livro deve ter capa preta; outras dizem que ela deve ser verde, outras, que deve ser marrom. Nesse caso também, a decisão é sua.

Muitos Bruxos gostam de fazer seus próprios livros do zero, usando folhas de pergaminho como páginas e amarrando-as com tiras de couro ou usando capas de madeira entalhada. Criar um livro assim é certamente um trabalho de amor e dá muita margem à sua livre expressão artística. A encadernação artesanal não é algo muito difícil. Existem muitos livros no mercado sobre isso (*Hand Bookbinding*, de Aldren A. Watson, é um deles). Se o seu coven decidir ter um livro principal, além dos livros individuais de cada Bruxo, então muitas pessoas poderão colaborar na criação desse livro coletivo.

Sinta-se à vontade para fazer o seu como desejar. Eu já vi alguns livros realmente bonitos, com páginas muito bem decoradas e letras escritas com tinta fosforescente. É claro que, se você preferir algo mais simples, tudo bem. Seu livro deve refletir quem você é. Só um ponto deve-se ter em mente: o livro é para ser usado! Os rituais devem ser lidos no Círculo. Não torne a escrita tão elaborada a ponto de, no suave tremeluzir das velas, não conseguir ler o que está escrito!

À medida que conhecer os diferentes rituais deste livro, vá copiando-os em seu próprio livro. Quando tiver chegado ao final deste livro, seu Livro das Sombras estará completo.

A Consagração dos Instrumentos

Os instrumentos que você fez (assim como quaisquer joias que você tenha) carregam uma variedade de vibrações. Antes de usar seus instrumentos, portanto, é necessário fazer um ritual para purificá-los e dedicá-los ao trabalho para o qual serão usados. Esse ritual consiste em "espargir e incensar". Quando você *carrega* o sal e depois o mistura com água, o resultado se torna, em essência, uma "água benta". Juntamente com a fumaça do incenso, ela age como um agente purificador espiritual.

A primeira coisa que você vai consagrar será seu punhal, ou athame, pois vai precisar dele para traçar o Círculo e executar trabalhos rituais em geral. O Ritual de Consagração que se segue foi projetado para o athame, mas você pode usá-lo para qualquer outra coisa que esteja consagrando (espada, talismã etc); basta mudar as palavras. *A consagração só precisa ser feita uma vez*. Ela não precisa ser repetida a cada vez que você trace o Círculo.

Comece traçando o Círculo, como foi descrito na seção "A autodedicação" da Lição Quatro. Vá até o ponto que diz "Agora o Templo foi edificado. Eu não devo deixá-lo, a não ser por uma boa razão. Que assim seja". Agora continue:

O Ritual de Consagração

Pegue seu punhal, segure-o no alto em saudação e diga:

> "Deus e Deusa, Senhor e Senhora, Pai e Mãe de toda a vida,
> aqui eu apresento meu instrumento pessoal para sua aprovação.
> A partir de materiais da natureza ele foi elaborado;
> esculpido na forma que agora se vê.
> Que, de agora em diante, ele possa me servir
> como instrumento e arma, a seu serviço".

Coloque o punhal no altar e fique de pé ou ajoelhe-se, por alguns instantes, com a cabeça baixa, recordando a confecção do instrumento (punhal, espada, talismã ou o que quer que seja) e o que você fez para personalizá-lo, para fazê-lo verdadeiramente seu. Então mergulhe os dedos na água salgada e esparja com ela o punhal. Vire-o e faça o mesmo do outro lado. Agora pegue-o e segure-o na fumaça do incenso, virando-o de modo que todas as partes passem igualmente pelo incenso. Diga:

> "Que a água sagrada e a fumaça do incenso sagrado eliminem qualquer impureza deste punhal, para que ele fique puro e limpo, pronto para me servir e aos meus deuses, da maneira que eu desejar. Que assim seja".

Segure-o entre as palmas das mãos e concentre suas energias – seu "poder" – nesse punhal. Então, diga:

"Através de mim, eu carrego este punhal com a sabedoria e o poder do Deus e da Deusa. Que ele me sirva bem, livrando-me do perigo e agindo a serviço dos deuses em todas as coisas. Que assim seja".

Se você estiver consagrando outros objetos neste momento, repita o que foi feito com cada um deles. Então desfaça o Círculo como se segue. Erga seu recém-consagrado athame na mão direita (esquerda, se for canhoto) e diga:

"Meus agradecimentos aos deuses por sua presença. Que eles sempre olhem por mim, me protegendo e guiando em tudo o que eu fizer. O amor é a lei e o amor é o laço. Que assim seja".

Mantenha o item consagrado consigo, para onde você for, pelas 24 horas seguintes à consagração. Então durma com ele sob seu travesseiro por três noites consecutivas. De agora em diante, você usará seu athame como indicado nos rituais que se seguem. Esse é seu instrumento

Vários instrumentos sobre um altar

pessoal. Não há mal em deixar que outra pessoa o manuseie ou olhe para ele, mas não o empreste a ninguém para ser usado dentro ou fora do Círculo.

Agora é hora de examinar mais de perto as cerimônias de abertura e fechamento do Círculo, atentando para o modo como são realizadas por um coven, com os instrumentos apropriados. Na tradição saxônica, esses rituais são chamados de Edificação do Templo e Purificação do Templo. Eu prefiro esses termos a outros, como "abrir o círculo" e "fechar o círculo", e os usarei aqui.

Os rituais deste livro são projetados para um certo número de pessoas no coven. Não hesite em modificá-los, aumentando ou diminuindo o número de pessoas. Nesses rituais, as palavras ou ações do Sacerdote ou da Sacerdotisa podem ser pronunciadas ou realizadas por qualquer um dos dois. Quando não for assim, estará especificado de qual dos dois se trata.

Como Entrar e Sair do Círculo

Durante o trabalho mágico, o Círculo não deve ser quebrado. Em outras situações, é possível deixar o Círculo e voltar, embora isso sempre deva ser feito com cuidado e apenas se for absolutamente necessário. Faça isso da seguinte forma.

5.1A   5.1B   5.1C   5.1D

Figura 5.1A-D

Como Sair do Círculo

Com o athame na mão, de pé no Leste, faça um movimento como se cortasse a linha demarcatória do Círculo; primeiro à sua direita, depois à sua esquerda (veja as Figuras 5.1A e 5.1B). Você pode, então, sair do Círculo pela "abertura" feita pelo athame. Se você quiser, pode imaginar que cortou um portal, ou uma porta, no Leste, através do qual vai passar.

Como Voltar a Entrar no Círculo

Quando você voltar ao Círculo, entre pelo mesmo portal aberto ao Leste e "feche-o" atrás de si, "religando" a linha do Círculo. Na verdade, foram traçados três Círculos originalmente – um com a espada, um com a água salgada e outro com o incenso –, de modo que você tem três linhas para reconectar. Você faz isso movendo a lâmina para frente e para trás ao longo das linhas (veja a Figura 5.1C). É por isso que a lâmina do athame tem dois gumes. Ela corta em qualquer direção, nesta e em ações mágicas similares.

Para finalizar, você "sela" a fissura erguendo seu athame e movendo a lâmina para traçar um pentagrama no ar. Comece no topo e desça para a ponta inferior esquerda, então a mova para a ponta superior direita, direto até a ponta superior esquerda; depois para baixo, até a ponta inferior direita e de volta ao topo (veja a Figura 5.1D).

Então, beije a lâmina do seu athame e retorne ao seu lugar. Normalmente, depois que o Círculo é aberto, ninguém deve sair até a Purificação do Templo. O Círculo não deve ser quebrado a não ser que seja absolutamente necessário (como quando alguém *realmente* precisa ir ao banheiro). Se a pessoa que abriu o portal vai ficar fora por algum tempo, então ela deve realizar os passos 5.1A e 5.1B, passar e realizar o passo 5.1C pelo lado de fora, para fechar o Círculo temporariamente enquanto não estiver ali. Ao retornar, ela deve cortar novamente no mesmo lugar, passos 5.1A e 5.1B, passar e fechá-lo normalmente com o passo 5.1C, seguido pelo passo 5.1D, para selá-lo. (*Observação:* uma vez que o trabalho mágico se inicie, o Círculo não deve ser quebrado.)

Ritual de Edificação do Templo

O Círculo é marcado no chão. Deve haver uma vela em cada um dos quadrantes: uma amarela no Leste, uma vermelha no Sul, uma azul no Oeste e uma verde no Norte. O altar é montado no centro do Círculo, de modo que, ao ficar de frente para ele, você também fique de frente para o Leste. No altar, haverá uma ou duas velas brancas, um incensário, recipientes com sal e água, um sino, imagens das divindades (opcional), recipiente com óleo de unção, taça para vinho (ou suco de frutas), recipiente de libação, espada (se você tiver uma) e/ou os athames dos Sacerdotes.

O responsável pelo incenso acende o incenso e as velas de altar (não as velas do Círculo) e depois os leva para o local onde os outros membros do coven aguardam, no quadrante Nordeste.

O Sacerdote e a Sacerdotisa entram no Círculo pelo Leste (no lado Nordeste da vela do Leste) – assim como todos que entrarem depois – e ficam de frente para o altar e de frente para o Leste. O Sacerdote toca o sino três vezes.

>**Sacerdote/Sacerdotisa:** "Que todos saibam que o Templo está prestes a ser edificado; o Círculo, prestes a ser traçado. Que aqueles que desejam assistir aos rituais se reúnam no Leste e aguardem as convocações. Que ninguém esteja aqui a não ser por sua livre e espontânea vontade".

O Sacerdote e a Sacerdotisa pegam cada um uma vela de altar, movem-se ao redor do altar, deosil, e voltam para o Leste. A Sacerdotisa acende a vela do Leste com a chama daquela que está em sua mão.

>**Sacerdotisa:** "Trago aqui a luz e o ar ao Leste, para iluminar nosso Templo e trazer-lhe o sopro da vida".

Eles se dirigem para o Sul, onde o Sacerdote acende a vela do Sul.

>**Sacerdote:** "Trago aqui a luz e o fogo ao Sul, para iluminar nosso Templo e lhe trazer calor".

Eles se movem para o Oeste, onde a Sacerdotisa acende a vela do Oeste.

>**Sacerdotisa:** "Trago aqui a luz e a água ao Oeste, para iluminar nosso Templo e purificá-lo".

Eles se dirigem para o Norte, onde o Sacerdote acende a vela do Norte.

> **Sacerdote:** "Trago aqui a luz e a terra ao Norte, para iluminar nosso Templo e edificá-lo em força".

Eles se movem em círculo para o Leste, depois voltam ao altar e recolocam ali suas velas. O Sacerdote (na metade escura do ano) ou a Sacerdotisa (na metade clara do ano) pega a espada (ou o athame) e, retornando ao Leste, agora caminha vagarosamente ao redor do Círculo, com a ponta da espada marcando a linha traçada. Enquanto caminha, ele/ela concentra o poder na linha demarcatória do Círculo. Ao terminar, ele/ela retorna ao altar. O sino é tocado três vezes. O Sacerdote coloca a ponta do seu athame no sal e diz:

> **Sacerdote:** "Assim como o sal é vida, que ele nos purifique em todas as maneiras pelas quais o usaremos. Que ele purifique nosso corpo e nosso espírito, enquanto nos dedicamos a estes rituais, para a glória do Deus e da Deusa".

A Sacerdotisa pega o recipiente de sal e usa a ponta do seu athame para lançar três pitadas de sal na água. Ela agita a água salgada com o athame e diz:

> **Sacerdotisa:** "Que o sal sagrado elimine qualquer impureza desta água, para que possamos usá-la durante estes rituais".

O Sacerdote pega o incensário ou o turíbulo (mais apropriado); a Sacerdotisa pega a água salgada. Eles novamente se movem ao redor do altar até o Leste. Começando ali, movem-se devagar, deosil, ao redor do Círculo, enquanto a Sacerdotisa borrifa a água salgada na borda do Círculo e o Sacerdote defuma com o incenso a borda, até voltarem ao ponto de partida. Eles então voltam ao altar e recolocam os instrumentos em seus lugares. O Sacerdote coloca uma pitada de sal no óleo e os mistura com o dedo. Depois unge a Sacerdotisa (*observação*: se ela estiver de túnica, ele deve traçar apenas a cruz celta dentro do Círculo. Se ela estiver vestida de céu, ele deve traçar o pentagrama e o triângulo invertido).

Sacerdote: "Eu a consagro, em nome do Deus e da Deusa, dando-lhe as boas-vindas a este Templo".

Traçado do pentagrama

Eles se cumprimentam e então a Sacerdotisa unge o Sacerdote, dizendo as mesmas palavras, e ambos se cumprimentam. Depois, ambos se movem até o Leste, a Sacerdotisa carregando o óleo e o Sacerdote, seu athame. Ali ele faz dois cortes na linha do Círculo, abrindo-o (veja as Figuras 5.1A e 5.1B).

Um por um, os membros do coven entram. À medida que vão entrando, eles também são ungidos – os homens pela Sacerdotisa e as mulheres pelo Sacerdote – e recebidos com as seguintes palavras:

Sacerdote/Sacerdotisa: "Eu o(a) consagro em nome da Deusa e do Deus, dando-lhe as boas-vindas a este Templo. Feliz encontro".

Os *coveners* se movem, para ficarem todos ao redor do altar, se possível alternando homens e mulheres. Quando o último tiver sido admitido, o Sacerdote fecha o Círculo, passando o athame pela linha novamente, conectando as duas pontas. A Sacerdotisa esparge um pouco do óleo ali, e o Sacerdote ergue seu athame e desenha um pentagrama para selar a linha (veja as Figuras 5.1A-D). Eles então retornam ao altar. O sino é tocado três vezes.

> **Sacerdote/Sacerdotisa:** "Que todos vocês estejam aqui em paz e no amor. Nós lhes damos as boas-vindas. Que os quadrantes sejam saudados e os deuses, convidados".

O *covener* mais próximo do Leste move-se de forma a ficar de frente para a vela do Leste, ergue seu athame e traça o pentagrama de invocação (veja o diagrama), dizendo:

> **Covener:** "Saudações ao elemento Ar, Guardião da Torre do Leste. Mantenha-se firme, sempre protegendo nosso Círculo".

Ele beija sua lâmina e retorna ao Círculo. O *covener* mais próximo do Sul move-se de forma a ficar de frente para a vela do Sul, ergue seu athame e traça o pentagrama de invocação, dizendo:

> **Covener:** "Saudações ao elemento Fogo, Guardião da Torre do Sul. Mantenha-se firme, sempre protegendo nosso Círculo".

Ele beija sua lâmina e retorna ao Círculo. O *covener* mais próximo do Oeste move-se de forma a ficar de frente para a vela do Oeste, ergue seu athame e traça o pentagrama de invocação, dizendo:

> **Covener:** "Saudações ao elemento Água, Guardião da Torre do Oeste. Mantenha-se firme, sempre protegendo nosso Círculo".

Ele beija sua lâmina e retorna ao Círculo. O *covener* mais próximo do Norte move-se de forma a ficar de frente para a vela do Norte, ergue seu athame e traça o pentagrama de invocação, dizendo:

> ***Covener:*** "Saudações ao elemento Terra, Guardião da Torre do Norte. Mantenha-se firme, sempre protegendo nosso Círculo".

Ele beija sua lâmina e retorna ao Círculo. O Sacerdote/a Sacerdotisa ergue seu athame e traça um pentagrama, dizendo:

> **Sacerdote/Sacerdotisa:** "Saudações aos quatro quadrantes e saudações aos deuses! Nós damos as boas-vindas ao Senhor e à Senhora e os convidamos a se juntar a nós, testemunhando estes rituais que realizamos em sua honra. Salve!".
>
> **Todos:** "Salve!".
>
> **Sacerdote:** "Partilhemos da taça da amizade".

O Sacerdote pega a taça e despeja um pouco do vinho no chão, se estiverem ao ar livre, ou no recipiente de libação, dizendo os nomes dos deuses. Então toma um gole e passa a taça para a Sacerdotisa. Ela bebe e passa para o *covener* à sua esquerda, que bebe um gole e passa para o *covener* seguinte. A taça passa por todo o Círculo, até que todos tenham bebido o vinho, e é devolvida ao altar. (*Observação*: não é necessário que todos façam libações; apenas a primeira pessoa do Círculo; nesse caso, o Sacerdote). O sino é tocado três vezes.

> **Sacerdotisa:** "Agora estamos todos aqui, e o Templo foi edificado. Que ninguém saia a não ser por uma boa razão, até que o Templo seja purificado. Que assim seja".
>
> **Todos:** "Que assim seja!".

O Ritual da Edificação do Templo é realizado no início do encontro. Ele é, basicamente, a consagração do lugar e de todos os participantes. O encontro – seja um esbá, um sabá ou o que for – continua a partir desse ponto. Ao final do encontro, realiza-se o Ritual de Purificação do Templo.

Ritual de Purificação do Templo

> **Sacerdote/Sacerdotisa** (dependendo da época do ano): "Aqui nos reunimos no amor e na amizade; que possamos partir da mesma forma. Vamos espalhar o amor que conhecemos neste Círculo para todos fora dele, partilhando-o com aqueles que encontrarmos".

O Sacerdote/a Sacerdotisa ergue a espada, ou o athame, em saudação. Todos os *coveners* erguem seus athames.

> **Sacerdote/Sacerdotisa:** "Senhor e Senhora, nossos agradecimentos por estarem conosco. Nossos agradecimentos por olharem por nós, nos guardando e guiando em todas as coisas. O amor é a lei e o amor é o laço. Felizes nos encontramos, felizes partiremos, felizes nos reencontraremos".
>
> **Todos:** "Felizes nos encontramos, felizes partiremos, felizes nos reencontraremos".
>
> **Sacerdote/Sacerdotisa:** "O Templo agora está purificado. Que assim seja!".
>
> **Todos:** "Que assim seja!".

Todos beijam as lâminas de seus athames. E então se movem pelo Templo para dar um beijo de despedida uns nos outros.

Os Esbás e os Sabás

Os encontros regulares dos Bruxos são chamados de esbás. São nesses encontros que os Bruxos fazem quaisquer trabalhos que devam ser realizados (magia, cura). A maioria dos covens se encontra uma vez por semana, mas não existe uma regra nesse sentido. Certamente haverá um Círculo pelo menos uma vez por mês, na Lua cheia. Visto que há treze Luas cheias ao longo do ano, o coven terá pelo menos treze encontros por ano. Muitos covens celebram a Lua nova assim como a Lua cheia.

Assim como temos os esbás, existem festivais chamados sabás (da palavra francesa *s'ébattre*, alegrar-se, brincar). Existem oito sabás, espalhados ao longo do ano de forma mais ou menos equidistante. São os quatro "Sabás Maiores": *Samhain* (pronuncia-se "souen", embora a grande maioria dos Bruxos pronuncie como se escreve), *Imbolc*, *Beltane* (pronuncia-se "belteine") e *Lughnasadh* (pronuncia-se "loo-nsar")*; e os quatro "Sabás Menores": os equinócios de outono e primavera e os solstícios de verão e inverno. Margaret Murray, em seu livro *The God of the Witches*, sublinha que os dois mais importantes – Samhain e Beltane – coincidem com a época da reprodução dos animais selvagens e domésticos. A Igreja Cristã se aproveitou, posteriormente, dos festivais pagãos para instituir suas próprias datas festivas. Por exemplo, Imbolc tornou-se Candlemas, e Lughnasadh tornou-se Lammas.

Em cada um dos oito sabás, uma cerimônia diferente é realizada, de acordo com a época do ano. Uma ou duas vezes por ano, a data do sabá pode coincidir com a da Lua cheia ou da Nova. Quando isso ocorre, o esbá que seria celebrado cede lugar ao sabá.

Os sabás são, basicamente, uma época de celebração e alegria. Nenhum trabalho é realizado num sabá, a não ser que seja uma emergência, como uma cura. Segue-se a descrição das cerimônias dos sabás e esbás.

Ritual de Esbá

Eis um ritual básico de esbá, que pode ser usado toda semana, se vocês se encontram com essa frequência. Nas Luas cheias, inclua o Ritual da Lua Cheia (a seguir) quando indicado. Do mesmo modo, deve-se proceder na Lua nova.

Realiza-se a Edificação do Templo.

> **Sacerdote/Sacerdotisa:** "Uma vez mais nós nos encontramos, para partilhar nossa alegria de viver e reafirmar nossos sentimentos pelos deuses".

---

* Você vai encontrar muita discordância no que diz respeito à pronúncia. Não se preocupe com isso.

Primeiro *covener*: "O Senhor e a Senhora têm sido bons para nós. Cabe a nós dar graças a eles por tudo o que temos".

Segundo *covener*: "Eles também sabem que temos necessidades e nos ouvem quando os invocamos".

Sacerdote/Sacerdotisa: "Reunimo-nos para agradecer ao Deus e à Deusa pelos favores que eles nos concederam. E que possamos também pedir pelo que sentimos que precisamos, lembrando sempre que os deuses ajudam aqueles que ajudam a si mesmos".

Seguem-se três ou quatro minutos de silêncio, enquanto cada um, à sua maneira, agradece ou pede a ajuda dos deuses.* O sino é tocado três vezes.

Sacerdote/Sacerdotisa: "Esta é a Rede Wiccana: "Faça o que quiser, mas não prejudique ninguém".

Todos: "Faça o que quiser, mas não prejudique ninguém".

Sacerdote/Sacerdotisa: "Assim diz a Rede Wiccana. Lembrem disso muito bem. O que quer que desejem, o que quer que peçam aos deuses, o que quer que façam, tenham a certeza de que não prejudicarão ninguém – nem a si mesmos. E lembrem-se que o que se dá volta triplicado. Deem de si mesmos – seu amor, sua vida – e vocês serão triplamente recompensados. Mas enviem o mal e este também retornará triplicado".

Agora é a hora da música e dos cânticos. Se vocês têm uma canção favorita, ou um cântico, para o Senhor e a Senhora, é hora de entoá-los. Ou alguém pode improvisar alguma coisa. Se vocês têm instrumentos, toquem-nos. Se não têm, pelo menos batam palmas e entoem o nome da Deusa e do Deus. Façam isso por alguns minutos.

---

* No paganismo, sempre se considera muito mais eficaz dizer o que vem do coração, em vez de repetir a prece de um livro.

Sacerdote/Sacerdotisa: "A beleza e a força encontram-se no Senhor e na Senhora. A paciência e o amor, a sabedoria e o conhecimento".

(Se o esbá estiver ocorrendo na Lua cheia ou na nova, o ritual apropriado deve ser inserido neste ponto. Caso contrário, deve-se prosseguir para a Cerimônia dos Bolos e da Cerveja.)

Ritual da Lua Cheia

A Sacerdotisa fica de pé com as pernas afastadas e os braços erguidos, também abertos. O Sacerdote ajoelha-se diante dela. Todos os *coveners* também se ajoelham. *Todos* erguem os braços.

Primeiro *covener*: "Enquanto a Lua ascende às alturas,
brilhando, lá no alto, no céu,
e as estrelas percorrem sua senda iluminada,
aqui nós, wiccanos, nos encontramos
e com amor também juntos brilhamos,
apenas para vê-la belamente entronada".

Segundo *covener*: "Na noite de Lua cheia,
quando nossa voz se alteia,
em sintonia com a Senhora, que nos vela do alto,
cantamos uma canção,
enquanto ela brilha seu calor
e nos deleitamos na luz do seu amor".

Todos baixam os braços. O Sacerdote se ergue e beija a Sacerdotisa e, então, se ajoelha novamente.

Sacerdote: "Amada Senhora, conhecida por tantos nomes entre tantos povos. Afrodite, Ceridwen, Diana, Ea, Freya, Gana, Ísis e muitos outros têm sido seus nomes. Nós a conhecemos e amamos como (nome usado pelo coven para denominar a Deusa) e por esse nome nós a reverenciamos e adoramos. Com seu Senhor ao seu lado, nós lhe dedicamos as devidas honras e a convidamos a se juntar a nós nessa sua noite especial".

O Sacerdote se levanta e, com seu athame – ou sua varinha –, traça no ar um pentagrama, sobre a cabeça da Sacerdotisa. Um *covener* toca o sino três vezes.

Sacerdote: "Venha, minha Senhora, venha, nós lhe pedimos; e fale conosco, seus filhos".

O Sacerdote se ajoelha novamente. A Sacerdotisa abre os braços para o coven. Se ela se sentir motivada, deve falar ou permitir que os deuses falem por meio dela. Se ela não se sentir "inspirada", pode simplesmente repetir as palavras a seguir:

Sacerdotisa: "Eu sou aquela que olha por vocês;
sou a mãe de todos.
Saibam que eu me alegro que não tenham me esquecido.
A homenagem que me prestam quando
a Lua está plena
é correta e apropriada e traz alegria ao meu coração
assim como ao de vocês.
Saibam que, com meu bom Senhor, teço a trama da vida
para cada um de vocês.
Estou no início da vida e em seu fim.
A Donzela, a Mãe e a Anciã.
Onde quer que estejam, se me buscarem, saibam que
sempre estarei aqui.
Pois moro dentro de vocês.
Olhem, portanto, dentro de si mesmos quando
me buscarem.
Eu sou a vida e eu sou o amor.
Encontrem-me e alegrem-se, pois o amor é minha
música, e o riso, minha canção.
Sejam fiel a mim e eu sempre serei fiel a vocês. O amor
é a lei e o amor é o laço.
Que assim seja".

A Sacerdotisa cruza os braços sobre o peito e fecha os olhos. Depois o coven faz um minuto ou dois de silêncio, antes de passar para a Cerimônia dos Bolos e da Cerveja.

Ritual da Lua Nova ou Negra

A Sacerdotisa fica em pé, com a cabeça baixa e os braços cruzados sobre o peito. Os *coveners* começam a se mover deosil, ao redor do círculo, entoando o nome da Deusa. Eles caminham ao redor do Círculo, completando três voltas, e então param. O Sacerdote fica diante da Sacerdotisa.

> **Sacerdote:** "Escura é a noite quando alcançamos este ponto crítico. Este é um momento de morte; e ainda assim um momento de nascimento".
>
> ***Covener*:** "O fim e o começo".
>
> ***Covener*:** "O fluxo e o refluxo".
>
> ***Covener*:** "Uma jornada que termina; uma jornada que se inicia".
>
> ***Covener*:** "Vamos honrar a Anciã – mãe sombria e divina".
>
> ***Covener*:** "Vamos ceder nossa força e, como recompensa, testemunhar o renascimento".
>
> **Sacerdote:** "Vejam, A Senhora das Trevas, mãe, avó. Madura e, ainda assim, jovem".

A Sacerdotisa ergue vagarosamente a cabeça e abre os braços. Todos se ajoelham.

> **Sacerdotisa:** "Me ouçam!
> Me honrem e me amem agora e sempre.
> Enquanto a roda gira vemos o nascimento, a morte e o renascimento.
> Saibam, assim, que todo fim é um começo;
> cada parada, um ponto de partida.
> Donzela, mãe, anciã... Eu sou todas e muito mais.

Sempre que precisarem de alguma coisa,
chamem por mim.
Eu e o meu Senhor estamos aqui –
pois vivemos dentro de todos vocês.
Até mesmo na mais escura das horas,
quando parece não haver uma única faísca para aquecê-los
e a noite parece a mais negra,
eu estou aqui, em força e amor.
Sou aquela que está no início e no fim dos tempos.
Que assim seja".

Todos: "Que assim seja".

A Sacerdotisa cruza os braços novamente. O coven faz um instante ou dois de silêncio e então passa para a Cerimônia dos Bolos e da Cerveja.

A celebração conhecida como Cerimônia dos Bolos e da Cerveja serve como uma ponte entre a parte ritualística do encontro e a parte social/de trabalho, quando os membros do coven se sentam e conversam sobre assuntos da Arte e do mundo; discutem magia, cura, adivinhação; contam problemas pessoais ou do coven etc. Todas essas coisas vêm *depois* do culto. Honrar os deuses é a primeira e mais importante tarefa da Wicca.

Algumas tradições chamam essa cerimônia "dos Bolos e do Vinho", outras "dos Bolos e da Cerveja". A última é talvez mais indicativa das origens simples da religião. (Servos e camponeses raramente bebiam vinho. A cerveja era uma bebida mais acessível, e eles ficavam satisfeitos com ela.) Nos encontros wiccanos de hoje, entretanto, mesmo que a cerimônia tenha "cerveja" no título, os Bruxos bebem o que acham melhor: cerveja, vinho, suco de frutas.

A Cerimônia dos Bolos e da Cerveja é encontrada universalmente, de várias formas, como um agradecimento aos deuses por suprirem as necessidades da vida; pela comida e pela bebida das quais precisamos para viver.

Um prato com bolos (ou biscoitos) fica no altar, ao lado da taça, na qual deve haver vinho ou outra bebida.

Cerimônia dos Bolos e da Cerveja

Um *covener* é responsável por manter a taça cheia. No início do rito, ele a enche e diz:

> **Covener:** "Agora é a hora de darmos graças aos deuses pelo nosso sustento".
>
> **Sacerdote:** "Que assim seja. Que sempre nos lembremos de tudo que os deuses nos concedem".

A Sacerdotisa chama dois *coveners* pelo nome, um homem e uma mulher. Eles atendem ao chamado e ficam diante do altar. A mulher pega a taça com ambas as mãos e a segura entre os seios. O homem pega seu athame e segura o cabo entre as duas palmas, com a lâmina voltada para baixo. Ele mergulha a ponta da lâmina no vinho vagarosamente, proferindo as seguintes palavras:

> **O *covener*:** "Que assim possa o macho se unir à fêmea, para a felicidade de ambos".
>
> **A *covener*:** "Que os frutos da união promovam a vida. Que tudo se frutifique e a riqueza se espalhe por todas as terras".

Ele ergue o athame. Ela segura a taça para que ele beba, e depois ele a segura para que ela beba. A taça é, então, passada de mão em mão, ao redor do Círculo, para que todos bebam. O Sacerdote e a Sacerdotisa bebem por último.

O *covener* então ergue o prato de bolos e o segura diante dele. A *covener* toca cada um com a ponta do seu athame e diz:

> **A *covener*:** "Este alimento é a bênção dos deuses para nossos corpos. Que partilhemos dela livremente. E, enquanto partilhamos, que possamos sempre nos lembrar de que devemos partilhar o que temos com aqueles que nada têm".

Ela pega um pedaço de bolo e come, depois segura o prato e oferece ao homem, que pega um e come. Os bolos são passados pelo Círculo, o Sacerdote e a Sacerdotisa comem por último. O *covener* e a *covener* retornam a seu lugar no Círculo.

> **Sacerdotisa:** "Enquanto partilhamos estas dádivas dos deuses, que possamos nos lembrar de que, sem Eles, nada teríamos".
>
> **Sacerdote:** "Comam e bebam. Sejam felizes. Partilhem e deem graças. Que assim seja".
>
> **Todos:** "Que assim seja".

Todos agora se sentam e, se desejarem, a bebida é servida em taças individuais e um lanche é partilhado. Essa é uma boa hora para conversar, discutir questões relacionadas à Arte, dar e receber conselhos. Se for um esbá e se magia será feita (veja as próximas lições), então essa é uma boa hora para discutir todos os aspectos do que será feito e o modo como isso ocorrerá. Se, entretanto, não houver mais nada a tratar, então a conversa pode continuar, assim como a música, as canções e a dança, até que todos decidam que é hora da Purificação do Templo.

Na próxima lição, descreverei os rituais dos quatro Sabás Maiores: Samhain, Imbolc, Beltane e Lughnasadh.

Questões sobre a Lição Cinco

1. Descreva seu coven. Que tipo de sistema de graus vocês têm?

2. Descreva onde seu *covenstead* está localizado. Onde é seu *covendom*? Qual é a extensão dele? Desenhe um mapa, se desejar.

3. Descreva seu Livro das Sombras.

4. É muito bom poder fazer uma retrospectiva e rever as cerimônias especiais que aconteceram na sua vida. Por essa razão, é útil ter um gravador ou registros por escrito desses acontecimentos. Relate aqui como foi o seu Ritual de Consagração dos Instrumentos.

5. Faça um desenho de um pentagrama para praticar seu traçado.

6. Quais as datas dos esbás e dos sabás deste ano? Em quais rituais você tomará parte?

Questões Avaliatórias sobre a Lição Cinco

1. Se você tem um coven composto de onze pessoas e outras quatro querem se juntar a ele, elas poderão fazer isso? Quais são as alternativas possíveis?

2. Qual a cor da capa do Livro das Sombras? Você poderia digitar seus rituais e fixar a folha impressa no seu Livro?

3. Com que frequência um coven deve se encontrar?

4. O dia do próximo Esbá é também a data da Lua cheia. Quais dos rituais a seguir você deveria realizar e em que ordem?

Cerimônia dos Bolos e da Cerveja
Edificação do Templo
Ritual da Lua Cheia
Purificação do Templo
Ritual da Lua Nova
Ritual de Esbá

5. Qual o nome dos quatro Sabás Maiores?

6. É permitido dançar dentro do Círculo?

7. Qual o significado da Cerimônia dos Bolos e da Cerveja? Qual o simbolismo por trás do ato de mergulhar o athame na taça?

Leitura Recomendada

Capítulos de 6 a 12 de *The Meaning of Witchcraft*, de Gerald Gardner.

Leituras Complementares

Aradia, Gospel of the Witches, de Charles G. Leland.

The Witches Speak, de Patricia e Arnold Crowther.

LIÇÃO SEIS

Os Sabás

Como mencionei na última lição, existem oito sabás ao longo do ano, que são oportunidades de celebrar, festejar com os deuses e viver bons momentos. A menos que haja uma emergência, tal como uma cura muito necessária, nenhum trabalho (mágico) deve ser feito no sabá. No entanto, há muita festa e alegria.

Antigamente, antes das perseguições, muitos covens diferentes se reuniam para celebrar. Podia haver centenas de Bruxos, de covens muito distantes entre si, reunidos num só lugar para dar graças aos deuses e celebrar o sabá. Nestes tempos modernos, eu tenho visto reuniões parecidas – embora não para um sabá específico –, tais como o Festival Pagão de Pan, que aconteceu em Michigan, em 1981, no qual quase oitocentos Bruxos e pagãos se reuniram. Mas, quer você se junte a outros, quer celebre como um único coven – ou até mesmo como um Bruxo Solitário (dou mais informações sobre isso posteriormente) –, a palavra-chave é *celebração.*

Assim como a Deusa é honrada com as fases da Lua, o Deus é reverenciado em certas fases do Sol. Esses são os "Sabás Menores", que ocorrem nos solstícios de verão e inverno e nos equinócios de primavera e outono. Os quatro "Sabás Maiores" são de natureza sazonal e não especificamente solar; portanto, são épocas de celebrar tanto o Deus quanto a Deusa.

Janet e Stewart Farrar, em seu livro *Eight Sabbats for Witches* (Robert Hale, Londres, 1981), sugerem uma participação mais profunda do Deus Cornífero, com uma dualidade que eles denominam Rei do Carvalho e Rei do Azevinho*. Embora eu veja muito mérito nessa teoria, vou me prender ao básico e deixar você livre para elaborar essa ideia de acordo com seu coração.

> "A dança e o canto, como parte essencial das cerimônias religiosas de caça, são universais até mesmo nos dias de hoje. Os iakuts, da Sibéria, por exemplo, muitas tribos indígenas norte-americanas e o povo esquimó sempre dançam antes da caçada. A dança/o ritmo é o primeiro passo rumo ao êxtase – o "sair de si mesmo". Quando a dança é para promover a produção de alimentos, os dançarinos muitas vezes imitam os movimentos dos animais ou o crescimento das plantas que estão tentando influenciar... O Dançarino Mascarado no Fourneau du Diable, em Dordogne, é representado tocando um instrumento musical. Isso pode indicar um ritual semelhante ao das tribos semang, da selva malaia, que hoje em dia representam a caçada do gorila por meio de uma canção teatralizada. Ela é realizada como entretenimento, mas principalmente como uma influência mágica sobre o gorila, numa futura caçada. A performance vai desde a procura pelo gorila até sua morte, provocada com uma zarabatana. Um ponto interessante, entretanto, é a inclusão dos sentimentos do gorila e das reações da família dele à sua morte na canção."
>
> ***Witchcraft from the Inside***
> **Raymond Buckland,**
> **Llewellyn, Mn., 1971**

---

* Esse é um livro excelente e deve ser estudado tanto por essa interessante teoria que ele apresenta sobre a dualidade do Deus Cornífero, quanto pela estruturação e pela composição dos rituais dos sabás como um todo.

Em termos simples, podemos pensar que o Deus predomina no inverno (a "metade escura" do ano) e a Deusa predomina no verão (a "metade clara" do ano). Isso, é claro, se relaciona com o que eu disse na primeira lição: tudo teve origem com a dependência do sucesso na caça durante o inverno e no cultivo dos campos durante o verão. Mas há mais do que isso, mesmo sem entrar na complexidade dos Reis do Carvalho e do Azevinho. Em nenhuma parte do ano deve-se pensar numa das divindades como sendo suprema – sem sua outra metade. A palavra-chave é "predominante", ou seja, a ênfase está em uma divindade, mas não com a total exclusão da outra. Também se deve lembrar, é claro, que cada divindade – assim como cada indivíduo – carrega atributos masculinos e femininos.

Como todos os rituais do Círculo, o ritual começa com a Edificação do Templo. Este deve ser seguido de um Ritual da Lua Nova ou Cheia, se for apropriado para a data do sabá (se o sabá cair no quarto crescente ou minguante, omita essa parte). Em seguida, deve vir o ritual do sabá propriamente dito, que leva à Cerimônia dos Bolos e da Cerveja. A ela se seguem os jogos e/ou a diversão e a festa.

Nos rituais sugeridos para os Sabás Maiores, será apresentado um padrão geral que você poderá seguir quando for criar os seus próprios rituais. Ele começa com a *Procissão*. Depois vem um *Hino* à divindade. O próximo passo é a *Representação* da situação da estação, seguida de uma *Declaração* (essas duas partes do ritual lhe darão muito campo para se expressar. A Representação pode ter várias formas, pode ser desde uma encenação ou dança realizada por um só membro do coven até uma minipeça, pantomima ou dança com a participação do coven inteiro). Como a Declaração é, na verdade, uma explicação do significado do sabá em questão, é possível combiná-la com a Representação, numa pantomima ou dança acompanhada de uma narração. Em seguida vem a litania – um membro do coven recita algo e os demais respondem –, seguida de dança/canção/cânticos. Se forem apropriadas, as oferendas (como na época da colheita) devem vir antes da Cerimônia dos Bolos e da Cerveja.

Uma vez que convencionamos que o Deus é a divindade predominante na metade escura do ano e a Deusa, na metade clara, as passagens de uma divindade para outra, que ocorrem em Samhain e Beltane, devem ser incluídas nos rituais e consideradas uma parte importante deles. Neste livro, portanto, são sugeridos rituais para os quatro Sabás Maiores, começando por Samhain. Os quatro Sabás Menores serão apresentados na próxima lição.

Observação: recomenda-se "vestir" o altar e o Círculo para os sabás. Se você usa uma toalha sobre o altar, ela deve ser da mesma cor das velas ou da cor mais indicada, mas com velas brancas.

Samhain – Sabá Maior

Esta é a época do ano para se livrar das fraquezas (nos tempos antigos, fazia-se com que o gado com menor possibilidade de atravessar o inverno fosse separado do restante e sacrificado). Os *coveners* devem trazer para o Círculo pedaços de pergaminho nos quais tenham escrito as fraquezas e os maus hábitos dos quais querem se livrar.

A borda externa do Círculo deve ser decorada com flores de outono, ramos, pinhas, pequenas abóboras etc. Deve haver flores no altar. O forro/as velas de altar devem ser cor de laranja. O Capacete de Chifres deve ficar ao lado do altar. No quadrante Norte, deve ficar um caldeirão contendo material para o fogo (material inflamável, se o Círculo for ao ar livre, ou uma vela ou lamparina, se o encontro for num local fechado).

Realiza-se o Ritual da Edificação do Templo, que pode ser seguido de um Ritual da Lua Nova ou Lua Cheia, se for apropriado. O sino é tocado três vezes pelo *covener* no papel de Sacerdote assistente (*summoner*).

> **Sacerdote assistente:** "Corram! Corram! Não há o que esperar!
> Estamos indo para o sabá, não vão se atrasar!".
>
> **Sacerdote/Sacerdotisa:** "Para o sabá!".
>
> **Todos:** "Para o sabá!".

Com o Sacerdote e a Sacerdotisa conduzindo o ritual, o coven move-se deosil, ao redor do Círculo, caminhando ou dançando, como cada um desejar. É apropriado tocar pequenos tambores ou tamborins, para marcar um compasso. O coven anda em torno do Círculo quantas vezes desejar. Em algum ponto, enquanto se movem ao redor do Círculo, o Sacerdote/a Sacerdotisa deve começar a cantar um hino para os deuses (pode ser qualquer coisa, desde entoar repetitivamente os nomes dos deuses até uma canção espontânea de louvor ou as canções e os cantos apresentados no Apêndice C). Todos podem se juntar à procissão. Se preferirem, os membros do coven podem andar em círculo um determinado número de vezes e depois parar e começar o cântico, enquanto cada um fica em seu lugar.

> **Sacerdote:** "Agora é um tempo de mudança. Deixaremos a luz e entraremos nas trevas. Mas fazemos isso felizes, pois sabemos que esse é o giro da poderosa Roda do Ano".
>
> **Sacerdotisa:** "Nesta época do ano, os portais entre os mundos estão abertos. Nós evocamos nossos ancestrais, nossos amados, para que atravessem o véu e se unam a nós neste dia. Nós os convidamos a celebrar com aqueles que amam".

Segue-se então uma representação de um tema sazonal básico. Isso pode variar enormemente e se basear num grande número de temas, incluindo crenças e práticas locais. Aqui vão alguns exemplos: vida – morte – nova vida; morte do velho rei e coroação do próximo; a virada da roda do ano; a morte dos animais (gado) que não sobreviveriam ao inverno; retorno dos mortos para a celebração, breve, com os vivos; a última colheita e seu armazenamento para o inverno; a criação do mundo, com o caos transformando-se em ordem. Essa representação pode tomar a forma de uma peça, pantomima ou dança. Ao final da representação, o sino é tocado três vezes. Então um dos *coveners* fala:

> **Covener:** "Nós estamos numa ruptura do tempo,
> pois este dia não pertence ao ano que passou
> nem ao que virá.
> E, assim como não há distinção entre os anos,
> não há distinção entre os mundos.
> Aqueles que conhecemos e amamos em eras passadas
> estão livres para retornar a nós,
> aqui neste local de encontro.
> Abram-se, cada um à sua maneira,

e sintam a presença de alguém que você amou e julgava
ter perdido.
Dessa reunião, tirem forças.
Saibam, todos vocês, que não há começo nem fim.
Tudo está continuamente em movimento,
numa dança espiral que vai e volta,
sempre em movimento.
Nessa dança,
o Samhain é o festival sagrado
que marca o fim do verão e o começo do inverno;
um tempo para celebrar;
um tempo para dar as boas-vindas ao Deus
enquanto ele começa sua jornada pelo túnel das trevas.
Em seu fim está a luz da nossa Senhora".

Sacerdote/Sacerdotisa: "O ano velho termina".

Todos: "O ano novo começa".

Sacerdote/Sacerdotisa: "A Roda gira".

Todos: "E gira de novo".

Sacerdote/Sacerdotisa: "Adeus à nossa Senhora".

Todos: "Seja bem-vindo, nosso Senhor".

Sacerdote/Sacerdotisa: "A Deusa veranil chega ao seu fim".

Todos: "O Deus invernal se põe a caminho".

Sacerdote/Sacerdotisa: "Saudações e Adeus!".

Todos: "Saudações e Adeus!".

O Sacerdote e a Sacerdotisa conduzem o coven numa dança ao redor do Círculo. Essa dança pode preceder ou acompanhar um cântico ou uma canção (veja a Lição Doze e o Apêndice C, para danças, canções e cânticos). A Sacerdotisa pega o Capacete de Chifres e fica de frente para o altar.

Sacerdotisa: "Deusa Graciosa,
 nós lhe agradecemos pelas alegrias do verão.
 Pela abundância, pelos frutos, pelos grãos, pelas colheitas.
 Volte quando a Roda girar.
 E esteja conosco uma vez mais.
 Mesmo quando nosso Senhor aceita seu manto,
 caminhe com ele pelas trevas,
 para vir novamente para a luz".

O Sacerdote fica de pé na frente da Sacerdotisa. Ela segura o capacete de chifres sobre a cabeça dele. Um *covener* fica ao lado do caldeirão, com o fogo preparado.

Sacerdotisa: "Aqui está o símbolo de nosso Senhor:
 Aquele que governa a morte e tudo que vem depois;
 o que mora nas trevas;
 o consorte/irmão da luz.
 Que ele nos guarde e nos guie em tudo o que fizermos,
 dentro e fora do Círculo.
 Com nossa Senhora ao seu lado,
 que ele nos conduza pelas dificuldades.
 E leve-nos, com esperança, para a luz".

A Sacerdotisa coloca o capacete de chifres na cabeça do Sacerdote. Enquanto ela faz isso, o *covener* acende o fogo do caldeirão.

Covener: "Agora nosso Senhor está entre nós.
 Pedimos que fale, pois somos seus filhos".

Sacerdote: "Vejam, eu sou aquele que está
 no início e no fim dos tempos.
 Estou no calor do sol
 e no frescor da brisa.
 A centelha da vida está dentro de mim,
 assim com as trevas da morte.
 Pois sou o Guardião do Portal
 no final dos tempos.
 Senhor dos oceanos,

vocês ouvem o trovejar dos meus cascos na praia
e veem os vestígios da espuma quando passo.
Minha força é tal que posso erguer o próprio mundo
para tocar as estrelas.
E, ainda assim, sou sempre gentil como amante.
Eu sou aquele que todos deverão encontrar na hora certa
e, ainda assim, não devo ser temido,
pois sou irmão, amante, filho.
A morte nada mais é do que o começo da vida.
E eu sou aquele que gira a chave".

A Sacerdotisa saúda o Sacerdote. Um por um, os *coveners* andam ao redor do Círculo. Se desejarem, podem colocar uma oferenda no altar ou diante dele. Eles então abraçam ou beijam o Sacerdote e voltam para os seus lugares. À medida que passarem pelo caldeirão fervente, devem jogar ali o pedaço de pergaminho no qual anotaram as suas fraquezas. O Sacerdote fica em pé por um instante e medita sobre sua posição na metade do ano que se inicia. Ele então tira o capacete e o recoloca ao lado do altar. O sino é tocado nove vezes.

Em seguida realiza-se a Cerimônia dos Bolos e da Cerveja e depois o Ritual de Purificação do Templo, abrindo espaço para a alegria, os jogos e a diversão (que também podem acontecer ao redor do altar). A noite é concluída com uma festa (normalmente cada um traz um prato ou uma bebida que tenha preparado ou comprado para a ocasião).

Imbolc – Sabá Maior

Esta é a "Festa das Luzes", outro festival do fogo, por isso deve haver um caldeirão com os preparativos para se fazer fogo, no quadrante Norte. Ao lado dele, deve ficar uma vassoura. Esse é o ponto médio da metade escura do ano; a metade do caminho em que predomina o Deus. Mas, embora esteja nesse segmento do Círculo, é muito mais um festival da Deusa (particularmente Brigid, Brigantia, Bride e outras variações).

Ao lado do altar deve haver uma "coroa de luzes", ou seja, um círculo de velas.* O forro do altar e as velas devem ser marrons.

---

* Deve-se tomar muito cuidado com isso. Existe não apenas o perigo de se colocar fogo no cabelo da Sacerdotisa, como também de queimá-la com cera quente.

Realiza-se o ritual da Edificação do Templo, que pode ser seguido de um Rito da Lua Nova ou Lua Cheia, se for apropriado. O sino é tocado três vezes pelo *covener* no papel de Sacerdote assistente.

> **Sacerdote assistente:** "Corram! Corram! Não há o que esperar!
> Estamos indo para o Sabá, não vão se atrasar!".
>
> **Sacerdote/Sacerdotisa:** "Para o Sabá!".
>
> **Todos:** "Para o Sabá!".

Com o Sacerdote e a Sacerdotisa à frente, o *coven* anda ao redor do Círculo, deosil, caminhando ou dançando, como cada um desejar. O coven circula quantas vezes quiser. Em algum ponto, enquanto fazem esse movimento, o Sacerdote/a Sacerdotisa deve começar a cantar um hino para os deuses. Por fim, todos param e o cântico termina.

> ***Covener:*** "Agora nosso Senhor atingiu o zênite de sua jornada".
>
> **Segundo *covener*:** "Agora ele se vira para olhar a Senhora".
>
> **Sacerdote:** "Embora separados, eles são um só".
>
> **Sacerdotisa:** "Eles são a sombra e a luz".

Segue-se, então, uma representação do tema da estação (por exemplo, o ponto médio da jornada de inverno do Sol; o ato de varrer o velho e começar o novo; a procissão do Sacerdote da Lupercália, no antigo festival romano; a preparação das sementes para crescerem na primavera; o convite à Deusa da Fertilidade para entrar em nossos lares e habitá-los). O sino é tocado sete vezes.

Velas de bolo em miniatura ou velas finas cortadas são as melhores opções, dentro de suportes estáveis. Deve-se ter treze velas (o número de luas de um ano).

Covener: "Nosso Senhor atinge agora
o ponto médio da sua jornada.
À frente, ele vê a luz da nossa Senhora,
e o começo da nova vida,
após seu período de descanso.
Este é o primeiro festival do ano celta.
Este é o tempo em que nascem os cordeiros da primavera
e as ovelhas produzem leite.
Sentimos a distância o perfume da primavera.
E os pensamentos vão para a Deusa, assim como para
o Deus.
Mas agora as plantas perenes, a hera, o visco e o azevinho,
o alecrim e o louro,
livram-se do velho, para que o novo possa entrar".

Sacerdote/Sacerdotisa: "Da luz às trevas".

Todos: "Das trevas à luz".

Sacerdote/Sacerdotisa: "Da luz às trevas".

Todos: "Das trevas à luz".

Sacerdote/Sacerdotisa: "Adeus Senhora; bem-vindo seja o Senhor".

Todos: "Adeus Senhor e bem-vinda seja a Senhora".

Sacerdote/Sacerdotisa: "Saudações".

Todos: "Adeus".

Sacerdote/Sacerdotisa: "Adeus".

Todos: "Saudações".

O Sacerdote e a Sacerdotisa conduzem o coven numa dança ao redor do Círculo, que pode preceder ou acompanhar uma canção ou um cântico.

A Sacerdotisa fica em pé diante do altar, com os braços cruzados sobre o peito. O Sacerdote se ajoelha diante dela e beija seus pés. Ele então pega a coroa, fica em pé e coloca a coroa na cabeça. E ele dança ao redor do Círculo, deosil, três vezes. Ao passar pelo caldeirão pela segunda vez, um *covener* acende a vela (carvão, lamparina, o que for). Quando o Sacerdote passa pelo caldeirão pela terceira vez, deve saltar sobre ele. Depois ele dá a volta no Círculo até parar diante da Sacerdotisa. Ele acende uma vela fina na vela do altar e, com ela, acende as velas da coroa da Sacerdotisa. A Sacerdotisa abre os braços e fica com as pernas afastadas e os braços abertos para o alto.

Sacerdote: "Saudações, nossa Senhora da luz!".

Todos: "Saudações, nossa Senhora da luz!".

***Covener*:** "Bem-vinda, seja três vezes bem-vinda, Deusa Tríplice da Vida".

***Covener*:** "Mãe do Sol, nós te damos as boas-vindas".

***Covener*:** "Deusa do Fogo, nós a convidamos para entrar".

O Sacerdote e a Sacerdotisa movem-se ao redor do caldeirão. Um *covener* entrega a vassoura à Sacerdotisa. Ela entrega a vassoura ao Sacerdote com um beijo. O Sacerdote anda no sentido deosil ao redor do Círculo, "varrendo para fora" aquilo que não é mais necessário. Quando volta ao Norte, ele entrega a vassoura de volta para a Sacerdotisa com um beijo. Ela então a entrega ao primeiro *covener* com um beijo. O *covener* varre ao redor do Círculo. Isso deve ser repetido por todos os *coveners*. Quando todos tiverem varrido, o Sacerdote e a Sacerdotisa voltam ao altar. O sino é tocado três vezes. Depois, realiza-se a Cerimônia dos Bolos e da Cerveja.

Após ela, realiza-se o Ritual da Purificação do Templo, abrindo espaço para a diversão, os jogos e o entretenimento (que podem ocorrer ao redor do altar). A noite se encerra com uma festa.

Beltane – Sabá Maior

A borda externa do Círculo e o altar devem ser decorados com flores. O forro do altar e as velas devem ser de um tom verde-escuro. Uma coroa de flores deve ficar ao lado do altar. A coroa pode ser de flores ou de prata, decorada com luas crescentes prateadas ou coisa parecida. No quadrante Norte, deve haver um caldeirão contendo material para o fogo (material inflamável ou uma vela ou lamparina). No quadrante Leste, fica o Mastro de Maio (o Círculo traçado deve ter espaço suficiente para acomodá-lo).

Realiza-se o Ritual da Edificação do Templo, que pode ser seguido de um Ritual da Lua Cheia ou Nova, se for apropriado. O sino é tocado três vezes por um *covener* no papel de Sacerdote assistente.

Sacerdote assistente: "Corram! Corram! Não há o que esperar!
Estamos indo para o sabá, não vão se atrasar!".

Sacerdote/Sacerdotisa: "Para o sabá!".

Todos: "Para o sabá!".

Com o Sacerdote e a Sacerdotisa conduzindo o ritual, o coven move-se deosil, ao redor do Círculo, caminhando ou dançando como cada um desejar. É apropriado tocar pequenos tambores ou tamborins, para marcar um compasso. O coven anda em torno do Círculo quantas vezes desejar. Em algum ponto, enquanto se movem ao redor do Círculo, o Sacerdote/a Sacerdotisa deve começar a cantar um hino para os deuses. Por fim, todos param e o cântico termina.

Sacerdote: "Nosso Senhor chegou ao fim da sua jornada".

Sacerdotisa: "A Senhora se põe a caminho".

Segue-se uma representação de um tema sazonal (por exemplo, o retorno triunfante da Deusa do período entre as vidas; criatividade/reprodução; o início de uma das estações de cio nos animais selvagens e domésticos; a dança ao redor do Mastro de Maio; a passagem do gado entre duas fogueiras, para assegurar uma boa produção de leite). O sino é tocado sete vezes.

Covener: "Os portais estão abertos
e todos podem passar livremente por eles.
Nosso Senhor chegou ao fim da sua jornada,
para encontrar nossa Senhora esperando por ele,
com calor e conforto.
Este é um tempo de alegria, um tempo de partilhar.
O solo está fértil e agora
é a hora de espalhar as sementes.
A união traz alegria, e a abundância permeia a terra.
Vamos celebrar o plantio da abundância,
o giro da Roda,
a estação da Senhora.
Vamos dizer adeus às trevas
e dar as boas-vindas à luz.
O Senhor e a Senhora tornam-se a Senhora e o Senhor.
Enquanto a Roda gira, com ela todos nos movemos".

Sacerdote: "A Roda gira".

Todos: "Sem cessar".

Sacerdotisa: "A Roda gira".

Todos: "E torna a girar".

Sacerdote: "Adeus ao nosso Senhor".

Todos: "Bem-vinda seja a nossa Senhora".

Sacerdotisa: "O reinado do Deus do Inverno termina".

Todos: "Enquanto a Deusa-verão volta sua face para a luz".

Sacerdotisa: "Saudações e adeus!".

Todos: "Saudações e adeus!".

O Sacerdote e a Sacerdotisa conduzem o coven numa dança até o Mastro de Maio. Cada um dos *coveners* pega uma fita e dança com ela ao redor do Mastro, entrelaçando-se com os demais. Isso continua até que todas as fitas estejam totalmente entrelaçadas ao redor do Mastro, simbolizando a união do macho e da fêmea; a união de todos. A versão de Gerald Gardner de um poema de Rudyard Kipling pode ser uma boa canção para o coven entoar enquanto dança:

> "Ah, não vão contar da nossa Arte aos padres,
> pois eles dirão que ela é pecado.
> Todos estaremos nos bosques esta noite,
> enquanto o verão é conjurado.
> E vamos dar boas notícias
> para as mulheres, os grãos e o gado.
> Agora o Sol vem, subindo do sul,
> Com o carvalho, o freixo e o espinheiro sagrado".

O Sacerdote e a Sacerdotisa retornam ao altar. A Sacerdotisa permanece com a cabeça abaixada e as mãos cruzadas sobre o peito. O Sacerdote pega a coroa e a segura sobre a cabeça dela.

> **Sacerdote:** "Nosso Senhor, com a Senhora a seu lado,
> nos levou para a luz, através das trevas.
> Foi uma longa jornada, nada fácil.
> Todavia, os deuses mostraram força
> e, por meio deles, todos crescemos e prosperamos.
> Agora, ambos devem continuar.
> Agora que nossa Senhora, com o Senhor ao seu lado,
> avança pelo caminho,
> espalhando a luz e dissipando as trevas".

A Sacerdotisa fica com as pernas afastadas e os braços abertos e estendidos. O Sacerdote baixa a coroa e a coloca na cabeça dela. Enquanto faz isso, o fogo do caldeirão é aceso por um dos *coveners*.

> **Covener:** "Agora a nossa Senhora está entre nós.
> Pedimos que fale, Senhora, pois somos seus filhos".

A Sacerdotisa abaixa os braços e os abre na direção dos *coveners*.

Sacerdotisa: "Eu sou aquela que gira a Roda,
trazendo nova vida ao mundo
e chamando aqueles que estão à beira do caminho.
No frescor da brisa, vocês ouvem meus suspiros,
meu coração está no sussurrar do vento.
Quando tiverem sede,
deixem que minhas lágrimas caiam sobre vocês como uma leve chuva.
Quando se cansarem, parem para descansar na terra,
que é meu peito.
Calor e conforto eu lhes dou
e não peço nada em troca,
a não ser que amem todas as coisas como a si mesmos.
Saibam que o amor é a centelha da vida.
Ele está sempre presente, sempre com vocês, se procurarem por ele.
Vocês não precisam ir muito longe, pois o amor é a centelha interior,
a luz que brilha sem vacilar,
o brilho âmbar dentro de nós.
O amor é o começo e o final de todas as coisas...
E eu sou o amor".

O Sacerdote beija a Sacerdotisa. Um por um, os *coveners* se adiantam, para beijar a Sacerdotisa e deixar suas oferendas no altar. Quando todos retornam aos seus lugares, o Sacerdote e a Sacerdotisa se dão as mãos e conduzem todos numa dança (sozinhos ou aos pares), ao redor do Círculo. Ao passar pelo caldeirão, todos deverão saltar sobre ele. Depois de dar várias voltas ao redor o Círculo, eles param. O sino é tocado três vezes. Segue-se então a Cerimônia dos Bolos e da Cerveja. Depois dela, realiza-se o Ritual da Purificação do Templo, abrindo espaço para a diversão, os jogos e o entretenimento (que podem ocorrer ao redor do altar). A noite se encerra com uma festa.

Lughnasadh – Sabá Maior

Ao redor do Círculo e sobre o altar, deve haver flores de verão. O forro do altar e as velas devem ser amarelas. O Ritual de Edificação do Templo é realizado e, depois, pode ser seguido de um Ritual da Lua Nova ou Lua Cheia, se for apropriado. O sino é tocado três vezes pelo *covener* no papel de Sacerdote assistente.

> **Sacerdote assistente:** "Corram! Corram! Não há o que esperar!
> Estamos indo para o sabá, não vão se atrasar!".
>
> **Sacerdote/Sacerdotisa:** "Para o sabá!".
>
> **Todos:** "Para o sabá!".

Com o Sacerdote e a Sacerdotisa conduzindo o ritual, o coven se move, deosil, ao redor do Círculo, caminhando ou dançando. O coven anda em torno do Círculo quantas vezes desejar. O Sacerdote/a Sacerdotisa deve começar a cantar um hino para os deuses e todos o(a) acompanham. Por fim, todos param e o cântico termina.

> ***Covener:*** "Os poderes da vida e da morte pertencem aos deuses".
>
> ***Covener:*** "Grande é o poder dos Todo-Poderosos".
>
> ***Covener:*** "O Deus é velho e, ainda assim, jovem".
>
> ***Covener:*** "E o poder é dele".

Segue-se, então, uma representação de um tema sazonal (por exemplo, a morte e o renascimento do Deus, levando a uma grande colheita; o desgaste de plantas visando uma colheita melhor; força e teste; a morte do velho deus pelo deus mais jovem, com os jogos funerais para honrar o morto). O sino é tocado sete vezes.

Covener: "Em meio à regência da nossa Senhora, nós nos lembramos do seu irmão/amante/consorte.
Grande é o poder dele por meio da sua união com a Deusa.
E por meio da morte e do renascimento, como o filho mais novo,
a colheita está assegurada, e o poder, transmitido,
para crescer e espalhar a todos os que ele ama.
Lembrem-se do Senhor, mas nele vejam sempre a Senhora.
Celebrem a Deusa e, por meio dela, o Senhor".

Sacerdote: "Abençoada seja a Senhora do Círculo".

Todos: "E abençoado seja seu Senhor".

Sacerdotisa: "Que o excedente seja retirado da terra".

Todos: "Que o corpo seja cheio de força".

Sacerdote: "Poder para o Senhor".

Todos: "E poder para a Senhora".

Sacerdotisa: "Que o velho pereça".

Todos: "Para que o novo possa crescer, cheio de vigor".

Sacerdote: "A Roda sempre gira".

Todos: "Sempre para frente".

O Sacerdote e a Sacerdotisa conduzem o coven numa dança ao redor do Círculo. Essa dança pode preceder ou acompanhar uma canção ou um cântico.

Todos, exceto o Sacerdote e um *covener* do sexo masculino, sentam-se. O Sacerdote dança no sentido deosil ao redor do Círculo, entre a fileira de *coveners* sentados próximos à borda do Círculo. O *covener* dança ao redor do Círculo, no sentido widdershins (anti-horário), entre os *coveners* e o altar (em outras palavras, um fica do lado de fora do Círculo, dançando no sentido deosil, e o outro, dentro do Círculo, no sentido widdershins). Ao passar um pelo outro, eles batem as mãos sobre a cabeça dos *coveners*, que podem, se quiserem, bater palmas e gritar "Lugh!", no ritmo das palmas. Ambos dançam ao redor do Círculo e batem as mãos doze vezes. Na décima segunda vez, o Sacerdote se deixa cair no chão, e o *covener* salta por sobre os *coveners* sentados, para correr uma vez mais ao redor do Círculo, deosil, repetindo o trajeto do Sacerdote. Ao retornar até onde está o Sacerdote, ele o ajuda a ficar em pé, e eles se abraçam. Todos celebram e vão até eles.

Sacerdote: "Senhora e Senhor, nós lhes agradecemos,
por tudo o que cresceu deste solo.
Que a plantação cresça forte de agora em diante, até a hora da colheita.
Nós agradecemos pela promessa dos frutos que virão.
Que o poder do nosso Senhor
esteja em cada um e em todos nós
nesta época e por todo o ano".

Todos: "Que assim seja".

O sino é tocado três vezes. Segue-se então a Cerimônia dos Bolos e da Cerveja. Depois dela, realiza-se o Ritual da Purificação do Templo, abrindo espaço para a diversão, os jogos e o entretenimento (que podem ocorrer ao redor do altar). A noite se encerra com uma festa.

Questões sobre a Lição Seis

1. Os sabás são festividades, um tempo para celebrarmos e alegrarmo-nos com os deuses. Faça uma lista dos Oito Sabás e das datas nas quais eles caem este ano. Descreva o que é celebrado em cada sabá e relate como você celebrou cada um deles.

2. Crie (por escrito) um hino ou uma canção apropriada para um ritual/uma ocasião da sua escolha.

3. Crie sua própria versão do seu ritual favorito.

4. Descreva sua Representação de um tema sazonal e a Declaração do seu ritual de sabá favorito.

Questões Avaliatórias sobre a Lição Seis

1. Um membro do coven gostaria de fazer magia de amor no próximo Círculo, que acontecerá durante o Imbolc. Ele pode fazer isso? Se não pode, por que não? Quando poderá fazer esse tipo de magia?

2. Em que sabás o Deus *e* a Deusa são reverenciados?

3. No auge do verão, que divindade é suprema, a ponto de excluir a outra?

4. Se a data do sabá coincidir com a da Lua cheia, em que ponto das cerimônias poderá ser realizado o Ritual da Lua Cheia?

5. Que sabá marca a (a) mudança da ênfase da Deusa para o Deus? (b) O que marca a volta da ênfase na Deusa?

6. Yule é um dos Sabás Maiores?

Leitura Recomendada

Eight Sabbats for Witches, de Janet e Stewart Farrar.

Leitura Complementar

Seasonal Occult Rituals, de William Gray.

LIÇÃO SETE

A Meditação, os Sonhos e os Sabás Menores

A Meditação

Vamos fazer um breve intervalo nos sabás e examinar a prática da meditação. Na sua forma atual, a meditação chegou ao mundo ocidental a partir do Oriente. Há séculos, os iniciados orientais conhecem o poder e as vantagens da meditação regular. Eles a têm usado, transformando-a numa arte agradável, por meio da qual aprenderam a controlar a mente, a superar as doenças, a criar um distanciamento dos problemas e dos medos, a desenvolver habilidades físicas e a expandir a filosofia e o conhecimento da Lei Universal.

Atualmente, no mundo ocidental, existe uma conscientização cada vez maior dos benefícios da meditação. A MT (Meditação Transcendental), o Yoga, o Método Silva de Controle Mental, todos esses métodos e vários outros são muito conhecidos hoje em dia e fazem parte das conversas diárias não somente dos wiccanos e de outros ocultistas, mas das pessoas leigas. O problema é que, ao ouvir essas conversas, rapidamente se torna óbvio que muitas dessas pessoas são amadoras nesse campo. Muitas se sentem confusas: "Qual é a melhor técnica?", "Por que não estou conseguindo resultados?", "Estou praticando da maneira certa?".

Então, o que é meditação? É simplesmente ouvir?... Ouvir o Eu Superior ou, se preferir, seu Eu Interior, a Força Criadora, a Consciência Superior, até mesmo os próprios deuses. Pode ser tudo isso. Usada da maneira apropriada, a meditação abre as portas para o crescimento e o progresso pessoal. De todas as técnicas de desenvolvimento nos campos físico e espiritual, a meditação é, de longe, a mais efetiva. Coincidentemente, também é a mais simples. Você pode praticá-la sozinho ou em grupo.

O renomado sensitivo Edgar Cayce disse, numa de suas leituras (#281-13), que "meditar é esvaziar o eu de tudo que impede as forças criadoras de se elevarem ao longo dos canais naturais do homem físico e se disseminarem por meio dos centros e fontes espirituais que criam as atividades do ser humano nos planos físico, mental e espiritual; feita da maneira apropriada [a meditação] pode tornar a pessoa mais forte mental e fisicamente (...) Podemos receber essa força e esse poder que se ajustam a cada indivíduo, cada alma, para ter um desempenho melhor neste mundo material". Em resumo, a meditação é um método pelo qual podemos melhorar material, física, mental e espiritualmente a nossa vida. Assim como um mestre do Oriente, você também pode disciplinar a sua mente, controlar as suas emoções, superar as doenças, resolver os problemas e começar a criar a sua própria realidade. Você só precisa querer e estar disposto a despender o esforço necessário.

Como a Meditação Funciona

Para entender como a meditação funciona, precisamos examinar a composição do ser humano no nível da consciência e nos lembrar de que somos seres tanto espirituais quanto físicos. O corpo físico e o espiritual são conectados por centros vitais conhecidos como *chakras*, palavra sânscrita que significa "roda" (veja a Figura 7.1). Na meditação, a misteriosa energia psíquica pode ser irradiada através desses centros. Essa força criativa extremamente poderosa é chamada de *kundalini* e simbolizada por uma serpente enrodilhada na base da coluna. Depois que essa poderosa força começa a fluir dentro da pessoa, esses centros físicos vitais – os chakras – começam a se abrir em ordem sucessiva.

No nível da consciência, considere a consciência total como uma espécie de sanduíche. De um lado você tem a mente consciente. Essa é a mente relacionada às coisas do mundo e das atividades diárias do seu ser físico/material. É o seu estado desperto de consciência. Do outro lado do sanduíche, está o que chamamos de consciência superior, ou supraconsciência. Essa é a sua mente superior. Ela está relacionada ao seu bem-estar espiritual e contém a sua memória universal. No

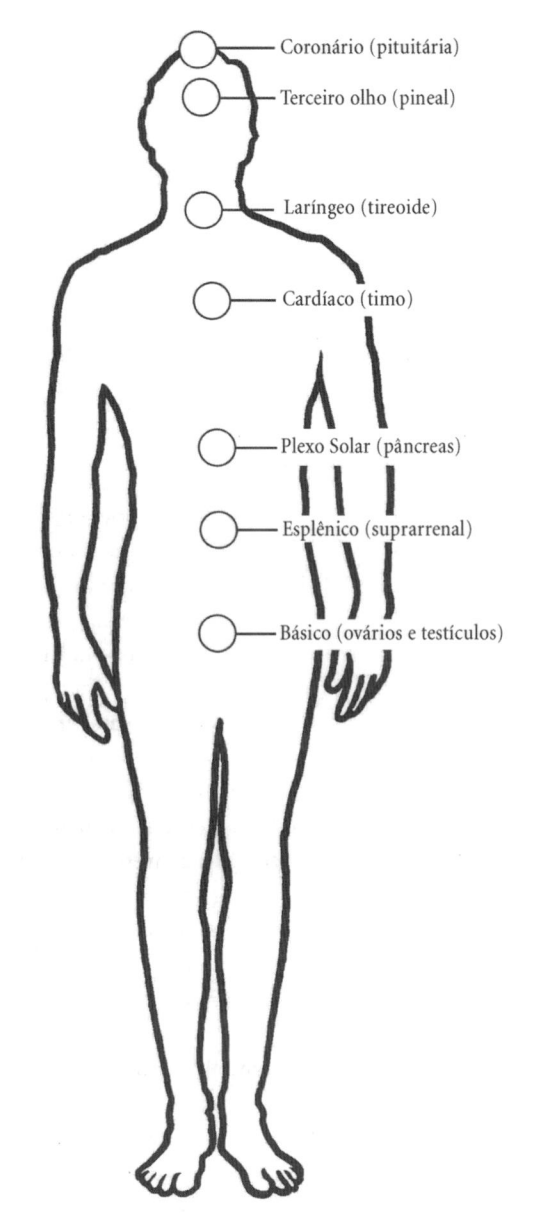

Figura 7.1
Os chakras e suas glândulas correspondentes

- Coronário (pituitária)
- Terceiro olho (pineal)
- Laríngeo (tireoide)
- Cardíaco (timo)
- Plexo Solar (pâncreas)
- Esplênico (suprarrenal)
- Básico (ovários e testículos)

centro, está aquilo que normalmente chamamos de mente subconsciente. Ela é passiva e totalmente subordinada à mente consciente – primeiro porque foi criada assim. Ela rege o campo das funções involuntárias do corpo: a memória, as ações reflexas; e serve como ponte entre a consciência e a mente supraconsciente.

Depois que essas forças vitais começam a fluir pelo sistema nervoso, a pessoa alcança um estado de paz e bem-estar. O subconsciente começa a se libertar de sentimentos negativos indesejados e de padrões mantidos ao longo da vida. A força cósmica da *kundalini* opera naturalmente numa atmosfera calma, relaxada e contemplativa. À medida que os chakras vão se abrindo, a consciência e a percepção da vida passam a fluir de dentro de nós continuamente. Você é levado a fazer a coisa certa no momento certo. Uma nova vibração permeia o seu ser.

A meditação ajuda você a controlar a sua mente agitada e conectada com o plano material e a reprogramar a subordinada mente subconsciente, para que possa atuar a partir da sua mente superior, conectada com o plano espiritual. Em suma, o canal para o seu Eu Superior torna-se acessível.

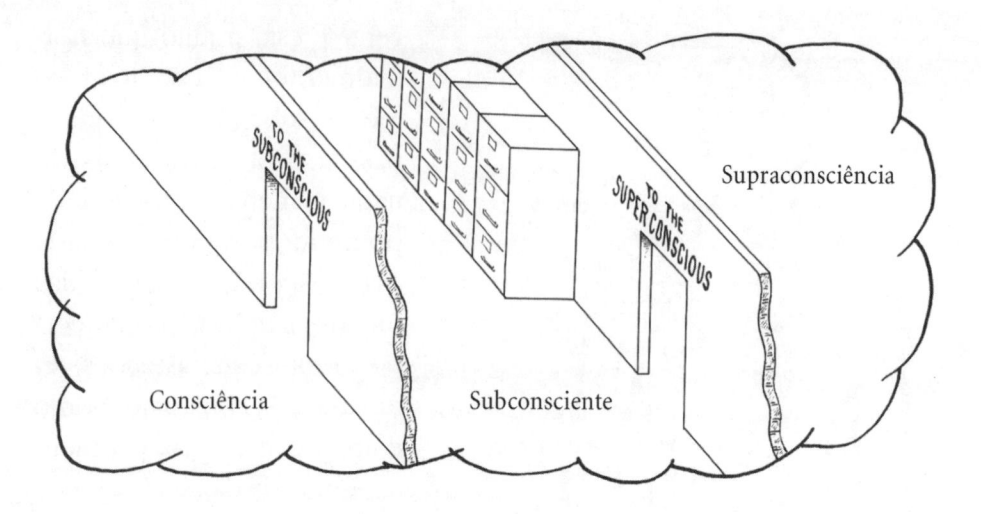

A consciência, o subconsciente e a supraconsciência

A Técnica

Muitas pessoas não conseguem meditar porque ou estão usando a técnica errada ou simplesmente não usam técnica alguma. Os mestres de filosofias orientais que ensinam meditação sugerem que, durante essa prática, você concentre sua atenção no "lótus de mil pétalas" do Terceiro Olho (veja a Figura 7.2). Esse é o sétimo chakra e o mais elevado. Dessa maneira, você se reorienta, transcendendo sua associação com o seu eu físico grosseiro e com as identificações mentais – e tornando-se consciente da verdadeira fonte. Quando se sentar para meditar, com sua atenção focalizada no Terceiro Olho, eleve-se acima e além das questões terrenas da consciência e da subconsciência.

Perceba que, quando se sentir bem e alerta, você estará em contato com seu ambiente por meio dos olhos e outros sentidos físicos. Seu foco está fora, no mundo físico. Quando está de mau humor, ou depressivo, perceba que você se afasta do mundo físico. Você *baixa* os olhos e seu foco reflete os pensamentos e problemas subconscientes. Da próxima vez que se sentir depressivo ou de mau humor, *erga os olhos*; concentre a atenção fora e acima – acima do nível do horizonte. Fique atento aos arredores e comunique-se com eles. Você vai começar a se sentir melhor. Sua tristeza vai passar e o otimismo voltará.

Veja, quando você baixa os olhos, tende a se relacionar com o subconsciente. Quando olha *direto para fora*, tende a se relacionar com a mente consciente, que está voltada para o grosseiro plano físico/material. Quando olha para cima, você tende a se relacionar com a sua consciência espiritual, superior, e com o plano além do físico.

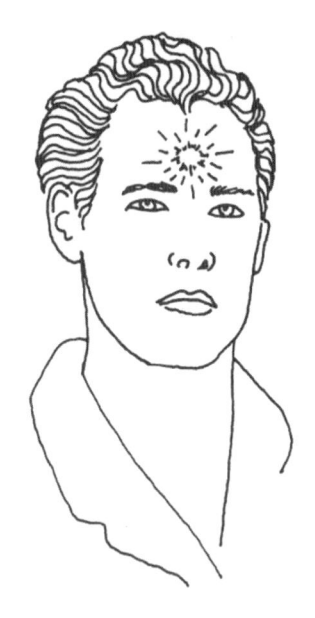

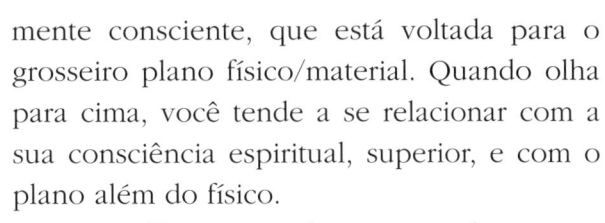

A tendência natural que temos de concentrar a atenção onde focalizamos os olhos é usada para auxiliar a meditação na técnica de meditação do Terceiro Olho. Quer concentrar a atenção no Eu Superior? Então, lançando mão das suas tendências naturais, simplesmente focalize os olhos e a atenção no Terceiro Olho, ou seja, um pouco acima das sobrancelhas e em torno de três centímetros da superfície da testa.

Figura 7.2

A Postura

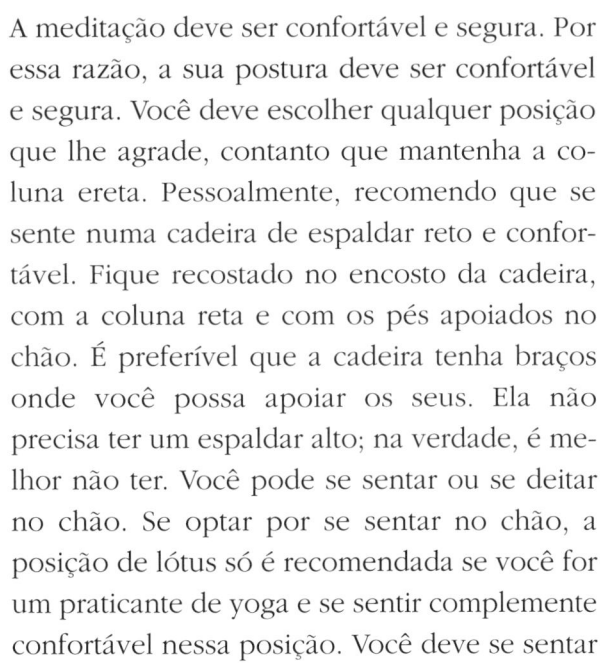

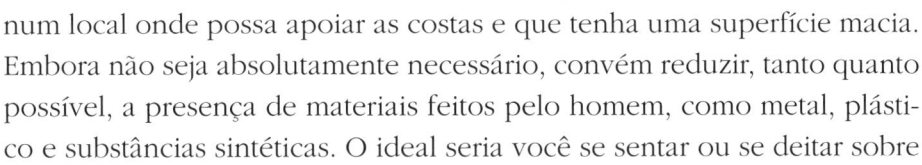

A meditação deve ser confortável e segura. Por essa razão, a sua postura deve ser confortável e segura. Você deve escolher qualquer posição que lhe agrade, contanto que mantenha a coluna ereta. Pessoalmente, recomendo que se sente numa cadeira de espaldar reto e confortável. Fique recostado no encosto da cadeira, com a coluna reta e com os pés apoiados no chão. É preferível que a cadeira tenha braços onde você possa apoiar os seus. Ela não precisa ter um espaldar alto; na verdade, é melhor não ter. Você pode se sentar ou se deitar no chão. Se optar por se sentar no chão, a posição de lótus só é recomendada se você for um praticante de yoga e se sentir complemente confortável nessa posição. Você deve se sentar

Figura 7.3

num local onde possa apoiar as costas e que tenha uma superfície macia. Embora não seja absolutamente necessário, convém reduzir, tanto quanto possível, a presença de materiais feitos pelo homem, como metal, plástico e substâncias sintéticas. O ideal seria você se sentar ou se deitar sobre um cobertor ou um tapete de lã ou de pele de carneiro. Alguns preferem se deitar de costas, com as pernas juntas e os braços ao lado do corpo. A única desvantagem dessa posição é que você pode acabar caindo no sono!

O Local da Meditação

O local onde vai meditar deve ser um lugar tranquilo, longe de ruídos externos, como trânsito de veículos ou crianças brincando. O melhor lugar, claro, é o seu Círculo purificado e consagrado. Se, por alguma razão, tiver que escolher um outro local, ele deve ser purificado e consagrado, da mesma maneira que o seu Círculo.

Alguns adeptos acreditam que o praticante de meditação deve se voltar para o Leste. Em certos casos, parece que essa prática oferece um certo benefício, mas, de modo geral, a direção para a qual o praticante está voltado é irrelevante. Se o local que escolheu tiver uma parede branca ao leste e uma janela a oeste, você provavelmente se sentirá mais confortável se estiver voltado para a janela. O mais importante é que fique o mais confortável possível.

Elimine do ambiente toda e qualquer fonte de perturbação. O tique-taque de um relógio ou, pior, o toque do telefone ou da campainha podem atrapalhar a meditação. Desligue-os se possível. Rádios e aparelhos de TV também devem ser desligados, obviamente. As roupas devem ser confortáveis para não restringir os movimentos do corpo. Quem sabe você possa usar uma túnica sem nada por baixo? Melhor ainda seria ficar vestido de céu (se a temperatura permitir).

A Hora do Dia

A melhor hora para meditar costuma ser uma questão pessoal. Para a maioria das pessoas, é melhor de manhã cedo ou um pouco antes de dormir. Alguns – geralmente aqueles que ficam em casa durante o dia – acham o meio da tarde mais conveniente. Há evidências de que um horário perto da hora do nascimento é melhor. Certamente, as influências astrológicas não podem ser ignoradas. Entretanto, a ligeira vantagem de estar em sintonia com as estrelas pode não compensar influências negativas como vizinhos barulhentos ou conflitos de horário com outras atividades diárias. Escolha, portanto, o horário que for mais conveniente. O mais importante é que você medite e faça isso com certa *constância*.

Então, qualquer que seja a hora que escolher, mantenha esse horário todos os dias.

A Persistência

Para ter sucesso com a meditação e continuar a ter êxito ao longo do tempo, você deve meditar com regularidade. Alguns recomendam de 15 a 20 minutos, duas vezes por dia. Acredito que um período de 15 minutos seja o *mínimo* suficiente. Mas *mantenha sempre a mesma hora do dia e o tempo de duração de cada prática diária*. Você não vai obter sucesso se praticar apenas ocasionalmente.

O Método

Sente-se confortavelmente e relaxe o corpo tanto quanto possível, sem afundar os ombros ou entortar a coluna. Os exercícios a seguir ajudarão a relaxar os músculos:

1. Deixe a cabeça cair para a frente. Respire, inspirando e expirando o ar profundamente por três vezes. Volte a erguer a cabeça.

2. Deixe a cabeça cair para trás. Respire, inspirando e expirando o ar profundamente por três vezes. Volte a erguer a cabeça.

3. Tombe a cabeça tanto quanto possível para a esquerda. Respire, inspirando e expirando o ar profundamente por três vezes. Volte a erguer a cabeça.

4. Tombe a cabeça tanto quanto possível para a direita. Respire, inspirando e expirando o ar profundamente por três vezes. Volte a erguer a cabeça.

5. Deixe a cabeça cair para a frente, então a mova em círculos, no sentido anti-horário, por três vezes.

6. Repita o último exercício, movendo a cabeça no sentido horário três vezes. Volte à posição com a cabeça erguida.

7. Respire pelo nariz, com inspirações curtas e fortes, até que os pulmões estejam cheios. Segure a respiração por alguns instantes e depois expire pela boca com um som de "Rá!". Faça isso por três vezes.

8. Inspire lenta e profundamente pela narina direita (mantenha a esquerda tampada, se necessário), sentindo a barriga inflar como um balão enquanto faz isso. Esse exercício remove todo ao ar viciado dos pulmões. Faça isso por três vezes.

9. Repita o último exercício, desta vez respirando pela narina esquerda e tampando a direita. Faça isso por três vezes.

A meditação em grupo pode trazer uma enorme satisfação. A interação com a vibração de cada pessoa funciona de uma maneira complementar, resultando numa tremenda realização psíquica. Quando medita sozinho, você pode, de vez em quando, tirar um "dia de folga" e não meditar. Isso nunca acontecerá na meditação em grupo. Para dizer a verdade, por essa razão, muitas pessoas só fazem meditação em grupo.

Na meditação em grupo (...), todos devem se sentar em círculo e fazer os exercícios de respiração e os exercícios com luzes, em seu próprio ritmo. Quando todos concluírem os exercícios do reforço das cores dos chacras, a luz elétrica branca deve ser apagada ou diminuída e os membros do grupo devem ser iluminados por uma luz azul. No grupo no qual eu trabalho, usamos uma lâmpada de projetor colorida da Westinghouse, de cem watts, que é a ideal para esse propósito. A luz azul pode ser mantida no decorrer de toda a meditação.

Practical Color Magick
Raymond Buckland
Lewellyn, Mn., 1983 & 2002

Agora, com o corpo relaxado e a respiração regular e profunda, concentre seus pensamentos até que possa imaginar seu corpo todo encapsulado num globo de luz branca. Sinta a energia luminosa reabastecendo todo o seu corpo.

Então concentre a atenção nos dedos dos pés. Dê um comando para que eles relaxem. Deixe a tensão e o cansaço se dissiparem. Repita o processo com os pés, calcanhares, tornozelos e assim por diante. Relaxe completamente o corpo todo, parte por parte. Barriga da perna, joelhos, coxas, virilha, nádegas, coluna, estômago e peito, ombros, braços e antebraços, pulsos, mãos, pescoço, garganta, queixo, maxilar (mantenha o maxilar ligeiramente aberto, se tiver vontade), olhos, região do crânio e couro cabeludo. Relaxe cada músculo, veia, nervo e fibra, enquanto vai subindo pelo corpo. Termine a técnica de relaxamento na região da testa. Em seguida, você precisará apenas focar internamente o seu Terceiro Olho.

Com a atenção voltada para o Terceiro Olho, feche os olhos se puder. Aprofunde a sua atenção no Terceiro Olho cada vez mais. Abandone o mundo artificial e material, o próprio ego. É só quando transcendemos o ego materialista que conseguimos encontrar a passagem para o reino interior e para o nosso próprio Eu Superior. Entregue-se ao seu Eu Superior... renda-se ao impulso magnético que o atrai para ele. Você não precisa rezar ou fazer visualizações para que alguma coisa aconteça. Apenas relaxe e deixe sua energia fluir para cima, em direção ao poder superior. Seja qual for a sensação, a luz ou o som interior que vier até você, volte-se para isso e para a fonte da qual isso vem. Não fique fascinado ou amedrontado com o fenômeno. Não se iluda, achando que está se tornando sensitivo ou paranormal. Qualquer coisa que aconteça, entregue-se e volte-se sempre para cima, para dentro, para seu Eu Superior.

Você pode ter dificuldade para aquietar a mente consciente no início. Sua consciência é como uma criança mimada, constantemente exigindo atenção. Depois que ela começar a ficar mais disciplinada, você começará a perceber resultados positivos. Você pode não ter experiências estrondosas ou dramáticas, mas começará a perceber que sua intuição ficará mais aguçada. Começará a "saber" coisas que nunca soube antes. Essa é uma prova de que a sua meditação está funcionando e o poder da *kundalini* está despertando.

Quando começar a meditar, achará difícil se sentar em silêncio por alguns minutos. Sua mente quer divagar, seu corpo se agita e você pode até mesmo começar a se coçar! Levará um pouco de tempo, mas você descobrirá que é o mestre do seu próprio corpo e de sua mente. Ignore a coceira. Diga à sua mente consciente para ficar quieta! *Você está muito ocupado com coisas mais importantes.* A coceira passará e sua mente consciente ficará mais disciplinada e não vai mais interferir enquanto você entra em sintonia com sua natureza superior... *Se você for persistente.* Lembre-se, durante toda a vida, você deixou que a sua mente e as suas emoções dirigissem suas atividades. Agora, elas precisam aprender que quem manda é você. Vão precisar de algumas lições, mas elas aprenderão. Continue tentando. Você está embarcando na maior viagem da sua vida.

Como Encerrar a Meditação

Para o seu bem-estar físico, é importante que você encerre cada meditação com um redespertar da consciência e do corpo físico. Você pode fazer isso seguindo o método do relaxamento na ordem inversa. Quando a sua consciência começar a se distanciar da região do Terceiro Olho, direcione-a para a região da testa, até o topo da cabeça. Depois, passo a passo, continue a focar sua atenção no corpo, na área craniana, nos olhos, na parte de trás da cabeça, no rosto, na mandíbula, na língua, no pescoço, na garganta etc... Vá dando comandos para que todo seu corpo desperte reanimado, vibrante e saudável. Ombros, braços e antebraços, pulsos, mãos, parte superior das costas, peito, costelas, estômago, laterais das costas, região lombar, virilha, todos devem despertar revitalizados, relaxados e vibrantes. Nádegas, coxas, joelhos, panturrilhas, tornozelos, calcanhares, peito do pé, dedos dos pés. Passe por todo o corpo. Dê comandos para cada músculo, veia, fibra e nervo do corpo, para que despertem saudáveis, reanimados e vibrantes. Você ficará agradavelmente surpreso ao perceber quanto se sentirá melhor depois da meditação. Perceberá uma imediata satisfação interior e uma tremenda paz de espírito. Por meio da meditação, você descobrirá que não só está despertando a sua consciência espiritual, como também está revitalizando o seu corpo físico, enquanto começa a entrar em contato com as grandes forças cósmicas que lhe são natas.

Os Sonhos

O que é um sonho? Os sonhos são importantes? Num primeiro momento, a pessoa que não está familiarizada com o simbolismo dos sonhos deve tomar notas de todos os fragmentos aparentemente sem importância do sonho de que se recorda. As enganosamente tolas excentricidades retratadas em alguns sonhos parecem pouco mais do que devaneios de uma mente desocupada. Alguns eventos mais bizarros e assustadores fazem com que o sonhador não deseje ter mais nenhum sonho. Em ambos os casos, porém, é provável que o indivíduo dê pouca importância a esses estranhos vislumbres do desconhecido mundo dos sonhos.

Não obstante, a pesquisa moderna continua a explorar o mundo dos sonhos com intensidade. Serão os sonhos fenômenos importantes, que nos contam coisas que podem nos dar certas vantagens, ou são simplesmente "filmes noturnos", para entreter a mente consciente enquanto a consciência descansa? De acordo com os dados coletados nas pesquisas, temos em média sete períodos de sonho, cada um com uma duração de até 45 minutos, toda noite, durante toda a vida. Os cientistas também descobriram que o sonho é vital para o bem-estar. Sujeitos de experimentos de laboratório que tiveram seus sonhos interrompidos durante períodos prolongados revelaram estresse emocional. Entretanto, os cientistas focaram as pesquisas no fenômeno e não procuraram investigar a fonte. Isso funcionou às avessas.

A Fonte

Para entender o sonho, você precisa compreender onde ele se origina e por quê. Obviamente, ele não é um produto da mente consciente, pois ocorre durante o sono, quando a mente consciente está em repouso. A mente subconsciente é passiva e não é capaz de desenvolver um pensamento lógico, por isso não pode ser a criadora de um sonho altamente complexo e evasivo... O subconsciente só pode expor o que foi antes introjetado. Portanto, onde isso nos leva? O sonho é um fenômeno complexo, criativo e bem orquestrado. A única fonte possível, aparentemente, é o que Jung designou "inconsciente", ou "mente espiritual superior". Agora conhecemos essa parte da nossa mente, ou da consciência, como *supraconsciência*.

Os sonhos são importantes? O simples fato de ocorrerem já lhes dá certa importância. Nenhuma faceta da nossa existência existe à toa. Entretanto, quando começamos a investigar a fonte dos nossos sonhos, a grande importância deles começa a ficar cada vez mais clara. Para muitas pessoas, o sonho é apenas um meio pelo qual a mente superior pode atingir a consciência. Portanto, toda noite ela fica ocupada, tentando compreender suas mensagens. Seu Eu Superior investe muito tempo e esforço tentando elaborar e transmitir os sonhos; o mínimo que você pode fazer é procurar entender qual é a mensagem que transmitem.

A Interpretação e a Simbologia dos Sonhos

É bem provável que você já tenha passado muitas horas tentando, sem sucesso, decifrar os enigmas aparentemente sem sentido que se apresentam nos seus sonhos. Fica confuso quando percebe que um sonho em que você estava no enterro da sua tia se revela nem um pouco premonitório, visto que sua tia ainda está muito feliz e saudável dez anos depois. Fica bastante perplexo ao ter interações íntimas, nos sonhos, com pessoas de quem normalmente você não chegaria nem perto. Sente-se maravilhado ao sonhar que está fazendo coisas que seriam fisicamente impossíveis no dia a dia. Você acaba se sentindo totalmente frustrado quando tenta dar algum sentido às estranhas atividades que pratica em seus sonhos indefiníveis. Não obstante, sente que em algum lugar deve haver uma resposta. Mas onde? Qual seria a chave?

Por ser um elemento da consciência universal, sua supraconsciência conhece muito bem o simbolismo universal. Como a mente supraconsciente tende a se comunicar numa linguagem própria, pode-se esperar que os seus sonhos contenham alguma coisa dessa linguagem de símbolos universais. Mas, embora tenha a sua própria linguagem, a mente supraconsciente sabe que você responderá melhor aos símbolos com os quais a sua mente consciente está mais familiarizada. Por isso, ela usará termos e símbolos da sua vida diária. Muitas vezes, usará o simbolismo de acontecimentos recentes, que ainda estão frescos na sua memória. Essas impressões da sua vida física e pessoal são chamadas de *simbolismo pessoal*.

O simbolismo universal inclui todas aquelas coisas que, através dos tempos, continuam sendo verdadeiras para toda a humanidade. Incluem-se aí as cores, os números, as formas e a identidade sexual (masculino e feminino). Esses símbolos vêm da supraconsciência e, por essa razão, são eternos. Um exemplo característico são os meios de transporte – o símbolo universal do progresso espiritual. À medida que a tecnologia avançava no plano material, a aplicação da simbologia também acompanhava os seus passos. Por isso, esse símbolo pode tomar a forma de um dos meios de transporte modernos, como foguetes, aviões, navios, trens ou automóveis, ou pode ser representado por um daqueles modos de transporte eternos, como montar no lombo de um animal ou caminhar.

Seria impossível fazer uma lista de todos os símbolos universais neste livro, mas apresentarei uma amostra na seção dos símbolos universais.

A Interpretação dos Sonhos

O célebre psicólogo Carl Jung uma vez afirmou: "Nenhum símbolo onírico pode ser separado da pessoa que o sonha". Tenha isso em mente quando estudar os conceitos a seguir. Perceba que quase todos os símbolos universais têm várias nuances de significado. Na verdade, alguns tem até mesmo significados contraditórios. A interpretação desses símbolos só pode ser feita por você, a pessoa que sonha, com base nos seus próprios sentimentos a respeito do sonho, no símbolo e na sua própria intuição.

O sonho é uma combinação de símbolos complexa e quase sem limites. Ele pode ter uma natureza analítica, crítica ou terapêutica. A maioria dos sonhos é analítica, isto é, eles proporcionam ao Eu Superior um meio pelo qual ele pode comentar seu dia a dia e sua vida espiritual. Ele analisará como você está se relacionando com o seu ambiente e com as outras pessoas. Uma pequena percentagem dos seus sonhos é de natureza premonitória, para preveni-lo e prepará-lo para acontecimentos futuros. (A percentagem de sonhos premonitórios varia muito de pessoa para pessoa, mas estima-se que talvez um sonho em cada vinte diga respeito ao futuro. Não conclua precipitadamente que os sonhos que você tem com o seu irmão Roberto ou a sua prima Maria sejam uma indicação de que alguma coisa está para acontecer a eles. Pode ser que aconteça o que você sonhou, mas é mais provável que não seja esse o caso.) Além disso, você também pode ter observado que os personagens em seus sonhos estão, na verdade, representando *você* – ou algum aspecto seu. Então, quando sonhar que a sua irmã Susana está discutindo com você a respeito de alguma coisa, na verdade você estará vendo uma representação de um conflito *interior* – uma parte de você em desacordo com alguma outra parte (talvez seu aspecto masculino contra o seu aspecto feminino). A imagem da sua irmã Susana está apenas sendo usada como uma forma reconhecível que você possa aceitar.

Como já afirmei com relação aos sonhos premonitórios, o número de sonhos terapêuticos varia de pessoa para pessoa. Simplesmente depende da necessidade do indivíduo. Se uma pessoa tem um forte sentimento de inferioridade, sua terapia pode ser sonhar que é uma pessoa capaz, carismática e poderosa. Dessa maneira, o Eu Superior está compensando a carência psicológica da pessoa que sonha. Se ela tem um forte sentimento de superioridade, precisa ser levada a "baixar um pouco a crista" com um sonho que a retrate como alguém fraco, indefeso e inferior. No entanto, o sonho muitas vezes procura ajudar a pessoa a superar as falhas de caráter.

Sonhos premonitórios só ocorrem quando o indivíduo precisa ser preparado para um acontecimento futuro. Ainda que você possa não se lembrar dele, o sonho prepara o seu subconsciente para o impacto que está por vir. Nem todos os sonhos precognitivos estão relacionados a acontecimentos significativos; alguns podem ser bem triviais. Mas são importantes do mesmo jeito. Eles programam e preparam a mente subconsciente e a consciente, por um período, para lidarem com eventos e situações futuros de uma maneira adequada.

Seria impraticável, senão impossível, relacionar aqui todos os símbolos universais. Entretanto, a lista a seguir apresenta os símbolos básicos e lhe dá uma ideia dos seus significados. Com base nela, você pode começar a fazer a sua própria lista.

Símbolos Universais

Abundância: desejo por independência.

Acidente: algo não planejado.

Adultério: culpa.

Água: espiritualidade; emoção.

Altar: autossacrifício.

Âncora: estabilidade. Algumas vezes é o desejo por um lar permanente.

Anel: conclusão; lealdade.

Anima (princípio vital, alma, vida): o aspecto feminino do indivíduo. Guia para o mundo interior. A Deusa. Algo receptivo, em perspectiva, ou nutriz.

Animal: o significado depende dos seus sentimentos pelo animal em particular (para um significado típico veja o tipo específico). Um animal útil normalmente representa o eu instintivo.

Animus: o aspecto masculino do indivíduo. Firme convicção. Força. O Deus.

Anoitecer: descida ao mundo do subconsciente.

Arco-íris: grande felicidade, oportunidade.

Árvore: o princípio da vida; crescimento e desenvolvimento psíquico; sucesso.

Ator/atriz: desejo de reconhecimento.

Autoimagem: o ser espiritual ou interior. A idade indica a maturidade ou a falta dela.

Automóvel: ver *Transporte*.

Avião: ver *Transporte*.

Balão: frustração.

Batalha: conflito interno.

Bebê: chorando: planos frustrados; sorrindo: planos realizados; dormindo: período de espera, paciência.

Beijo: satisfação, conclusão.

Bengala ou muletas: necessidade de apoio.

Berço: potencial para melhora ou avanço.

Bicicleta: trabalho duro que trará realizações. Ver também *Transporte*.

Bruxa: capacidade sobrenatural; sabedoria.

Cabelo: pensamento. Cabelo grisalho ou prateado indica sabedoria.

Cachorro: lealdade; preguiça; ira.

Cadeia: confinamento; frustração; falta de habilidade para agir.

Caixão: ver *Enterro*.

Capital (centro urbano): o centro. Ver também *Cidades*.

Casa: símbolo da personalidade e da consciência, do ponto de vista espiritual. Um cômodo em particular representa um interesse particular. *Banheiro*: limpeza; eliminação de algo indesejado. *Porão*: lugar de refúgio, retiro ou de segredos. *Dormitório*: lugar de descanso e recuperação. *Sala de jantar*: lugar onde se obtém sustento, fortalecimento. *Cozinha*: lugar onde se prepara nutrição. *Sala de estar*: lugar de socialização.

Casamento: auge dos planos; felicidade; sucesso.

Castelo: ambição.

Cavalgada: ver *Transporte*.

Cavalo: *cavalo branco*: símbolo da vida (a deusa celta Epona era muitas vezes retratada como uma égua branca); prosperidade. *Cavalo preto*: mudança de sorte. *Cavalo selvagem*: desejos instintivos descontrolados. *Cavalo alado*: transcendência de um estado de ser para outro.

Caverna: lugar de retiro ou refúgio; necessidade de um tempo para pensar ou meditar.

Chave: resposta para um problema.

Choro: emoção; geralmente um acontecimento triste.

Cidades: reunião de consciências. Se situadas num local significativo, podem representar a *Anima*.

Círculo: totalidade, perfeição, infinito. O Todo; o inconsciente coletivo.

Cisne: beleza; conforto; satisfação.

Cobra: sabedoria espiritual; transcendência para um estado de sabedoria.

Comer: necessidade de novos interesses; estímulo.

Cores: o significado simbólico da cor é, por si só, um estudo fascinante. Vou expor brevemente esse assunto, para lhe dar uma ideia básica dos significados das cores nos sonhos. A lista a seguir não é abrangente, mas inclui as principais cores. *Vermelho*: força, saúde, vigor, atração sexual, perigo, caridade. *Laranja*: encorajamento, adaptabilidade, estimulação, atração, fartura, bondade. *Amarelo*: persuasão, charme, confiança, ciúmes, alegria, conforto. *Verde*: dinheiro, fertilidade, sorte, energia, crescimento. *Azul*: tranquilidade, compreensão, paciência, saúde, sinceridade, devoção, veracidade. *Índigo*: impulsividade, depressão, ambição, dignidade, inconstância. *Violeta*: tensão, poder, tristeza, piedade, sentimentalidade.

Cortina: segredo, adorno.

Coruja: sabedoria; necessidade de maior avaliação.

Cristal: União da matéria e do espírito.

Direito (lado): a consciência; o lado artístico; retidão.

Doença: aborrecimento; demora.

Enterro: fim de uma fase; hora de seguir em outra direção.

Escada de mão: capacidade para subir (note a extensão da escada).

Escalar: processo de autodomínio; elevação da consciência.

Escola: lugar de aprendizagem; necessidade de aprender.

Escuridão: o mundo dos espíritos; o subconsciente; voltar-se para si mesmo.

Espada: penetração e corte; trabalho árduo à frente.

Espelho: necessidade de reconsiderar.

Esqueleto: o básico; a raiz do problema.

Esquerda (lado ou direção): o subconsciente; algumas vezes o lado ou a direção errados; o lado lógico; o lado científico.

Estrada de ferro: um caminho estabelecido a seguir; ver também *Transporte*.

Eu Superior: o "verdadeiro" eu; o eu interior; o todo-sábio, todo-poderoso ser espiritual.

Fechadura: frustração, segurança.

Flecha: prazer, alegria.

Flores: contentamento, prazer.

Fogo: ira, purificação; abundância de energia.

Foguete: ver *Transporte*.

Formatura: iniciação, conclusão de uma fase.

Gelo: frieza de caráter, frigidez, inflexibilidade.

Gêmeos: o ego e o alter ego.

Grinalda ou coroa de flores: autopiedade.

Guarda-chuva: abrigo.

Homem ou sexo masculino: *animus*, o aspecto masculino. A idade do homem indica a maturidade ou a falta dela no indivíduo.

Juiz ou júri: sua consciência.

Ladrão: perda ou sentimento de perda; insegurança.

Lagarto: transcendência.

Leilão: promessa de abundância.

Leitura: aprendizagem; ganho de conhecimento; percepção.

Linhas: linhas interrompidas representam o aspecto feminino. Linhas contínuas, o aspecto masculino.

Luz: esperança.

Maçã: desejo.

Mãe: abrigo; alívio, conforto.

Mar: ver *Oceano*.

Martelo: poder de avançar.

Máscara: falsidade, decepção; segredo.

Meio-dia: clareza máxima da consciência.

Mesa: suporte; uma plataforma para apresentação.

Moça: aspecto feminino imaturo.

Mordida de cobra: infusão da sabedoria (as mordidas de cobra geralmente não são dolorosas em sonhos).

Morte: o fim de alguma coisa; oportunidade de novos começos.

Mulher: a *anima*. A idade da mulher representa a sua maturidade ou a falta dela.

Nascimento: transição para uma nova fase ou um novo aspecto (de si mesmo).

Navio: Ver *Transporte*.

Noite (especialmente à meia-noite): a força máxima da supraconsciência.

Nudez: realidade; veracidade; sem falsas atitudes; exposição; naturalidade.

Número: ao interpretar os números, você precisa, antes de mais nada, examinar o seu equilíbrio ou a falta dele. *Números pares* significam equilíbrio e harmonia. *Números ímpares* significam desequilíbrio e discórdia. Considerando as definições a seguir, perceba que um número grande é feito de uma combinação de números menores. *Um*: o início; a fonte, o ego. *Dois*: dualidade; o masculino e o feminino; positivo e negativo. *Três*: a trilogia pai, mãe e filho; passado, presente e futuro. Conclusão do primeiro plano. *Quatro*: o universo material; a consciência; a realidade e a lei; poder físico; iniciativa; religião e evolução espiritual. É o três e o um. *Cinco*: o número do homem e da mulher. Representa o materialismo, a expansão, a mudança, a compreensão e a justiça. É o três e o dois. *Seis*: o número da cooperação e do equilíbrio. Representa a interação entre o material e o espiritual, o mental e o físico. Significa psiquismo, paz e a conclusão do segundo plano. É o três duas vezes. *Sete*: conclusão; velhice; tolerância; evolução e sabedoria. Os sete estágios da transformação espiritual. É o quatro e o três. *Oito*: o número da dissolução e da separação. A lei da evolução cíclica e da invenção. Cinco e três. *Nove*: renascimento e reformulação. Intuição; viagem; karma e a conclusão do terceiro plano. Três vezes três. *Zero*: o Círculo; o infinito; o universo. O Todo.

Oceano: oportunidade; espiritualidade.

Óculos: percepção; ser capaz de ver (algumas vezes, o futuro).

Olho: percepção; autoavaliação.

Parede ou muro: frustração; incapacidade.

Pássaros: geralmente transcendência de um estado de ser para outro.

Patins: ver *Transporte*.

Pedras: o ser imutável.

Peixe: transcendência de um estado de ser para outro.

Pérola: alegria. *Colar de pérolas quebrado*: equívoco.

Pirâmide: sede de conhecimento; procura.

Pirata: desconfiança.

Ponte: superação de dificuldades; uma mudança.

Porão: refúgio ou lugar de recolhimento.

Prisão: ver *Cadeia*.

Queda: falha em corresponder as expectativas.

Relógio: a passagem do tempo; a necessidade de entrar em ação.

Rio: espiritualidade; uma fronteira. *Atravessar um rio*: uma mudança de atitude.

Rodovia: atalho, o caminho adiante.

Roedores: transcendência ou uma pessoa pouco agradável; desconfiança; traição.

Rosas: Ver *Flores*.

Roupas: atitudes; personalidade.

Ruínas: fracasso de planos.

Sacrifício: superação do orgulho.

Sexo: união de opostos; união dos princípios masculino e feminino; satisfação; perfeição.

Sinos: realização de planos; alegria.

Sol: *nascer do Sol*: clareza de consciência; despertar. *Pôr do Sol*: necessidade de proteger suas posses.

Soldados: força; poder; organização.

Sombra: o subconsciente; insubstancialidade.

Telescópio: necessidade de se aproximar de um assunto.

Tesoura: desconfiança.

Toque: como é o toque e como é a sensação que ele provoca são aspectos importantes. O toque normalmente representa a imposição das mãos, geralmente para cura. Em ocasiões raras pode significar uma maldição. Pode ser também conforto; segurança.

Touro: natureza animal; teimosia.

Transcendência: realização completa do eu individual.

Transformação: Ver *Transcendência*.

Transporte: progresso espiritual. Quanto mais eficiente o meio de transporte, mas eficiente e rápido será o progresso. O foguete pode indicar uma viagem rápida. O rastejar estaria entre os menos eficazes. O trem é um transporte rápido e direto, mas está confinado a trilhos estreitos. Um carro é muito eficiente e fácil de manobrar. O avião é mais eficiente do que o carro e o trem e sobe mais alto do que qualquer outro meio de transporte. Andar de patins é mais rápido do que caminhar, entretanto eles requerem uma superfície mais plana e mais esforço etc...

Trens: ver *Transporte*.

Trovão: ira.

Túnel: estar com medo; esconder-se.

Vassoura: capacidade de varrer as coisas da sua vida ou colocá-las em ordem.

Vela: estabilidade; constância.

Véu: insegurança.

Viajar: avanço espiritual.

Viagem: Ver *Transporte*.

Virar: mudança ou desenvolvimento. Veja *Esquerda* e *Direita*. Mover-se em círculo é não progredir.

Voar: ver *Transporte*.

Vulcão: energia sexual; emoções.

A Recordação dos Sonhos

O primeiro passo, e mais óbvio, na interpretação dos sonhos é lembrá-los. Se você tiver dificuldade para se lembrar dos seus sonhos, a razão provável é que você os tem ignorado por tanto tempo que o subconsciente não tenta mais trazê-los à tona, para a sua memória consciente. Se for esse o caso, você deve se programar para relembrá-los. Isso pode ser feito por meio de uma afirmação. Durante a meditação, e um pouco antes de ir para a cama, diga a si mesmo com firmeza: *"Eu me lembrarei dos meus sonhos"*. Faça isso três vezes. Como se fosse um comando. Em seguida, volte a dizer a si mesmo, três vezes: *"Eu me lembrarei dos meus sonhos"*. Deixe de lado o pensamento. Em seguida, pela terceira vez, repita os três comandos: *"Eu me lembrarei dos meus sonhos"*. Dessa maneira, você instrui a si mesmo nove vezes ao todo.

O segundo passo na interpretação é registrar os sonhos. Coloque um bloco de notas (ou algo semelhante) e um lápis perto da sua cama, para esse propósito. Esse simples ato, por si só, reforça o comando de relembrar. Quando você *acordar* – antes mesmo daquele momento em que abre os olhos, já pronto para uma xícara de café! –, tome nota do que relembrar. Não se preocupe em colocar tudo em perfeita ordem nesse momento. O mais importante é recordar o que puder, mesmo que só tenha tempo para fazer poucas anotações. Você descobrirá que mais tarde será capaz de recordar mais detalhes do sonho. Quando isso acontecer, anote todos os detalhes que puder relembrar. Descreva as pessoas, suas identidades, ocupações, roupas, suas emoções e suas atividades. Perceba a sua atitude para com elas e a atitude delas com você. Descreva tudo o que sentir, vir e ouvir. Preste uma especial atenção aos *números* das coisas e suas cores. Tudo isso é importante. Depois disso, tente organizar as suas anotações na ordem na qual elas apareceram no sonho.

Depois de concluir as suas anotações e organizá-las, poderá começar a tarefa da interpretação. Antes de mais nada, examine o sonho para ver se ele se encaixa em algum dos acontecimentos do dia anterior. Isso explicará um pouco do seu sonho. Se esse teste falhar, então você deve descobrir se o sonho é literal ou simbólico.

O sonho *literal* é aquele no qual o personagem ou as imagens principais do sonho são uma pessoa ou coisa real em sua vida, ou em sua mente, no momento. Se a interpretação literal fizer sentido, você encontrou a chave. Quando a interpretação literal do sonho não faz sentido, o sonho é obviamente simbólico. Um sonho *simbólico* é aquele no qual o personagem ou as imagens do sonho não podem ser interpretados literalmente, como uma coisa ou pessoal real. Dessa maneira, a imagem é um *aspecto* da pessoa que sonha, você. A antiga sabedoria universal dos símbolos deve, então, ser aplicada.

Quando você começa a trabalhar com simbologia, pode sentir alguma dificuldade para explicar tudo completamente; talvez você decifre só parte do mistério. Não se preocupe com isso, é bastante natural a princípio. Continue a afirmar *"que você se lembrará"*. Continue a registrar todos os detalhes que puder. Ao fazer isso, você descobrirá que os símbolos aos poucos começarão a ficar mais claros, à medida que você e o seu Eu Superior travarem um diálogo que você possa entender de modo consciente. Um símbolo oculto num sonho será repentinamente revelado em outro. Quando isso acontecer, você deve começar a compilar o seu próprio dicionário de sonhos pessoal. Pegue um caderno que não esteja sendo usado para nenhum outro propósito e divida-o, usando cada parte para uma letra do alfabeto. Quando descobrir os significados de novos símbolos, anote-os. Logo descobrirá que você tem um extenso conjunto de símbolos que lhe permitirão fazer uma interpretação quase completa de todos os seus sonhos.

Os Símbolos Pessoais

Muitos livros publicados sobre a interpretação dos sonhos apresentam ao leitor centenas de símbolos, mas uma interpretação simplificada. Exceto pelas listas de símbolos universais, esses livros são totalmente enganosos. Cada um de nós tem a sua própria simbologia pessoal, baseada em nossas experiências nesta vida. Por exemplo, duas senhoras idosas sonham com um gato. Uma das senhoras nunca se casou e teve ao longo da vida muitos gatos, que ela adorava e mimava. A segunda tinha uma recordação muito traumática de um gato selvagem que a arranhou gravemente na infância. É obvio que uma única interpretação do simbolismo desse animal não contentará a ambas. Para a primeira senhora, o gato é uma companhia amorosa e adorável. Para a segunda, o gato é uma criatura maligna e perigosa, que causa dor e sofrimento. Portanto, é necessário que a pessoa analise o símbolo do ponto de vista de seus próprios sentimentos pessoais.

O Sonho Repetitivo

Muitos sonhos se repetem para enfatizar seu significado ou assegurar que ele seja compreendido. Isso pode ser ou não óbvio para quem sonha. Geralmente os sonhos vêm em uma série de três. Às vezes a simbologia desses três sonhos é bastante semelhante. Outras vezes, eles têm uma simbologia completamente diferente, mas baseada num tema quase idêntico. Em qualquer caso, a fonte do sonho está tentando assegurar que a mensagem seja transmitida e compreendida. Um sonho repetido durante vários dias, semanas ou talvez meses indica alguma coisa que você precisa resolver. Depois que você o compreende e toma uma atitude com relação a ele, entrando em ação ou mudando de atitude, o sonho deixa de acontecer. Normalmente, o sonho recorrente pertence a uma das seguintes categorias:

a) precognitivo ou premonitório;
b) compensação por uma atitude imprópria;
c) resultado de um incidente traumático que deixou uma impressão negativa.

Os Sonhos em Grupo

As pessoas mais avançadas do ponto de vista espiritual têm ocasionalmente a tendência de partilhar um sonho com outra pessoa ou participar de um sonho dela. Isso indica que as duas pessoas estão em sintonia no nível psíquico ou emocional. Isso não quer dizer que essas pessoas sejam "almas gêmeas", destinas uma à outra. Mais precisamente, elas estão em sintonia em alguns níveis, num dado momento de suas vidas, e estão passando por ajustes semelhantes no plano espiritual. A interpretação do sonho deve ser feita assim como se faz com um sonho comum, mas a "outra" pessoa que faz parte dele, você deve considerar um aspecto de si mesmo.

Os Sonhos *Versus* as Experiências Fora do Corpo

A lembrança das experiências fora do corpo (EFC) são tão imprecisas quanto a dos sonhos, por isso normalmente é difícil distinguir um do outro. Uma diferença marcante é a consciência que você tem das coisas. No sonho, a consciência visual é como na visão física, você "vê" apenas o que está na sua frente. Nas experiências fora do corpo, entretanto, sua consciência é muito mais abrangente. Você vê não somente o que está na sua frente, mas também o que está atrás, acima, abaixo e dos lados, tudo ao mesmo tempo. Não tente interpretar uma experiência fora do corpo assim como faria com um sonho.

Rituais (Continuação)

Na última lição, eu dei detalhes sobre os quatro Sabás Maiores, ou Principais. Agora, examinaremos os quatro Sabás Menores, ou Secundários: o equinócio da primavera, o solstício de verão, o equinócio de outono e o solstício de inverno (ou Yule). Na verdade, os termos "Maiores" e "Menores", ou "Principais" e "Secundários", são designações errôneas, pois todos os sabás são importantes.

Sabá do Equinócio da Primavera

Deixe um buquê de flores do campo no altar ou ao lado dele. Os *coveners* podem usar flores nos cabelos, se quiserem. No altar, ficam o *bastão priápico* e uma tigela de madeira ou cerâmica cheia de terra e contendo algum tipo de uma semente grande. Sobre ou embaixo do altar, também ficam uma folha de pergaminho, ou uma folha de papel comum, e um instrumento de escrita. O forro do altar e as velas devem ser verde-claros.

O Ritual da Edificação do Templo é realizado. O sino é tocado três vezes.

Sacerdote: "Abençoados sejam todos no Círculo".

Sacerdotisa: "Feliz encontro a nós neste Ritual de Primavera".

Todos: "Feliz encontro".

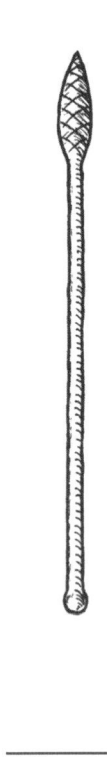

O bastão priápico foi assim denominado em homenagem a Príapo, o deus romano da procriação. Na Ásia Menor, ele equivalia a Pan, a divindade grega da natureza, e era considerado filho de Afrodite e Dionísio. Príapo regia a fertilidade dos campos e dos rebanhos, a polinização das abelhas, a cultura do vinho e da pesca. Ele era o guardião dos pomares e dos jardins, onde se costumava expor imagens desse deus.

O bastão priápico é, na verdade, uma representação de um falo (pênis). Ainda que usado somente em poucos rituais (se você assim o desejar), você precisará de um. Ele deve ter em torno de 50 cm de comprimento, sendo os últimos 20 cm entalhados na forma de um órgão masculino. Uma alternativa para representar o falo simbolicamente é confeccionar o bastão em formato de pinha.

Sacerdote: "Irmãos e Irmãs, ouçam as minhas palavras.
Despertem e saúdem a primavera.
Senhor! Senhora!
Ouçam-nos, em sua honra estamos aqui.
Estamos aqui para celebrar com vocês e por vocês".

Sacerdotisa: "Bem-vinda, bem-vinda bela primavera!
Bem-vindo o tempo do nascimento.
Bem-vindo o tempo para o plantio das sementes".

Os *coveners*, junto com o Sacerdote e a Sacerdotisa, conduzem o ritual, pegam as flores e dançam, deosil, ao redor do círculo. Enquanto dançam, eles se inclinam para deixar cair as flores ao longo da borda do Círculo, até que ele esteja todo decorado com as flores. Se desejarem, podem cantar enquanto dançam. Quando a dança acaba, o sino é tocado três vezes.

> **Sacerdote/Sacerdotisa:** "A época da primavera é a época das sementes. Agora é a época de cada um de nós plantar aquilo que deseja que floresça".
>
> **Covener:** "A época da primavera é de esperança e desejo; de ideias novas; de equilíbrio e inspiração".
>
> **Sacerdote/Sacerdotisa:** "Vamos agora meditar sobre aquilo a que desejamos dar vida. Vamos pensar nas nossas esperanças e oportunidades e projetar a nossa energia em algo que iniciaríamos na estrada da vida".

Todos se sentam e meditam numa posição confortável. Pense em que ideia seminal você gostaria de plantar e que possa crescer, tornando-se uma oportunidade. Pode ser uma qualidade como a paciência ou a perseverança, ou pode ser uma oportunidade para você fazer ou criar alguma coisa. Pode ser algo não para si mesmo, mas para uma outra pessoa. (*Observação:* Você não está fazendo "magia" aqui – tratarei disso em detalhes numa lição posterior –, mas simplesmente "plantando uma semente" na sua mente, que possa cultivar e deixar crescer. Como todas as sementes, ela precisará de atenção e cuidados, para que possa se desenvolver e finalmente florescer.) Passado o tempo necessário, o sino é tocado. O Sacerdote/a Sacerdotisa pega o pergaminho e a caneta e anota, no alto, qual é a sua "semente" (procure descrevê-la em poucas palavras). O pergaminho é passado ao redor do Círculo e todos anotam quais são as suas "sementes". Quando ele voltar, o Sacerdote/a Sacerdotisa põe fogo no pergaminho com a vela do altar e o segura, enquanto queima, para que as cinzas caiam na tigela com terra. Enquanto ele/ela faz isso, diz:

> **Sacerdote/Sacerdotisa:** "Senhor e Senhora, recebam estas nossas sementes.
> Deixem que germinem em nossa mente e em nosso coração.
> Deixem que prosperem e cheguem à maturidade, pois cuidaremos delas e promoveremos seu crescimento em seu nome.

Com o athame, a Sacerdotisa mistura as cinzas com a terra. Em seguida, ela faz um corte no centro e deposita ali a faca. O Sacerdote pega o bastão priápico e dança ao redor do Círculo três vezes, segurando-o no alto da cabeça. A primeira volta é devagar, a segunda é mais rápida e a terceira, muito mais rápida. Retornando à Sacerdotisa, ele coloca o bastão diante dele.

> **Sacerdotisa:** "Pelo poder do bastão, que a semente encontre o sulco na terra. Que este formoso bastão nos traga bênçãos".

Ela beija a ponta do bastão.

> **Sacerdotisa:** "Todas as honras a ele. Que seja sempre assim".

O Sacerdote coloca o bastão sobre o altar e pega a semente. Segura-a por alguns momentos entre as palmas das mãos, concentrando nela as suas energias. Em seguida, passa a semente ao *covener* mais próximo, que faz o mesmo. A semente é passada ao redor do Círculo até retornar às mãos do Sacerdote. A Sacerdotisa então pega a tigela do altar e a segura no alto.

> **Sacerdotisa:** "Nos tempos antigos, celebrávamos juntos o plantio da semente. Aqui simbolizamos esse ato, em reverência à nossa Senhora e ao nosso Senhor".

A Sacerdotisa vira-se de frente para o Sacerdote, baixando a tigela e segurando-a na altura dos seios.

> **Sacerdote:** "Estes ritos de primavera pertencem a todos nós; a nós a aos deuses.
> Este é um momento de alegria e a época do plantio".

Ele coloca a semente no buraco feito na terra da tigela e cobre-a de terra.

> **Sacerdote:** "Esta semente eu deposito no ventre da Terra.
> Que ela se torne uma parte desta Terra.
> Uma parte da vida e uma parte de nós".

O Sacerdote e a Sacerdotisa se beijam e a Sacerdotisa recoloca a tigela no altar. Eles em seguida andam ao redor do Círculo, beijando e abraçando cada um dos *coveners*. O sino é tocado três vezes.

Segue-se então a Cerimônia dos Bolos e da Cerveja. Depois dela, realiza-se o Ritual da Purificação do Templo, abrindo espaço para a diversão, os jogos e o entretenimento. A noite se encerra com uma festa.

Sabá do Solstício de Verão

O forro e as velas do altar devem ser brancos. O Círculo deve ser decorado com flores, frutas e galhos verdes ou o que quer que você considere apropriado para a estação. No quadrante Sul, ficam o caldeirão com água e um borrifador ao lado. No altar, uma vela grande apagada. Ao lado ou sobre o altar, fica o capacete de chifres do Sacerdote. O Ritual da Edificação do Templo é realizado. O sino é tocado três vezes.

> ***Covener*:** "Que cessem todos os sofrimentos".
>
> ***Covener*:** " Que cessem todas as discórdias".
>
> ***Covener*:** "Este dia é para ser vivido".
>
> ***Covener*:** "Para se viver esta vida".

O Sacerdote coloca o capacete de chifres na cabeça e fica em frente ao altar. Então pega a vela grande, acende-a com a vela que costuma ficar no altar e a eleva no ar com a mão direita. Os *coveners* levantam ambas as mãos e gritam:

> **Todos:** "Saudações, Senhor! Saudações ao Deus Sol! Saudações à luz!".

Enquanto o Sacerdote permanece no centro, a Sacerdotisa fica em pé ao lado do caldeirão. Os *coveners* dão as mãos e dançam ao redor do Círculo, deosil. Enquanto eles se movem ao redor do Círculo, a Sacerdotisa borrifa neles a água do caldeirão, enquanto passam. Todos (incluindo o Sacerdote e a Sacerdotisa) cantam*:

---

* *The Lord of the Greenwood*, por Tara Buckland, 1985. Veja o Apêndice C para conhecer a música.

Todos: "Que venha o Senhor da Floresta, da Floresta,
Que venha o Senhor da Floresta, da Floresta,
Que venha o Senhor da Floresta, da Floresta,
Para cortejar a formosa Senhora.
No calor das suas paixões, paixões,
No calor das suas paixões, paixões,
No calor das suas paixões, paixões,
O grão crescerá mais uma vez.
Que venha o Senhor da Floresta, da Floresta,
Que venha o Senhor da Floresta, da Floresta,
Que venha o Senhor da Floresta, da Floresta,
Para cortejar a formosa Senhora".

Ao final da canção, o sino é tocado sete vezes. O Sacerdote recoloca a vela acesa no altar e então ele dança lentamente doze vezes, deosil, ao redor do Círculo. Enquanto faz isso, ele diz as palavras a seguir, que os *coveners* repetem/respondem (linha por linha):

Sacerdote: "Eu sou aquele que é o Senhor e a luz".

Todos: "Você é aquele que é o Senhor e a luz".

Sacerdote: "Eu sou aquele que é o Sol".

Todos: "Você é aquele que é o Sol".

Sacerdote: "Deixe o seu amor brilhar assim como o meu brilho".

Todos: "Nós deixamos o nosso amor brilhar assim como o seu brilho".

Sacerdote: "Deixe o seu amor se esparramar pelo mundo, assim como a minha luz".

Todos: "Nós deixamos o nosso amor se esparramar pelo mundo, assim como a sua luz".

Sacerdote: "Junto com o Sol, devemos também conhecer a chuva".

Todos: "Junto com o Sol, devemos também conhecer a chuva".

Sacerdote: "Então, juntos com a alegria, devemos conhecer a dor".

Todos: "Então, juntos com a alegria, devemos conhecer a dor".

Sacerdote: "Eu sou a vida e sou a esperança".

Todos: "Você é a vida e a esperança".

Sacerdote: "Eu sou a morte e a vida mais uma vez".

Todos: "Você é a morte e a vida mais uma vez".

Sacerdote: "Sem mim não pode haver nada".

Todos: "Sem você não pode haver nada".

Sacerdote: "Comigo, vocês podem ter tudo que quiserem".

Todos: "Com você, podemos ter tudo que quisermos".

Sacerdote: "Eu sou aquele que é o Sol".

Todos: "Você é aquele que é o Sol".

Sacerdote: "Eu sou aquele que é o Senhor e a luz".

Todos: "Você é aquele que é o Senhor e a luz".

Sacerdote: "Assim como lhes dou a luz e a vida, cabe a vocês concedê-los aos outros. Compartilhemos tudo o que temos com aqueles que não têm nada".

Voltando ao altar, o Sacerdote assume a posição do Deus. Conduzidos pela Sacerdotisa, os *coveners* andam ao redor do Círculo, diante do Sacerdote, e depositam uma oferenda* aos seus pés.

---

* As oferendas são escolhidas de acordo com o gosto pessoal. Alguns covens fazem oferendas em dinheiro, que depois é doado para instituições beneficentes. Outros fazem oferendas de alimentos e roupas, que são doados aos mais necessitados. A oferenda deve ser oferecida em sacrifício, portanto não se trata de um objeto qualquer.

Sacerdote: "Agora vocês devem conhecer a verdadeira alegria da doação. Assim seja".

Todos: "Assim seja".

Sacerdote/Sacerdotisa: Nós, wiccanos, agradecemos aos Poderosos pela riqueza e pela bondade da vida.
Assim como deve existir chuva com sol,
para criar todas as coisas boas,
deve haver sofrimento e dor, assim como a alegria,
para conhecermos todas as coisas.
Nosso amor está sempre com os deuses,
Pois, embora não conheçamos seus pensamentos,
conhecemos seus corações –
que só desejam o nosso bem.
Seres Poderosos, abençoem-nos agora.
Mantenham-nos fiéis, em seu serviço.
Agradecemos a vocês pelas colheitas,
pela vida, pelo amor, pela alegria.
Agradecemos a vocês pela centelha
que nos fez ficar juntos – e nos levou até vocês.
Ajude-nos a viver com amor
E com confiança entre nós.
Ajude-nos a sentir a alegria de amá-los
e de amar uns aos outros."

Todos: "Que assim seja".

O sino é tocado três vezes. Segue-se então a Cerimônia dos Bolos e da Cerveja. Depois dela, realiza-se o Ritual da Purificação do Templo, abrindo espaço para a diversão, os jogos e o entretenimento. A noite se encerra com uma festa.

Sabá do Equinócio de Outono

O pano do altar e as velas devem ser vermelhos. O Círculo deve ser decorado com flores de outono, bolotas de carvalho, cabaças, pinhas, feixes de trigo etc... Uma tigela de frutas (maçãs, peras, pêssegos etc.) deve ser colocada no altar. Oferendas (veja a nota de rodapé no ritual anterior) são colocadas ao redor do altar.

> **Sacerdote/Sacerdotisa:** "Agora, desfrutamos dos frutos do nosso trabalho".
>
> **Covener:** "Agora celebramos a colheita".
>
> **Covener:** "Assim como semeamos na primavera, agora colhemos".
>
> **Sacerdote/Sacerdotisa:** "Que possamos agora saldar as nossas dívidas e desfrutar das nossas justas recompensas".

O sino é tocado três vezes. Todos se dão as mãos e andam, lentamente, deosil, ao redor do Círculo. Podem fazer um passo simples de dança (veja a Lição 12) ou uma suave marcha, se desejarem. O coven dá a volta no Círculo três vezes. Enquanto andam, o Sacerdote/a Sacerdotisa diz:

> **Sacerdote/Sacerdotisa:** "Aqui está o equilíbrio entre o dia e a noite.
> Em nenhum momento o tempo para.
> A roda sempre gira e gira outra vez:
> as crianças nascem e crescem; a idade avança.
> A visita da morte é tão certa quanto o nascer do Sol todas as manhãs.
> Já que a morte é inevitável,
> cumprimente-a como a uma amiga.
> Lembre-se de que é ela quem abre as portas que nos conduzem à vida mais adiante.
> A vida é para a morte o que a morte é para a vida:
> equilíbrio e harmonia, num movimento contínuo".

Quando as voltas em torno do Círculo se encerrarem, o Sacerdote vai até a cesta de frutas e dá uma fruta para cada *covener*, cumprimentando-o com um beijo e um abraço. Nesse momento o *covener* diz:

> **Covener:** "Agradeço aos deuses por este sinal de uma abundante colheita".

O Sacerdote encerra a distribuição dando uma fruta à Sacerdotisa, que, por sua vez, dá uma também ao Sacerdote. O sino é tocado sete vezes. Todos então se sentam e saboreiam sua fruta. Nesse momento, os membros do coven podem travar uma alegre conversa. Depois de todos terem saboreado a fruta, o sino é tocado três vezes e todos ficam em pé novamente.

> **Sacerdote:** "Embora a estação da abundância esteja se aproximando do fim, os deuses sempre estarão conosco. Nosso Senhor zela por nós, assim como a nossa Senhora".
>
> **Sacerdotisa:** "Vamos dar graças às boas estações pelas quais já passamos".
>
> **Todos:** "O Senhor e a Senhora nos dão suas bênçãos".
>
> **Sacerdote:** "Vamos dar graças à beleza do outono e aos amigos que estimamos".
>
> **Todos:** "O Senhor e a Senhora nos dão suas bênçãos".
>
> *Covener:* "Paz, alegria e amor para o mundo".
>
> **Todos:** "A isso damos as nossas bênçãos".
>
> **Sacerdote:** "Como está o solo?".
>
> **Todos:** "Bem cuidado".
>
> **Sacerdotisa:** "Como estão as colheitas?"
>
> **Todos:** "Belas e abundantes".
>
> *Covener:* "O que são as nossas vidas?".
>
> **Todos:** "A colheita dos deuses".

Sacerdote/Sacerdotisa: "Enquanto apreciamos os frutos dos nossos trabalhos, nunca nos deixem esquecer daqueles que não são tão prósperos ou felizes".

> **Covener:** "Oferecemos, aqui, um pouco da nossa sorte, para que ela possa ir aonde possa haver necessidade."
>
> **Todos:** "Que assim seja".
>
> **Sacerdote/Sacerdotisa:** "Que o Senhor e a Senhora abençoem estas oferendas, abençoem quem as fez e aqueles que vão recebê-las".

O sino é tocado três vezes. Segue-se então a Cerimônia dos Bolos e da Cerveja. Depois dela, realiza-se o Ritual da Purificação do Templo, abrindo espaço para a diversão, os jogos e o entretenimento. A noite se encerra com uma festa.

Sabá do Solstício de Inverno

O forro do altar e as velas devem ser roxos. O Círculo deve ser decorado com azevinho, visco, hera etc. No quadrante Sul, deve haver um caldeirão com material para se fazer fogo. O capacete de chifres deve ficar ao lado do altar, onde deve haver velas pequenas (uma para cada *covener*). O sino é tocado três vezes. O Sacerdote se senta ou se ajoelha no centro do Círculo.

> **Covener:** "Abençoados sejam os deuses que giram a poderosa Roda".
>
> **Covener:** "Bem-vindos, três vezes bem-vindos, ao Yule; o ápice do inverno está diante de nós".
>
> **Covener:** "Aqui estamos no final do ano solar".
>
> **Covener:** "Mas aqui estamos também diante de um novo começo".
>
> **Sacerdotisa:** "Irmãos, irmãs, amigos, vamos demonstrar o nosso amor enviando o nosso poder e a nossa força para aquele que é o Deus do Sol. Nesta época do ano, permita-nos unir as nossas energias às suas, que pode renascer para ascender uma vez mais ao seu lugar de direito".

Os *coveners* e a Sacerdotisa dão as mãos e dão a volta no Círculo, deosil, cantando:

> **Todos:** "Girem, girem, girem a Roda.
> Girando, girando, avante ela vai.
> A chama que apagou agora se inflama.
> Girando, girando, avante ela vai.
> Volte, volte, volte à vida.
> Bem-vinda luz do Sol, adeus discórdia.
> Girando, girando, avante ela vai.
> O Senhor Sol morre, o Senhor Sol vive.
> Girando, girando, avante ela vai.
> A morte abre as mãos e concede mais vidas.
> Girando, girando, avante ela vai.
> Gire, gire, gire a Roda.
> Girando, girando, avante ela vai.
> A chama que apagou agora se inflama.
> Girando, girando, avante ela vai."

Esse cântico pode ser entoado pelo tempo que o coven quiser. Em seguida, enquanto ainda anda ao redor do Círculo, a Sacerdotisa diz:

> **Sacerdotisa:** "Que acendamos o fogo para iluminar o caminho do nosso Senhor".
>
> ***Covener:*** "Fogo para invocar força!".
>
> ***Covener:*** "Fogo para invocar a vida!".
>
> ***Covener:*** "Fogo para invocar o amor!".

Enquanto todos passam pelo altar, com a Sacerdotisa na frente, cada covener pega uma vela pequena e acende-a na vela do altar. Enquanto caminham ao redor do Círculo, cada um joga sua vela no caldeirão, ao passar por ele, pondo fogo nos gravetos. Quando todos tiverem jogado as velas, o movimento em círculo para, com a Sacerdotisa na frente do altar. Ela pega o capacete de chifres e fica em pé diante do Sacerdote ajoelhado.

Sacerdotisa: "Que o poder reunido de todos os Bruxos possa fortalecer o Senhor recém-nascido".

A Sacerdotisa coloca o capacete de chifres na cabeça do Sacerdote, ele se levanta e eleva as mãos para o alto.

Sacerdote: "Vida! Amor! Eu sou o Senhor Sol!".

Ele baixa as mãos e então caminha lentamente ao redor do Círculo, falando a cada *covener* em particular, à medida que avança.

Sacerdote: "Eu caí na escuridão profunda
e conheci a morte.
Também fui uma semente estelar.
Na cauda de um cometa
descansei na escuridão aveludada
da luz eterna.
Flamejante em glória, renasci,
para mais uma vez recomeçar o ciclo contínuo de guardião
que uma vez mais me conduz à morte e ao renascimento.
Com a companhia da nossa Senhora
eu enfrento o vento,
sabendo que voamos nas asas do tempo,
por mundos atemporais, juntos".

***Covener*:** "Saudações, Deus Sol!".

Todos: "Saudações, Deus Sol!".*

***Covener*:** "Saudações à morte e ao nascimento do Yule".

Todos: "Saudações".

---

* Aqui também pode ser inserido algo como: "Saudações, (nome da divindade utilizada pelo coven)".

O sino é tocado sete vezes. O Sacerdote e a Sacerdotisa dão as mãos e conduzem os *coveners* numa dança ao redor do Círculo. O sino é tocado três vezes.

Segue-se então a Cerimônia dos Bolos e da Cerveja. Depois dela, realiza-se o Ritual da Purificação do Templo, abrindo espaço para a diversão, os jogos e o entretenimento. A noite se encerra com uma festa.

Questões sobre a Lição Sete

1. Registre quaisquer experiências e percepções que tenham surgido enquanto você esteve meditando.

2. Liste abaixo alguns temas ou símbolos recorrentes em seus sonhos. Tente interpretar alguns dos seus sonhos mais vívidos. Procure manter um diário dos sonhos próximo à sua cama.

3. Relate os quatro Sabás Menores e diga o que cada um celebra. Relate como você celebra cada Sabá Menor, ou Secundário.

Questões Avaliatórias sobre a Lição Sete

1. Explique, em poucas palavras, o que é meditação.

2. Independentemente de como ou onde está meditando, o que é mais importante com relação à sua postura?

3. Qual é o melhor período do dia para meditar?

4. Onde você deve concentrar sua atenção durante a meditação?

5. Descreva brevemente três sonhos que você teve no mês que passou. Dê a sua interpretação a cada um deles.

6. O que é bastão priápico?

7. Inicie um diário dos sonhos e registre ali todos os seus sonhos. Não há necessidade de acrescentar uma interpretação para cada um deles, mas ao menos pense no significado que eles têm, à medida que os anota no diário.

Leituras Recomendadas

The Dream Game, de Ann Faraday.

The Silent Path, de Michael Eastcott.

Leituras Complementares

Dreams, de Carl G. Jung.

Practical Guide to Astral Projection, de Melita Dennings e Osborne Phillips.

LIÇÃO OITO

Casamento, Nascimento, Morte e Canalização

Ritual de Casamento (Handfasting)

Handfasting é o termo wiccano para a cerimônia de casamento. Diferentemente da celebração cristã, onde o homem e a mulher são unidos "até que a morte os separe" (mesmo que posteriormente eles se separem e passem a quase odiar um ao outro), a cerimônia wiccana une o homem e a mulher por quanto tempo o amor durar. Quando não houver mais amor entre eles, estão livres para cada um seguir o seu próprio caminho.

Hoje em dia, a maioria dos casais cria o seu próprio ritual de *Handfasting*. Neste livro, apresento o ritual da Seax-Wica como exemplo. Você pode segui-lo como é ou apenas como base para ter as suas próprias ideias. Leia-o cuidadosamente. Além de ser muito bonito, acredito que você constatará que ele tem um sentido profundo.

Ritual de *Handfasting*

Este ritual deve ser realizado, de preferência, durante a Lua crescente. O altar deve ser decorado com flores, e pétalas podem ser espalhadas ao redor do Círculo. Se o coven normalmente usar túnicas, sugiro que a noiva e o noivo estejam, ao menos neste ritual, vestidos de céu. (De preferência, que todo o coven esteja vestido de céu.)

É tradicional na Seax-Wica que os noivos troquem alianças, que geralmente são anéis de ouro ou prata com o nome de ambos escrito em rúnico nas duas joias. Esses anéis devem estar sobre o altar no início do ritual, ao lado do bastão priápico.

O Ritual da Edificação do Templo é realizado. O Sacerdote e a Sacerdotisa beijam-se.

> **Covener:** "Há aqueles, em nosso meio, que buscam os laços do *Handfasting*".
>
> **Sacerdotisa:** "Deixem-me nomeá-los e trazê-los à frente".
>
> **Covener:** "(nome do noivo)... é o homem e (nome da noiva) é a mulher".

A noiva e o noivo caminham até a frente e ficam diante do Sacerdote e da Sacerdotisa, que estão atrás do altar – a noiva diante do Sacerdote e o noivo diante da Sacerdotisa.

> **Sacerdotisa** (para o noivo): "Você é (nome)?"
>
> **Noivo:** "Sim, eu sou".
>
> **Sacerdotisa:** "Qual é o seu desejo?".
>
> **Noivo:** "Tornar-me um só com (nome da noiva), aos olhos dos deuses e da Wicca".
>
> **Sacerdote** (para a noiva): "Você é (nome)?".
>
> **Noiva:** "Sim, eu sou".
>
> **Sacerdote:** "Qual é o seu desejo?".
>
> **Noiva:** "Tornar-me uma só com (nome do noivo), aos olhos dos deuses e da Wicca".

A Sacerdotisa pega a espada e eleva-a no ar. O Sacerdote entrega o bastão priápico aos noivos, que o seguram, cada um numa ponta, com ambas as mãos.

> **Sacerdotisa:** "Senhor e Senhora, aqui, diante de vocês encontram-se dois integrantes do nosso povo. Testemunhem, agora, aquilo que eles têm a declarar".

A Sacerdotisa recoloca a espada no altar, em seguida pega o athame e segura-o com a ponta encostada no peito do noivo, que repete, linha por linha, as seguintes palavras da Sacerdotisa:

> **Sacerdotisa:** "Repita comigo: 'Eu, (nome do noivo), venho, de livre e espontânea vontade, buscar a parceria de (nome da noiva). Venho com todo o meu amor, honra e sinceridade, desejando somente me tornar um só com aquela que amo. Sempre me empenharei para lhe proporcionar felicidade e bem-estar. Defenderei a vida dela com a minha própria. Que o athame possa ser cravado em meu coração se não estiver sendo sincero em tudo que declaro. Faço este juramento em nome dos deuses.* Que eles me deem força para manter os meus votos. Que assim seja'."

A Sacerdotisa baixa o seu athame. O Sacerdote então eleva o athame dele e, por sua vez, segura-o encostado ao peito da noiva, que repete, linha por linha, as seguintes palavras do Sacerdote:

> **Sacerdote:** "Repita comigo: 'Eu, (nome da noiva), venho, de livre e espontânea vontade, buscar a parceria de (nome do noivo). Venho com todo o meu amor, honra e sinceridade, desejando somente me tornar um só com aquele que amo. Sempre me empenharei para lhe proporcionar felicidade e bem-estar. Defenderei a vida dele com a minha própria. Que o athame possa ser cravado em meu coração se não estiver sendo sincera em tudo que declaro. Faço este juramento em nome dos deuses. Que eles me deem força para manter os meus votos. Que assim seja'."

---

* Os nomes dos deuses cultuados pelo coven devem ser inseridos neste ponto.

O Sacerdote baixa o athame. A Sacerdotisa pega as alianças, borrifa água e passa a fumaça do incenso em ambos. Ela entrega o anel da noiva ao noivo e o anel do noivo à noiva. Eles os pegam com a mão direita e continuam segurando o bastão priápico com a mão esquerda.

> **Sacerdote:** "Assim como a relva dos campos e as árvores dos bosques se curvam durante a tempestade, ambos devem se curvar quando o vento das adversidades soprar mais forte. Mas, tão rápido quanto chega, a tempestade também se vai. Mesmo assim, ambos ficarão em pé, apoiando-se na força um do outro. Quando você dá amor, você recebe amor. Quando você dá força, também recebe força. Juntos, vocês são um só; separados não são coisa nenhuma".
>
> **Sacerdotisa:** "Saibam que não existem duas pessoas exatamente iguais. Assim como não existem duas pessoas que se ajustem perfeitamente uma à outra. Haverá momentos em que será mais difícil conceder e amar. Entretanto veja, então, seu reflexo como se mirasse um lago na floresta; quando a imagem que vê parecer triste e enraivecida, então é hora de sorrir e amar (pois não existe fogo que apague fogo). Em troca, a imagem no lago sorrirá e amará. Portanto, troque a ira por amor e as lágrimas por alegria. Não é fraqueza admitir um erro; mais que isso, é um sinal de força e conscientização".
>
> **Sacerdote:** "Sempre amem, ajudem e respeitem um ao outro e, dessa maneira, saberão verdadeiramente que vocês são apenas um aos olhos dos deuses e da Wicca".
>
> **Todos:** "Que assim seja!".

O Sacerdote pega o bastão priápico do casal e o recoloca no altar. Os noivos colocam os anéis um no dedo do outro e se beijam. Em seguida, beijam o Sacerdote e a Sacerdotisa diante do altar, depois caminham deosil ao redor do Círculo, para receberem os cumprimentos dos demais.

Depois disso, é realizada a Cerimônia dos Bolos e da Cerveja, seguida por jogos e uma festa.

Como eu disse no início desta lição, em muitas religiões, o casamento é uma parceria para o resto da vida. Ainda que, alguns anos depois, marido e mulher achem que não são compatíveis, estão presos um ao outro pelo resto da vida. Isso, invariavelmente, conduz a uma grande infelicidade para o casal e os filhos. Embora os Bruxos não incentivem os relacionamentos casuais, reconhecem o fato de que alguns casamentos simplesmente não duram para sempre. Quando é esse o caso e esgotam-se todas as tentativas para resolver quaisquer diferenças, então eles rompem a parceria com a antiga cerimônia de separação, chamada *Handparting*, que, naturalmente, nunca é realizada de maneira leviana.

Ritual de Separação (*Handparting*)

Antes da cerimônia, o casal se reúne com o Sacerdote e a Sacerdotisa e estabelece uma divisão justa de suas posses e uma pensão para a assistência dos filhos. Um *covener* toma nota disso e o registro é assinado por todos. Se o marido ou a esposa não puder estar presente no ritual (por estar morando em outra cidade, doente ou por qualquer outra razão), então uma Bruxa ou um Bruxo deve tomar o lugar dessa pessoa ausente. O ritual acontece dessa maneira somente se houver uma autorização assinada da pessoa ausente, junto com a entrega do anel de casamento.

O Ritual da Edificação do Templo é realizado e o Sacerdote e a Sacerdotisa se beijam.

> **Covener:** "(Nome do marido) e (nome da Esposa), apresentem-se".

O casal fica diante do altar, o marido de frente para a Sacerdotisa e a esposa de frente para o Sacerdote.

> **Sacerdotisa:** "Por que você está aqui?".
>
> **Marido:** "Desejo um *handparting* de (nome da esposa)".
>
> **Sacerdote:** "Por que você está aqui?".
>
> **Esposa:** "Desejo um *handparting* de (nome do marido)".

Sacerdotisa: "Ambos desejam a separação de livre e espontânea vontade?".

Marido e esposa: "Desejamos".

Sacerdote: "Foi estabelecido um acordo entre vocês a respeito da divisão de posses (*se apropriado*) e da pensão dos filhos?".

Marido e esposa: "Foi".

Sacerdote: "Isso foi devidamente registrado, assinado e testemunhado?".

***Covener*:** "Foi".

Sacerdote: "Então vamos prosseguir, lembrando que estamos sempre diante dos deuses".

O marido e a esposa se dão as mãos e repetem o que diz a Sacerdotisa, linha por linha, ao mesmo tempo.

Sacerdotisa: "Juntos, repitam comigo: 'Eu (nome), por livre e espontânea vontade, rompo a minha parceria com (nome do cônjuge). Faço isso com toda a honestidade e sinceridade, diante dos deuses, com meus irmãos e irmãs da Arte como testemunhas. Não somos mais um só, e sim duas pessoas, livres para seguir o próprio caminho. Cortamos todos os laços, um por um, mas manteremos o respeito um pelo outro, assim como temos amor e respeito pelos nossos companheiros wiccanos. Que assim seja!'."

Sacerdote: "Separados".

O marido e a esposa soltam as mãos um do outro, tiram os anéis de casamento e os entregam à Sacerdotisa, que os asperge e os passa pela fumaça do incenso, dizendo:

Sacerdotisa: "Em nome dos deuses, eu purifico estes anéis".

Ela os devolve ao casal, para que façam deles o que desejarem.

Sacerdotisa: "Agora vocês estão separados. Que isso seja do conhecimento de todos. Sigam cada um o seu caminho, em paz e com amor – sem mágoa ou amargura –, e pelos caminhos da Arte. Que assim seja".

Todos: "Que assim seja!".

Depois disso, são realizados a Cerimônia dos Bolos e da Cerveja e o Ritual da Purificação do Templo.

Em geral, os Bruxos são pessoas de mente aberta, especialmente no que diz respeito à religião. Eles não têm dogmas nem catecismos. Acreditam que todos devem ser livres para escolher a religião que quiserem. Parece-lhes óbvio que não possa haver uma só religião para todos. Os temperamentos diferem. Alguns gostam de rituais, outros buscam simplicidade. Todas as religiões levam à mesma direção, mas cada uma segue um caminho diferente para chegar lá. Os Bruxos têm consciência de que todos deveriam, por essa razão, ser livres para escolher o seu próprio caminho. Todos, inclusive os filhos dos próprios Bruxos. Uma criança não deveria ser forçada a seguir uma religião em particular apenas porque aquela é a religião dos pais dela. Por esse motivo, a maioria dos Bruxos tenta proporcionar aos filhos a visão mais ampla possível da religião, para que eles possam escolher livremente quando estiverem prontos. É natural que os filhos acabem escolhendo a Arte, mas isso não é forçado. Muito melhor é que os filhos sejam felizes numa religião diferente do que sejam hipócritas do ponto de vista religioso.

Pelas razões descritas, não existe um "batismo" na Arte. Existe, isto sim, uma cerimônia simples em que os pais pedem aos deuses que cuidem da criança e deem a ela sabedoria para escolher uma religião, quando for mais velha. A criança será iniciada de fato somente quando tiver idade suficiente para decidir por si mesma. A idade exata, naturalmente, vai variar de criança para criança. Até então a criança certamente será estimulada a participar dos Círculos e a ter uma percepção da Arte. Quando estiver pronta, então a iniciação será feita pelo Sacerdote e pela Sacerdotisa, ou, se eles desejarem, pelos pais atuando como Sacerdote e Sacerdotisa.

Em praticamente todos os ramos da Arte, qualquer um pode se afastar a qualquer momento, se assim o desejar. As pessoas também são livres para voltar quando quiserem, se assim desejarem. Não há nenhuma necessidade de uma segunda iniciação.

Ritual de Nascimento (Wiccaning)

Esse ritual pode ser realizado junto com qualquer um dos rituais, antes da Cerimônia dos Bolos e da Cerveja, ou como um ritual por si só, entre o Ritual da Edificação do Templo e a Cerimônia dos Bolos e da Cerveja (e sucedido, naturalmente, pelo Ritual da Purificação do Templo).

O Ritual da Edificação do Templo é realizado, e o Sacerdote e a Sacerdotisa se beijam.

> **Covener:** "Houve um aumento em nossos contingentes. Vamos dar as boas-vindas ao recém-chegado".

Os pais ficam de pé em frente ao altar, diante do Sacerdote e da Sacerdotisa, e apresentam a criança.

> **Sacerdote:** "Qual é o nome da criança?".

Os pais informam o nome da criança, pelo qual ela será conhecida no Círculo até que tenha idade suficiente para escolher o próprio nome.

> **Sacerdote:** "Nós lhe damos as boas-vindas, (nome da criança)...".
>
> **Sacerdotisa:** "Bem-vindo(a)! Desejamos muito amor a você".

O Sacerdote e a Sacerdotisa conduzem os pais e a criança ao redor do Círculo, deosil, por três vezes. Os pais, então, "oferecem" a criança, segurando-a acima do altar.

> **Pais:** "Nós oferecemos ao deuses o fruto do nosso amor. Que eles possam velar por ele(a), enquanto cresce".

A Sacerdotisa mergulha os dedos na água salgada e passa os dedos com delicadeza pelo rosto da criança. A Mãe, em seguida, passa a criança pela fumaça do incenso.

> **Sacerdotisa:** "Que o Senhor e a Senhora sempre sorriam para você".
>
> **Sacerdote:** "Que Eles possam guardá-lo(a) e guiá-lo(a) até o fim da vida".
>
> **Sacerdotisa:** "Que possam ajudá-lo(a) a escolher o que é certo e afastar-se do que é errado".
>
> **Sacerdotisa:** "Que não deixem que nenhum mal lhe aconteça ou aconteça aos outros por seu intermédio".
>
> **Sacerdotisa:** "(Aos pais) Nós lhes incumbimos, em nome do Deus e da Deusa, de conduzir esta criança com amor, pelos caminhos e descaminhos da vida. Ensinem os caminhos da Arte a ela, que deve aprender a honrar e respeitar os seres vivos e a não prejudicar a ninguém".
>
> **Sacerdote:** "Ensinem-na sobre o Senhor e a Senhora; sobre a vida e sobre tudo o que já se foi e que possa acontecer. Contem-lhe os mitos dos deuses e a história da nossa Arte. Ensinem-na a buscar a perfeição que todos almejam e, quando for a hora certa, esperem, sem pressa, que ela se junte a nós e torne-se verdadeiramente um membro da nossa amada família".
>
> **Pais:** "Tudo isso será feito. Damos a nossa garantia".
>
> **Sacerdote/Sacerdotisa:** "Damos as nossas boas-vindas a (nome da criança)".
>
> **Todos:** "Bem-vindo(a)!".

Depois disso, realiza-se a Cerimônia dos Bolos e da Cerveja.

Devido à crença na reencarnação, na Arte a morte é um período de celebração, em vez de luto e tristeza. A morte significa, para os Bruxos, a conclusão de um período de aprendizagem. A pessoa "se graduou" e vai continuar seus estudos em outro plano. Isso deve ser celebrado. A tristeza, desse ponto de vista, é um sinal de egoísmo. Sentimos por nós mesmos, porque ficamos sem o amor e a companhia da pessoa que amamos.

Na Wicca, não existem regras sobre o que fazer com o corpo após a morte. Afinal de contas, ele era só um invólucro para o espírito ou a alma que o habitou e agora partiu. Muitos Bruxos (eu acredito que a maioria) são a favor da cremação; outros preferem ser enterrados. É uma escolha pessoal. Poucos, se é que algum, veem sentido em funerais dispendiosos, que onerem os parentes.

A Travessia da Ponte (na Morte)

Esse ritual pode ser realizado junto com qualquer um dos rituais, antes da Cerimônia dos Bolos e da Cerveja, ou como um ritual por si só, entre o Ritual da Edificação do Templo e a Cerimônia dos Bolos e da Cerveja (e sucedido, naturalmente, do Ritual da Purificação do Templo).

O Ritual da Edificação do Templo é realizado. O Sacerdote e a Sacerdotisa se beijam. Uma nota solitária é tocada num chifre ou numa corneta, por um dos *coveners*.

> **Covener**: "O chifre (ou a corneta) é tocado(a) por (nome do Bruxo falecido)".
>
> **Todos**: "Assim seja".
>
> **Sacerdotisa**: "Hoje, a falta de (nome do falecido), que não está mais entre nós, neste Círculo, entristece a todos nós. Contudo, não vamos deixar que a tristeza persista. Pois a morte é só a indicação de que ele(a) cumpriu o seu trabalho nesta vida. Agora, ele(a) está livre para partir. Nos encontraremos de novo, não tenham dúvida. E que este seja um momento de celebração".
>
> **Sacerdote**: "Nossos melhores votos para que ele(a) faça uma boa travessia pela ponte/uma boa passagem. Que possa retornar a qualquer hora, para estar aqui conosco".

Todos pegam os seus athames e os apontam para um ponto atrás do altar, de frente para a Sacerdotisa e o Sacerdote. Eles imaginam o Bruxo falecido em pé nesse lugar, olhando para eles, com a melhor aparência de que se lembram. Eles se concentram, projetando amor, alegria e felicidade de seus corpos, pela lâmina do athame e em direção à imagem visualizada do irmão da Arte falecido. Eles prosseguem assim por alguns instantes. A Sacerdotisa indica o fim da projeção, recolocando seu athame no lugar e dizendo:

> **Sacerdotisa:** "Nós lhe desejamos todo o amor e a felicidade que possa ter. Nunca o(a) esqueceremos. Não nos esqueça também. Sempre que nos encontrarmos aqui, você será bem-vindo(a)".
>
> **Todos:** "Que assim seja!".

Todos se sentam e, se algum dos presentes quiser falar sobre o falecido, deve se apresentar nesse momento. Se ninguém se apresentar, ao menos o Sacerdote e/ou a Sacerdotisa devem falar, recordando o(a) Bruxo(a) falecido(a), enfatizando os momentos bons e felizes. Em seguida, realiza-se a Cerimônia dos Bolos e da Cerveja.

O Processo Intuitivo

A palavra "espiritual" significa relativo àquilo que pertence ao espírito ou à consciência superior. O termo "oculto" significa aquilo que está escondido do não iniciado. No entanto, não há nada escondido ou misterioso a respeito das capacidades extrafísicas. Elas são uma parte de cada um de nós. Assim como temos braços e pernas, dedos nas mãos e nos pés, também temos capacidades extrafísicas. Essas capacidades são muito mais evidentes em algumas pessoas, mas estão adormecidas (esperando reconhecimento e utilização) nas outras. E, como nas capacidades físicas, as capacidades psíquicas (espirituais) também diferem de pessoa para pessoa. Testando sua força física em tarefas diferentes, você descobre o que é capaz de fazer e o que não é. A sua força extrafísica funciona da mesma maneira. Você precisa testá-la, exercitar-se e esforçar-se, para descobrir as suas verdadeiras capacidades.

Vamos examinar primeiro a canalização, a investigação da consciência coletiva para a obtenção da informação necessária.

As Categorias de Canalização

A capacidade de canalizar informações pode ser dividida em duas categorias gerais, a *física* e a *mental*.

A *canalização física* está relacionada a objetos físicos ou tem efeito sobre eles. Ela inclui a psicometria, o pêndulo (radiestesia), a leitura das folhas de chá (teimancia), a leitura de cartas (cartomancia) etc.

A *canalização mental* é a recepção de impressões em algum nível da percepção consciente. Ela inclui a clarividência ("visão clara"), a clariaudiência ("audição clara"), a clarissenciência (sensações) e a telepatia (transmissão de pensamentos).

A canalização mental inclui a capacidade de interagir com estruturas temporais precognitivas (antes do acontecimento), retrocognitivas (após o evento) e relacionadas ao presente.

A canalização também é dividida em duas outras categorias: a canalização inconsciente (ou o "transe", que pode ser leve, médio e profundo) e a canalização consciente. Em poucas palavras, o termo "transe" indica falta de atividade consciente do canalizador ou "canal". No transe profundo, o canal não está consciente durante o processo e não guarda nenhuma lembrança do ocorrido. No estado médio ou de semitranse, o canal geralmente tem uma certa consciência do que ocorre e guarda alguma lembrança do que aconteceu. Nesse caso, a mente consciente age como um observador e não participa ativamente da canalização da informação. No transe leve, a lembrança do que foi canalizado é mais marcante. Entretanto, a mente consciente ainda funciona apenas como um observador e não assume uma parte ativa no processo de canalização.

No caso da canalização consciente, a consciência do canalizador pode participar ativamente e, muitas vezes, faz isso. Não só os níveis mais elevados de consciência recebem e assimilam informações, como a percepção consciente recebe e analisa dados no nível físico (tal como a manifestação física da resposta emocional, que inclui a linguagem corporal, a expressão facial e a inflexão da voz).

Como se Preparar para a Canalização

Para se tornar um canal, você precisa eliminar tudo que bloqueia ou impede o fluxo de informações. Você precisa desobstruir a mente, livrando-a de todo o lixo acumulado ao longo da vida, e criar um ambiente propício, no qual os poderes latentes dentro de você possam se desenvolver. Você precisa superar suas inibições, seus falsos valores, suas incertezas, sua indecisão e seu criticismo com relação aos outros. Seguem algumas das principais medidas que você deve tomar:

1. **Controlar a mente** – para desobstruir a passagem para a mente superior, você precisa aprender a controlar e focalizar a mente consciente. Em certos momentos, milhares de pensamentos parecem disputar sua atenção na sua cabeça? Isso mostra como você dispersa as suas energias, concentrando apenas uma pequena percentagem dela numa determinada ideia ou ação. Se você aprender a controlar as suas energias mentais e dar atenção total a uma coisa de cada vez, terá força para atingir qualquer meta, o poder da criação.

2. **Eliminar as emoções** – preocupação, medo, ira, inveja, fúria, afobação são um veneno para o seu sistema espiritual, assim como o arsênico é para o seu corpo físico. As qualidades espirituais verdadeiras eliminam completamente esses venenos. A fé absoluta não deixa espaço para a preocupação. O amor incondicional não permite o ódio, a inveja, a ira e a ganância.

3. **Fazer um autoexame** – como um buscador da verdade, você deve examinar a si mesmo continuamente. Deve determinar os seus ideais e as suas crenças. Deve buscar uma ideia clara e concisa do que é certo e errado para você. Assim como não pode julgar os demais, não pode ser julgado por qualquer pessoa que não seja *você* mesmo. Deve identificar as suas ambições e analisar as suas motivações. Deve estabelecer as suas metas e defini-las claramente. Ninguém consegue concluir uma jornada sem antes estabelecer um destino específico. Por exemplo, para visitar um amigo, você não vai só até uma certa cidade. Vai para uma rua específica, um prédio específico e um apartamento específico. Você não deve apenas definir seus objetivos, como também precisa organizá-los em ordem de prioridade e seguir essa ordem. Enquanto seleciona, prioriza e cumpre seus objetivos, você precisa aderir à regra: "Não prejudique ninguém...".

4. **Superar a possessividade** – um dos maiores obstáculos que precisamos superar é a possessividade. Nossas obsessões (pelas pessoas e pelas coisas) regem a nossa vida, embora finjam nos servir. Elas exigem o nosso tempo e o nosso dinheiro. Impedem-nos de avançar e complicam muito a nossa vida. Inspiram ciúme, cobiça, inveja e ódio. Não estou dizendo que devamos negar, a nós mesmos, as nossas posses. Estamos aqui para conquistar todas as coisas, compartilhar todas as coisas e ter o poder sobre todas as coisas. Entretanto, não estamos neste mundo para ter poder sobre uma ou duas coisas, em detrimento de todas as outras. Analise os seus sentimentos com relação às suas obsessões. Quem é o mestre e quem é o escravo? Aprenda a transformar obsessões inferiores no grande sentimento espiritual do compartilhamento e da união.

5. **Aprender a amar** – você precisa aprender a amar de fato. São muitas as ideias equivocadas a respeito desse assunto. O amor é muitas vezes confundido com uma emoção egoísta ou com a luxúria. Você precisa aprender sobre o amor superior, o amor desinteressado. Precisa aprender a amar de verdade para conseguir libertar as pessoas e as coisas, em vez de se apegar a elas e aprisioná-las. Seu amor deve ser grande a ponto de fazê-lo capaz de compreender o outro e perdoá-lo. Você precisa entender que cada pessoa tem o seu próprio caminho a seguir, suas próprias experiências para assimilar, de modo que possa se desenvolver completamente. Você precisa deixar que as pessoas sigam o caminho que escolheram, e no ritmo delas. Precisa dar amor. Precisa receber amor. Precisa aprender a ter empatia pelas pessoas e a se pôr no lugar delas, em vez de simplesmente imaginar o que estão sentindo e ter piedade delas.

6. **Meditar** – por fim, você precisa aprender a ficar em silêncio para que o seu Eu Superior possa se comunicar com você. Assim como mencionei na lição anterior, é por meio da meditação que você aprende a se concentrar e focalizar a sua atenção no nível superior. A prática diária de meditação esvazia a mente agitada e possibilita a canalização.

À medida que você continuar a seguir os seis passos descritos anteriormente, seu poder de canalização aos poucos começará a ser desobstruído e você passará a captar fragmentos de informação. Em geral, o processo é tão gradativo que você pode nem perceber de início. Muitas vezes as pistas iniciais são fragmentos de conhecimento que não têm nenhuma fonte conhecida pela mente consciente. Elas podem ser ideias completamente diferentes, conceitos ou percepções de novas verdades. A abertura do canal também pode ser expressada por meio de uma memória mais aguçada. Em qualquer caso, ela raramente acontece com estardalhaço. Você não se tornará um sensitivo de repente, mas aos poucos, depois de um período; novas verdades, novos conhecimentos e uma nova consciência passarão a fazer parte da sua vida.

A canalização da informação intuitiva deveria ser um estado normal de consciência. À medida que você se desenvolve, descobre que não pode ligá-la e desligá-la à vontade! Ela é, em geral, involuntária. Você pode encontrar alguém pela primeira vez e perceber que, inexplicavelmente, já "sabe" coisas sobre ela. Pode pressentir situações do seu passado ou futuro. Pode "ver" coisas ou pessoas ligadas à sua vida. Outras vezes, você poderá *querer* ver ou saber coisas, mas não conseguirá intuir nada. Mas, com o tempo, em consequência do uso e do exercício de suas habilidades, descobrirá que a informação está ficando cada vez mais disponível. E, um dia, descobrirá que pode invocar informações quando quiser.

Ouvir

Uma maneira de ajudar no seu desenvolvimento é cultivar o hábito de ouvir seus anseios interiores. Por exemplo, suponhamos que você costume fazer sempre o mesmo trajeto ao ir do trabalho para casa. Uma tarde, quando chega a um cruzamento, sente o impulso de pegar uma avenida de três pistas. Claro que a sua mente consciente imediatamente começa a argumentar: "Você não tem tempo para testar um caminho novo agora. A sua família está esperando; o gramado precisa ser cortado antes de anoitecer, etc. etc.". Ignore a mente consciente e ouça esse desejo interior. Vá pela avenida. Há uma razão. Você pode encontrar um bonito lago ou um jardim florido ou uma paisagem que lhe dê a força espiritual de que necessita. Por outro lado, você pode não perceber nada que valha a pena. Pode pegar o caminho alternativo para casa sem ter nenhuma experiência marcante. Pode nunca ouvir sobre o terrível acidente que aconteceu no cruzamento duas quadras abaixo – no exato momento em que teria passado por ele! Seja evidente ou não, sempre *há uma razão*!

Os Pontos Focais Externos

O Pêndulo

Se estiver procurando uma resposta para uma questão em particular, use um objeto externo como foco, para eliminar as influências externas e as distorções da mente consciente. O uso desses objetos não influencia ou afeta a informação de maneira alguma. Apenas ocupa a mente consciente e ajuda você a focalizar a atenção num ponto em particular. Um objeto que você pode usar na focalização externa é o pêndulo. Ele lhe permite obter respostas do tipo "sim", "não" ou "ainda não foi estabelecido".

O pêndulo deve ser feito de materiais naturais e fixado numa pequena corrente de aproximadamente 20 cm (a corrente pode ser de qualquer material, exceto de produtos animais). Os materiais ideais são metal, ouro, prata ou cobre. O alumínio não é recomendado, pois o processo elétrico usado na fabricação pode interferir no seu campo áurico.

Você também pode usar um cartão de resposta com a inscrição "Sim/Não", como mostrado na ilustração (Figura 8.1).

Para usar o pêndulo, coloque o cartão de resposta sobre uma superfície lisa, como uma mesa ou escrivaninha. Sente-se confortavelmente diante dele. Limpe a mente de qualquer pensamento exterior. Se quiser, faça uma pequena prece tal como o Salmo Seax-Wica descrito na Lição Dois. Peça proteção e orientação aos deuses para receber respostas verdadeiras. Segure a corrente com a mão direita (esquerda, se for canhoto), a uma distância de 18 cm do pêndulo. Suspenda-o sobre o centro do cartão de resposta, a uma distância de 2 cm da superfície. Segurando o pêndulo com firmeza, faça a sua pergunta. Escolha uma pergunta cuja resposta possa ser "sim" ou "não". Não tente fazer o pêndulo balançar. Você perceberá que, embora tente não mexer a mão, o pêndulo balançará para frente e para trás ao longo de uma das linhas do papel, proporcionando uma resposta à sua pergunta. Não é necessário fazer a pergunta em voz alta; apenas pense nela.

O pêndulo pode balançar em círculos ou não balançar de forma alguma. Nesse caso, ou a sua pergunta era ambígua (portanto, precisará refazê-la) ou a resposta não pode ser dada por alguma razão.

O pêndulo pode ser usado não somente para dar respostas às perguntas, mas também para localizar objetos e pessoas, quando usado como uma varinha de rabdomancia. A vantagem do pêndulo, entretanto, é que ele pode ser usado no conforto da sua própria casa. A ideia por trás disso é que o pêndulo indica, numa pequena escala, o que está acontecendo em larga escala, ou a distância. Se quiser descobrir um caminho, encontrar um objeto perdido, procurar água ou até mesmo diagnosticar uma doença, saiba que ele é igualmente usado para encontrar um ponto preciso. Sente-se numa mesa com um mapa diante de si, onde está apontado o lugar que você procura. Quanto maior a escala do mapa, melhor. Mova o pêndulo lentamente pelo mapa, como se estivesse caminhando no lugar. Quando chegar no local que estiver procurando, o pêndulo indicará esse ponto balançando rapidamente ou girando. Se procura uma pessoa ou objeto perdido, pode usar num procedimento similar. Para um objeto perdido, desenhe um esquema da área, casa ou cômodo onde acha que ele foi perdido. Mova o pêndulo novamente pelo esquema, enquanto concentra os pensamentos no objeto perdido. O pêndulo se movimentará, indicando onde está o objeto. Um método alternativo é segurar o pêndulo sobre o cartão de respostas e, com um dedo da outra mão, apontar para o mapa e perguntar: "Está aqui?... E aqui?...", e assim por diante.

Se precisar de orientação para encontrar um caminho, mova o pêndulo lentamente ao longo das ruas mostradas no mapa. Em cada desvio ou encruzilhada, pergunte ao pêndulo qual é a rua certa a pegar. Assim você poderá traçar facilmente uma rota do ponto A até o ponto B.

Para mais informações sobre o pêndulo, consulte o livro *Practical Color Magick,* de Raymond Buckland (Llewellyn Publications, 1983 e 2002).

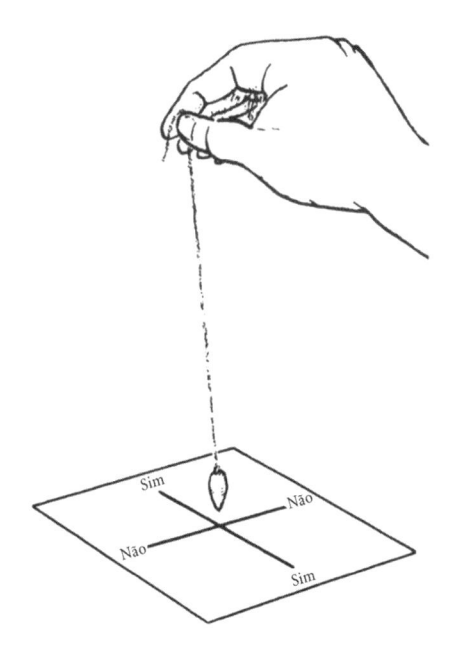

Figura 8.1

Como Usar a Psicometria

As etapas da aprendizagem da psicometria são fáceis e requerem apenas prática e paciência. Para começar, pegue dez ou oito amostras de substâncias diferentes: tecidos de vários tipos, couro, pele, madeira, metal, pedra etc. Sente-se num lugar tranquilo e, com um objeto nas mãos, concentre-se nele. Sinta a textura. Pense na origem. Tente imaginar a árvore da qual a madeira veio, o animal do qual a pele veio e assim por diante. Pratique regularmente, prolongando a análise de cada objeto pelo tempo que achar necessário e sempre examinando adequadamente o conjunto todo. Pode ser que consiga impressões muito precisas de imediato. Mas, se não conseguir, continue como descrito a seguir.

Depois de algumas semanas de exercícios, coloque cada um dos objetos num envelope separado. Certifique-se de que todos os envelopes sejam iguais para que, externamente, não haja como você saber qual é o conteúdo de cada um deles. Numere os envelopes. Examine

Conteúdo	Número do envelope	SUGESTÕES						
		1	2	3	4	5	6	7
Algodão	1	Seda	Algodão	Seda	Lã	Algodão	Algodão	Algodão
Seda	2	Algodão	Seda	Veludo	Seda	Seda	Algodão	Seda
Veludo	3	Lã	Pena	Bambu	Veludo	Lã	Veludo	Madeira
Pele de cobra	4	Marfim	Pena	Pele de cobra	Madeira	Pena	Pele de cobra	Pena
Concha	5	Madeira	Marfim	Concha	Marfim	Concha	Concha	Marfim
Lã	6	Concha	Madeira	Veludo	Lã	Lã	Ferro	Lã
Marfim	7	Pena	Concha	Marfim	Marfim	Marfim	Concha	Concha
Cerâmica	8	Ferro	Ferro	Cerâmica	Veludo	Pena	Cerâmica	Cerâmica
Ferro	9	Veludo	Pele de cobra	Marfim	Ferro	Seda	Bambu	Cerâmica
Bambu	10	Madeira	Veludo	Bambu	Madeira	Bambu	Madeira	Ferro
Carvalho	11	Madeira	Lã	Madeira	Madeira	Madeira	Bambu	Madeira
Pena	12	Cerâmica	Lã	Algodão	Veludo	Pele de cobra	Pena	Pena

os envelopes regularmente, tentando desta vez descobrir uma pista referente ao conteúdo do envelope. Você pode adivinhar qual é o objeto ou conseguir uma impressão de sua origem – justamente o que você estava tentando antes. Anote as suas impressões num caderno, identificando os envelopes pelo número. Depois de alguns dias, ou de algumas semanas (dependendo da frequência com que pratique), você pode exibir uma contagem como na tabela anterior.

Talvez você perceba um certo padrão. Na sétima tentativa (deste exemplo), você pode conseguir 50 por cento de acertos. As outras tentativas podem se aproximar bastante. Por exemplo, a "madeira" e o "bambu" são muitas vezes confundidos, assim como a "pele de cobra" e a "pena".

Continue a manter esses envelopes fechados. Depois, acrescente outros. Quando sentir que está obtendo uma boa pontuação regularmente, procure testar sua intuição com outros objetos que não estejam ocultos. O anel de uma amiga, por exemplo. Uma carta, uma fotografia, um relógio. Enquanto segura os objetos, comece a pensar neles e em como eles são. Então pergunte a si mesmo, quem os manuseou? De onde vieram? Quando foram feitos? Pratique o máximo possível. Um objeto como uma moeda, por exemplo, geralmente passa por muitas mãos para ter uma aura positiva. Sempre que possível, verifique os resultados que alcançou e mantenha um registro escrito deles. Assim você pode verificar o seu progresso.

Os exercícios descritos também podem ser realizados em grupo. Você pode até mesmo organizar dois grupos e ver qual deles é mais exato. Outros exercícios e testes surgirão com o tempo. Continue tentando. Não desanime... e continue anotando tudo.

A Pocket Guide to the Supernatural
Raymond Buckland, Ace Books, 1969

A Psicometria

Todo material físico tem uma memória. Não é a memória de uma consciência, mas sim o acúmulo da energia manifestada com o qual o material entrou em contato. Além do mais, se uma pessoa toca num objeto em particular, uma ligação cósmica se estabelece entre os dois, que durará pelo menos durante toda a vida da pessoa e, muitas vezes, por um longo período depois disso. Por isso, se você tocar uma cadeira, uma outra pessoa com habilidades de canalização desenvolvida poderia "ler" a seu respeito quando ela entrar em contato com a cadeira, independentemente de onde você possa estar naquele momento. O canalizador poderia "ver" o seu passado, o seu presente e até mesmo o seu futuro tão facilmente quanto se você estivesse fisicamente presente.

A *psicometria* é, portanto, a recepção de impressões de um objeto físico. As impressões podem vir em forma de sentimentos, cenas, pensamentos, cores ou emoções. Elas podem vir isoladamente ou em blocos. Qualquer que seja o pensamento, o sentimento ou a sensação que você receba, deve ser registrado.

Para praticar a psicometria, comece com objetos pequenos, tais como joias, que podem ser facilmente manuseados. O ideal seria algo oferecido como presente e que ficou com o proprietário por longos períodos. A concentração de energia é mais forte, porque tanto a ligação física quanto a emocional foram estabelecidas.

Como sempre acontece quando se trata de um processo intuitivo, a mente precisa ser aquietada antes de iniciar o processo. Para começar, segure o objeto entre as mãos delicadamente. Sinta a energia ou as vibrações que emanam dele. O que você sente? Uma sensação de frio, calor, formigamento? Que cor ou cores você percebe? Que cenas lhe vêm à mente? Sente algum tipo de emoção? Mais uma vez, não nutra expectativas, fique apenas receptivo. Sinta, ouça, concentre-se no Terceiro Olho. Observe a fundo qualquer percepção que lhe surja. Examine-a e funda-se com ela. Então, registre-a, exatamente como a recebeu. Não deixe que a sua mente consciente interfira. Algumas pessoas descobrem que conseguem resultados melhores segurando o objeto apenas com uma mão; algumas o seguram encostado à testa, acima do Terceiro Olho; algumas o seguram sobre o coração. Experimente. Veja qual é a melhor opção no seu caso.

Como Interpretar as Informações Canalizadas

O maior problema da canalização é a interpretação. Assim como acontece com os sonhos, a interpretação é mais fácil quando nós mesmos somos os canalizadores. Se estiver canalizando informação para si mesmo, o problema não é tão grande. Mas, se a leitura é para outra pessoa, você precisa ser extremamente cuidadoso. A informação deve ser apresentada *exatamente* como ela for recebida.

Muitas das informações canalizadas dizem respeito ao futuro. Isso porque passado é passado. É o que a pessoa faz a partir dali que importa. Se você é o mestre do seu próprio destino, precisa aceitar as consequências das suas próprias ações. Entretanto, *nada* é predeterminado. Qualquer informação sobre o futuro está no reino da probabilidade, baseia-se nas condições presentes e *pode ser alterada*. Se a canalização indica um relacionamento desastroso, ele pode ser evitado se você evitar o relacionamento ou mudar suas atitudes com relação ao seu parceiro. Uma doença física pode ser evitada se você corrigir a provável causa, por exemplo com uma alimentação inadequada, equilibrando seu estado emocional etc. *Nada é inevitável!* A informação canalizada é simplesmente a afirmação de que, dadas as condições no momento, esse é o resultado mais provável. Se a pessoa desejar um resultado diferente, ela tem poder para conseguir isso. *Nós criamos a nossa própria realidade.*

A Aura

O "corpo" do ser humano é, na verdade, composto por sete elementos distintos. Os três primeiros formam o corpo físico (sólido, líquido e gasoso). O quarto elemento é chamado de corpo etérico e interpenetra o físico. Geralmente o corpo etérico se estende além dos limites do corpo físico em aproximadamente 3 cm. Em seguida, vem o corpo astral, que se estende diversos centímetros além do corpo etérico. Depois, além do corpo astral, vêm o corpo mental e o espiritual. Devido à sua elasticidade e à alta frequência com que vibram, é impossível definir os limites físicos desses dois últimos.

> Existe uma grande evidência de que o método pictórico é um recurso muito utilizado pelos espíritos – com muita frequência, os médiuns *veem* o que os espíritos descrevem,

quando o método auditivo não é uma opção. Eles apresentam, à mente do médium, uma imagem, que é descrita e muitas vezes interpretada pelo médium. Não raro essa interpretação é equivocada, assim como uma análise incompleta de um sonho. Por causa disso, a mensagem pode não ser reconhecida, embora a fonte da mensagem possa ser autêntica.

Deixe-me ilustrar isso de maneira mais completa. Suponhamos que você queira falar com um chinês que não fala a sua língua, para que ele pegue um determinado objeto – digamos, um relógio – que está no cômodo ao lado. Seria inútil dizer a palavra "relógio", porque ele não saberia o que ela significa. Provavelmente você bateria com o dedo no punho, fingiria dar corda no relógio ou consultar as horas etc., na tentativa de transmitir a ele o significado. Se isso não fosse suficiente, você teria uma grande dificuldade para dizer a ele que precisa do relógio que está no cômodo ao lado.

Agora suponhamos que essas "mímicas" fossem usadas por um espírito, na tentativa de comunicar a palavra "relógio", talvez para que um ente querido se lembre de um relógio de bolso que ele costumava carregar. O espírito pode muito bem transmitir sua mensagem por meio de gestos, enquanto o médium diria:

"Ele está dando tapinhas na barriga e olhando para um ponto à sua esquerda. Parece querer transmitir a impressão de que tinha algum problema nos intestinos, talvez um câncer do lado esquerdo. Sim, parece que está tirando algo do próprio corpo; aparentemente, os médicos removeram algum tumor. Agora ele está examinando as mãos. Está olhando atentamente para elas. Em seguida, fez algo com os dedos. Não posso ver o que é; um leve movimento. Será que ele ficou ligado a aparelhos em vida? Agora ele aponta para a porta etc...".

Essa interpretação que o médium fez dos fatos, enquanto descreve as ações do espírito, é inteiramente enganosa. O simbolismo foi interpretado de forma completamente equivocada e, portanto, como o espírito não morreu de câncer, não tinha nenhum problema nos intestinos, não foi submetido a nenhuma cirurgia e nunca ficou ligado a aparelhos, é bem provável que a mensagem seja atribuída à imaginação do médium ou até mesmo que se suspeite de fraude! No entanto, a mensagem era completamente verídica; o problema foi o simbolismo mal interpretado pelo médium.

Amazing Secrets of the Psychic World
Raymond Buckland & Hereward Carrington
Parker Publishing Co., Nova York, 1975

Embora as vibrações dos corpos extrafísicos sejam elevadas demais para serem detectadas pelos olhos físicos, os padrões energéticos que deles emanam podem ser visíveis para um clarividente. Esses padrões de energia são conhecidos como *aura*. Geralmente, a energia do corpo etérico é detectada ou "vista" primeiro, por causa da sua maior densidade. À medida que as suas percepções melhorem, você poderá começar a detectar a energia que irradia além do corpo etérico. Muitas vezes, essa energia pode ser vista flutuando, retraindo-se e espiralando, de modo muito semelhante à aurora boreal. As cores detectadas geralmente indicam o estado de espírito da pessoa. A aura de uma pessoa num estado profundamente enlevado e espiritual pode exibir um tom azul ou lavanda. Uma pessoa apaixonada exibe uma aura cor-de-rosa etc. (Veja *Cores* na seção de Simbolismo da Lição Sete.) Você deve ter cautela ao tentar ver o que uma outra pessoa vê. Se você e um amigo estiverem lendo auras, não se surpreendam se um de vocês detectar um tom azul e o outro detectar um tom amarelo. Nenhum dos dois está necessariamente errado. Pessoas sensitivas são diferentes e você é mais receptivo a certas vibrações enquanto o seu amigo é mais receptivo a outras.

Qualquer estado do ser influencia a sua aura. Os estados emocionais afetam primeiramente a cor. Problemas físicos não somente afetam a cor, como também causam reações nos padrões da aura, como redemoinhos, buracos e algumas vezes manchas escuras. Você deve ser cuidadoso ao interpretar as informações referentes à aura. Pode concluir que um amigo tem um problema de saúde porque vê uma particularidade na aura dele. Pergunte à pessoa se ela tem algum problema nessa região do corpo. No entanto, se ela negar, não toque mais no assunto. O que pode lhe parecer uma doença grave pode ser apenas uma irritação passageira que está quase curada. Lembre-se de que o poder da sugestão é forte e pode vir a ser muito prejudicial para algumas pessoas.

Como Encontrar Objetos Perdidos

Com que frequência você perde minutos, horas ou até mesmo dias numa busca frenética por algum objeto perdido? Se, por distração, você tira um objeto do lugar ou se alguém o tira dali sem o seu conhecimento, não precisa perder tempo e energia procurando por ele. Primeiro, se você se encheu de pânico e medo ao perceber que perdeu o objeto, pode ser que esteja precisando de uma lição sobre possessividade. Segundo, se tiver realmente perdido o objeto, saiba que nem a lógica, nem a emoção serão de muita ajuda. Claro que, se você revirar a casa (na hipótese de que ele esteja na sua casa), uma busca sistemática pode servir para localizá-lo. Mas, mesmo quando a mente consciente não consegue encontrar o objeto, existem aspectos seus que podem. Tudo o que você precisa fazer é ouvi-los.

    Antes de mais nada, acalme-se. Aquiete a mente consciente. Livre-se da emoção. Quando estiver calmo e em paz, simplesmente siga seus impulsos interiores. Não pense! Mexa-se, ande pela casa, deixe-se levar pelo seu guia interior. Usando essa técnica, eu encontrei duas chaves uma vez, que tinha derrubado no meio de um campo coberto de vegetação! Eu não sabia onde as chaves tinham caído, mas, seguindo a minha orientação interior, caminhei até um certo ponto, inclinei-me e coloquei a mão a menos de 10 cm de onde estavam as chaves perdidas!

    Existem ocasiões em que a perda é permanente. Nesse caso, invariavelmente isso acontece quando há uma lição a ser aprendida. Nosso Eu Superior algumas vezes escolhe esse método para nos fazer refletir sobre os nossos valores ou para desencadear uma série de experiências necessárias. Em outras ocasiões, a "ajuda" pode ser externa. Talvez o nosso guia espiritual, em associação ao nosso Eu Superior, crie as condições para aquela lição um tanto quanto necessária.

    Como eu já disse, o pêndulo, naturalmente, é um excelente meio para descobrirmos um objeto perdido. Não deixe de usá-lo.

Privação Sensorial

Para auxiliar no desenvolvimento ou na produção de percepção extrassensorial, estudos recentes associados ao Departamento de Defesa e ao Programa Espacial dos Estados Unidos estudaram o que é chamado de "privação sensorial". Segundo essa teoria, o nosso modo de vida nos condicionou a procurar certos graus de sensação (seja mental, física ou emocional) durante todos os momentos da vigília. Se os sentidos da vigília são eliminados e o movimento do corpo é restringido, o corpo relaxa, as tensões mentais e emocionais diminuem e a consciência conquista uma liberdade sem igual. Estudos de laboratório usaram tanques de mergulho para fazer testes de submersão realizados sob condições leves e sem emoção. As documentações sobre esses testes revelam a ocorrência de fenômenos extrassensoriais, incluindo visões.

A Gaiola das Bruxas

Privar os sentidos físicos por meios externos não é nenhuma novidade. Há séculos, os dervixes árabes se penduram, amarrando uma corda ao redor dos pulsos; os hindus se sentam em meditação, durante dias, semanas e até meses, na posição de lótus; e membros da Arte usam um artefato conhecido como "gaiola das bruxas", para separar a consciência do corpo físico.

Existem diversas variações de gaiola das bruxas. Duas são apresentadas nas ilustrações desta página e da próxima. Todas têm a mesma função básica de isolar a pessoa do seu ambiente e impedir movimentos físicos tanto quanto possível. Sob essas condições, a consciência se liberta das amarras que a prendem a este plano e fica livre para transcender os horizontes físicos.

Como se vê na Figura 8.2, na primeira gaiola a pessoa é enrolada numa mortalha de couro ou tecido, como uma múmia. Os braços ficam amarrados numa camisa de força. Tiras de couro prendem o corpo à armação de ferro, enquanto um

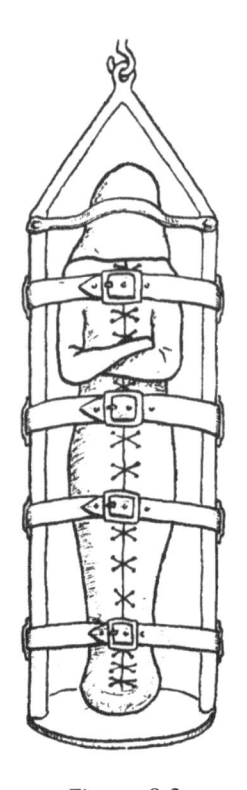

Figura 8.2

capuz de couro abafa os sons e impede a visão. A cabeça é presa no lugar por uma tira de couro ou de ferro, e a armação fica suspensa por uma corda, para que possa balançar e girar livremente, causando na pessoa uma completa desorientação.

Na segunda variação (Figura 8.3), a pessoa fica suspensa por mangas de couro. O revestimento de couro é forrado com pele (versões modernas utilizam espuma) para oferecer mais conforto. A gaiola é suspensa por uma canga, por meio de uma corda, também para causar desorientação com relação ao chão. Perceba que, em ambos os casos, a coluna é mantida ereta. A gaiola das bruxas não só causa privação sensorial, ajudando a libertar a consciência, como também facilita a projeção da consciência para fora do corpo físico, ou seja, propicia a projeção astral.

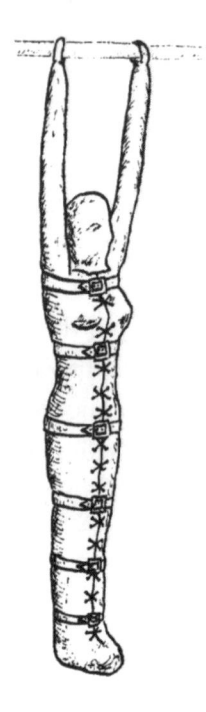

Figura 8.3

Não é necessário, nem se recomenda, que a gaiola seja usada em circunstâncias normais. Esse dispositivo só deve ser utilizado com a supervisão de alguém que conheça muito bem o seu funcionamento. A ideia da privação sensorial, contudo, pode e deve ser usada. As instruções sobre como induzir as devidas condições para liberar a consciência são apresentadas no método de meditação da Lição Sete. Se usados da maneira apropriada, esses procedimentos também podem oferecer privação física dos sentidos, conforto para o corpo e as condições propícias para a libertação da consciência.

Questões sobre a Lição Oito

1. Escreva o seu próprio Ritual de *Handfasting*.

2. Faça um registro dos Rituais de Nascimento (*Wiccaning*) e de Travessia da Ponte.

3. Relacione os métodos que utilizou para limpar o seu canal intuitivo. Quais foram os seus impedimentos pessoais (bloqueios) para a canalização? Anote a informação canalizada abaixo.

4. Liste alguns dos meios pelos quais desenvolveu suas capacidades psíquicas. Quais foram os resultados das técnicas usadas?

Questões Avaliatórias sobre a Lição Oito

1. O Ritual de *Handfasting* wiccano é uma cerimônia que une um homem e uma mulher para sempre?

2. Em que idade a criança é iniciada na Arte?

3. Quais as duas principais categorias de canalização?

4. Relacione pelo menos cinco pontos principais que você precisa trabalhar para desobstruir sua mente para a canalização.

5. Você perdeu as chaves do seu carro. Não sabe se elas estão no seu quarto, na sala, na cozinha ou no escritório. Como você as localiza? Cite dois métodos.

6. Você vê uma grande fenda na aura do seu pai, próxima à região do coração. O que você fala para ele e por quê?

Leituras Recomendadas

How to Read the Aura; How to Develop Psychometry; How to Develop Clairvoyance, de W. E. Butler.

Practical Color Magick, de Raymond Buckland.

Leituras Complementares

The Principles and Practice of Radiesthesia, de Abbé Mermet.

Amazing Secrets of the Psychic Word, de Raymond Buckland e Hereward Carrington.

LIÇÃO NOVE

Adivinhação

PARA A PESSOA LEIGA, parece quase mágico que alguém possa ver o futuro, adivinhar o que vai acontecer. O dicionário *Webster* define a palavra *adivinhação* da seguinte maneira: "a arte de prever eventos futuros ou descobrir coisas secretas ou obscuras, com o auxílio de seres superiores (os deuses?), ou por meio de certos rituais, experimentos, observações etc...". De acordo com isso, portanto, não seria mais correto nos referirmos à "previsão" do tempo que vemos na TV ou lemos nos jornais como "prognóstico" do tempo? Seja como for, a adivinhação é um instrumento útil e tem um lugar definido na Arte.

Existem muitos meios de se ver o futuro... "Ver o futuro?" Seria mais preciso dizer: estar ciente das forças em ação que podem trazer um *provável resultado* no futuro. Nós criamos a nossa própria realidade. Nada é predeterminado; nada *tem* que ser. Se uma pessoa deseja um resultado diferente, ela tem dentro dela o poder para alterá-lo.

O Tarô

Como praticante da Arte, *como* você é capaz de ver o futuro? Bem, já mencionamos a canalização e o pêndulo. Mas um dos instrumentos mais comuns e populares (usado por Bruxos e não Bruxos) é o tarô, que pertence à categoria de adivinhação conhecida como *cartomancia*, ou adivinhação pelas cartas. As cartas do tarô são as mais antigas cartas de baralho conhecidas; no entanto, sua origem exata perdeu-se nas areias do tempo. A teoria mais aceita é a de que elas foram levadas para a Europa pelos ciganos e que se originaram (assim como os ciganos) na Índia. O mais antigo baralho conhecido data do século XIV.

O tarô consiste em 78 cartas, divididas em duas categorias: os Arcanos Menores e os Arcanos Maiores. Os Arcanos Menores são compostos de 56 cartas e divididos em quatros naipes de quatorze cartas cada um. Foi dos Arcanos Menores que o nosso baralho comum originou-se. Os naipes do tarô são Espadas, Pentáculos (algumas vezes chamado de Moedas), Bastões (ou Paus) e Copas. Seus correlativos modernos são Espadas, Ouros, Paus e Copas, respectivamente. Cada naipe é numerado de um (ou Às) a dez, mais as cartas da corte: Pagem, Cavaleiro, Rainha e Rei. Em algum ponto do seu desenvolvimento posterior, o Cavaleiro foi retirado e o Pajem ficou conhecido como Jack, ou Valete.

Os Arcanos Maiores, conhecidos também como Trunfos Maiores, têm 22 cartas; cada uma com uma figura alegórica com significado simbólico. Essas figuras são associadas, por muitos ocultistas, às 22 cartas do alfabeto hebraico:

1	O Mago	Aleph
2	A Papisa	Beth
3	A Imperatriz	Gimel
4	O Imperador	Daleth
5	O Papa	Heh
6	Os Amantes	Vav
7	O Carro	Zain
8	A Justiça	Cheth
9	O Heremita	Teth
10	A Roda da Fortuna	Yod
11	A Força	Kaph
12	O Enforcado	Lamed
13	A Morte	Mem
14	A Temperança	Nun
15	O Diabo	Samekh
16	A Torre	Ayin
17	A Estrela	Peh

18	A Lua	Tzaddi
19	O Sol	Qoph
20	O Julgamento	Resh
21	O Mundo	Shin
0	O Louco	Tav

Os ocultistas, infelizmente, não concordam com todas essas associações. Enquanto MacGregor, por exemplo, concorda com a tabela que apresentei, Paul F. Case coloca a carta do Louco no início, movendo todas as cartas para uma posição acima:

0	O Louco	Aleph
1	O Mago	Beth
2	A Papisa	Gimel

etc.

Para ajudar a complicar o assunto, A. E. Waite e Paul Case atribuíram o número 8 à carta da Força e o número 11 à carta da Justiça, embora praticamente todos os escritores e baralhos atribuam o número 8 à Justiça e o 11 à Força!

Muitos escritores de tarô afugentam os estudantes desnecessariamente com suas interpretações e descrições veladas e imponentes. Um desses escritores disse, sobre os Arcanos Maiores: "Seu simbolismo é um tipo de taquigrafia da metafísica e do misticismo. Ali estão verdades tão sutis e divinas que as expressar mal na linguagem humana seria um sacrilégio. Somente o simbolismo esotérico pode revelá-las ao espírito interior do buscador". Ele continua, entretanto, a expressá-las em linguagem humana – e devo confessar que pretendo fazer o mesmo!

Como as cartas funcionam e como são usadas? Assim como todas as técnicas de adivinhação – o tarô, a bola de cristal, as folhas de chá etc. – são simplesmente um ponto focal para os nossos poderes psíquicos; um "placebo" para a canalização. Um bom sensitivo poderia usar as cartas de um baralho em branco para fazer uma leitura. Portanto, você, com um pouco de prática, poderia fazer o mesmo. Mas por que não iniciar pelo jeito mais fácil? Não há razão para não usar esses recursos, esses pontos focais, se eles podem facilitar as coisas.

Existem muitas sequências de cartas, ou "tiragens", possíveis. Todos parecem ter a sua tiragem favorita. Nesta lição, examinarei duas ou três delas para que você possa experimentá-las e escolher uma, ou mais, que mais lhe agrade.

Muitas tiragens pedem um *"significador"*, uma carta para representar a pessoa para quem a leitura está sendo realizada (e essa pessoa para quem você está lendo as cartas é chamada de consulente). Muitos livros sugerem cartas específicas, por exemplo, a Rainha de Espadas se estiver lendo para uma mulher mais velha, de cabelos escuros. *Ignore essas sugestões*. Cada pessoa é uma pessoa. Se está lendo as cartas para duas mulheres diferentes, mesmo que as duas sejam maduras e tenham cabelos castanhos, a mesma carta não seria correta para ambas. Para selecionar o seu significador, observe o seu consulente. Olhe nos olhos dele, segure-lhe as mãos, sintonize-se com ele. Então repasse por todas as cartas do baralho até encontrar aquela que sentir ser a certa para representar essa pessoa. Você pode fazer isso várias vezes até identificar a carta certa ou pode simplesmente sortear uma carta.

Pegue essa carta e dê o resto do baralho ao consulente. Ele deve manuseá-lo e embaralhá-lo, concentrando-se num problema ou numa questão específica. Depois de alguns instantes, ele deve cortar o baralho com a mão esquerda e dispô-lo na mesa à esquerda, à medida que o divide em três montes separados:

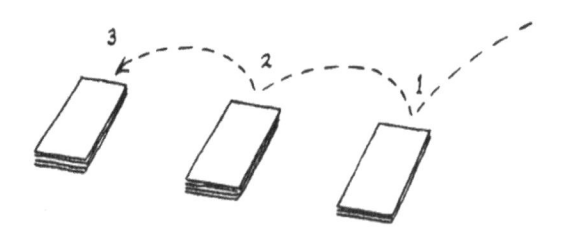

Em seguida, você pega os montes: o do meio em primeiro lugar, depois o monte da direita (colocando-o em cima do primeiro) e em seguida o monte restante, que vai em cima dos demais:

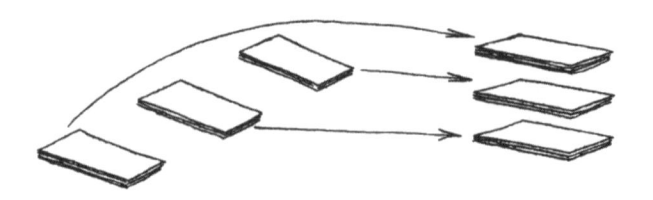

```
            Ideais   [3]              [10]  Resultado
                                            final
   Influências        Significador
   no trabalho [1]                    [9]   Esperanças
                                            e medos
   Futuro     [6]  Obstáculos  [5]
   imediato         [2]
                            Passado   [8]   Casa

            Eu     [4]                [7]   Eu
            básico
```

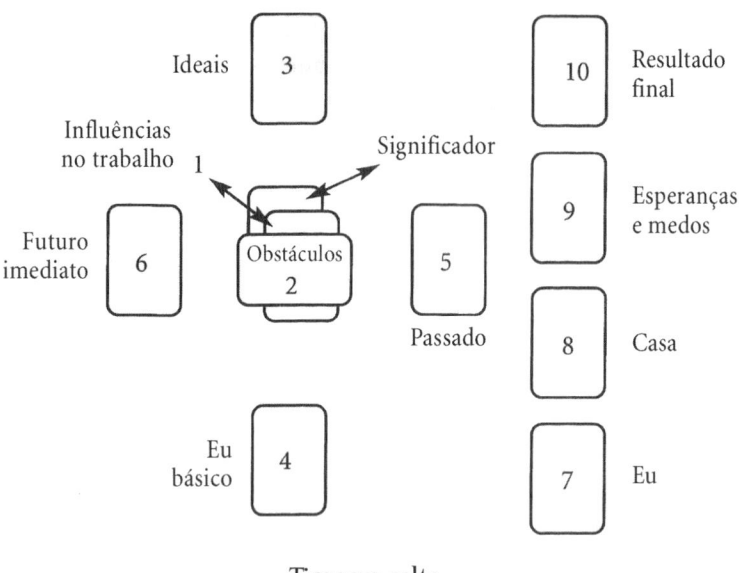

Tiragem celta

Agora espalhe as cartas na mesa, viradas para baixo. Peça ao consulente para pegar dez cartas, aleatoriamente, uma de cada vez. Essas serão as dez cartas que você usará na leitura.

A primeira tiragem que descreveremos é uma das mais usadas e precisas. É conhecida como a antiga tiragem celta.

Coloque o significador (a carta que escolheu para representar o consulente) voltado para *cima,* no centro da mesa. Essa carta mostra, ou indica, a "fachada" da pessoa. Mostra o tipo de impressão que ela gosta que as pessoas tenham dela. Essa carta é então coberta pela primeira carta que o consulente pegou, com a face *voltada para baixo*. Essa carta representa "aquilo que o encobre". Sobre essas duas cartas, é colocada, na horizontal, a segunda carta escolhida pelo consulente. Ela representa "o que cruza o caminho do consulente". A terceira carta é colocada mais acima – "o que a coroa" –, e a quarta carta, mais abaixo – "o que é inferior a ela". À direita, é colocada a quinta carta, que representa "o que está atrás dela". E, à esquerda, é colocada a sexta carta, que representa "o que está diante dela". As quatro cartas restantes são colocadas à direita, na ordem em que são tiradas, uma acima da outra: sétima, oitava, nona e décima – "ele mesmo", "sua casa", "seus medos e esperanças" e "o resultado final", respectivamente.

As cartas são, então, viradas uma de cada vez, enquanto você as interpreta (o que eu explico logo em seguida), de acordo com a posição em que estão.

Quanto ao significado de cada posição, saiba que: a primeira carta mostra a atmosfera que cerca a pessoa, ou a questão/o problema a respeito de que o consulente perguntou (não necessariamente em voz alta; trata-se da questão/do problema em que ele estava concentrado enquanto embaralhava e manuseava as cartas. A segunda carta mostra que forças e influências estão agindo contra ele. Ela pode até mesmo mostrar, ou indicar, uma pessoa que a esteja impedindo ou "cruzando" seu caminho de alguma forma. A carta número três mostra os ideais do consulente, o que ele está almejando, embora possa não estar conseguindo (isso será indicado na carta dez). A carta número quatro mostra a mulher (ou o homem) real; a inconsciência do consulente; sua verdadeira base. A carta número cinco mostra o que já aconteceu. Poderia ser ou o passado imediato ou, de modo geral, toda a vida passada dessa pessoa. A carta seis, por outro lado, mostra o que causará efeito de imediato, dentro dos seis a doze meses seguintes, no máximo.

A carta sete mostra mais sobre o próprio consulente; como ele se sairá, de forma geral, na vida e especialmente no futuro imediato. A oito trata dos amigos que estão próximos, sejam parentes de sangue ou não. A carta nove mostra seus medos e esperanças, e a dez revela o resultado final.

Pode acontecer de algumas cartas confirmarem outras. Deve haver alguma similaridade, por exemplo, entre as cartas quatro e sete e similaridades entre a dois e a nove. O conjunto todo pode dar alguma indicação do que espera o consulente na carta dez. Se a maioria das cartas for de Arcanos Maiores, tenha certeza de que as forças em ação são poderosas. Quaisquer mudanças serão drásticas, quaisquer retrocessos serão grandes retrocessos, quaisquer avanços serão progressos significativos.

A Interpretação

Mas como é que você interpreta as cartas? Existem muitos livros sobre o tarô, a maioria deles oferece possíveis interpretações para cada uma das cartas. Aconselho que você compre um (recomendo uma das obras de Eden Gray, ou *The Tarot Revealed* ou *A Complete Guide to the Tarot*). Leia o livro todo, para ter uma ideia das interpretações tradicionais. Depois, *coloque o livro de lado*. Mais uma vez, deixe-me enfatizar que *não existem duas pessoas iguais*. Se estiver lendo para duas pessoas diferentes e acontecer de a mesma carta aparecer na mesma posição para ambas, é muito improvável que elas tenham o mesmo significado (a interpretação descrita no livro) para as duas pessoas. Elas são pessoas diferentes, a carta significará coisas diferentes para cada uma delas.

Como, então, você fará a interpretação? Siga os seus instintos, seus sentimentos, sua intuição. Enquanto vira cada carta, pense na posição que ela ocupa. Por exemplo, a posição número seis – o futuro imediato. O que, na ilustração da carta, vêm à sua mente com mais ímpeto quando a vira para cima? Invariavelmente uma coisa (um pequeno detalhe do desenho) prenderá seu olhar primeiro. Pense no que esse objeto, essa cor ou esse símbolo pode significar (nesse exemplo), referente ao futuro imediato do consulente. Por exemplo, suponha que esteja usando um tarô Rider-Waite (descreveremos os diferentes baralhos depois) e vire a carta da Morte. Isso significaria a morte no seu futuro próximo? Não! A interpretação dada num livro é "transformação, mudança. Algumas vezes seguida ou precedida por destruição. Algumas vezes nascimento ou renascimento". Isso poderia significar a morte de uma ideia ou de um emprego, talvez levando a um "renascimento" num novo emprego. (Eu gostaria de mencionar aqui que ajudará de forma incomensurável se você *desconsiderar os títulos* dos Arcanos Maiores. "A Morte" não é necessariamente a morte (física); a "Justiça" não é necessariamente justiça; o "Diabo" não é necessariamente um diabo, e assim por diante.)

Usando o seu próprio método, no entanto, você vai descobrir que existem muitas outras possibilidades. Um barquinho, no plano de fundo da carta da Morte, pode chamar a sua atenção, levando-o a associá-lo a uma viagem. Ou você pode ficar impressionado com o nascer (ou o pôr) do Sol entre as duas torres, ou com a figura de uma rosa na bandeira ou com a figura de um bispo... existem muitas coisas que podem chamar a sua atenção nessa carta. Você descobrirá que é uma coisa diferente cada vez que você a tira, o que o leva a fazer uma leitura diferente – e, portanto, mais pessoal – para cada indivíduo. Logo, não se atenha aos livros... Use os seus próprios poderes.

Ao fazer a interpretação, você precisa ter em mente que o naipe de Espadas está geralmente associado a problemas e infortúnios (e ao elemento Ar); o naipe de Copas está associado ao amor e à felicidade (e ao elemento Água); o naipe de Bastões, aos empreendimentos, ao sucesso e ao sexo (e ao Fogo); o naipe de Moedas associa-se ao dinheiro (e à

Terra). Isso não significa, é claro, que todas as cartas de Espadas voltadas para cima tenham que refletir problemas e infortúnios! Essas são associações gerais, por isso só as tenha em mente.

Você também precisa experimentar a tiragem da Árvore da Vida, para verificar se gosta dela ou não. Esse método lança mão de dez cartas, mais o significador:

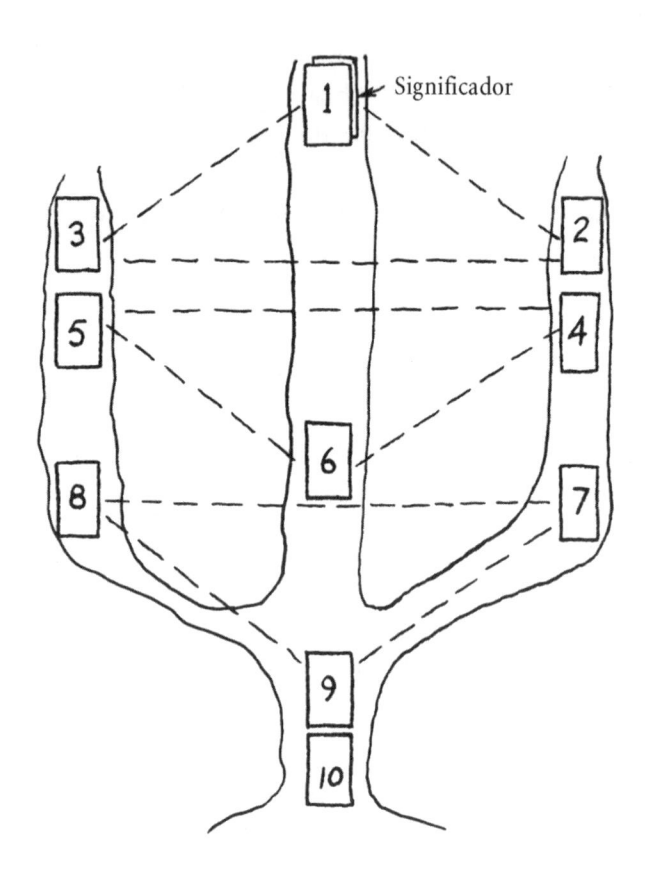

1 – A inteligência superior do consulente
2 – A força criativa
3 – Vida, sabedoria
4 – Virtudes; qualidades
5 – Conquista
6 – Saúde
7 – Amor; luxúria
8 – Artes, habilidades; filhos
9 – Imaginação; criatividade
10 – Lar

Uma tiragem bastante útil, especialmente para uma leitura rápida, é a do Caminho Seax-Wica, composto de oito cartas (tiradas pelo consulente), além do significador:

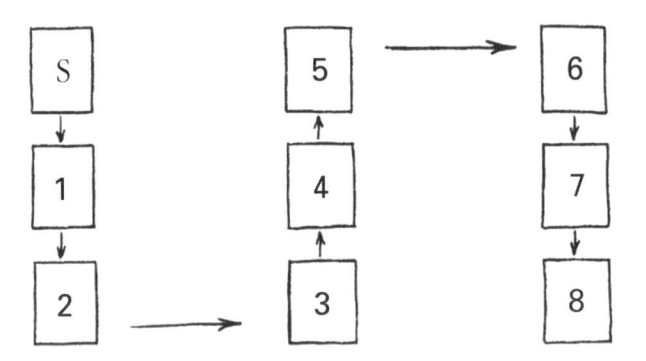

```
┌───┐        ┌───┐  ────▶  ┌───┐
│ S │        │ 5 │         │ 6 │
└─┬─┘        └─▲─┘         └─┬─┘
  ▼              │             ▼
┌───┐        ┌───┐         ┌───┐
│ 1 │        │ 4 │         │ 7 │
└─┬─┘        └─▲─┘         └─┬─┘
  ▼              │             ▼
┌───┐  ────▶  ┌───┐         ┌───┐
│ 2 │         │ 3 │         │ 8 │
└───┘         └───┘         └───┘
```

S – Significador
1– Eu Interior
2 – Metas (Ideais)
3 – Passado
4 – Família
5 – Saúde
6 – Religião
7 – Amigos
8 – Resultado Final (Futuro)

Pratique tanto quanto puder. Leia para todo tipo de pessoa – aquelas que você conhece bem e as desconhecidas. Não tenha medo de dizer o que vê; no entanto, tome cuidado com as palavras. Por exemplo, se você vê, nas cartas, a morte ou algum acidente ruim se aproximando, não diga ao consulente: "Você vai morrer!". Diga à pessoa que, da maneira como as coisas estão evoluindo no momento, seria mais sensato ter mais cautela no futuro próximo, pois existe a possibilidade de ocorrer um acidente. E isso é tudo: uma possibilidade. Podemos mudar o que está no nosso caminho.

Não leia para a mesma pessoa (ou para si mesmo) com muita frequência. Uma boa dica é examinar as cartas usadas na leitura para ver quantas cartas dos Arcanos Maiores estão presentes. Se forem muitas (quatro, cinco ou mais), isso é sinal de que existem forças poderosas em ação. É improvável que haja grandes mudanças no mês seguinte, por isso não há razão para fazer outra leitura nesse período (a menos, é claro, que seja para examinar uma questão totalmente diferente). Se houver poucos ou nenhum Arcano Maior na tiragem, isso significa que as forças estão amenas e sujeitas a mudanças; por isso é aconselhável reexaminar a situação em aproximadamente uma semana.

Há uma grande variedade de tarôs à venda. Pelo menos na última contagem, havia em torno de 250 tipos diferentes no mercado! O mais conhecido é o Rider-Waite, que certamente é uma boa opção para iniciantes (e para leitores experientes). A vantagem dele é o fato de que todas as cartas têm uma imagem diferente, tanto os Arcanos Maiores quanto os Menores. Muitos tarôs não têm simbolismo para os Arcanos Menores. O Três de Espadas, por exemplo, só traz a imagem de três espadas, o Quatro de Espadas, a imagem de quatro espadas, e assim por diante. No Tarô Rider-Waite, há uma cena completa, incluindo as três espadas, na carta do Três de Espadas; uma cena completamente diferente na carta do Quatro de Espadas e a mesma coisa em todos os Arcanos Menores. Isso obviamente oferece uma margem de interpretação muito maior.

Outro tarô muito bom, baseado no Rider-Waite, é o Morgan-Greer. Na verdade, eu prefiro esse tarô ao Rider-Waite. Para experimentar algo bem diferente – e com um simbolismo realmente empolgante –, eu recomendaria o tarô Thoth, projetado por Aleister Crowley. Experimente vários deles e encontre o seu favorito.

A Escriação

A escriação é uma prática fascinante, em que você literalmente "vê" o futuro (o presente ou o passado) numa superfície reflexiva. Quase qualquer superfície reflexiva pode ser usada para esse tipo de adivinhação. Uma bola de cristal e um espelho são as duas melhores opções. Vamos primeiro examinar a bola de cristal.

O cristal da bola não deve ter falhas ou manchas, nem arranhões na superfície ou bolhas internas. Evite materiais sintéticos, que arranham facilmente. Coloque a bola sobre um fundo preto. Um tecido de veludo preto é o ideal. Você pode cobrir uma mesa com ele ou as suas mãos, se quiser segurar o cristal. O fundo preto garante que você não veja nada ao redor da bola que possa distraí-lo, enquanto olha fixamente para ela. Inicialmente, convém que esteja sozinho, num cômodo silencioso e pouco iluminado. Seu Templo, com certeza, é o lugar ideal. Deixe apenas uma luzinha acesa, de preferência uma vela. E posicione a luz de forma que você não possa vê-la refletida diretamente no cristal. Queime um incenso aromático, pois isso também o ajudará a se concentrar. Trabalhe dentro de um Círculo consagrado, pelo menos no começo. Posteriormente, se quiser usar o cristal em algum outro lugar, simplesmente se imagine cercado por uma esfera de luz branca e protegido dentro dela. No entanto, mesmo nesse caso eu o aconselho a lançar o Círculo em torno de si mesmo com o seu athame. Comece fazendo uma oração de proteção (como o Salmo da Seax-Wica), em seguida peça ao Senhor e à Senhora para que lhe deem suas orientações e sua proteção.

Agora, sente-se e olhe fixamente para o cristal, tentando manter a mente em branco. Isso não é fácil e requer prática. Não fixe os olhos na bola sem piscar, isso causará fadiga nos olhos! Contemple a bola, piscando os olhos naturalmente quando necessário. Não tente imaginar nada na bola. Apenas procure manter a mente em branco. Depois de um tempo (algo em torno de dois a dez minutos), parecerá que a bola está se enchendo de uma névoa branca ou de fumaça. A névoa vai ficando cada vez mais densa, até a bola parecer tomada por ela. Depois, mais uma vez de forma gradual, a fumaça vai diminuir e desaparecer, deixando atrás de si uma imagem, quase como a tela de uma televisão portátil. Ela pode ser em preto e branco, mas é mais provável que seja colorida. Pode ser do passado, do presente ou do futuro. Também é muito provável que seja uma imagem simbólica, que requeira alguma interpretação – assim como um sonho.

Inicialmente, você não terá muito controle sobre o que está vendo. Apenas deve observar o que aparecer. À medida que adquire prática, no entanto, você pode meditar por alguns minutos para tentar contemplar o que deseja ver. Então, quando começar a fixar seu olhar na bola, limpe a mente e tente mantê-la em branco. Muitas pessoas são bem-sucedidas na prática da escriação. Se não conseguir nada na primeira tentativa, tente novamente no dia seguinte e no próximo também. Talvez você precise praticar uma semana ou mais antes de conseguir algum sucesso; mesmo assim, não desista. Só não tente mais do que dez a quinze minutos por dia.

Se não puder comprar um cristal, você pode usar uma lente de aumento comum. Se for polida e colocada sobre um tecido de veludo preto, funcionará quase tão bem quanto a bola. Seja o que for que escolha, a bola ou a lente, certifique-se de usá-la apenas para a escriação. Não deixe que nenhuma outra pessoa faça uso dela ou a manuseie. Guarde-a embrulhada num tecido (veludo ou seda preta) e não a deixe sob a luz do Sol. Existe o costume tradicional de se "carregar" o cristal, deixando-o sob a luz da Lua cheia uma vez por mês.

Para algumas pessoas, o espelho negro parece funcionar melhor do que a bola de cristal. Não é difícil fazer um. Você só precisará de um pedaço de vidro sem trincas ou imperfeições. Para deixá-lo opaco, limpe o vidro com aguarrás e cubra um dos lados com três camadas de betume, usando um pincel.

Um método muito mais fácil é simplesmente pintar o lado de trás do vidro com uma tinta spray preta (pode não parecer muito mágico, mas não se esqueça de que o espelho é só um ponto focal para ajudar na concentração. As "imagens" verdadeiras são projetadas pelos seus poderes; elas não vêm de dentro do espelho ou do cristal). Um vidro côncavo é o ideal. Algumas vezes é possível encontrar, numa loja de antiguidades, o vidro convexo da parte da frente de um relógio. Nesse caso, bastará virá-lo para que fique côncavo.

Espelho negro para escriação

Coloque o vidro numa moldura. O formato não é importante; pode ser redondo, oval, retangular ou quadrado. Entalhe ou pinte na moldura os nomes do Senhor e da Senhora, em escrita rúnica ou em algum outro alfabeto mágico (veja a Lição Doze). Enquanto faz isso (na verdade, durante toda a operação de confecção do espelho), concentre os seus pensamentos

Exemplos de espelhos negros

no *propósito* do espelho, ou seja, a projeção de cenas do passado, do presente e do futuro.

Consagre o espelho em seu Círculo, usando o ritual de consagração apresentado na Lição Cinco, mas substituindo a palavra "espelho" por "faca". Quando não estiver em uso, mantenha o espelho embrulhado no tecido preto.

Para facilitar, antes de investir numa bola de cristal ou confeccionar um espelho, experimente praticar a escriação com um copo de água. Para isso, basta pegar um copo comum e enchê-lo com água límpida. Olhe fixamente para ele, do modo como foi descrito acima. Esse método funciona tão bem quanto os outros.

Os Bastões Saxônicos

Os bastões saxônicos são muito bons para se obter uma resposta rápida a uma pergunta direta. De certa forma, eles são semelhantes ao *I Ching*, embora bem menos complicados.

São necessárias sete varetas (os bastões) de madeira. Três delas devem ter em torno de 20 cm de comprimento, e quatro, em torno de 30 cm. Uma das varetas maiores deve ser marcada ou decorada de algum modo, para ser a vareta *witan*, ou guia. Na verdade, você poderá decorar todas as outras varetas com runas e símbolos, se quiser, mas só certifique-se de que a vareta *witan* se destaque das demais.

De joelhos, coloque a vareta *witan* no chão, diante de você. Pegue as outras seis varetas e segure-as em pé, sobre a vareta *witan*. Feche os olhos e esfregue as varetas entre as duas mãos, para misturá-las, enquanto se concentra na pergunta. Mantendo os olhos fechados, segure todas as seis varetas com a mão direita (esquerda, se for canhoto) e puxe a ponta de uma vareta com os dedos da outra mão, ainda concentrado na sua pergunta, enquanto abre a mão direita. Todas as varetas cairão no chão, exceto aquela que você segurou com a mão direita. Abra os olhos.

1. Se houver mais varetas longas do que curtas no chão, então a resposta à sua pergunta será afirmativa.

2. Se houver mais varetas curtas do que longas no chão (excluindo-se a vareta *witan*), então a sua resposta será negativa.

3. Se nenhuma vareta tocar a vareta *witan*, isso significa que a resposta será exata, com fortes influências em curso.

4. Se nenhuma vareta estiver fora do chão (repousando sobre as outras), as circunstâncias são nebulosas (influências ainda em curso) e nenhuma resposta exata pode ainda ser dada (independentemente do item 1 e 2).

5. Se todas as varetas apontarem na direção da vareta *witan*, então você (ou a pessoa para quem estiver perguntando) terá um papel decisivo na decisão da pergunta.

6. Se *nenhuma* das varetas apontar na direção da vareta *witan*, então o assunto será resolvido sem a sua interferência (ou do consulente).

Assim como com a bola de cristal e as cartas de tarô, não deixe que ninguém mais utilize as suas varetas. Elas são seus instrumentos pessoais. Mantenha-as guardadas e embrulhadas em tecido preto.

A Quiromancia

A *quiromancia* (nome dado em homenagem a Leich de Hamong/Louis Hamon, um famoso quiromante do século XIX, que também era chamado de "Cheiro") é outro método popular e exato de adivinhação. Sabe-se que ele era comum na Idade Média e já existia na época em que Grécia e Roma estavam em seu apogeu. Com base nas informações dispersas que temos da Europa celta, há razões para se acreditar que, nessa região, existia uma crença de que a mão era um reflexo da pessoa. Assim como outros tipos de adivinhação, há um conjunto de significados fixos que é preciso aprender – neste caso, o mapa da mão e o significado das linhas. Há também a necessidade de se ouvir a intuição.

A mão não se mantém igual do começo ao fim da vida. As linhas que você vê em sua mão agora não são exatamente as mesmas que estavam lá um ano atrás e provavelmente são muito diferentes do que foram cinco anos atrás. Embora sua mão lhe dê um resumo do que é a sua vida, ela não determina o que acontecerá. Você mesmo dará a decisão final ao curso que a sua vida terá. Quer queira quer não, você é o comandante do navio.

A quiromancia, assim como um exame médico, é uma leitura estritamente *diagnóstica*. Ela pode indicar as forças que estão em ação dentro de você ou dentro de outra pessoa e pode apontar os resultados lógicos da ação dessas forças. Você pode aceitá-las como são ou começar a mudá-las. Assim como com o tarô, seja muito cuidadoso ao comunicar o que está vendo na palma da mão de uma pessoa. Algumas linhas podem mostrar uma área em particular na qual o seu consulente tem problemas muito sérios. Nesse caso seria melhor dizer: "Vejo uma área de possível fraqueza, portanto você deve ser cauteloso". Pode acontecer de você se deparar com uma combinação particular de linhas que indique uma morte prematura. Se for esse o caso, não deixe escapar nenhuma palavra a respeito do que vê. O melhor é enfatizar a necessidade de muita cautela no futuro para evitar doenças, acidentes, violência ou o que quer que as demais características da mão da pessoa possam sugerir como possíveis causas. Lembre-se, a quiromancia é só um diagnóstico; nunca é uma afirmação definitiva. Como quiromante, sua atitude é de grande importância. Nunca tente fazer adivinhações por conta própria, acrescentando observações e fatos já conhecidos, não mostrados na palma da mão. O ideal é que você não saiba nada da pessoa que estiver fazendo a leitura. As mãos dela e a sua intuição devem ser o suficiente.

Sempre que encontrar alguém pela primeira vez, você pode fazer uma tentativa e, quem sabe, obter uma primeira impressão muito útil da personalidade dessa pessoa, dando uma discreta olhadela nas linhas da mão dela.

As Primeiras Observações

Cada quiromante tem uma maneira de trabalhar, pois essa é uma arte muito individual. Alguns explicarão cada passo para o consulente, esclarecendo a razão de cada observação. Outros apenas vão relatar o que veem. As orientações a seguir se baseiam num antigo método, mas qualquer forma de leitura da mão provavelmente seguirá o mesmo padrão.

Convém observar o formato das mãos logo de início, mas só faça suas observações a respeito por último e no contexto da sua leitura. Geralmente uma pessoa com mãos e dedos longos e articulados tende a ser contemplativa e artística, enquanto alguém com mãos e dedos curtos e largos tenderá a fazer coisas e apreciar a vida sem se preocupar muito com seus significados mais profundos.

Para uma pessoa destra, a mão *esquerda* mostra as características com que ela nasceu e o curso que sua vida teria seguido se as coisas ficassem inalteradas desde que ela nasceu. A mão *direita* dessa pessoa mostra o que ela tem feito na vida até o momento da leitura. Alguém que sempre está tentando melhorar a própria sorte na vida e evita depender dos outros provavelmente apresenta uma grande diferença entre as duas mãos (se a pessoa é canhota, os papéis da mão esquerda e direita são invertidos). É melhor começar a leitura com a mão que mostra as características da pessoa quando nasceu e que ainda está na mente inconsciente dela.

Se as linhas da mão forem profundas e bem delineadas, isso indica que a pessoa vive e entende muito a alegria e a dor que a vida lhe reserva. Se, entretanto, as linhas da mão forem muito fracas e quase imperceptíveis, isso significa que a pessoa tende a ser superficial e desinteressante. Essa pessoa pode ganhar muito saindo por aí e aproveitando a vida.

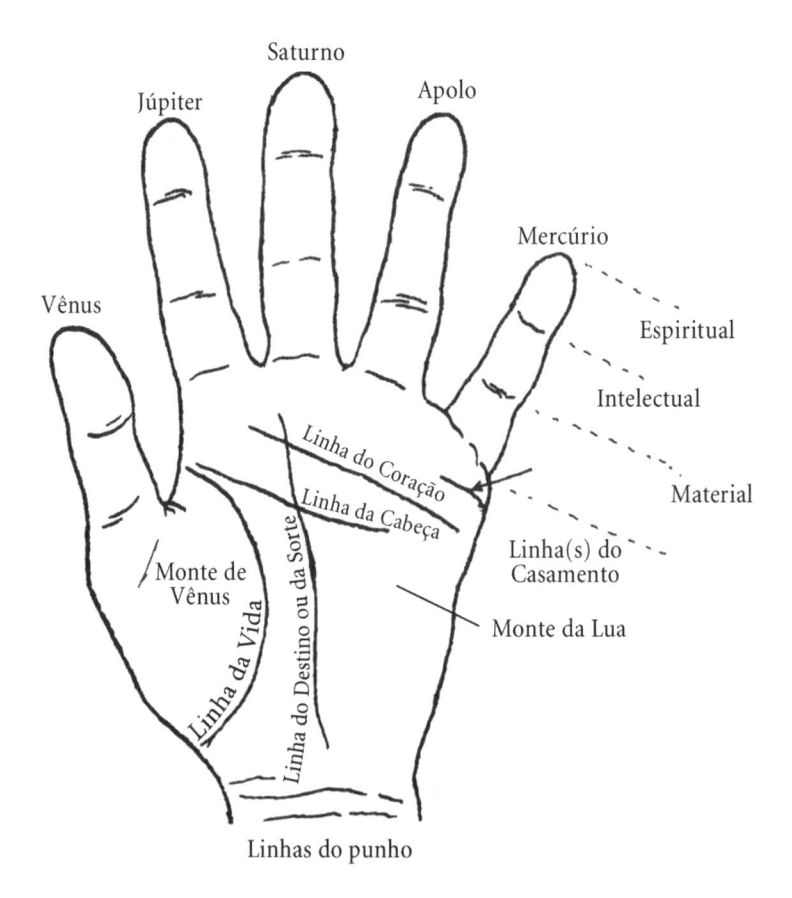

Leitura da palma da mão

A linha na forma de "corrente" indica uma fraqueza no aspecto que a linha simboliza. Muitas linhas indicam uma pessoa muito complexa.

A Linha da Vida

A linha da Vida é a maior linha da mão. Ela indica, em termos gerais, o curso que a sua vida seguirá. Como mostra a ilustração, a linha da Vida faz uma curva em volta do polegar. No seu início, ela geralmente está unida com a linha da Cabeça, e o ponto em que essas duas linhas se separam indica o período em que você se torna emocionalmente independente dos seus pais. Se as duas linhas nunca estiverem em contato, isso indica que você é uma pessoa muito independente.

A linha da Vida é a única linha da palma da mão que se pode dividir numa escala aproximada de anos e, por isso, ela pode ser usada para se prever grandes acontecimentos. Para isso, pegue um lápis de grafite macio e divida a linha da Vida em três partes iguais. A primeira parte (incluindo aquela que está ligada à linha da Cabeça) representa os primeiros 25 anos da sua vida e pode ser subdividida durante a leitura da palma da sua mão. A mesma coisa pode ser dita das duas outras partes, embora a terceira deva ser um pouco condensada.

Uma linha da Vida profunda e bem definida, que se prolonga por toda a extensão da palma, é sinal de uma vida plena e empolgante, com uma boa saúde do início ao fim. Uma linha em forma de corrente mostra provavelmente uma saúde debilitada. Se a linha tiver forma de corrente na parte final, deve-se tomar cuidado com uma saúde precária nos últimos anos da vida.

Uma linha paralela à linha da Vida, ao lado do Monte de Vênus, mostra sorte e vitalidade natural. Esse sempre é um bom sinal.

Na maioria das mãos, você perceberá que há um número de linhas minúsculas que vão da linha da Cabeça até a linha da Vida. Cada uma delas indica uma meta de algum tipo que será realizada. Se você traçar a escala do tempo cuidadosamente, vai conseguir prever, com uma margem de erro de dois anos, quando o maior acontecimento acontecerá. E qual será esse acontecimento? Isso, infelizmente, está fora do alcance da quiromancia!

Passados cerca de dois terços da linha da Vida, às vezes há um triângulo formado por duas linhas pequenas e curtas e uma parte da linha da Vida. Se esse triângulo (que pode ser de tamanhos variados) estiver presente, então a pessoa possui um talento de alguma espécie (algum tipo de arte, que lhe dará uma considerável satisfação pessoal). Se o talento não for evidente, deixe que a pessoa reflita um pouco e examine seus interesses. Ela descobrirá que talento é esse.

Um ângulo ou uma súbita mudança de direção na linha da Vida mostra que haverá uma mudança no curso da vida. Calcule e descubra a data aproximada. Convém ter cautela nesse período da vida, pois as coisas poderão mudar radicalmente. Do mesmo modo, uma ramificação na linha da Vida indica que a pessoa, num dado momento, terá de fazer uma grande escolha na vida. É um período para refletir e fazer planos.

Um rompimento na linha da Vida significa problemas e, se ele ocorrer em ambas as mãos, a menos que se tome muito cuidado, poderá indicar uma fatalidade. Se, entretanto, uma nova linha começa ao lado da que se rompeu, ou se há uma linha paralela à linha da Vida que continua sem se romper, ao longo do Monte de Vênus, o problema não será tão drástico.

A Linha da Cabeça e a Linha do Coração

Preste atenção ao comprimento das linhas da Cabeça e do Coração, pois isso indica se a pessoa se inclina mais para a intelectualidade ou para as emoções e a intuição. No caso de muitas pessoas, essas linhas têm quase a mesma extensão; em outros casos, existe uma pequena diferença. O quiromante é quem deve julgar se essa diferença tem alguma importância ou não.

A Linha da Cabeça

A linha da Cabeça mostra, pela sua extensão e profundidade, a capacidade intelectual da pessoa. Como já mencionei, as linhas da Cabeça e do Coração devem ser consideradas sempre em conjunto, pois as duas oferecem informações a respeito do importante relacionamento entre a mente e as emoções. Uma linha da Cabeça longa, profunda e bem definida mostra um intelecto forte e lúcido, do qual a pessoa muito se vale. Se a linha da Cabeça for muito longa, mas inclina-se para baixo, em vez de cruzar a mão, a pessoa tem uma inteligência aguçada, mas que tende a usá-la para atingir objetivos duvidosos... Ela pode estar "no caminho da mão esquerda" e pode se tornar bastante poderosa. Oriente-a para que siga um caminho melhor, se puder, mas não se interponha no caminho dela!

Em raras ocasiões, você encontrará alguém cujas linhas da Cabeça e do Coração se unem, formando uma única linha profunda, que atravessa a mão. Essa pessoa sempre é um interessante objeto de estudo, pois nesse caso a cabeça e o coração estão unidos e poucas barreiras podem se erguer diante daquele cujo intelecto e a intuição seguem na mesma direção. Essa pessoa é provavelmente um gênio, saiba ela disso ou não (provavelmente sabe!). Entretanto, ela deve sempre manter o controle da mente e ser disciplinada, pois há uma tênue divisão entre uma mente forte e controlada e o caos descontrolado do desequilíbrio mental. Essa pessoa é como um carro de corrida com um motor muito potente: ele pode ter um desempenho incrível, mas é preciso ter muita cautela para não perder o controle.

A Linha do Coração

A linha do Coração mostra, por meio da sua extensão e profundidade, o ímpeto emocional e intuitivo da pessoa. Assim como já mencionei, ela deve ser sempre considerada em conjunto com a linha da Cabeça, pois o relacionamento entre essas duas linhas é muito importante.

Alguém que tenha uma linha do Coração longa e profunda provavelmente sente em profundidade tanto o bem quanto o mal; tanto a alegria quanto a tristeza em sua vida. As emoções serão importantes para essa pessoa, e é provável que o julgamento e a intuição se contradigam.

É interessante notar que hoje em dia muitas pessoas têm uma linha do Coração mais forte na mão esquerda (a inconsciência) do que na direita (a consciência). Nesse caso, a linha da Cabeça será mais desenvolvida na mão direita. A razão é simples: a civilização moderna – para o bem ou para o mal – enfatiza o intelecto em detrimento do coração, mas, por essa mesma razão, você descobrirá, invariavelmente, que, depois de conhecer a Arte e se desenvolver mais, com base nos seus ensinamentos e filosofias, a linha do Coração da sua mão direita ficará mais parecida com a da mão esquerda.

A Linha do Destino

A linha do Destino (algumas vezes chamada de linha da Sorte) não está presente na mão de todas as pessoas. Sua extensão e sua profundidade mostrarão quanta sorte a pessoa poderá ter na vida. Em alguns, essa linha é forte e profunda desde o punho até o dedo médio. Para essas pessoas, a sorte parece estar sempre presente, e elas aparentemente não têm de fazer nenhum esforço para que isso aconteça. Para a grande maioria, no entanto, a linha do Destino é fraca ou não existe... Qualquer "sorte" que a pessoa tenha vem somente por meio do trabalho árduo.

A linha do Destino pode lhe dar algumas indicações muito valiosas sobre as falhas de personalidade que geralmente não são tão aparentes. Por exemplo, a linha pode ser profunda e ininterrupta até a linha do Coração, depois se interromper ou desaparecer completamente. Uma pessoa com esse tipo de linha deixará que as emoções bloqueiem muito as coisas boas que a vida lhe traria. Perceba ela ou não, a preocupação, o medo, o mau humor, e assim por diante, a restringem muito. Um breve conselho a esse respeito pode ser, de fato, bastante valioso.

De modo parecido, uma linha do Destino interrompida ou terminando na linha da Cabeça indica uma pessoa que acaba atrapalhando o fluxo dos acontecimentos em sua vida sendo muito cautelosa e refletindo demais sobre os acontecimentos. Quando ela finalmente toma uma decisão, a oportunidade já passou e ela perdeu a chance. Cada um desses problemas pode ser superado se ela observá-los e corrigi-los antes que causem dano.

Alguém cuja linha do Destino comece sobre o Monte da Lua provavelmente terá uma vida pacífica e agradável. Segundo uma antiga tradição, a pessoa será "feliz sem fazer nenhum esforço". Se a linha começar nos pulsos, a riqueza será herdada ou terá uma carreira gratificante. Se a linha do Destino se ramificar perto da base da mão, com uma ramificação seguindo na direção do Monte da Lua, a sorte virá na forma de um casamento ou outro tipo de ligação.

As Linhas do Casamento

As linhas do Casamento ficam acima do início da linha do Coração. A pessoa provavelmente terá mais de uma dessas linhas; talvez quatro ou cinco. As chamadas linhas do Casamento não indicam necessariamente o número de casamentos que a pessoa terá. Elas são, de modo mais preciso, as marcas dos amores que ficarão impressos no coração. Serão doces ou amargos episódios relembrados ao longo da vida. Cada uma dessas linhas mostrará, de acordo com a sua extensão e profundidade, quão profunda foi a marca que a outra pessoa deixou. Para obter uma escala bastante aproximada de tempo, basta notar se a Linha do Casamento em questão está perto da linha do Coração (indicando o início da vida) ou da articulação do dedo (mais próximo do final da vida).

As Linhas dos Punhos

As linhas dos punhos, na base da mão, podem ser uma indicação genérica do tempo de vida. Cada linha completa e bem formada representa vinte anos completos. Mas os Pulsos mudarão consideravelmente no decorrer da vida, e as escolhas e o meio de vida serão os fatores finais para determinar de maneira exata quanto tempo essa vida vai durar.

O Monte de Vênus

O polegar e a sua base estão sob a influência de Vênus. A base, ou Monte de Vênus, pode oferecer um interessante retrato do afeto, da bondade e da afeição que a pessoa demonstra com os outros. Se o Monte for quente, arredondado, cheio e firme, a pessoa está sob as influências de Vênus: é agradável com os amigos, encantadora no amor e uma pessoa cuja bondade sempre provoca uma resposta receptiva das outras.

Se, no entanto, o Monte de Vênus não tiver muita profundidade, for seco e rígido, isso indica que se trata de uma pessoa fria e superficial, com pouca tolerância e pouco afeto com relação aos demais, e por isso recebe pouco ou nada em troca. Mas não diga isso à pessoa que estiver fazendo a leitura! Diga que ela deveria se soltar mais e aprender a gostar dos outros.

Muitas vezes, várias linhas verticais e horizontais cruzam o Monte de Vênus. Nesse caso, trata-se de uma pessoa que, por tudo mais que a sua mão revelar, não é tão serena quanto parece. No fundo, ela sente emoções intensas que mantém longe dos olhos de todos.

O Monte da Lua

Desde os tempos antigos, a Lua é relacionada ao sobrenatural. Isto também ocorre na quiromancia. Um triângulo nesse monte indica um talento natural para o esoterismo. Quaisquer linhas que apareçam aqui terão, em si, um sinal de magia inconsciente e desta íntima relação: o amor entre o homem e a mulher.

Linhas que seguem na direção do Monte da Lua, partindo dos arredores do canto da mão, são uma previsão de viagens pelo mar ou pelo ar.

Por fim, a firmeza e o volume desse monte geralmente indicam até que ponto a pessoa consegue combinar praticidade e imaginação.

Os Dedos

Como é mostrado a seguir, cada dedo é associado a um planeta e um indicador dos bons e maus aspectos desses signos. Na base do dedo, está o monte associado ao planeta referente a ele (ex.: dedo indicador = Monte de Júpiter). O volume do monte mostra até que ponto esse planeta em particular afeta a pessoa.

Como será apresentado, cada dedo é, por sua vez, dividido em três partes, para mostrar o desenvolvimento intelectual, espiritual e material predominante em cada um dos planetas: Júpiter, Saturno, Apollo (Sol) e Mercúrio. Se, por exemplo, a parte menor do dedo mínimo (Mercúrio) for mais larga ou mais desenvolvida que as outras duas, então os pontos fortes serão principalmente os negócios e a habilidade para vendas. Pode-se descobrir, por meio do julgamento e da intuição, traços semelhantes às características relacionadas abaixo, para cada um dos outros dedos.

Dedo Indicador (Júpiter)

A imagem matriarca/patriarca; "o chefão"; comando; líder; poder executivo. Os principais traços desse planeta são o orgulho, a ambição e a confiança.

Dedo Médio (Saturno)

O ancião/a anciã sábio(a), muitas vezes uma personificação da idade avançada e do final da vida. Os principais traços desse planeta são a sabedoria, a solidão, a timidez, a melancolia e o desânimo.

Dedo Anular (Apolo)

O Sol; todas as coisas boas e radiantes. As artes; a medicina. O principal traço desse planeta é o amor pela beleza.

Dedo Mínimo (Mercúrio)

Agilidade e rapidez de raciocínio; inteligência; perspicácia. Os principais traços desse planeta são a alegria de viver, a amizade, o talento para o comércio e os negócios.

Examine as suas mãos e veja a que conclusões pode chegar. Lembre-se de que cada planeta terá seus traços positivos e negativos. Passe algum tempo lendo sobre os planetas descritos em livros de astrologia. No entanto, acima de tudo, leia as palmas das mãos das pessoas, usando seu conhecimento e sua intuição, pois essa é a melhor maneira de aprender.

A Leitura da Sorte pelas Folhas de Chá

A leitura das folhas de chá, ou teimancia, é a favorita das artes divinatórias. Pode ser aprendida com facilidade. Para obter melhores resultados, use chá de ervas, fervido numa panela sem peneira. O chá é colocado numa xícara, que deve ser mais larga na parte de cima e estreitada na base. Não use uma xícara com nenhum tipo de desenho do lado de dentro – pode ficar muito confuso!

Interpretação da Leitura pelas Folhas de Chá

Âncora: fim de uma jornada. Desembarque seguro. Final bem-sucedido de um negócio ou caso amoroso. Problema inesperadamente resolvido.

Arma: problema. Briga. Adultério.

Árvore: meta realizada. Conforto. Descanso.

Bandeira: defesa necessária. Advertência.

Barco: viagem. Fim de uma amizade.

Borboleta: falta de sinceridade.

Cachimbo: pensamento e concentração antecipados. Investigue todas as possibilidades.

Cachorro: amizade. Companhia.

Cadeira: entretenimento. Relaxamento.

Camelo: viagem longa. Transferência temporária.

Carro: viagem breve. Apresentação de um novo sócio nos negócios.

Casa: segurança. Autoridade.

Castelo: herança. Inesperada sorte financeira. Vida boa.

Cavalo: trabalho.

Chave: oportunidade.

Cobra: um inimigo. Uma mágoa pessoal ou um caso de amor.

Cogumelo: confusão. Complicações nos negócios.

Coração: amor ou amante. Amigo íntimo.

Coroa: honras. Crédito. Promoção.

Cruz: miséria. Desconforto. Infortúnio.

Elefante: conselho necessário, preferivelmente de um velho amigo.

Escada de mão: avanços. Oportunidades aproveitadas.

Faca: duplicidade. Mal-entendido. Traição.

Ferradura: sorte. Começo de um empreendimento bem-sucedido.

Flecha: desacordo. Antagonismo. Instruções para uma viagem. Uma carta.

Flor: caso amoroso infeliz.

Garrafa: celebração. Sucesso.

Gato: uma amiga. Problemas domésticos.

Guarda-chuva: abrigo temporário.

Harpa: satisfação. Bem-estar físico ou espiritual.

Homem: visitante. Ajuda de uma fonte inesperada.

Igreja: casamento. Doença séria (sem morte).

Mão: amizade. Ajuda quando for necessária. Conselho.

Martelo: trabalho árduo que será recompensado.

Moinho de vento: grandes transações comerciais.

Palmeira: pausa para tomar fôlego. Um período de descanso. Alívio temporário.

Papagaio (pipa): necessidade de cautela. Pensar antes de agir.

Pássaro: notícias, que podem ser boas ou más. Possível viagem. Companhia.

Ponte: viagem para o estrangeiro. Sociedade. Novos amigos ou negócios.

Portão: oportunidade. Possibilidade de avanço.

Punhal: perigo; tragédia; complicações nos negócios.

Roda: avanço por meio do esforço. Dinheiro.

Sino: boas notícias. Um casamento.

Tesoura: brigas, geralmente domésticas. Desonestidade.

Trevo: sorte. Sucesso inesperado.

Vassoura: fim de um problema. Mudança de emprego. Vida familiar tranquila.

Vela: inovação. Ideia repentina.

Ventilador: indiscrição. Deslealdade. Infidelidade.

Xícara: Amor. Amizade íntima. Harmonia.

O consulente deve tomar o chá, mas deixando um pouco para que as ervas se movimentem no fundo quando a xícara for girada. Peça a ele para pegar a xícara pela alça e virá-la lentamente por três vezes, deosil, de modo que o restante do chá venha até a borda e se distribua por ela. Em seguida, vire a xícara em cima do pires, com a boca para baixo, para que o líquido escorra por completo.

Ao tirar a xícara do pires, você poderá começar a adivinhação, interpretando as várias formas e figuras formadas pelas ervas nos lados e no fundo da xícara. Para fazer isso com um pouco de exatidão, baseie-se na seguinte escala temporal. A borda da xícara e a área próxima a ela representam o presente e as duas ou três semanas seguintes. Quanto mais perto do fundo da xícara, mais distante o acontecimento está no futuro. Seu ponto de partida é a alça da xícara. Ela representa a pessoa; portanto, os símbolos próximos da alça afetam diretamente a pessoa, enquanto os símbolos do lado oposto podem ter apenas um efeito passageiro.

Leitura pelas folhas de chá

Se os símbolos que você estiver vendo forem particularmente bem definidos, isso é sinal de que a pessoa tem muita sorte. Símbolos menos perfeitos serão menos decisivos e mais sujeitos a ter obstáculos. Estrelas denotam sucesso; triângulos indicam sorte; quadrados significam proteção; círculos indicam frustração. Linhas retas mostram planos definidos; linhas onduladas indicam incertezas; linhas ponteadas significam uma viagem. Quaisquer números que você veja podem ser indicadores de anos, meses, semanas, dias ou horas. Geralmente, se os vir na metade superior da xícara, poderá pensar em termos de horas ou dias; na parte inferior, semanas, meses ou anos. As letras são iniciais de pessoas de importância para o consulente, sejam elas amigas, parentes ou sócios nos negócios.

Assim como na maioria das formas de adivinhação, você deve interpretar o que *sente* sobre o que está vendo, em vez de apelar para significados "rápidos". No início, entretanto, oriente-se pelas interpretações tradicionais de alguns símbolos mais comuns. Você poderá achar interessante compará-las com a simbologia utilizada na interpretação dos sonhos (Lição Sete).

Numa outra forma de adivinhação, conhecida como *geomancia*, você pode usar barro ou areia. Faça um círculo no solo de aproximadamente um metro de diâmetro e peça para que o consulente jogue um punhado de areia nele. Em seguida, interprete os símbolos formados na areia da mesma forma que faria com as folhas de chá. Para fazer uma pequena escala temporal, desenhe um círculo numa folha de papel. Coloque uma venda nos olhos da pessoa e peça a ela para preencher o círculo com pontos ao acaso, com uma caneta hidrográfica ou algo parecido. Esses pontos podem ser interpretados da mesma maneira. Para ambos, você precisa fazer uma marca onde a pessoa está sentada ou de pé, para indicar o equivalente à alça da xícara.

Numerologia

Já apresentei uma breve introdução à numerologia na Lição Três. Segundo Pitágoras, "O mundo é construído sobre o poder dos números". Foi ele quem reduziu os números universais aos nove números primários. Qualquer número, não importa quão alto seja, pode ser reduzido. Por exemplo: o número 7.548.327 é 7 + 5 + 4 + 8 + 3 + 2 + 7 = 36 e, mais uma vez reduzido: 3 + 6 = 9. Dessa maneira, todos os números podem ser reduzidos a um único. E, como foi visto na Lição Três, as letras e as palavras também podem ser reduzidas.

Os números, portanto, têm um certo valor oculto que lhes é atribuído, e cada um deles é associado a um dos nove planetas. Por exemplo, o número 1 – associado às letras A, J e S (veja a Lição Três) – é associado ao Sol, ou seja, à liderança, à criatividade e à positividade. Esses valores e associações serão tratados de forma mais completa a seguir.

Graças à numerologia, muitas coisas podem ser descobertas. Por exemplo: o tipo de emprego no qual você se encaixa melhor; o local geográfico mais harmonioso no seu caso; o tipo de parceiro romântico que lhe é mais adequado.

Na Lição Três, você aprendeu a calcular o seu *número do nascimento*. Você sempre deve levar esse número em consideração quando tomar decisões sobre datas de eventos importantes. Ele representa as influências na época do seu nascimento e, de muitas maneiras, vai corresponder à sua mão esquerda (veja a seção sobre quiromancia). Também estará relacionado, de muitas formas, com o seu mapa astrológico.

Supondo que o seu número de nascimento seja o 1, a assinatura de contratos deve ser realizada em datas que também possam ser reduzidas a 1. Seu signo planetário é o Sol, um signo de Fogo. Você terá, por essa razão, um relacionamento amoroso melhor com alguém cujo signo seja compatível com o seu, isto é, outro signo de Fogo ou um signo de Ar, regido pelos planetas Sol, Júpiter, Marte, Urano ou Mercúrio – números 1, 3, 9, 4, 5. Os números, seus planetas e signos são os seguintes:

1 – Sol – Fogo
2 – Lua – Água
3 – Júpiter – Fogo
4 – Urano – Ar
5 – Mercúrio – Ar
6 – Vênus – Terra
7 – Netuno – Água
8 – Saturno – Terra
9 – Marte – Fogo

O Número do Nome

O número unitário obtido a partir da soma dos valores numéricos das letras do seu nome pode ou não estar em equilíbrio com o seu número de nascimento. É por isso que assumimos um novo nome quando passamos a praticar a Arte, de maneira que o número do nosso nome fique em perfeita harmonia com o número do nosso nascimento. Veja, a seguir, o valor atribuído aos números básicos.

1. Sol – Letras A, J, S

A força vital que impulsiona. Um líder. Ambição. Tendência a ser impaciente. O explorador. O extrovertido. Assume o comando naturalmente. Muitas vezes é um "grande irmão" ou uma "grande irmã". Sentimentos muito fortes a favor ou contra. Não magoaria ninguém intencionalmente, no entanto pode não perceber a própria força. Pode ser elogiado e sente que tem méritos para isso. Os elogios podem estimular a pessoa a fazer grandes coisas.

2. Lua – Letras B, K, T

Sensível, caseiro. Tende a ser emotivo e facilmente levado às lágrimas. Tem uma imaginação fértil. Bastante apegado ao lar. Patriótico. Aceita mudanças ao seu redor. Prefere morar perto da água. Com frequência possui talentos musicais e seria um ótimo médium.

3. Júpiter – Letras C, L, U

O investigador; o cientista; o buscador. Interesse pela matéria, em vez de pelo espírito. As opiniões sobre religião mudam com frequência. Tem um grande senso de humor. Não é muito interessado em dinheiro. Muito confiante, contudo gosta de saber "por que" e "como".

4. Urano – Letras D, M, V

Tende a parecer estranho ou excêntrico porque está sempre à frente do seu tempo. Interessado no oculto, em pesquisa parapsíquica, em tudo que seja extraordinário. Fortes tendências intuitivas. Pode ser bastante sarcástico, se for contrariado. Acredita na liberdade e na igualdade. Costuma prever os resultados das ações e dos negócios.

5. Mercúrio – Letras E, N, W

Ativo, tanto mental quanto fisicamente. Curioso, explorador. Dado à leitura e à pesquisa. Facilidade para aprender idiomas. Pode ser um bom professor, escritor, secretário. Faz amigos com facilidade. Geralmente é metódico e disciplinado; perito em simplificar sistemas.

6. Vênus – Letras F, O, X

Gentil e refinado; agradável e sociável. Geralmente tem boa aparência. Pacifista nato, capaz de acalmar sentimentos tumultuados. Pode ter experiências difíceis no campo financeiro. Excelente anfitrião. Amigável e encantador.

7. Netuno – Letras G, P, Y

Costuma ter percepção extrassensorial. Extremamente "sensitivo". Introvertido. Embora não fale muito, geralmente tem grande conhecimento. Misterioso. Interessado em psicologia, psiquiatria, química e botânica. Interessado em astrologia e em todos os campos do ocultismo. Apreciador da pesca. Tende a tirar dos "ricos" para dar aos "pobres".

8. Saturno – Letras H, Q, Z

Tende a ser frio e pessimista. Sem muito senso de humor. Geralmente demora a fazer pontos no jogo, mas costuma terminar à frente. Bem-sucedido principalmente quando se trata de dinheiro. Muitas vezes ligado a mineração, bens imóveis e leis; também com cemitérios e casas de penhores. Acredita que o trabalho árduo não mata ninguém. Muitas vezes tem predisposição para reminiscências.

9. Marte – Letras I, R

Muito emotivo. Pode ser extremamente ciumento. Ativo, embora regido pelas emoções. Muito preso ao convívio familiar. Leal. Tende a ser desconfiado com estranhos. Impulsivo. Propenso a ter medo do desconhecido. Muitas vezes associado a cirurgias e a doenças físicas e mentais.

Agora, você já está devidamente preparado para investigar os dados numerológicos de um amigo. Suponhamos que tenha uma amiga chamada Jane Doe, que nasceu em 23 de junho de 1947. Ela está planejando se mudar para um novo apartamento em Trenton, New Jersey (EUA), em algum dia de fevereiro de 1986. O que você pode lhe dizer ou aconselhar? Avance passo a passo: primeiro, calcule o número do nascimento dela:

23 de junho de 1947 = 2 + 3 + 6 (junho) + 1 + 9 + 4 + 7 = 32 = 5
Em seguida, calcule o número do nome dela:

Jane Doe = 1 + 1 + 5 + 5 + 4 + 6 + 5 = 27 = 9

Munido desses dois números importantes, o que você pode dizer a ela? Antes de mais nada, olhe a mulher em si – o número 9. Ela pode ser bastante emotiva e muito ciumenta. Tende a ser impulsiva; aprecia muito o convívio familiar; é desconfiada com estranhos e tem medo do desconhecido. Com base nesses dois últimos fatos, você pode concluir que ela refletiu muito para decidir se mudar para um novo apartamento. Ao mesmo tempo, sendo impulsiva, ela sente que, tomada a decisão, quanto mais cedo se mudar, melhor. Seu novo apartamento de alguma forma refletirá sua herança familiar. Talvez no modo como seja decorado, talvez no tipo de construção. Ela pode decidir morar com outra amiga, e você pode sugerir alguém cujo número do nome seja compatível com o signo de Fogo dela, isto é, alguém com o número do nome 1, 3, 4, 5 ou 9.

Agora examine o lugar para onde ela está se mudando e a data programada.

$$\text{Trenton, New Jersey}$$
$$2 + 9 + 5 + 5 + 2 + 6 + 5 + 5 + 5 + 5 +$$
$$1 + 5 + 9 + 1 + 5 + 7 = 77 = 14 = 5$$

O número do local geográfico é o mesmo do número do nascimento. Esse deve ser o lugar ideal para ela. Aquele que verdadeiramente lhe dará a sensação de "lar".

Ela pretende se mudar em fevereiro de 1986. Fevereiro é o segundo mês do ano:

$$2 + 1 + 9 + 8 + 6 = 8$$

Você precisa, então, adicionar um dia para que o total da conta seja 5; assim esse número estará de acordo com o número de nascimento. Os dias 6, 15 ou 24 de fevereiro são, portanto, os mais propícios:

2.6.1986 = 32 = 5
2.15.1986 = 32 = 5
2.24.1986 = 32 = 5

Você pode até mesmo sugerir a maneira como ela pode decorar o apartamento, no que diz respeito às cores, pois, como você pode ver a seguir, elas também são associadas a números.

Cores Primárias

1 – Vermelho
2 – Laranja
3 – Amarelo
4 – Verde

5 – Azul
6 – Índigo
7 – Violeta
8 – Rosa
9 – Dourado

Cores Secundárias

1 – Marrom, amarelo, dourado
2 – Verde, creme, branco
3 – Lilás, violeta, cor de malva
4 – Azul, cinza
5 – Nuances de qualquer cor clara
6 – Todas as nuances claras do azul
7 – Nuances do verde e do amarelo
8 – Cinza-escuro, azul-marinho, púrpura, preto
9 – Vermelho, rosa, vinho

Você gostaria de dar a ela um CD ou disco de vinil como presente pela mudança para a nova casa? Seu gosto por música também pode ser verificado pela numerologia. De acordo com Cheiro, um dos maiores numerólogos e quiromantes que o mundo já viu, o número 1 indica pessoas que gostam de músicas inspiradoras, marciais, assim como as pessoas de número 3 e número 9. O número 2 e o número 7 indicam pessoas que preferem instrumentos de corda e sopro: violino, violoncelo, harpa e violão; clarinete e flauta. As pessoas de número 4, assim como as de número 8, entusiasmam-se com arranjos de corais, órgãos e música religiosa em geral. As pessoas de número 5 gostam de algo um pouco diferente, que seja "psicodélica"; rock pesado ou jazz. As pessoas de número 6 são românticas, por isso preferem música suave, com uma cadência animada.

Se for possível continue a sua análise numerológica. Você também pode verificar a sua saúde pela numerologia. Pode selecionar as ervas de cura mais eficazes, o possível vencedor de uma corrida de cavalos, e assim por diante. A numerologia é uma ciência fascinante e que pode lhe oferecer infindável entretenimento.

Astrologia

A astrologia é talvez umas das mais populares ciências ocultas. Aquela que é mais usada pelas pessoas "comuns". Embora neguem qualquer crença em tais assuntos, nove entre dez pessoas são incapazes de ler um jornal diário ou uma revista mensal sem consultar avidamente a seção do horóscopo, para ver o que o dia, a semana ou o mês lhes reserva. É inútil lembrar a essas pessoas que a maioria dos horóscopos são, devido à generalização, completamente sem valor. Serão apresentados a seguir os elementos que fazem de um verdadeiro horóscopo algo muito pessoal, que só diz respeito à pessoa para quem a previsão foi feita.

A Astrologia se desenvolveu originalmente na Mesopotâmia e estava mais relacionada a reis e ao povo em geral do que ao destino das pessoas.

À esquerda: uma tabuleta com as previsões astrológicas em escrita cuneiforme, derivadas de observações da Lua.

Man, Myth & Magic
Richard Cavendish, org.
Marshall Cavendish,
Nova York, 1970

O horóscopo individual, ou *mapa astral* – aquele que interpreta os movimentos dos corpos celestes no modo de vida das pessoas –, pertence ao ramo da astrologia com o título assustador de "genetliologia". O mapa natal, na verdade, mostra a posição em que os planetas, o Sol e a Lua estavam no momento do nascimento.

Cada planeta tem uma determinada influência sobre o nascimento da pessoa e uma determinada influência sobre os outros planetas, dependendo da proximidade entre eles. Para elaborar o mapa natal de alguém, certos dados são necessários. Primeiramente, a *data* do nascimento – dia, mês e ano. Em seguida, o *lugar* do nascimento – a localização geográfica. E, por último, a *hora* do nascimento – a hora real, de preferência exata.

Por que tudo isso é necessário?

Visto da Terra, o Sol parece descrever um grande círculo em seu trajeto. Esse percurso aparente do Sol é chamado de *eclíptico,* e o ângulo que ele faz quando se levanta no horizonte, ao Leste, é chamado de *Ascendente.* Esse nome, *Ascendente,* é atribuído ao signo do zodíaco que está ascendendo no horizonte da Terra no momento do nascimento da pessoa. A *cada quatro minutos,* o signo ascendente está num ângulo diferente do horizonte. É por isso que, para se obter o signo e a elíptica correta do momento do nascimento, é preciso ter a hora e o lugar precisos do nascimento.

À medida que o Sol se move (na verdade, quem se move é a Terra) no decorrer do ano, ele passa por doze diferentes áreas do céu e das constelações. O Sol leva aproximadamente um mês para passar por cada uma das casas, de acordo com o que segue:

Áries – De 21 de março a 20 de abril

Touro – De 21 de abril a 20 de maio

Gêmeos – De 21 de maio a 20 de junho

Câncer – De 21 de junho a 21 de julho

Leão – De 22 de julho a 22 de agosto

Virgem – De 23 de agosto a 22 de setembro

Libra – De 23 de setembro a 22 de outubro

Escorpião – De 23 de outubro a 21 de novembro

Sagitário – De 22 de novembro a 21 de dezembro

Capricórnio – De 22 de dezembro a 20 de janeiro

Aquário – De 21 de janeiro a 19 de fevereiro

Peixes – De 20 de fevereiro a 20 de março

Para traçar esse mapa do céu, é preciso saber a posição em que os planetas estavam no dia do nascimento. Para isso os astrólogos contam

Acima: um antigo mapa do céu egípcio, o "Zodíaco de Denderah"

O Zodíaco que nós conhecemos é uma combinação do zodíaco dos egípcios e dos babilônios.

com as *efemérides* e a *Tábua das Casas*. As efemérides mostram a posição dos planetas a cada hora do dia e da noite, ao passo que a Tábua das Casas mostra as correções com relação ao lugar de nascimento, a localização geográfica. A medida do tempo é dada pelo que é conhecido como *hora sideral*, calculada pelas estrelas, não pelo Sol. As estrelas parecem se mover ao redor do céu numa velocidade maior do que a do Sol, e isso deve ser levado em conta na hora de se calcular a hora sideral.

Ao trabalhar, dessa maneira, com as efemérides, você deve primeiro calcular a hora sideral (HS) no momento do nascimento. Se a pessoa nasceu antes do meio-dia, as horas e os minutos necessários são subtraídos da HS mostrada pelas efemérides, pois elas só mostram a hora sideral do meio-dia. Se a pessoa nasceu após o meio-dia, as horas e os minutos necessários serão adicionados à HS apresentada pelas efemérides. Além disso, será preciso acrescentar ou subtrair dez segundos por hora (conhecidos como *aceleração no intervalo*). Em seguida, deve-se fazer ajustes de acordo com o local de nascimento, uma vez que as efemérides usam como padrão o horário GMT (horário de Greenwich). Uma pessoa nascida, por exemplo, em Nova York teria que fazer um ajuste de cinco horas, devido à diferença entre o fuso horário de Londres (Greenwich) e o de Nova York (14h45 em Nova York seriam 19h45 no GMT).

Vamos usar como exemplo uma pessoa nascida em Nova York às 11h45, no dia 31 de agosto de 1934. Se acrescentarmos cinco horas ao horário do nascimento dela, teremos o horário de Greenwich, 16h45. Mas, para descobrir a hora sideral exata em Greenwich, é preciso consultar a data de nascimento nas efemérides. Ali diz que seriam 10 horas, 35 minutos e 54 segundos. Lembre-se, no entanto, que a hora sideral é calculada para o meio-dia. Para encontrar a hora sideral do horário exato do nascimento, é preciso fazer uma soma:

```
    10h   35min   54s
+    4h   45min    0s
    ─────────────────
    15h   20min   54s
```

Agora, é preciso levar em consideração a aceleração no intervalo, que é 10 vezes 4,75 = 47,5 segundos. Acrescente isso ao horário anterior, arredondando os segundos:

```
    15h   20min   54s
+                 48s
    ─────────────────
    15h   21min   42s
```

Essa é, portanto, a hora sideral, em Greenwich, do horário de nascimento. Agora basta convertê-la para o horário sideral de Nova York.

Nova York está a 74º Oeste (W) de Greenwich. Para converter esses graus em minutos e segundos, você precisa multiplicá-los por quatro: 74 x 4 = 296; 296 dividido por 60 = 4h56min. Como Nova York fica a oeste de Greenwich, você precisa subtrair esse número do total calculado anteriormente (se o local ficar a leste de Greenwich, então é preciso adicionar em vez de subtrair):

```
    15h   21min   42s
−    4h   56min    0s
    ─────────────────
    10h   25min   42s
```

Essa é a hora sideral local de Nova York no horário do nascimento dessa pessoa.

Depois da longitude, é natural que se examine a latitude. Na Tábua das Casas, você encontra o Ascendente para a HS local calculada. A latitude de Nova York é 40º43' N (Norte do Equador). Consultando a Tábua das Casas para Nova York, encontramos: HS 10h25min42s = Ascendente (ASC) 22º35' Escorpião.

Por fim, você pode começar a preencher um daqueles fascinantes desenhos de mapa natal em branco. Desenhe uma linha no centro,

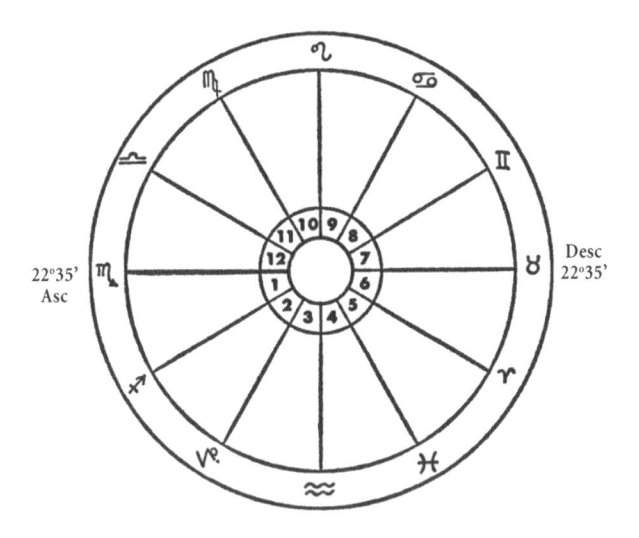

Figura 9.1

ligando o grau do Ascendente, de um lado do mapa, com o lado oposto, que é chamado de *Descendente*. Na Tábua das Casas, você encontrará também o *medium coeli* (Meio do Céu ou MC), o ponto oposto ao *imum coeli* (Fundo do Céu ou FC), que são os pontos a meio-caminho, e em ângulo reto, entre o Ascendente e o Descendente. Essas linhas/esses pontos também são marcadas(os) no mapa, que já está, a essa altura, dividido em quatro quadrantes.

A próxima etapa é fazer a divisão do mapa em casas. O Ascendente é o início da primeira casa e, a partir daí, se fará a divisão das doze casas (veja a Figura 9.1).

As posições do Sol, da Lua e dos planetas são determinadas da seguinte maneira: nas efemérides, encontre a posição, ao meio-dia do dia do nascimento, de Saturno, Netuno, Júpiter, Urano e Plutão, os planetas mais lentos. Você pode transferir para o mapa essas posições sem fazer nenhum cálculo, identificando-as como aparecem no mapa e nas tábuas, ou seja, por meio de seus símbolos. Os símbolos tradicionais são:

Sol ☉
Lua ☽
Mercúrio ☿
Vênus ♀
Marte ♂
Júpiter ♃

Saturno ♄
Urano ♅
Netuno ♆
Plutão ♇
Terra +

Os signos do Zodíaco são mostrados assim:

Áries ♈	Libra ♎
Touro ♉	Escorpião ♏
Gêmeos ♊	Sagitário ♐
Câncer ♋	Capricórnio ♑
Leão ♌	Aquário ♒
Virgem ♍	Peixes ♓

Quanto aos planetas mais rápidos, você precisará fazer algumas somas ou subtrações para calcular o movimento de cada planeta entre o meio-dia e o horário do nascimento. Caso a pessoa tenha nascido depois do meio-dia, consulte o movimento do planeta ao meio-dia. Nas tábuas logarítmicas das efemérides, encontre o movimento e adicione a ele o intervalo depois do meio-dia (se o nascimento ocorreu às 18h30, o intervalo será de 6 horas e meia). Depois volte a converter o total em graus. Você agora tem a diferença na posição do planeta ao meio-dia no dia do nascimento, e pode adicionar esse dado à posição ao meio-dia que as efemérides mostram. Se o nascimento ocorreu antes do meio-dia, você terá de consultar o movimento do planeta ao meio-dia do dia anterior e proceder como explicado. Se o planeta em questão tiver a marca "R" na Tábua (que significa "retrógrado"), então subtraia da posição ao meio-dia o movimento no intervalo. Aviso: ao calcular a posição dos planetas, não se esqueça de converter a HS de Greenwich para a HS local. (Veja um mapa com a posição dos planetas na Figura 9.2.)

Antes de tentar interpretar um mapa natal, você precisa saber a influência que as diversas posições dos planetas exercem entre si: seus *aspectos*. Dois planetas distanciados por 180° estão em *oposição*. Tradicionalmente, esse é um aspecto ruim. Dois planetas a aproximadamente 10° de distância um do outro estão em *conjunção*, o que pode ser algo bom ou ruim, dependendo dos planetas envolvidos. Planetas separados por 90° estão em *quadratura*, outro aspecto ruim. E, se estiverem separados por 60°, estarão em *sextil*, um aspecto positivo. Por fim, tratando-se dos aspectos maiores, os planetas separados por 120° formam um aspecto extremamente positivo, o *trígono*. Nessas posições, existe, é

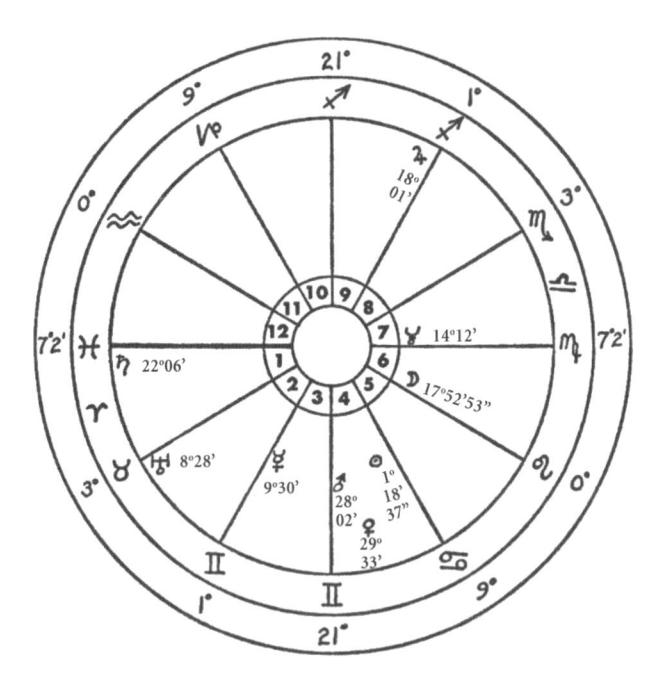

Figura 9.2

claro, uma certa margem de tolerância, chamadas *orbe*, geralmente na ordem de 10° a 12°, para conjunções ou oposições, e aproximadamente 7° para os sextis.*

A Interpretação

Como em qualquer forma de adivinhação, a interpretação de um horóscopo é a parte mais difícil. Ela começa com a análise dos vários aspectos que aparecem no mapa: a posição do Sol, da Lua e do Ascendente, os aspectos entre os planetas, as posições acima e abaixo do horizonte, a relação dos planetas nas casas e com os signos do zodíaco que estão na cúspide dessas casas. Todos esses aspectos devem ser estudados e explicados. Eis alguns exemplos do que você pode encontrar: "Marte em quadratura com Saturno; Júpiter e o Sol em oposição; ou Júpiter em sextil

---

* Nos dias de hoje, é desnecessário um grande domínio nesses cálculos, pois existem programas e sites na internet que fornecem os resultados instantaneamente, mas o entendimento do processo e da lógica envolvida pode evitar algumas confusões. (N.E.)

com Mercúrio". Marte em quadratura com Saturno indicaria uma certa insensibilidade devido à falta de compaixão e à impulsividade de Marte, em conjunto com a reclusão e a introversão de Saturno. Júpiter e o Sol em oposição poderiam significar que a pessoa é um tanto focada em si mesma e dada a extravagâncias, devido à impetuosidade e à determinação do Sol em combinação com a expansiva opulência de Júpiter. Júpiter em sextil com Mercúrio seria um aspecto positivo, que mostra determinação e conhecimento com discernimento.

Os próprios signos têm certas qualidades relacionadas aos elementos, que são Ar, Água, Fogo ou Terra. Por tradição, Gêmeos, Aquário e Libra são signos de Ar. Câncer, Escorpião e Peixes são signos de Água. Áries, Leão e Sagitário são signos de Fogo. E Touro, Virgem e Capricórnio são signos de Terra. Os signos de Ar são supostamente intelectuais, esclarecidos e articulados. Os signos de Água são emotivos. Os signos de Fogo são zelosos e fervorosos. Os signos de Terra são cautelosos, obstinados e práticos. Mais detalhadamente, os signos – mais uma vez, segundo a tradição, como em toda interpretação astrológica – são associados a determinados atributos. Por exemplo, Áries é muito mais um líder ou um pioneiro. Há uma certa porção de impaciência nesse signo devido à ambição. Touro é o trabalhador esforçado – tem grande força e orgulha-se disso, além de ser perseverante. Gêmeos é adaptável; conhece um pouco sobre todos os assuntos, tem dom para idiomas, diplomacia e tato, mas é um tanto superficial. Câncer é extremamente sensível, segue tradições e é muito ligado ao lar. Leão é extrovertido, cheio de autoconfiança e tem personalidade, assim como é dramático e tem uma imensa capacidade de amar.

Virgem é crítico, meticuloso e conservador, porém sempre charmoso e popular. Esse signo é o melhor dos planejadores e organizadores; é intelectual e extremamente analítico. Libra tem intuição e perspicácia; é amante da paz e tem um grande senso de justiça. Escorpião tem tenacidade, determinação e grande autocontrole. Às vezes, parece entrar em contradição consigo mesmo, e é ciumento e exigente. Sagitário não conhece o medo. Amável, podendo ser gentil, também é direto e sincero. Capricórnio é ambicioso e muito materialista, tem medo da imperfeição e da pobreza. Também ou é depressivo ou inacreditavelmente feliz. Aquário é um planejador, sempre olhando para a frente. Honesto e gentil, no entanto uma pessoa difícil de entender. Independente ao extremo, tem um bom senso de julgamento. Peixes é sensível, nobre, amável e gentil, porém pode ser vago e otimista demais. O pisciano é um excelente diplomata.

Os Planetas

Saturno é um princípio astrológico que representa a inibição, a perseverança, a cautela; pessoas sob sua influência são muitas vezes taciturnas e reservadas. Saturno está associado às leis, à mineração, à editoração, à odontologia, à construção e aos bens imóveis, aos livros de segunda mão, à agricultura e à morte. As pessoas sob a influência de Urano são irritáveis e esquisitas, um pouco impetuosas demais, e têm tendência a ser sarcásticas. Têm afinidade com a natureza e com a tecnologia. Podem atuar como eletricistas, inventores e astrólogos. Apreciam muito o oculto. Pessoas com influência de Netuno são inclinadas ao misticismo e à individualidade. Têm conhecimento, mas não dizem muita coisa. Podem ter caráter duvidoso e ser capazes de atitudes muito violentas. Às vezes são vagas; outras vezes, confusas. Associadas a restaurantes, bares, casas de prostituição, narcóticos, navegação, o oceano, enfermagem e publicidade. Pessoas com influência de Plutão são líderes, querem as coisas do seu próprio jeito e desaprovam as leis. Esse planeta é associado a passatempos, esportes, à vida ao ar livre. Júpiter é o planeta da harmonia, da educação, da lei, da moralidade e da religião, da fé e do bom humor. Conhecimento, a capacidade de ser autodidata, o aprendizado por meio da leitura, esses são todos atributos de Júpiter. Pessoas ricas contam com esse planeta; banqueiros, juízes e eclesiásticos.

O Sol representa a vitalidade. Pessoas com influência solar têm determinação, porém são muito benevolentes e têm um grande coração, sendo capazes de cultivar um grande amor. São uma figura autoritária, movendo-se sempre para a frente. A Lua representa o feminino. Pessoas sob sua influência são muito sensíveis, emotivas, caseiras. Gostam da água, são patrióticas e interessadas no bem-estar público. Pessoas sob influência de Mercúrio têm raciocínio rápido e mente extremamente ativa; têm facilidade para pesquisas, explorações, análises, julgamentos; são bons escritores, professores e oradores. Vênus também é, certamente, feminina e aprecia muito o amor. É associada à amizade, à atração física, aos sentimentos, à pacificação, aos prazeres sensuais; e relacionada a músicos, joalheiros, atores, costureiros, artistas e enfermeiras. Marte é associado à ação e tem uma grande energia e coragem. As pessoas sob sua influência podem ser ríspidas e ciumentas, impulsivas, leais e receosas, quando se trata de algo desconhecido. Esse planeta muitas vezes é a razão de problemas sexuais; associado a soldados, cirurgiões, pessoas ligadas aos esportes e às artes marciais.

Cada um dos doze signos do zodíaco é "regido" por um dos planetas. Isso significa que existe uma afinidade entre o signo e o seu planeta regente. O signo de Áries é regido pelo planeta Marte. Touro é regido por Vênus. Gêmeos, por Mercúrio; Câncer, pela Lua; Leão, pelo Sol; Virgem, por Mercúrio; Libra, por Vênus; Escorpião por Marte e Plutão; Sagitário por Júpiter; Capricórnio, por Saturno; Aquário, por Saturno e Urano; e Peixes, por Júpiter e Netuno. Pode-se dizer que, de modo geral, um signo de Fogo não se dá muito bem com um signo de Água, nem um signo de Água se dá muito bem com um signo de Ar. Um signo de Ar, entretanto, é mais compatível com um signo de Fogo, e assim por diante.

Vamos agora examinar as doze divisões – as casas –, que são setores do mapa, e ver com o que cada uma delas está relacionada. A primeira é a esfera que influencia a aparência física, o corpo. A segunda trata do dinheiro, dos ganhos ou das perdas, da investigação etc. A terceira é a das comunicações, das cartas e do transporte. Também se relaciona aos parentes e vizinhos próximos. A quarta casa é a do lar e da propriedade e dos antepassados. Relaciona-se ao lugar de nascimento, aos bens imóveis, às minas e aos lugares subterrâneos. Também está associada à mãe, no mapa de um homem; ou ao pai, no mapa de uma mulher. O prazer, o amor, o sexo, a diversão e a educação aparecem na quinta casa. Os prazeres sensuais, em especial, encontram-se nessa esfera. À sexta casa, pertencem o trabalho, os animais domésticos, a saúde e as doenças que a afetam. O vestuário, os criados e o conforto físico também fazem parte dessa esfera.

A sétima casa mostra, no mapa de uma mulher, o marido; no mapa de um homem, a esposa. A essa esfera pertencem as associações e parcerias. Na oitava casa, estão as perdas, incluindo a morte. A perda de dinheiro e de posses, assim como os detalhes relacionados a heranças e testamentos. A nona casa abrange a religião, os assuntos espirituais, as viagens para outras terras e parentes por casamento. A décima abarca a vida profissional, as questões de negócios, as honras e os ganhos. A décima primeira casa compreende os amigos e conhecidos e o futuro. A décima segunda casa mostra quaisquer restrições que possam ser encontradas – prisão, deportação, exílio. Mostra também os inimigos.

Com base no que foi apresentado, você já pode começar a sua interpretação. Por exemplo, digamos que uma pessoa tenha Peixes na posição do Ascendente. A primeira casa trata da aparência física. Peixes – sensível, nobre, gentil e amável – indica que a pessoa tem estatura baixa ou média, cabelos e olhos claros. Na sexta casa, estará a Lua. A sexta casa, como você já sabe, é a da saúde e do conforto físico. A Lua torna a pessoa sensível e emotiva. Poderíamos dizer, então, que a pessoa deve ter predisposição para tumultos emocionais e colapsos nervosos. Também deve gostar de servir aos outros, uma vez que essa casa também trata dos criados e empregados em geral. Na nona casa está Júpiter, o planeta da harmonia. Ele rege, como você já deve saber, a educação e a religião. A nona casa, na qual ele aparece, é aquela que abrange a religião e os assuntos espirituais. Isso deve significar uma grande desenvoltura nas questões religiosas, assim como nas questões filosóficas e jurídicas, uma vez que Júpiter também trata desses assuntos. A interpretação deve prosseguir, analisando-se cada uma das casas. Em seguida, os aspectos do mapa devem ser interpretados de acordo com as associações de cada um dos planetas.

Como você pode ver, embora algumas características muito gerais possam ser atribuídas às pessoas nascidas numa época particular do ano, certamente não se pode garantir uma grande exatidão nos detalhes sem que se tenha maiores informações sobre a hora do nascimento e o *lugar de nascimento*, além do mapa natal em si – a posição dos planetas no céu, na hora e no local do nascimento.

Descrevemos o mapa natal, o horóscopo na hora de nascimento, que mostra como a vida da pessoa pode ser influenciada pelos astros. Mapas semelhantes podem ser feitos praticamente para qualquer propósito. Pode-se fazer um mapa para um ano em particular, para mostrar como serão as influências durante aquele período. Também pode-se fazer mapas para países e cidades, em vez de pessoas. Pode-se calcular um mapa que mostre o período propício para se assentar a pedra fundamental de um novo edifício, ou para o casamento, a vida financeira, a saúde, os negócios de uma pessoa – na verdade, praticamente para qualquer propósito. Milhares de empresários consultam astrólogos profissionais para saber como serão seus negócios ao longo do ano e seguem as suas orientações à risca. Eles levam as previsões astrológicas a sério, com toda razão, como se o astrólogo conhecesse a fundo os seus negócios.

Quando o horóscopo diário de um jornal afirma que a segunda-feira de manhã vai parecer longa e aborrecida para todos os nascidos entre 20 de abril e 20 de maio, embora essa possa se revelar uma previsão surpreendentemente exata, você pode ter certeza de que o astrólogo responsável não traçou nenhum mapa, não consultou nenhuma Tábua de Casas e não interpretou nenhuma posição planetária. Contudo, é justamente o traçado do mapa, os cálculos e a interpretação que tornam a astrologia um assunto tão interessante.

Escriação pelo Fogo

Uma outra forma de adivinhação, algumas vezes usada pelos Bruxos, é a escriação pelo fogo. Faça uma fogueira na praia, depois do pôr do sol, com os galhos que encontrar na areia (se estiver longe da praia, então pode usar qualquer madeira velha, como as de um velho celeiro, por exemplo). Quando a madeira estiver bem queimada e o fogo começar a diminuir, jogue nela um pedaço de cedro, um pedaço de junípero e três bons punhados de lascas de sândalo. Deixe que isso tudo queime bem. Em seguida, quando o fogo começar a diminuir gradualmente outra vez, olhe de modo fixo para as brasas se extinguindo. Nessas brasas, você verá cenas do passado, do presente e do futuro. Poderá ver cenas factuais, mas é mais provável que veja cenas simbólicas, que precisem ser interpretadas. Essa escriação pelo fogo é algumas vezes chamada de "Fogo de Azrael" e foi descrita por Dion Fortune no livro *The Sea Priestess*[*]. Existem centenas de formas de adivinhação – um número grande demais para descrever aqui. Um livro meu, cujo título é *Practical Divination*, trata de muitas delas, as mais conhecidas e as não tão conhecidas assim.

---

[*] *A Sacerdotisa do Mar*, Editora Pensamento, fora de catálogo. (N.E.)

Questões sobre a Lição Nove

1. Depois de ter feito um estudo pessoal do tarô, que tipo de tiragem você decidiu usar para dispor as cartas. Quais métodos funcionam melhor para você?

2. Por quais cartas de tarô você se sentiu mais atraído a princípio? Descreva-as e diga qual significado cada uma delas tem para você.

3. Numa folha de papel, faça um molde da palma das suas mãos. (Para fazer esse molde, pinte-a com algum tipo de tinta colorida e pressione ao máximo a palma contra a folha em branco.) Observe as mudanças pelas quais suas mãos passam de um ano para o outro. Relacione algumas das suas experiências com a quiromancia. Quais as principais observações que você fez quando começou a estudar as mãos e até que ponto essas impressões foram exatas? O que viu em suas próprias mãos?

4. Trace o seu próprio mapa natal. Interprete a posição de cada planeta, da maneira mais apropriada à sua pessoa.

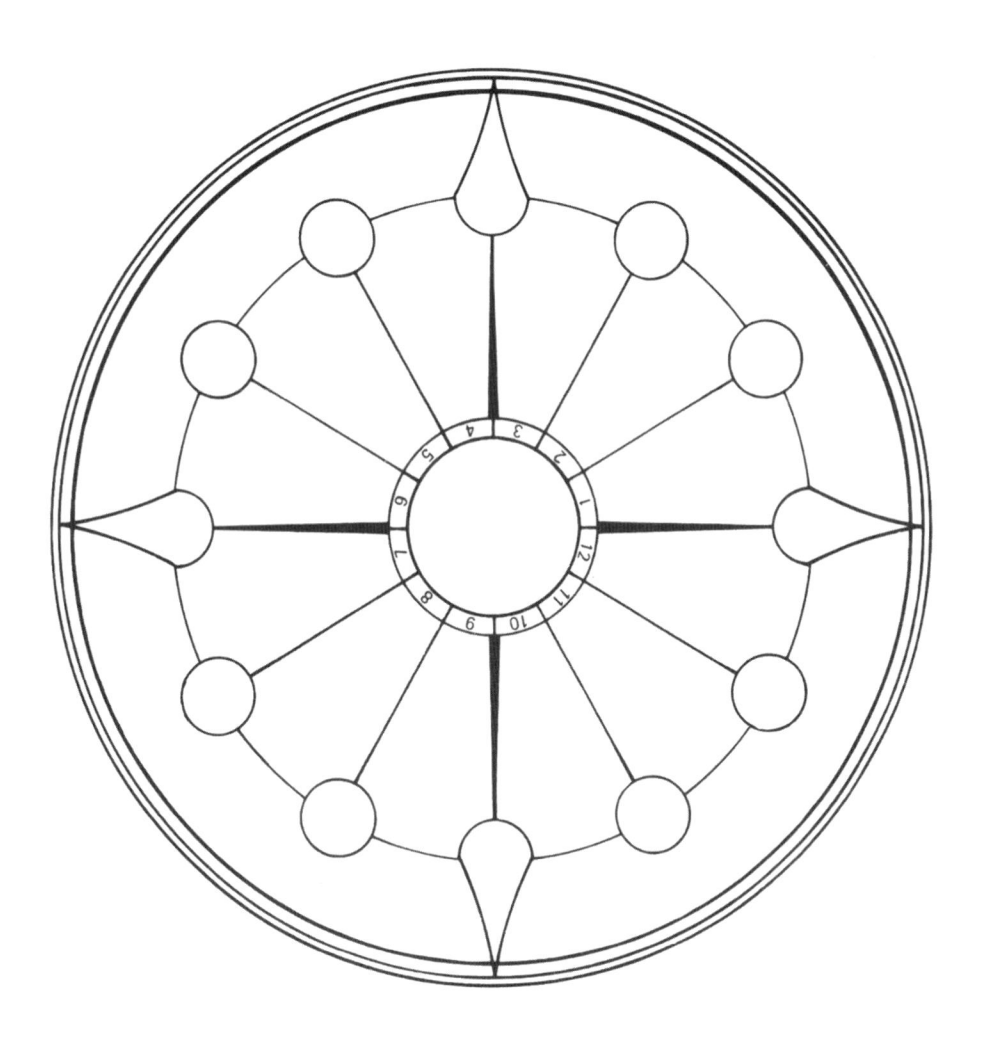

Questões Avaliatórias sobre a Lição Nove

1. Depois de experimentar pelo menos três tipos diferentes de tiragem, no tarô, e fazer pelo menos seis leituras com cada tiragem, anote aqui qual delas você prefere e por quê.

2. Imagine que esteja no meio de uma leitura de tarô para uma amiga, usando o tarô Rider-Waite. A carta do Arcano Maior "A Torre" aparece na posição do Futuro Imediato. Que interpretação você daria dela? (É claro que essa interpretação dependeria das outras cartas em volta dela; no entanto, peço que dê sua interpretação para essa carta apenas.)

3. Nessa mesma leitura hipotética, o resultado final para a sua amiga é a carta do Cinco de Ouros. Qual a sua interpretação para essa carta nessa posição?

4. Se você não tem uma bola de cristal, mas quer tentar praticar a escriação, o que poderia usar no lugar dela?

5. Na quiromancia, qual a diferença da mão esquerda e da direita, em termos de interpretação?

6. Ao ler as folhas de chá, você se depara com um sino e uma ferradura no fundo da xícara, perto da alça. O que eles significam?

7. (a) O que você diria de John F. Kennedy de acordo com a numerologia (baseando-se apenas no nome dele, e não no que já se sabe sobre esse ex-presidente norte-americano)? (b) De acordo com a numerologia, Napoleão e Josephine são compatíveis? (Use a grafia desses nomes na língua original, ou seja, o francês: Napoleon e Josephine.)

8. Um mapa natal mostra o Ascendente em Peixes. O que você diria sobre essa pessoa?

Leituras Recomendadas

The Book of Changes, de J. Blofeld.

J-Ching, de R. Wilhelm.

The Seventh Sense, de Kenneth Roberts.

Numerology, de Vincent Lopez.

The New A to Z Horoscope Maker and Delineator, de Llewellyn George.

Palmistry, the Whole View, de Judith Hipskind.

Leituras Complementares

Crystal Gazing, de T. Besterman.

Medical Palmistry, de Marten Steinbach.

A Pocket Guide to the Supernatural, de Raymond Buckland.

LIÇÃO DEZ

Herbalismo

A Tradição Herbórea

Por tradição, os Bruxos têm um grande conhecimento a respeito das ervas e das suas propriedades de cura. Com o atual movimento de volta à natureza e o desejo de sobrevivência da era moderna, esse conhecimento pode nos ajudar a manter e a recuperar a saúde e, por isso, continua sendo muito útil. Seria importante que os Bruxos fossem mais uma vez os Sábios da medicina herbórea. Embora eu não esteja sugerindo que você jogue fora a carteirinha do seu convênio ou o quer que seja, acredito que existam muitas maneiras de fazer uso das antigas poções de cura, tanto em si mesmo quanto nas outras pessoas. Preciso, entretanto, deixar claro, por motivos legais, que as informações desta lição, com referência às ervas terapêuticas, são simplesmente a minha opinião e o resultado das minhas pesquisas com relação à história do seu uso. Não pretendo dar orientações médicas. Para ter esse tipo de orientação, é preciso consultar um profissional de saúde competente.

A medicina herbórea remonta a milhares de anos. Ela é fruto da necessidade do ser humano de ter saúde e força, curar doenças e tratar ferimentos. Muitos dos remédios de hoje vieram dessa primitiva compilação botânica. Alguns têm sido substituídos por poderosas drogas sintéticas, supostamente mais eficazes, enquanto outras ainda são usadas, em muitas partes do mundo, em sua forma natural.

Através dos tempos, misteriosos poderes de cura foram atribuídos a certas plantas, flores e ervas. Os chamados "doutores da natureza" (os Bruxos) do passado eram versados nesses remédios naturais. Infelizmente, até que a "ciência" coloque o selo de aprovação nesses antigos remédios de ervas, os médicos da atualidade continuarão a zombar das tradições de cura relatadas através dos séculos. Algumas vezes, no entanto, os médicos redescobrem esses antigos remédios e os reivindicam, como se fossem resultado das pesquisas da ciência moderna! Por exemplo, William Withering, um médico inglês, isolou um componente encontrado nas folhas da "dedaleira", um dos mais eficazes remédios para o coração. No entanto, durante séculos os Bruxos prescreveram um chá preparado com as folhas da dedaleira para as doenças do coração. O dr. Cheney, da Universidade de Stanford, "descobriu", e comprovou, que o suco de repolho cru ajudava a curar úlceras estomacais – conhecimento transmitido pelos Bruxos há centenas de anos. A colheita e o preparo das ervas é um trabalho especializado, mas que alguém com uma inteligência mediana pode seguramente realizar, com o devido treino. (Existem também armazéns e laboratórios que fornecem ao herbalista suplementos de ervas em estado natural, tinturas e todos os tipos de beberagem. Isso será tratado posteriormente.)

Dizem que o Bruxo, um agente de cura natural, deveria ser psicólogo, para estudar o caráter e os sintomas do paciente. Também deveria estudar anatomia e fisiologia, para conhecer as funções do corpo. Além disso, deveria ser nutricionista, para prescrever a dieta mais adequada para o paciente; e alguém com conhecimentos gerais sobre a pessoa que trata e as pessoas em geral. Eu certamente recomendo que ele estude anatomia e fisiologia para ter mais conhecimento sobre o que envolve a cura.

Antes de começar a colher as ervas, opte por uma ou duas espécies apenas. Mais importante, procure a melhor hora do dia para colhê-las. Para isso, recorra a um bom guia de ervas, como o Culpeper's (veja as *Leituras Recomendadas* no final desta lição). Depois de selecionar as plantas de que precisa, colha somente as partes que irá necessitar para a secagem e o processamento, caso contrário não estará somente coletando um material inútil, como também irá impedir o crescimento da safra do ano seguinte.

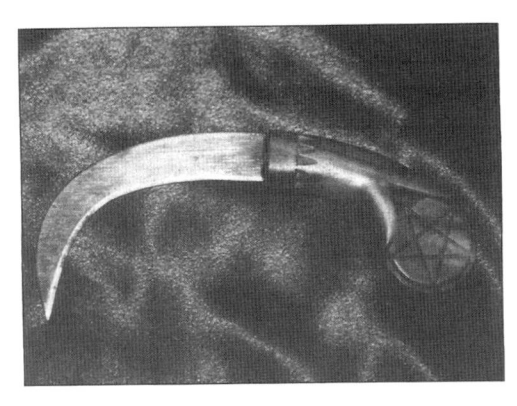

Por tradição, os Bruxos sempre cortam as ervas com uma faca pequena em formato de foice, conhecida como boline. Você mesmo pode confeccionar a sua. Apenas siga as mesmas orientações oferecidas para a confecção do athame, na Lição Três. Não se esqueça de consagrá-la e usá-la somente para cortar ervas.

Antes de colher as plantas, verifique cuidadosamente os seus vários atributos, para ter certeza de que pegou a planta correta. Muitas plantas são tão parecidas que podem causar confusão. Passe o tempo que for necessário estudando as ilustrações, fotografias etc., para aprender a reconhecer as numerosas e diferentes espécies. Certifique-se de não danificar a planta quando a colher. Arrume-a em pequenos montes. Não esmague as folhas, pois isso pode diminuir seus benefícios.

Quando selecionar as plantas, sempre procure se referir a elas pelos seus nomes científicos, pois eles nunca mudam. Se usar os nomes populares, você pode se confundir, pois a maioria das ervas tem diferentes nomes regionais. Dependendo de onde a erva for encontrada, ela pode ter pelo menos vinte nomes diferentes pelos quais é conhecida na região. Mas cada planta tem somente *um* nome científico, em latim, que geralmente é impresso em itálico e deve ser pronunciado como se lê. Para facilitar, ao longo desta lição, eu usarei os nomes populares das ervas, muitas vezes seguidos pelos nomes científicos. Entretanto, lembre-se de que você deve sempre se referir às plantas pelo seu nome científico, para identificá-la com mais precisão.

A seguir, será apresentada uma lista de ervas conhecidas atualmente por seus efeitos negativos sobre os seres humanos e animais domésticos. As outras listas apresentadas nesta lição têm um contexto histórico. O que no passado podia ser considerado seguro, hoje, com base na ciência, pode não ser considerado da mesma maneira.

Ervas Conhecidas por seus Efeitos Nocivos

Plantas que podem ser tóxicas se ingeridas

(As ervas acompanhas de asterisco * podem ser letais)

Álamo-trêmulo (*Populus tremuloides*) [contém salicina]
Árvore-de-cera (*Myrica cerifera*)
Azeda-crespa (*Rumex crispus*) [em grandes doses causa diarreia]
Baptisia australis
Bérberis ou uva-espim
Bétula-doce
Carvalho-branco
Cáscara-sagrada
Cavalinha (nociva para os animais)
Celidônia
Cerejeira-negra
Cicuta-da-europa*
Confrei (as raízes e as folhas são carcinógenas)
Dryopteris filix-mas
Dulcamara
Erva-de-santiago
Erva-mate
Espigélia
Espinheiro (bagas) [pode alterar o batimento cardíaco e a pressão arterial]
Eupatório
Fitolaca (todas as partes)
Gaultéria (óleo essencial)
Hortelã-pimenta (óleo)
Íris
Jasmim-da-virgínia
Junípero (bagas)
Lobélia
Mandrágora*
Menta (óleo)
Menianto (fresco)

Mil-folhas
Noveleiro (bagas)
Óleo de rícino (sementes)
Oxalis
Passiflora/maracujá (flores)
Pleurísia (raiz)
Poejo (óleo essencial)
Prunus avium
Raiz-de-pedra
Repolho-gambá*
Santonina
Sassafrás (o óleo é carcinogênico)
Senecio aureus
Tília (flores)
Tussilagem
Urva-ursina (A, uva-ursi)
Verbasco
Verbena (venenosa para o gado)
Veronicatrum virginicum (raízes frescas)
Viburno (as bagas podem causar náuseas)
Xanthorhiza

Plantas que podem causar dermatite de contato ou reações alérgicas em pessoas sensíveis

Amor-de-hortelão/aparinas (suco)
Arruda
Artemísia
Bolsa-de-pastor (sementes)
Camomila (alergia ao pólen)
Cenoura-silvestre
Erva-diurética (cataplasma)
Funcho
Hortelã-pimenta
Lúpulo
Mandrágora
Marroio-branco (suco)

> Matricária
> Milefólio
> Pulicaria
> Vara-dourada (alergia ao pólen)
> Tomilho
>
> **Plantas que devem ser evitadas durante a gravidez e/ou a amamentação**
> Erva-de-são-cristovão
> Hidraste
> Sálvia (amamentação)

Como Tirar o Máximo Proveito das Ervas

Muitos preparos medicinais são desperdiçados ou estragados simplesmente porque o usuário não sabe prepará-los da maneira correta, para tirar o máximo proveito deles. Isso naturalmente desestimula muitas pessoas a usar as ervas outra vez. Como a maioria das ervas tem uma ação moderada, é importante que sejam usadas com certa constância para que deem resultado.

Certas ervas exigem o preparo e a administração corretos para que possam trazer benefícios. Por exemplo, quando se trata da erva eupatório (*Eupatorium perfoliatum*), a pessoa deve tomar uma infusão *quente* antes de se deitar, para induzir a transpiração. Pela manhã, ela deve tomar uma infusão *fria,* como um suave laxante. A casca triturada do elmo (*Ulmus fulva*) acalma os intestinos quando usada numa lavagem intestinal. É inútil, no entanto, se os intestinos não tiverem sido limpos antes do uso dessa solução botânica. Uma fraca infusão de lúpulo (*Humulus lupulos*) retira propriedades aromáticas. Uma infusão forte de lúpulo retira propriedades tônicas e o amargor. A decocção retira propriedades adstringentes. Cada tipo de preparo propicia um resultado diferente. A mesma planta não produz os mesmos resultados quando usada, por exemplo, depois da decocção ou depois da infusão. Na *decocção,* obtém-se o extrato da resina e o amargor; ao passo que, na *infusão*, extraem-se muitos princípios aromáticos e voláteis, essências etc.

O que significam esses termos, "decocção", "infusão" etc.? São maneiras pelas quais as ervas são usadas depois de colhidas. Trituração e moagem, extração, percolação, filtragem, clarificação, cozimento, espremedura. Explicaremos cada uma delas.

Trituração ou Moagem

É a redução das ervas a pequenas partículas. Todas as substâncias que serão usadas dessa maneira devem estar livres de umidade. Ervas que contém óleos voláteis não devem ser submetidas a altas temperaturas durante o processo de secagem. Existem aparelhos projetados para cortar e triturar as ervas, no entanto o antigo pilão e o almofariz ainda são os favoritos na Arte.

O primeiro passo na secagem das ervas é cortá-las em pequenas partes quando estiverem frescas. Algumas ervas (como, a arruda [*Ruta graveolens*], a hortelã-pimenta [*Mentha peperita*], e a tanásia [*Tanacetum vulgare*] precisam ser desidratadas na menor temperatura possível. Outras (como, a mil-folhas [*Achillea millefolium*] e a hera-terrestre [*Glechoma hederacea*]) devem ser desidratadas rapidamente. Nenhum equipamento especial de secagem é necessário. Apenas siga o método que apresento a seguir:

1. Selecione a(s) erva(s) que deseja e as colha num dia seco.

2. *Amarre as ervas com um barbante, em pequenos feixes, de dois em dois. Pendure estes feixes num varal. Observação: É importante que à noite e/ou sempre que o clima ficar úmido, você pendure esses feixes dentro de casa. Se as ervas ficarem úmidas durante o processo de secagem, elas vão embolorar.*

    Se estiver apenas colhendo as folhas ou as flores de uma planta, coloque-as dentro de um saco de tecido leve para secar. Não coloque ervas demais em cada saco, caso contrário o ar não passará por elas. Geralmente as ervas levam de três dias a uma semana para secar. É importante que elas fiquem desidratadas. Vá virando os feixes todos os dias, para que peguem bastante sol. Se não houver sol e tiver que secá-las dentro de casa, mantenham-nas em temperatura constante, entre 18 a 21 °C.

3. Quando os feixes estiverem bem secos, passe as ervas por um moedor de carne. Use os cortadores mais grossos primeiro, depois os mais finos. Se estiverem devidamente secas, as ervas ficarão em forma de pó. Coloque-as em latas ou garrafas com tampa de rosca e as mantenha no escuro. Podem ser armazenadas por anos sem perder a cor natural ou as propriedades terapêuticas.

Extração

Os principais métodos usados na extração dos princípios ativos das ervas são:

a) **Decocção** – método aplicado quando os princípios ativos são extraídos da planta pela fervura da água, sem danificá-la. (Por exemplo: camomila [*Anthemis nobilis*], genciana [*Gentiana lutea*], giesta [*Spartium scoparius*]).

Capacidade

Um minim (min.) = 0,0616115199219 ml.
Uma dracma fluida ou líquida (fl. dr.) = 60 min.
Uma onça fluida ou líquida (fl. oz.) = 8 fl. dr.
Um pinto (pt.) = 20 fl. oz.
Um galão (gal.) = 8 pintos

Pesos e Medidas de Massa do Sistema Apotecário

Um grão (gr.)
Um escrópulo (ei.) = 20 gr.
Um dracma (dr.) = 3 ei. (60 gr.)
Uma onça (oz.) = 8 dr. (480 gr.)
Uma libra (lb.) = 12 oz. (5760 gr.)

Massa

Uma onça (oz.) = 437,5 gr.
(*avoirdupois*)
Uma libra (lb.) = 16 oz. (7000 gr.)

b) **Infusão** – aplicado para obter os extratos por meio da água quente (somente neste caso, *não se mergulha a erva em água fervente*. Na verdade, em alguns casos até mesmo a água fria é utilizada).

c) **Maceração** – infusão prolongada usando-se álcool puro ou diluído. Consiste em imergir o material num frasco fechado, por um período limitado, agitando-o de vez em quando. Esse método é usado para a extração dos extratos líquidos ou das tinturas.

Percolação

É o método mais perfeito para se obter os componentes solúveis dos remédios. Consiste em deixar que o líquido solvente passe lentamente por um material poroso, de maneira muito semelhante ao processo de filtrar café.

Filtragem

É o processo usado para separar sólidos suspensos de líquidos, pela passagem do líquido por um meio permeável capaz de reter partículas sólidas. O método mais fácil é pelo uso do filtro de papel.

Clarificação

É o processo de clarificação de uma substância após o processamento, como no caso do mel, do xarope, da banha etc. É feito por meio da dissolução e escumação ou filtragem.

Cozimento

É um processo simples de maceração prolongada, numa temperatura constante de aproximadamente 37 ºC.

Espremedura

É o método pelo qual se pressionam as ervas para a extração do suco; na verdade, é com esse método que se extrai a substância terapêutica da erva. Normalmente, espreme-se a erva duas vezes, com uma torcida simples, semelhante à da prensa hidráulica usada em grandes laboratórios.

Chás, Xaropes, Pomadas, Cataplasmas e Pós

Para fazer chá de ervas

Para fazer um chá de ervas moídas ou picadas, coloque uma colher de chá da erva para cada xícara de água quente (não fervendo) e deixe em infusão por vinte minutos. Tome uma xícara antes de cada refeição ou antes de ir para cama.

> ***Raízes e cascas***: as raízes devem ser fervidas em fogo baixo por meia hora, para que suas propriedades terapêuticas sejam aproveitadas. Não ferva por tempo demais.
>
> ***Flores e folhas***: nunca devem ser fervidas. Deixe-as em infusão em água quente (não fervendo) por vinte minutos e armazene-as tampadas para que preservem o óleo, que pode evaporar.
>
> ***Ervas em pó***: devem ser misturadas com água quente ou fria. A medida é metade de uma colher de chá do pó da erva para uma xícara cheia de água. Beba a mistura e, em seguida, um copo simples de água. As ervas têm um efeito mais rápido se forem tomadas com água quente.

Nunca use um utensílio de alumínio para ferver as ervas ou a água que será usada com elas, pois o metal altera os óleos delicados contidos nas ervas.

Para fazer xarope

Para fazer um xarope simples, dissolva um quilo de açúcar mascavo em meio litro de água fervente. Ferva até engrossar. Em seguida, acrescente essa mistura a qualquer substância. Melaço ou mel de abelhas também podem ser usados como xarope, se quiser. Para fazer um xarope de ervas, simplesmente adicione as ervas cortadas, ferva até que a mistura fique com consistência de xarope, coe com uma gaze dupla e envase. Se for bem fechado com uma rolha, poderá ser armazenado indefinidamente.

Para fazer pomadas (unguentos)

Prefira as ervas frescas sempre, mas as ervas secas podem ser usadas se não houver alternativa. Use ervas bem picadas, de 500 a 700 gr. de gordura de cacau, banha de porco ou qualquer vegetal gorduroso puro e 100 gr. de cera de abelha. Misture tudo e cubra; coloque a mistura sob o sol quente (ou no forno, em fogo baixo) por aproximadamente quatro horas. Coe com uma gaze ou um tecido fino. Depois desse tempo, ela estará sólida e pronta para usar. Se quiser colocar a pomada num recipiente próprio, faça isso enquanto ela ainda estiver quente e deixe-a endurecer no recipiente. Não a derreta novamente.

Para fazer cataplasmas

É melhor que as ervas estejam moídas. Misture-as com água e fubá para fazer uma massa grossa. Se forem usadas folhas frescas, coloque-as diretamente na região afetada. Cataplasmas são muito bons para inchaços, glândulas dilatadas etc. Nunca reutilize um cataplasma que já tenha sido usado. Sempre substitua por outro fresco.

Os cataplasmas a seguir podem ser usados com segurança:

> ***Olmo (Ulmus rubra)***: útil para combinar com outras ervas, pois resulta num bom cataplasma.
>
> ***Lobélia e olmo (Ulmus rubra)***: um terço de lobélia e dois terços de olmo. Excelente para septicemia, toxemia, furúnculos etc. Também é eficaz contra o reumatismo.
>
> ***Carvão vegetal e lúpulo***: combate rapidamente a dor provocada por cálculo biliar.
>
> ***Carvão e Polygonum pensylvanicum***: bom para inflamação nos intestinos. Quando usar para curar feridas e úlceras, adicione equinácea, hidraste ou mirra em pó, ou uma pequena quantidade de todas as três.
>
> ***Fitolaca (Phytolacca decandra) e fubá***: excelente para mamas inflamadas.

Folha de bardana: cataplasma refrescante e secativo. Num cataplasma com raízes em pó e sal, alivia a dor de uma ferida provocada por um animal, por exemplo a mordida de um cão.

Banana-da-terra: excelente cataplasma para prevenir septicemia.

Urtiga e gaultéria (Gaultheria procumbens): para dissolver tumores.

Cenoura e cúrcuma: aplica-se em feridas antigas, que se curam rapidamente.

Sálvia: para inflamação de qualquer tipo.

Hissopo: remove a descoloração de machucados. Os cataplasmas devem ser aplicados tão quentes quanto possível e trocados tão logo o calor tenha se dissipado. É inútil reutilizar o mesmo cataplasma.

Ervas Medicinais

A lista de ervas medicinais a seguir serve como orientação geral. Ela inclui flores, cascas e a planta inteira, dependendo da(s) parte(s) usada(s) no medicamento. Existem centenas de ervas disponíveis no mercado e elas geralmente são vendidas por peso. As propriedades das ervas, como "expectorante" e "adstringente", serão relacionadas posteriormente nesta lição.

Agrimônia: tônica, levemente adstringente. Usada para combater tosses, diarreia e distúrbios intestinais.

Amora-preta (folhas): tônica, útil em casos de intestino preso.

Amor-de-hortelão: tônica e febrífuga. Refrigerativa nas febres. Usada para combater gravela e cálculo biliar.

Angélica: estimulante e aromática. Usada para combater doenças nos rins e para induzir a transpiração.

Bardana: usada para purificar o sangue.

Borragem: útil em enfermidades do peito.

Buchu: estimulante usado em infecções urinárias e inflamação da bexiga.

Calidônia: para as infecções dos olhos e para os casos de icterícia.

Camomila: usada em casos de histeria nervosa e todas as enfermidades nervosas nas mulheres.

Cravo-da-índia: o óleo do cravo-da-índia é um remédio para a digestão lenta. Duas gotas numa colher de chá de açúcar é a melhor dosagem. Como cura para dor de dente é um remédio específico. O local deve ser pincelado com o óleo.

Cravo-de-defunto: esse é outro remédio que toda casa deveria ter. Em pomada, cura muitos problemas de pele; em tintura, é ainda melhor do que iodo para acelerar o processo de cura. As flores e as folhas podem ser usadas como salada.

Damiana: tônica para as pessoas nervosas e debilitadas; também é usada como um estimulante sexual.

Dente-de-leão (raiz): geralmente seca. As folhas podem ser ingeridas em forma de salada. O suco branco do caule cura verrugas em pouco tempo. A raiz, assada e moída, faz um excelente café.

Erva-benta: tônica e adstringente. usado para soltar os intestinos etc.

Erva-cidreira: refrigerativa em casos de febre e ameniza a transpiração.

Eufrásia: usada para debilidades nos olhos e como tônico geral para eles. Usada com frequência com outras ervas.

Eupatório: laxante suave, tônica; alivia a febre e dores nos ossos.

Fava-dos-pântanos: tônico benéfico, usados para problemas no fígado e doenças da pele. Também é utilizado para artrites, etc.

Ficária: usada para o tratamento de hemorroidas, frequentemente com hamamélis. Seu nome comum é celidônia-menor, embora não tenha qualquer relação com a celidônia-maior.

Framboesa (folhas): muito usada e conhecida para facilitar o parto. As folhas de framboesa e de morango têm propriedades similares, no entanto as folhas de framboesa são consideradas as melhores.

Freixo (folhas): usadas em situações de gota, artrites etc.

***Fucus vesiculosus* (bodelha):** alga usada no banho para casos de artrites e reumatismos.

Giesta: combate enfermidades da bexiga, especialmente cálculo biliar.

Groselha-preta (folhas): refrigerativa, usada em casos de dor de garganta, tosses etc.

Hamamélis: usada para conter sangramentos de hemorroidas e de feridas. O líquido preparado é útil para muitas coisas e pode certamente ser usado em todos os cortes, todas as distensões e contusões.

Hera-terrestre (*Glechoma hederacea*): remédio benéfico para o reumatismo, a indigestão e os problemas nos rins.

Hidraste: um tônico e maravilhoso remédio para catarro. A tintura deve ser usada com cautela e tomada numa única dose, somente com água.

Língua-de-vaca: expectorante e tônica, usada em casos de inflamações.

Malva: expectorante. Para tosses e resfriados em geral.

Olmo: usado como purificador da pele e tônico. Da casca pode-se cozinhar uma papa, digerida com facilidade até por quem tem órgãos digestórios debilitados e não pode correr o risco de vomitar. Usado em sabonetes, suaviza a pele.

Picão-preto: para os casos de gota.

Pilosela-das-boticas: combate a tosse comprida.

Pulmonária: para a tosse e todas as afecções do peito (tórax).

Sabugueiro (folhas): combate problemas urinários e resfriados. As sementes são usadas com outras ervas para resfriados e tosses (as sementes secas são usadas com frequência no lugar da groselha).

Sene (folhas): ela age de forma semelhante às vagens de sene. As folhas geralmente são combinadas com gengibre em casos de intestino preso.

Tanásia (tanaceto): as folhas frescas podem ser usadas em saladas. A erva seca é usada para histeria, indisposição matinal (durante a gravidez) e para expelir vermes em crianças.

Tanchagem: erva refrigerativa. As folhas frescas aliviam picadas de insetos, se aplicadas imediatamente. Muito usada com outras ervas para purificar o sangue.

Tartaruga-branca *(Chelone glabra)*: antibiliosa, tônica e purificadora. Usada em casos de constipação crônica, indigestão, icterícia e vermes em crianças.

Tussilagem: para todas as enfermidades asmáticas.

Urtiga: usada para purificar o sangue.

Valeriana: a raiz é usada para curar insônia sem intoxicar. Também pode ser usada para curar dores em muitas partes do corpo.

Violeta: acredita-se que seja a cura para tumores cancerígenos em crescimento, quando usadas com botões de trevos-dos-prados.

Descrição das Ações Medicinais

É obviamente impossível oferecer uma lista que abarque todas as ervas, pois existem milhares delas. Consulte outros livros sobre o assunto, para ter uma compreensão maior.

Adstringente: causa contração e evita erupções.

Alterativo: produz uma alteração saudável sem percepção.

Anódino: alivia a dor.

Antelmíntico: expele vermes do organismo.

Antibilioso: age na bílis, aliviando a biliosidade.

Antiemético: interrompe o vômito.

Antiescorbútico: cura e previne o escorbuto.

Antiespasmódico: alivia e previne espasmos.

Antiflatulento (carminativo): expulsa os gases dos intestinos.

Antílico: previne a formação de pedras nos órgãos urinários.

Antiperiódico: controla febres intermitentes.

Antipilético: alivia convulsões.

Antirreumático: alivia e cura o reumatismo.

Antisséptico: remédio que impede a putrificação.

Antissifilítico: age contra a sífilis.

Aperiente: tem ação levemente purgativa.

Aromático: estimulante, picante.

Béquico: combate a tosse.

Calmante: alivia, interrompe a inflamação.

Carminativo: combate gases intestinais.

Catártico: aumenta a evacuação intestinal.

Cefálico: remédio que age nas doenças da cabeça.

Colagógico: promove o fluxo dos ácidos biliares.

Condimentoso: acentua o sabor da comida.

Demulcente: abranda e adoça.

Depurativo: purifica o sangue.

Desobstruente: elimina as obstruções.

Detergente: limpa os intestinos, as ulcerações, as feridas etc

Diaforético: produz transpiração abundante.

Discutiente: dissolve e cura tumores.

Diurético: aumenta a secreção e o fluxo da urina.

Emenagogo: promove a menstruação.

Emético: produz o vômito.

Emoliente: acalma e alivia inflamações.

Esculento: comestível.

Estimulante uterino: induz e promove o trabalho de parto.

Estíptico (adstringente): impede o sangramento.

Estomático: fortalece o estômago. Alivia a indigestão.

Exantematoso: combate erupções e doenças da pele.

Expectorante: facilita a expectoração (tosse).

Febrífugo: enfraquece e reduz a febre.

Hepático: remédio para as doenças do fígado.

Herpático: remédio para as doenças de pele de todos os tipos.

Laxativo: promove a ação dos intestinos.

Litontríptico: dissolve cálculos nos órgãos urinários.

Maturativo: acelera a maturação de um abscesso.

Mucilaginoso: traz alívio para todas as inflamações.

Nauseante: produz o vômito.

Nervino: age especialmente no sistema nervoso; interrompe a excitação nervosa.

Oftálmico: remédio para as doenças nos olhos.

Purgativo: promove a evacuação dos intestinos.

Refrigerativo: promove refrescância.

Resolvente: dissolve furúnculos e tumores.

Rubefaciente: aumenta a circulação e deixa a pele avermelhada.

Sedativo: tônico para os nervos; produz o sono.

Sialagogo: aumenta a secreção da saliva. Causa a salivação.

Sudorífico: produz transpiração profusa.

Tônico: remédio que é revigorante e fortificante.

Vermífugo: remédio que expele os vermes.

As Ervas e suas Propriedades Medicinais

Segue uma pequena lista das ervas e de suas propriedades medicinais, para que você possa ter pelo menos algumas informações para uma referência rápida, até obter um guia completo de herbologia. Esta lista, obviamente, está longe de ser completa e não esgota todas as propriedades das ervas relacionadas. Para um quadro mais completo, consulte uma obra de referência mais específica. Na maioria dos casos, as ervas oferecidas podem ser tomadas em forma de chá, cápsulas ou tabletes. Estas são as ervas mais comuns, cujas propriedades já foram comprovadas.

Erva	Nome científico	Ação	Uso
Agrimônia	*Agrimonia eupatoria*	Alterativa, tônica e diurética	Enfermidades do peito e tosse
Alho	*Allium sativum*	Antiespasmódico, nervino e vermífugo	Muitas propriedades. Limpar o sangue, combater tosse comprida e constipação e limpar os intestinos
Amor-de-hortelão	*Galium aparine*	Antiescobútica, diurética, refrigerativa	Uma das melhores ervas para doenças de pele. Melhora a cútis, abre os poros e remove as toxinas
Angélica	*Angelica atropurpurea*	Aromática, tônica e estimulante	Coração, baço e rim
Arruda	*Ruta graveolens*	Diurética, vermífuga e tônica	Boa para doenças femininas. Melhor quando misturada com outras ervas
Árvore-da-cera	*Myrica cerifera*	Adstringente, estimulante	Gota, artrite e reumatismo
Bardana	*Articum lappa*	Antiescorbútica, estomática, tônica antiespasmódica	Todos os problemas renais, antídoto para envenenamento por mercúrio; útil em todas as enfermidades da pele
Berbéris (Uva-espim)	*Berberis vulgaris*	Combate icterícia	Combate o câncer; tônica geral
Betônica	*Stachys sylvatica*	Antiespasmódica, hepática, nervina	Cólica, gota e fígado
Cardo-santo	*Carduus benedictus*	Antiescorbútica, estomática e hepática	Purificadora do sangue; combate doenças de pele e tonturas

Erva	Nome científico	Ação	Uso
Cáscara-sagrada	*Rhammus purshiana*	Laxante, tônica	Combate a constipação
Celidônia-maior	*Chelidonium majus*	Acre, alterante, purificadora	Externamente é boa para tumores lentos. Como pomada, para hemorroidas
Dente-de-leão	*Taraxacum leontodon*	Antiespasmódica nervina, béquica e vermífuga	Remédio seguro para qualquer distúrbio interno. A raiz, quando assada e moída, pode ser adicionada a uma bebida
Erva-benta	*Geum urbanum*	Adstringente, tônica e estomática	Tônica do coração; promove a cura
Erva-cidreira (melissa)	*Melissa officinalis*	Antiespasmódica, diurética, nevralgias	Age no fígado, restaura a pele, cicatrizante geral
Escutelária	*Scutellaria lateriflora*	Diurética, nervina e tônica	Doenças nervosas, irritabilidade. Acalma pessoas histéricas
Erva-dos-gatos	*Nepeta cataria*	Antiespasmódica, nervina, sudorífica e carminativa	Combate obstruções femininas; para histeria e tonturas
Escorodônia (sálvia-bastarda)	*Teucrium canadensis*	Diurética e tônica	Combate obstruções no fígado e na região da bexiga
Eupatório	*Eupatorium perfoliatum*	Catártica, emética, vermífuga e laxativa	Para asmas, resfriados, dispepsia e debilidade
Freixo (folhas)	*Fraxinus excelsior*	Antiobésico, diurético, adstringente	Dissolve tumores gordurosos e infecção cutânea
Giesta	*Spartium scoparius*	Diurética, tônica e diaforética	Como cataplasma, para ossos fraturados (quebrados). Purifica todo o organismo. Cura tumores se usado por um período
Lúpulo	*Humulus lupulus*	Diurética, béquica, laxativa e tônica	Limpeza do sangue. Fortalece a bílis. Um travesseiro recheado de lúpulo pode curar a insônia
Menianto	*Menyanthes trifoliata*	Antiescorbútica, estomática	Abre apetite, estimula a bílis, bom para gota

Erva	Nome científico	Ação	Uso
Mil-folhas	*Achillea milefolium*	Adstringente, sudorífico e tônico	Limpeza da pele, abertura dos poros e remoção de obstruções.
Persicária	*Polygonum persicaria*	Balsâmica, béquica e vulnerária	Poderosa purificadora do sangue. Útil para espasmos, pleuris e coceira
Poejo	*Mentha pulegium*	Aromática, carminativa e estimulante	Útil para as enfermidades femininas. Para resfriar o sangue do estômago
Selo-de-salomão	*Convollaria multiflora*	Aromática e demulcente	Ajuda a circulação. Contusões
Tanásia (Tanaceto)	*Tanacetum vulgare*	Vermífuga e emenagoga	Desagradável no gosto, mas útil em enfermidades femininas. Rins
Tartaruga-branca	*Chelone glabra*	Laxativa, tônica e vermífuga	Constipação, icterícia e indigestão
Trevo-dos-prados	*Trifolium pratense*	Antiescorbútica, nervina e tônica	Ótima para limpeza do sangue. Um chá feito das flores é um tônico excelente para crianças e pessoas fracas ou debilitadas
Urtiga	*Lamium album*	Antisséptica, adstringente e tônica	Gota, contusões e ciática
Verbena	*Verbena officinalis*	Diurética e tônica	Tônico para problemas de estômago

O estudo do herbalismo é extenso e acabará por recompensar o estudante comprometido, que consultar os livros relacionados no final desta lição, para se inteirar das ações fisiológicas das várias ervas. No herbalismo verdadeiro, não usamos ervas de origem venenosa. Entretanto, uma erva que pode ter um efeito benéfico é a *Rhus toxicodendron* (hera--venenosa). A tintura desta erva não deve ser usada internamente, mas nas aplicações externas é excelente para todas as fibroses, reumatismo e dores associadas. Um escalda-pés com algumas gotas de tintura alivia os pés cansados instantaneamente.

É preciso lembrar que, embora os sintomas de uma doença possam desaparecer, é preciso tomar providências para prevenir recidivas. Muitas enfermidades são decorrentes de problemas crônicos no organismo e os sintomas das doenças são uma maneira de o corpo expelir substâncias inúteis. Lembre-se de que as doenças não atacam tecidos saudáveis, portanto procure cuidar da sua alimentação para garantir que o corpo permaneça saudável.

Abreviaturas

brs = brotos
cas = casca
fls = flores
fols = folhas
frs = frutos
go = goma

no = nozes
pets = pétalas
pl = planta
ra = raiz
sem = semente

Alterativas

Agentes que tendem a, gradualmente, alterar uma condição. As ervas alterativas são frequentemente combinadas a ervas classificadas como "aromáticas", "tônicas amargas" e "demulcentes". Entre as ervas que podem ser classificadas como alterativas estão:

Aralia racemosa (ra ou frs)
Azeda-crespa (ra)
Bardana (ra)
Condurango (ra)
Dulcamara (brs)
Equinácia (ra)
Erva-de-são-cristóvão (ra)
Erva-diurética (fls)
Estilingia (ra)
Fitolaca (ra)
Uva-do-oregon

Freixo-espinhoso (cas)
Guáiaco (ra)
Iris versicolor (ra)
Parilla-amarela (ra)
Salssaparrilha (ra)
Salssaparrilha-silvestre (ra)
Sassafrás (ra)
Strobilanthes attenuata (ra)
Trevo-dos-prados (fls)

Antelmínticas ou vermífugas

Remédios capazes de destruir ou expelir vermes que habitam o canal intestinal. As ervas antelmínticas só devem ser administradas por um médico.

Abóbora (sem)
Areca (no)
Cinamomo (ra)
Erva-de-santa-maria (ra)
Espigélia (ra)
Kousso (fols)

Losna (pl)
Romã (cas ou ra)
Samambaia
Tartaruga-branca
   (*Chelone Glabra*) (pl)

Adstringentes

Contraem ou aumentam temporariamente a firmeza da pele ou da membrana mucosa. Essas ervas são sempre valiosas para combater secreções excessivas. São usadas em lavagens externas, gargarejos, loções, líquidos para a higiene bucal etc. As adstringentes podem ficar mais fortes se você usar uma quantidade maior da erva e fervê-la por mais tempo. Elas devem ser "diluídas" na intensidade desejada.

Adstringentes fortes:

Acácia-catechu (go)
Agrimônia (pl)
Alumínio (ra)
Árvore-da-cera (cas)
Avenca
Bétula (ra)
Bolsa-de-pastor (pl)
Cacau (ra)
Campeche
Carvalho-branco (cas)
Carvalho-negro (cas)
Celidônia-menor (pl)
Cerejeira-negra
Cicuta (cas)
Cinco-em-rama (fols)
Cinza-fedorenta (cas)
Congo (ra)
Epifagus (pl)
Equinácea
Erigeron
Eríngio

Ficaria (pl)
Freixo-americano (cas)
Gerânio-sanguíneo (ra)
Geum rivale (ra)
Hamamélis (ramos)
Índigo-selvagem
Jamelão (sem)
Lycopus Virginicus
Maranta-cascavel
Nogueira (cas)
Nogueira-branca (cas)
Noz-de-cola
Potentilla (pl)
Prunela (pl)
Pulicária (pl)
Rainha-dos-prados (pl)
Ratânia (ra)
Sabugueiro (cas)
Salgueirinha-roxa (pl)
Salgueiro-negro (cas)
Sálvia (pl)

Sanícula (ra)
Sorveira-brava (cas)
Sumagre (cas ou ra)
Sumbul (*Ferula Sumbul*) (ra)
Tormentilha (ra)
Uva-espim (cas)
Uva-ursina (fols)
Vara-dourada (pl)

Adstringentes Suaves:
Amoreira-preta (ra)
Arruda
Bétula-doce (fols)
Celidônia
Comptônia (pl)
Erva-de-são-joão
Rosa Gallica (pets)

Tônicas Amargas

Usadas para a perda temporária de apetite. Elas estimulam o fluxo da saliva e os sucos gástricos, auxiliando no processo da digestão.

Agave (ra)
Amora preta (fols)
Artemísia (pl)
Árvore-de-cera
Augosura (cas)
Uva-espim (cas e ra)
Boldo (fols)
Camomila (fols)
Cardo-santo
Cascarilla (fols)
Cereja-silvestre (cas)
Chirretta (pl)
Condurango (ra)
Dente-de-leão (ra)
Espinheiro-preto (cas)
Feijão-do-brejo (pl)
Genciana (ra)
Hidraste (ra)
Lascas de Quássia
Losna (pl)
Lúpulo (fols)
Serpentária (ra)
Tartaruga-branca (*Chelone Glabra*) [pl]
Uva-espim (cas e ra)

Calmantes

Agentes usados por seus efeitos moderados. Geralmente, toma-se um chá quente dessas ervas, antes de dormir.

Camomila (fols)
Gatária (pl)
Lúpulo
Erva-doce
Tília (fols)

Carminativas e Aromáticas

Substâncias de odor perfumado que produzem uma sensação peculiar de calor e sabor picante na papila gustativa. Quando engolidos, há um impulso correspondente no estômago, que é comunicado a outras partes do corpo. As ervas aromáticas são úteis para expelir os gases do estômago e dos intestinos. Elas são, sobretudo, usadas em outras fórmulas medicinais mais palatáveis.

Aipo (sem)
Alcarávia (sem)
Angélica (sem)
Anis (sem)
Canela (cas)
Cápsico
Cardamomo (sem)
Coentro (sem)
Cominho (sem)
Cravo-da-índia
Erva-doce (fols)
Eucalipto (fols)
Gatária (pl)
Gengibre (ra)
Gengibre-silvestre (ra)
Hortelã-pimenta (pl)
Ligústica (ra)
Menta (pl)
Mostarda (sem)
Noz-moscada
Hortelã-verde (pl)
Pimenta-da-jamaica (frs verdes)
Trevo-de-cheiro (fols)
Valeriana

Catárticas

Agentes que produzem a evacuação dos intestinos por sua ação no canal alimentar. As ervas catárticas podem ser divididas em dois grupos: (1) laxativas, que têm um efeito mais suave ou fraco; (2) purgativas, que induzem uma evacuação abundante. Geralmente são usadas para as condições mais resistentes em adultos ou usadas com outras ingredientes para modificar ou aumentar o seu efeito. Nem as ervas laxativas nem as purgativas devem ser usadas quando se suspeita de apendicite na gravidez. As purgativas somente devem ser usadas em ocasiões de constipação.

Ágar-ágar
Babosa
Cáscara-sagrada
Cássia-imperial
Espinheiro-cerval
Goma karaya
Iris vesicolor (ra)
Jalapa (ra)
Maná
Nogueira-branca (cas)

Óleo de rícino
Podofilo ou mandrágora (ra)
Pysllium (sem)
Raiz-de-culver
Ruibarbo

Sene (americana)
Sene-de-alexandria [fols]
Tamarindo (polpa)
Uva-espim (cas)
Vagens de sene

Demulcentes

Substâncias geralmente de natureza suave e mucilaginosa, ingeridas devido às suas propriedades suavizantes e por propiciar um revestimento protetor (para uso externo, veja os emolientes). Essas ervas devem ser usadas para diminuir a irritação das membranas. São úteis no caso de tosse, resfriados comuns e leves irritações na garganta. As demulcentes mais suaves e tranquilizantes estão marcadas com dois asteriscos **:

Ágar-ágar
Alcaçuz
Alteia (ra e fols) **
Araruta
Aveia**
Confrei (ra)**
Costela-de-adão (pl)
Gergelim (fols)
Goma de tragacanto
Goma karaya
Goma-arábica**
Grama-de-ponta (trigo selvagem) [ra]

Linhaça**
Marmelo (sem)
Musgo-da-islândia
Musgo-irlandês
Olmo (cas)**
Psyllium (sem)
Quiabo
Sagu (ra)
Salepo (ra)
Sassafrás (miolo)
Selo-de-salomão (ra)
Tussilagem (pl)
Diaforéticas

Agentes que visam aumentar a transpiração. São geralmente usados como auxílio no alívio dos resfriados comuns. As ervas diaforéticas agem de forma mais favorável quando são administradas quentes, antes de ir para a cama. As ervas marcadas com dois asteriscos ** são consideradas sudoríficas – agentes que causam transpiração abundante.

Agueweed (*Gentianella quinquefolia*) [pl]
Angélica (ra)

Camomila (pl)
Cardo-santo (pl)
Eringó-do-pântano (ra)

Erva-cidreira (pl)
Erva-de-santiago (pl)
Escorodônia (sálvia-bastarda)
Freixo-espinhoso (cas)
Gatária (pl)
Gengibre (ra)**
Gengibre-selvagem-
 -canadense
Guáiaco (raspas)
Hissopo (pl) **
Lindera-benjoin (brotos)
Lobélia (fols)

Menta-da-montanha
 (*Koellia*) [pl.]
Mil-folhas (pl)
Pleurisia (ra)
Poejo**
Sabugueiro (fols)
Sassafrás (cas ou ra)
Sênega (ra)
Serpentária (ra) **
Tília (fols)
Tomilho (pl)

Diuréticas

Termo usado para remédios ou bebidas que tendem a aumentar a secreção da urina. A ação mais rápida é geralmente obtida pela ingestão de líquidos diuréticos, tomados com o estômago vazio, durante o dia. O esforço físico retarda o efeito dos diuréticos. Costumam ser usados com calmantes como alteia, grama-de-ponta etc., por suas qualidades suavizantes quando há irritação.

Amor-de-hortelão
Bardana (sem)
Bétula-branca (fols)
Buchu (fols)
Cenoura (pl)
Copaíba
Cornisolo (ra)
Cubeba (sem)
Eringó-do-pântano (ra)
Erva-diurética (fols)
Giesta
Grama-canina (ra)
Helênio (*Inula Helenium*) (ra)
Kava-Kava (ra)
Mática

Mirtilo, uva-do-monte (fols)
Nogueira-branca (ra)
Parreira-brava (ra)
Planta-de-cascalho (fols)
Planta-pedra (ra)
*Polytrichum
 commune* (musgo)
Sabugueiro-anão (cas)
Salsa (ra)
Seda de milho
Sete-cascas
Uva-ursina (fols)
Voadeira-do-canadá (pl)
Zimbro (sem)

Emolientes

Agentes geralmente de natureza oleosa ou mucilaginosa, usados externamente por suas qualidades suavizantes, maleáveis e calmantes.

Aveia
Confrei (ra)
Alteia (fols ou ra)
Olmo (cas)
Linhaça
Marmelo (sem)

Expectorantes

Agentes usados para induzir a expulsão ou o alívio do catarro ou do muco das membranas das passagens nasais e bronquiais. As ervas expectorantes são muitas vezes combinadas com as demulcentes (calmantes), nos remédios para tosse advinda de resfriados. Os expectorantes de ação mais forte estão marcados com dois asteriscos. **

Alcaçuz
Alteia (ra)
Assa-fétida (go)
Avenca
Bálsamo-de-gilead (botão)
Bálsamo-de-tolu
Benjoim (tintura ou go)
Bétula (pl)
Cerejeira-preta (cas)
Cocillana (cas)
Confrei (pl)
Erva-santa (pl)
Gálbano (go)
Helênio (ra)
Ipecacuanha (ra)**
Malmequer-do-campo (pl)
Marroio-branco (pl)
Mirra (go)
Olmo (ra)
Pleurísia (ra)
Repolho-gambá (ra)
Sanguinária-do-canadá (ra)
Sênega (ra)**
Tussilagem (pl)
Verbasco (pl)

Nervinas

Agentes que visam diminuir, ou relaxar temporariamente, irritações nervosas de menor gravidade, devido a excitação, esforço ou fadiga.

Assa-fétida (go)
Betônica (pl)
Camomila (fols)
Gatária (pl)

Lúpulo (fols)
Maracujá (fols)
Mil-folhas (pl)

Solidéu
Valeriana (ra)

Estimulantes dos Nervos

As ervas que estimulam os nervosos são úteis para promover uma "reanimação" temporária, quando as condições de saúde não proíbem a cafeína.

Cacau (grãos)
Café (grãos)
Chá-preto

Erva-mate
Guaraná

O café e o guaraná são úteis para dores de cabeça comuns, causadas por irritações. O cacau é uma das bebidas mais nutritivas.

Refrigerativas

Geralmente uma bebida que refresca.

Alcaçuz (ra)
Azedinha (ra)
Borragem (pl)
Framboesa (frs)

Melissa (pl)
Morrião (pl)
Pimpinela (pl)
Tamarindo (frs)

Sedativas

Geralmente usadas pelas mulheres para pequenos incômodos que acompanham a menstruação (não é usado para a menstruação que esteja atrasada).

Camomila (fols)
Erva-de-são-cristóvão (ra)
Gatária (pl)

Mil-folhas
Noveleiro (cas)
Virbuno (cas)

Estimulantes

Para apressar ou aumentar as várias ações funcionais do organismo. As ervas estimulantes têm seu efeito prejudicado quando se ingerem alimentos de origem animal ou bebidas alcoólicas em excesso.

Agripalma (pl)
Álamo-trêmulo (ca)
Angustura (ca)
Árvore-da-cera (fols)
Canela (ca)
Cânfora (go)
Cápsico (frs)
Carocha (cas)
Cascarilla (cas)
Cassena (fls)
Cerejeira-negra
Cocash (ra)
Cravo-da-índia (frs)
Damiana (pl)
Erigeron (pl)
Erva-mate (fls)
Freixo-espinhoso (cas)
Gaultéria
Gengibre (ra)
Gengibre-selvagem-
 -canadense
Hissopo (pl)
Hortelã-pimenta (pl)
Hortelã-verde
Jaborandi (ra)
Liquidâmbar
Macela-fétida (pl)
Mático (fols)
Matricária (pl)
Mil-folhas (pl)
Mostarda
Muirapuama
Noz-moscada
Pimenta-branca
Pimenta-de-caiena
Pimenta-preta
Pleurísia (ra)
Poejo (pl)
Raiz-forte (ra)
Salsaparrilha (ra)
Sanguinária-do-canadá
Segurelha-dos-jardins (pl)
Serpentária (ra)
Vara-dourada (pl)
Verbena (pl)
Xanthorhiza

Vulnerárias

Essas ervas servem para o tratamento de pequenos ferimentos externos. Quase toda planta verde que não tenha constituintes irritativos é útil para pequenos ferimentos, devido ao fato de ter clorofila. Os tratamentos são geralmente mais eficazes quando é aplicada erva fresca.

Alteia (pl ou ra)
Banana-da-terra (fls)
Betônica
Cavalinha
Calêndula (pl)
Centáurea (pl)

Confrei (pl e ra)
Erigeron
Prunela
Sedum purpureum
Srophularia marilandica (pl)
Stachys palustris (pl)

As Vitaminas nas Ervas

As vitaminas são produzidas no interior das plantas e dependem, até certo ponto, da saúde e do vigor desses vegetais. Os fatores que influenciam essa produção são as variedades e condições nas quais as plantas crescem. As plantas cultivadas dependem quase totalmente de fertilizantes químicos. As algas marinhas são supridas por elementos ilimitados. Plantas que crescem nos campos geralmente florescem apenas em solos virgens ou em solos que possam suprir suas necessidades. Quando um solo torna-se infértil, essas plantas se mudam (por meio de insetos ou aves, animais rastejantes, sementes etc.) ou acabam suplantadas por plantas vizinhas.

As vitaminas das plantas são mais fáceis de digerir do que as vitaminas e os minerais de peixes ou de origem animal.

Vitamina A: necessária para a visão noturna e na manutenção do equilíbrio das células da pele e das membranas mucosas. A vitamina A é armazenada no corpo, mas, em caso de esforço e estresse, seu excesso é rapidamente dispersado. **Fontes:** agrião; alfafa (pl); dente-de-leão; fedegosa; páprica; quiabo; salsa; urucum.

Vitamina B1 (tiamina): necessária para o aumento e a manutenção do apetite. **Fontes:** alga vermelha (*Palmaria palmata*); fava-do-mar (*Fucus vesiculosus*); feno-grego; *kelp*; germe de trigo; quiabo.

Vitamina B2 (riboflavina): necessária para o crescimento das crianças. Ótima nutrição para os adultos. **Fontes:** açafrão; alfafa; alga vermelha (*Palmaria palmata*); fava-do-mar (*Fucus vesiculosus*); feno-grego; *kelp*.

Vitamina B12: essencial para o desenvolvimento normal das células vermelhas do sangue. A vitamina B12 também age como um fator de crescimento para as crianças e ajuda a aumentar o peso em crianças que estão abaixo do peso. **Fontes:** alfafa; alga vermelha (*Palmaria palmata*); fava-do-mar (*Fucus vesiculosus*); kelp.

Vitamina C: necessária para dentes e gengivas saudáveis; previne o escorbuto. A vitamina C é destruída pelo calor, pelo cozimento, em baixas temperaturas e pela oxidação. O excesso dessa vitamina não é armazenado no corpo. **Fontes:** agrião; baga-de-touro (*Shepherdia argentea*); bardana; cravo-de-defunto; orégano; páprica; pimentão; *rosehips;* sabugueiro; salsa; tussilagem.

Vitamina D: necessária para a absorção do cálcio, que forma e mantém os ossos e dentes. Previne o raquitismo. Uma quantidade limitada é armazenada no corpo. **Fontes:** agrião; germe de trigo; urucum.

Vitamina E: abundante em muitas sementes, a vitamina E auxilia no bom funcionamento de vários órgãos do corpo humano, inclusive a pele. **Fontes:** agrião; alfafa; alga vermelha (*Palmaria palmata*); aveia (*Avena sativa*); fava-do-mar (*Fucus vesiculosus*); germe de trigo; *kelp*; folhas de dente-de-leão; gergelim; linhaça.

Vitamina G (B2): essencial para prevenir doenças causadas por desnutrição. **Fontes:** *Centella asiática*.

Vitamina K: necessária no processo fisiológico da coagulação do sangue. **Fontes:** alfafa; bolsa-de-pastor; folhas de castanheira.

Vitamina P: (rutina): acredita-se que contribuam para a manutenção das condições normais dos vasos sanguíneos. **Fontes:** arruda; páprica; trigo-sarraceno.

Vitamina B3 (niacina ou ácido nicotínico): outra vitamina do Complexo B, desempenha importante papel no metabolismo energético celular e na reparação do DNA. ***Fontes:*** agrião; alfafa (fols); bardana (fols); feno-grego; germe de trigo; mirtilo; salsa.

A Arte de Prescrever Medicamentos

Ao se prescrever medicamentos, é preciso ter em mente as seguintes circunstâncias: idade, sexo, temperamento, hábito, clima, condições do estômago.

Para calcular a dose correta de um medicamento para uma criança, deve-se levar em consideração três fatores importantes: peso, superfície corporal e idade. Desse modo a dose será calculada de forma individualizada, ou seja, própria para determinada criança. Isso é importante porque se trata de uma fase de desenvolvimento em que a altura e o peso diferem muito, diferentemente de um adulto, que costuma passar a maior parte do tempo com o mesmo peso e a mesma altura.

> **Sexo:** as mulheres precisam de uma dose menor do que os homens, e o estado do aparelho reprodutor nunca deve ser omitida.
>
> **Temperamento:** estimulantes e purgativos afetam mais as pessoas sanguíneas do que as fleumáticas; consequentemente os primeiros requerem doses menores.
>
> **Hábitos:** o conhecimento dos hábitos de quem tomará o medicamento é essencial. Aqueles que estão costumados com estimulantes – tais como nicotina e cafeína –, por exemplo, precisam de doses maiores para sentir os efeitos dos medicamentos, enquanto aqueles que estão acostumados a fazer uso de purgativos salinos são mais suscetíveis aos seus efeitos.
>
> **Clima:** os medicamentos agem de formas diferentes na mesma pessoa, dependendo da estação climática ou do clima da região em que ela está. Geralmente, quanto mais quente o clima, menores as doses necessárias.

Condições do estômago: até os remédios menos ativos podem agir de forma agressiva em algumas pessoas, devido à peculiaridade do estômago ou à disposição do corpo, independentemente do temperamento delas. Essas condições estomacais só podem ser descobertas acidentalmente ou com o tempo.

Quando se prescrevem remédios, é preciso regular os intervalos entre as dosagens, para que a próxima dose seja tomada antes que o efeito da primeira tenha passado completamente. Se isso não for feito, a cura estará "sempre iniciando da estaca zero". Devemos sempre ter em mente, entretanto, que remédios feitos de dedaleira, ópio etc. tendem a se acumular no organismo e podem expor a pessoa a riscos se as doses forem próximas demais uma da outra.

As doses devem sempre ser medidas – nunca supostas. A lista de esclarecimentos que segue deve lhe dar alguma ajuda ao ler livros sobre o assunto e/ou escrever fórmulas ou receitas médicas:

A Farmacologia dos Bruxos

Um dos equívocos mais comuns que os não Bruxos cometem com relação à Arte é achar que cozinhamos toda espécie de ingrediente maligno em nossos caldeirões! De onde essa ideia absurda surgiu? Bem, provavelmente foi por causa dos nomes extravagantes que os Bruxos dão a ervas comuns. A aparência sugestiva de uma erva pode inspirar um nome pitoresco como "língua de cobra", por exemplo, o que não significa que o Bruxo esteja se referindo de fato à língua de um réptil. "Sangue de dragão" é outro exemplo excelente. Essa resina recebeu esse nome por causa da sua cor marrom-avermelhada, parecida com a de sangue seco, e pelo fato de advir de ervas como *Calamus draco*, *Dracoena draco*, *Pterocarpus draco* etc., que receberam o nome da constelação de Draco ("dragão", em latim), do hemisfério Norte. Essa erva *não* é sangue seco de um dragão, embora muitas pessoas acreditem que seja!

A seguir é apresentada uma lista com o nome que os Bruxos costumam dar a algumas ervas, para que, da próxima vez que você topar com uma antiga receita cujos ingredientes sejam, por exemplo, "língua de cavalo" e "olho de gato", você saiba a que ela realmente se refere.

Nome wiccano	Nome comum	Nome em latim
Boca de cobra	Morugem	*Stellaria media*
Carne de cobra		*Microstylis ophioglossiodes*
Língua de cobra	Lírio-de-truta, lírio-de-truta--amarelo ou violeta-de--dente-de-cão-amarelo	*Erythronium americanum*
Orelha de burro	Confrei	*Symphytum officinale*
Orelha de urso	Aurícula	*Primula auricula*
Pata de urso	Heleboro-fétido	*Helleborus foetius*
Colmeia	Luzerna-rugosa	*Medicago scuttellata*
Carrapato de mendigo	Erva-picão, erva-rapa	*Bidens frondosa*
Olho de passarinho	Adônis-da-primavera	*Adonis vernalis*
Língua de passarinho	Freixo-europeu	*Fraxinus excelsior*
Resina de menino preto	Árvore-da-grama	*Xanthorrhea arborea*
Dedos ensanguentados	Dedaleira	*Diditales purpurea*
Olho de touro	Malmequer-dos-brejos	*Caltha palustris*
Unha de cavalo	Tussilagem	*Tussilago farfara*

Confrei
(*Symphytum officinale*)

Tussilagem
(*Tussilaga Farfara*)

Nome wiccano	Nome comum	Nome em latim
Focinho de bezerro	Linária-comum	*Linaria vulgaris*
Categute	Galega	*Tephrosia virginiana*
Olho de gato	Escabiosa-flor-das-estrelas	*Scabiosa stellatta*
Garra de gato	Gengibre-selvagem-canadense	*Asarum canadense*
Pata de gato	Hera-terrestre	*Nepeta glechoma*
Leite de gato	Eufórbia, erva-leiteira	*Euphorbia helioscopia*
Unha de galinha		*Corallorhiza ordontorhiza*
Crista de galo	Erva-dos-piolhos	*Rhinathus christagalli*
Rabo de vaca	Voadeira-do-canadá	*Erigeron canadense*
Botão de ouro	Gerânio-sanguíneo	*Geranium maculatum*
Leite do diabo	Erva-de-santa-luzia	*Euforbia helioscopia*
Língua de cão	Língua-de-cão	*Conoglossum officinale*
Olho de burro	Mucuna, feijão-café, feijão-do-mato-grosso	*Mucuna pruriens* (sementes)
Bico de pomba menor	Gerânio, gerânio-ferradura	*Geranium sylvaticum*

Dedaleira
(*Digitalis purpurea*)

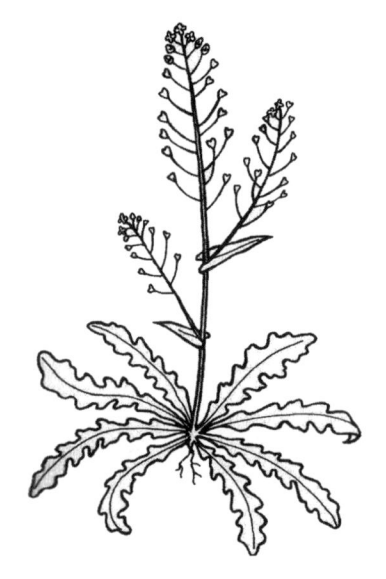

Bolsa-de-pastor
(*Cabella bursa pastoris*)

Nome wiccano	Nome comum	Nome em latim
Unha de dragão		*Corallorrhiza odontorrhiza*
Olho de dragão		*Nephalium loganum*
Pé de pato	Mandrágora-americana	*Podophyllim peltatum*
Dedo de fada, Luvas de fada	Dedaleira	*Digitalis purpurea*
Carne e sangue	Potentilla	*Potentilla tormentilla*
Rabo de raposa	Licopódio	*Lycopodium clavatum*
Pata de potro	Tussilagem	*Tussilago farfara*
Pata de rã	Ranúnculo	*Ranunculus bulbosus*
Barba de bode		*Tragopogon porrofolius*
Pata de bode	Pequena-angélica	*Aegopodium podograria*
Pé de lebre	Trevo	*Trifolium arvense*
Porco-espinho	Luzerna-brava, trevagem	*Medicago intertexta*
Rabo de cavalo	Cavalinha	*Equisetum hyemale*
Língua de cavalo	Língua-cervina	*Scolopendrium vulgare*

Linária-comum

Tartaruga-branca
(*Chelone glabra*)

Nome wiccano	Nome comum	Nome em latim
Língua de cão	Baunilha-silvestre	*Liatris odoratissima*
Orelha de judas		*Peziza auricula*
Língua de ovelha		*Plantago lancelolata*
Rabo de lagarto	Erva-do-pântano	*Saururus cernuus*
Língua de lagarto		*Sauroglossum*
Coração de mãe	Bolsa-de-pastor	*Capsella bursa pastoris*
Orelha de camundongo	Pilosela-das-boticas	*Hieracium pilosella*
Rabo de camundongo	Sedum-acre; pimenta-dos-muros	*Sedum acre*
Cabeça de negro	Palmeira-jarina	*Phytelephas macrocarpa*
Barba de velho	Jasmim-da-virgínia	*Chionanthus virginica*
Língua de vaca	Ancusa	*Anchusa officinalis*
Pé de coelho	Trevo-do-campo	*Trifolium arvense*
Coração de pastor	Bolsa-de-pastor	*Cabella bursa pastoris*
Cabeça de cobra	Tartaruga-branca	*Chelone glabra*
Leite de cobra	Eufórbia	*Euphorbia corollata*
Língua de cobra	Lingua-de-cobra	*Ophioglossum vulgatum*
Orelha de esquilo	Serenoa	*Goodyear repens*
Chifre de veado	Licopódio	*Lycopodium clavatum*
Pé de ganso fedorenta	Erva-de-santa-maria	*Chenopodium foetidum*
Focinho de porco	Dente-de-leão	*Taraxacum debs leonis*
Sapo	Linária-comum	*Linaria vulgaris*
Chifre de unicórnio	Dioicia	*Helgonias dioica*
Unha de lobo	Licopódio	*Lycopodium clavatum*
Pata de lobo	Licopus	*Lycopus virginicus*

Na peça "The Witch" (1612), de Thomas Middleton, a personagem Hécate é levada a bloquear a boca e as narinas de uma criança não batizada antes de fervê-la na água para retirar a sua gordura(!). Ela narra detalhadamente os materiais enquanto os usa:

Hécate: "As ervas mágicas são empurradas goela abaixo;
  Sua boca completamente abarrotada.
  Seus ouvidos e narinas bloqueados;
  Por último, empurro boca a dentro *eleoselinum*,
  acônito, frondes populeas e fuligem.
  Em seguida, *sium, Acorum vulgare* também,
  Pentaphyllom, sangue de morcego,
  Solanum somnificum e *oleum*".

Parece uma mistura espantosa – até ser examinada mais a fundo. O *eleoselinum* nada mais é que salsa comum; o acônito é uma planta herbácea resistente, usada tanto interna quanto externamente no tratamento do reumatismo e das nevralgias. *Frondes populeas* são os botões que desabrocham nas folhas do choupo; *sium* é uma flor perene cujo nome científico é *Sium suave* e *Acorum vulgare* é o cálamo, usado em distúrbios estomacais. *Pentaphyllon* é o nome grego da cinco-folhas; o sangue de morcego é, naturalmente, o sangue desse animal; a família *Solanum* inclui as batatas, a dulcimara, a berinjela e outros; o *somnificum* provavelmente indica uma das espécies noturnas da família *Solanum*. O *oleum* era, com toda probabilidade, o óleo usado para unir esses inofensivos e diferentes ingredientes.

***Witchcraft fom Inside*
Raymond Buckland,
Llewellyn Publications, Mn., 1971**

Questões sobre a Lição Dez

1. Conte alguns dos seus êxitos no uso pessoal das ervas. Descreva as suas experiências e quais foram os resultados observados.

2. Faça uma lista das ervas que você tem estocadas na sua casa. Descreva como usa cada uma delas (quais são suas propriedades terapêuticas).

3. Cite nesta página as suas receitas, decocções, infusões etc. favoritas.

4. Conte como adquiriu o seu suprimento de ervas (onde e quando). Relacione aqui alguns bons fornecedores que descobriu.

5. Que livros, herbários ou outras fontes você usou em seu trabalho com as ervas? Existem especialistas na região onde mora com quem tenha conversado? O que aprendeu?

Questões Avaliatórias sobre a Lição Dez

1. Quais são os requisitos de um bom agente de cura?

2. Por que é aconselhável nos referirmos às ervas por seu nome científico?

3. O que é: (a) infusão e (b) clarificação?

4. Cite três métodos de preparação de ervas para uso medicinal.

5. Como você usaria o olmo (*Ulmus fulva* ou *rubra*)?

6. O que significam os termos a seguir: (a) carminativa, (b) expectorante, (c) rubefaciente e (d) sudorífica?

7. Se uma dose para adultos de um determinado remédio consiste em 120 g, que dose você daria para uma criança de 7 anos?

Leituras Recomendadas

Stalking the Healthful Herbs, de Euell Gibbons.

The Herbs Book, de John Lust.

The Tree (capítulo "Herbal Lore"), de Raymond Buckland.

Leituras Complementares

Common and Uncommon Uses of Herbs for Healthful Living, de Richard Lucas.

The Herbalist, de J. E. Meyer.

Potter's New Cyclopaedia of Botanical Drugs and Preparations, de R. C. Potter.

Complete Herbal, de Nicholas Culpeper.

Complete Herbal, de John Gerard.

Herbal Manual, de H. Ward.

LIÇÃO ONZE

A Magia

> *Nota:* esta é uma lição importante para o estudante. Não a leia com pressa. Estude-a cuidadosamente, leia o capítulo diversas vezes, do começo ao fim. Você deve se familiarizar muito bem com o seu conteúdo.

A BRUXARIA É, ANTES de tudo, uma *religião*. O culto ao Senhor e à Senhora é, portanto, a principal preocupação dos Bruxos. A magia vem depois desse culto aos deuses.

Ainda assim, a magia tem um papel na maioria, se não em todas, das religiões (no Catolicismo Apostólico Romano, por exemplo, a transubstanciação é magia pura). Assim como em outras religiões, a magia é praticada na Bruxaria – mas, reitero, é um aspecto secundário.

A magia por si mesma é uma prática. Se tudo o que você quer fazer é magia, então você não precisa se tornar uma Bruxa ou um Bruxo para praticá-la. Qualquer um pode fazer magia... ou, pelo menos, pode tentar. Essa pessoa será meramente um praticante de magia.

Existem muitas formas diferentes de magia – dúzias, talvez até mesmo centenas. Algumas podem ser bastante perigosas. Na Magia Cerimonial, por exemplo, quando o praticante está conjurando várias entidades, a maioria delas é decididamente antagônica a ele. Algumas tradições da Arte tendem a reproduzir esse aspecto da Magia Cerimonial em seus trabalhos, por qualquer razão que seja, e conjurar várias criaturas. Mas isso *pode* ser perigoso. Não somente perigoso, no meu entender, mas totalmente desnecessário. É um pouco como tentar ligar um rádio portátil numa corrente de 1.000 volts! Por que correr tanto risco quando duas pilhas funcionariam muito bem e não ofereceriam nenhum perigo? A magia que eu trato neste livro, embora tão eficaz quanto qualquer outra, é *segura*... Você não corre nenhum risco.

> O homem primitivo fazia magia *imaginando* o que queria. Ele se sentava e "via" a si mesmo caçando um animal. Ele "via" a si mesmo atacando e matando esse animal. Ele depois "via" a si mesmo segurando o alimento. Algumas vezes, para ajudá-lo a ver essas coisas, ele desenhava figuras. Pintava uma gravura ou entalhava uma estatueta de si mesmo caçando e matando o animal. Tudo isso é parte do que é chamado de Magia "Simpática"... Para ajudá-lo a "ver", ou visualizar, você pode praticar alguns exercícios. O primeiro é bem fácil.
>
> Pegue uma gravura de uma revista – digamos que seja de uma casa. Olhe para ela com atenção. Estude-a. Veja todos os detalhes da casa e do restante da gravura. Veja a forma do telhado; as janelas e onde elas estão. Veja a(s) porta(s) e os degraus da frente, se houver. Veja o jardim e a cerca, se houver, e qualquer pessoa que possa estar na gravura.
>
> Em seguida, rasgue a gravura ao meio. Pegue uma das metades e coloque-a sobre uma folha de papel em branco. Olhe para ela. *Visualize a metade que falta da figura*. Veja-a por *completo*. Veja todos os detalhes conforme se lembra deles. Depois, poderá conferir a outra metade da gravura para ver se a desenhou corretamente (veja a Ilustração 1).
>
> **The Everyday Practice of Voodoo**
> **Boko Gede**
> **CBE Books, Calif, 1984**

Você pode fazer esse tipo de exercício com figuras cada vez mais complexas, até que seja capaz de visualizar facilmente todos os detalhes (veja a Ilustração 2).

Depois pegue uma fotografia de uma pessoa (isso pode ser usado para cura, entre outras coisas)... Você precisará estudá-la até que possa ver a pessoa em todos os detalhes, sem que a fotografia esteja lá. Você precisa ser capaz de ver, de visualizar, a pessoa fazendo o que quer que ela esteja fazendo... Veja-a, concentre-se nela (veja a Ilustração 3).

The Everyday Practice of Voodoo
Boko Gede
CBE Books, Calif, 1984

Mas o que é exatamente a "magia"? É uma daquelas palavras que têm conotações diferentes dependendo da pessoa. Antes de mais nada, eu não estou falando a respeito de "mágica" – ou seja, conjuração ou prestidigitação. Tirar coelhos da cartola e serrar jovens bonitas ao meio é pura *ilusão*. Na verdade, a diferença entre a mágica e a magia real é que, na Bruxaria e no mundo do ocultismo, o termo em inglês costuma a ser escrito com "k" no final – *magick*, a antiga grafia –, em vez de *magic*. A magia feita com propósitos positivos é chamada de "magia branca"; e aquela que é realizada com fins negativos é denominada "magia negra". Esses termos não têm nenhuma conotação racial. Eles vêm do antigo conceito persa do bem e do mal. Zoroastro concluiu que, de todos os muitos bons espíritos, ou *devi*, havia, na verdade, somente um *completamente bom*. Esse espírito era Ahura-Mazda – o Sol, a luz. Ora, se existe um espírito completamente bom, então também deve existir seu oposto, um totalmente mal (não existiria o branco se não fosse o preto para contrastar com ele), por isso esse papel foi dado a Ahriman – A Escuridão. Os outros *devi* menores tornaram-se "demônios". Esse conceito do totalmente bom/totalmente mal foi emprestado posteriormente pelo Mitraísmo e avançou para o Oeste, influenciando o Cristianismo. A base dos conceitos de magia branca e magia negra, portanto, vem da Pérsia.

Aleister Crowley definiu magia como "a ciência e a arte de provocar mudanças conforme a própria vontade". Em outras palavras, fazer com que algo que você queira aconteça. *Como* podemos fazer uma coisa acontecer? Com o uso do "poder" (por falta de uma palavra melhor) que todos nós temos interiormente. Às vezes, precisamos complementar esse poder, invocando os deuses; entretanto, na maioria dos casos, nós mesmos podemos produzir tudo de que necessitamos.

O Corpo Físico

Para ser capaz de usar esse poder, no entanto, precisamos estar em boa forma. Uma árvore doente produz poucos frutos. Mantenha-se em boa forma física. Você não precisa correr de 5 a 10 quilômetros por dia ou levantar pesos para fazer isso. Apenas tome cuidado para não ficar muito acima (ou muito abaixo) do peso. Cuide da sua alimentação. Não coma alimentos de baixo teor nutritivo e procure manter uma dieta "balanceada", embora cada pessoa tenha suas próprias necessidades nutricionais. Experimente aderir a uma alimentação mais natural. Evite o açúcar (conhecido como "a morte branca"!) e a farinha branca. Coma vegetais e frutas em abundância. Não estou sugerindo que você se

Ilustração 1

Ilustração 2

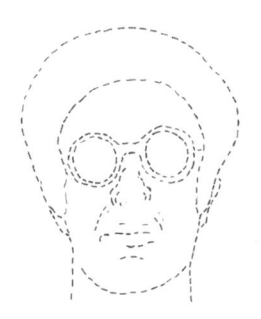

Ilustração 3

torne um vegetariano, mas não abuse da carne. Saberá se está em boa forma se estiver se sentindo bem.

O asseio antes dos trabalhos mágicos é importante. É uma boa prática purificar o corpo internamente por meio do jejum. Não coma ou beba nada além de água, mel e pão integral nas 24 horas que antecederem a magia. Nada de álcool ou nicotina, tampouco atividade sexual (isto é importante principalmente ao se preparar para a magia sexual, como explicado abaixo). Antes do ritual, acrescente à água do banho uma colher de sopa de sal, de preferência marinho (que pode ser comprado em supermercados ou em lojas de produtos naturais).

O Círculo

O Círculo é importante por si só. Se for fazer magia, construa o Círculo com muito mais cuidado do que normalmente. As dimensões devem ser as apresentadas nas lições iniciais; no entanto, o Círculo deve ser lançado com toda concentração e consagrado com o Ritual da Edificação do Templo. Certifique-se de que a ponta da espada ou do athame percorra com precisão a linha do Círculo. A pessoa que estiver lançando o Círculo deve lhe direcionar tanta energia quanto possível por meio desse instrumento. Reforce-o aspergindo água salgada e queimando incensos. A magia é feita no Círculo de esbá, naturalmente, antes da cerimônia de esbá e/ou da Lua cheia ou da nova. Depois, realiza-se a Cerimônia dos Bolos e da Cerveja. Mais tarde, o coven discutirá que trabalho de magia será realizado e *como exatamente* isso será feito. Em seguida, logo antes de começar a magia – o Sacerdote/a Sacerdotisa deve caminhar mais uma vez ao redor do Círculo com a espada ou o athame na mão, para reforçá-lo (mas não será mais necessário aspergir água salgada ou queimar mais incensos). Alguns momentos devem ser dispensados à meditação sobre o que está para ser feito. Como você verá a seguir, no trabalho de magia propriamente dito você estará concentrado no resultado final, mas, nesse exato momento, bem no início, deve meditar sobre tudo que está para ser realizado.

> O que é a Bruxaria senão o controle humano das forças da natureza por meio de um poder sobrenatural?... Com jejum e encantamentos, com conjurações, os homens laçam esse poder e usam-no – sem o conhecimento

verdadeiro disso que estão usando. A Bruxaria, portanto, é a ciência desse poder, e em seu culto emergem e se mesclam todos os mistérios.

Witches Still Live
Theda Kenyon
Washburn, Nova York, 1929

Nunca faça magia "apenas para ver se ela funciona" – provavelmente não terá efeito – ou apenas para provar isso a alguém. Realize-a somente quando houver uma necessidade real. É um ofício árduo quando você a realiza de forma adequada.

A Entrada e a Saída

Em nenhum momento, durante o trabalho de magia, o Círculo deve ser rompido. Pode-se deixar o Círculo e retornar, se preciso, mas isso sempre deve ser feito com cuidado – e só quando absolutamente necessário –, da seguinte maneira:

Como Deixar o Círculo

Com o athame na mão, voltado para o Leste, faça um movimento para baixo como se cortasse a linha do Círculo, primeiro à sua direita, depois à esquerda (veja as Figuras 11.1A-B). Você pode, então, sair do Círculo entre esses cortes. Se quiser, pode imaginar que cortou uma passagem ou uma entrada, no Leste, pela qual passará.

Alguns wiccanos começam a cortar desde o chão, começando por um lado, passando por cima da própria cabeça e fazendo uma curva ao descer até o chão novamente, do outro lado, como se desenhassem uma grande passagem. Isso não é realmente necessário, pois o simples ato de cortar a linha do Círculo consagrado, com o athame, é suficiente para abri-lo.

Figura 11.1A

Figura 11.1B

Figura 11.1C

Figura 11.1D

Como Voltar a Entrar

Quando retornar ao Círculo, caminhe de costas pela mesma entrada ao Leste e "feche-a" atrás de si, "reconectando" a linha do Círculo. Três Círculos foram lançados originalmente – um com a espada, um com a água salgada, um com a fumaça do incenso. Portanto, serão três linhas para reconectar. Faça isso movendo sua lâmina para um lado e para o outro, ao longo da linha (veja a Figura 11.1C). Essa é a razão por que a lâmina do athame tem dois gumes – assim ele cortará em ambas as direções, nesta e em outras práticas de magia.

Para encerrar, você "selará" o Círculo, levantando seu athame e traçando com a lâmina um pentagrama no ar. Comece no alto e desça em direção ao lado esquerdo. Em seguida, mova-a para cima e em diagonal na direção da direita; depois em linha reta para a esquerda; em diagonal para baixo em direção à direita e, por fim, de volta ao topo, onde iniciou o pentagrama (veja a Figura 11.1D). Depois, beije a lâmina do athame e retorne ao seu lugar.

Normalmente, depois que o Círculo é aberto, ninguém mais deve deixá-lo até que seja feito o Ritual de Purificação do Templo. O Círculo, portanto, só deve ser quebrado se for absolutamente necessário (por exemplo, quando alguém precisar ir ao banheiro!). Se a pessoa cortar o Círculo para sair por alguns instantes, então ela deve seguir os passos 11.1A e 11.1B (mostrados nas figuras), sair dele, em seguida seguir o passo 11.1C, para fechar o Círculo. Ao retornar, a pessoa precisará cortá-lo de novo (na mesma marca, seguindo os passos 11.1A e 11.1B), passar pelo Círculo e fechá-lo como de costume, seguindo o passo 11.1C, depois o passo 11.1D, para selá-lo.

Depois que o trabalho mágico for iniciado, o Círculo não deve ser mais quebrado.

O Cone de Poder

Todos nós temos poder dentro do nosso corpo. Trata-se do mesmo poder que pode ser usado para curas, ser visto na forma de aura, mover objetos inanimados e lhe permitir ver coisas na bola de cristal ou nas cartas de tarô. Esse é um poder espantoso e, quando usado da maneira como você está prestes a aprender, pode transformar a sua vida.

Dentro de um coven, o poder pode ser extraído das pessoas – contido nos limites do Círculo consagrado –, misturado para formar um instrumento sólido e "causar mudança de acordo com a própria vontade". Desnecessário dizer que os desejos de todos os membros do coven devem ser direcionados para o mesmo fim. Seja de um grupo de Bruxos ou de um único Bruxo, o poder é gerado e reunido na forma de um cone, sobre o Círculo. Quando poder suficiente for produzido, o Cone de Poder poderá ser direcionado.

Sempre que estiver trabalhando com magia, certifique-se de que não será perturbado. Você vai enfocar todas as suas energias e toda a sua concentração no trabalho que vai realizar. Não poderá fazer isso se, no fundo da sua mente, estiver preocupado que alguém possa descobri-lo, ou que os vizinhos reclamarão do barulho, ou que o telefone irá tocar (deixe-o desligado), ou que será, de algum modo, interrompido. *Assegure-se de que não será interrompido!*

> Que tipo de magia se faz? Principalmente os trabalhos de cura, embora nem sempre. Alguns exemplos podem vir numa certa ordem. Nenhum deles, mesmo quando visto separadamente, pode ser descartado com a palavra "coincidência". Coincidência, entretanto, é uma palavra muito conveniente e muito usada sempre que alguma coisa parece incomum, inacreditável ou difícil de compreender. Quando um amplo número de exemplos é produzido, a "coincidência" por si mesma torna-se um pouco forçada. Os Bruxos já realizaram o

suficiente para provar a si mesmos que magia não é coincidência. Se alguém acredita neles ou não, não é importante – eles acreditam.

Witchcraft from Inside
Raymond Buckland
Llewellyn, Mn., 1971

A Dança e os Cânticos

Existem diversas maneiras de robustecer o poder dentro do seu corpo, antes de liberá-lo. Começarei descrevendo o método mais comum: a dança e os cânticos, encontrados de forma universal nas civilizações antigas e até mesmo em algumas sociedades atuais, como na dos indígenas nativo-americanos, africanos, australianos e muitos outros.

Em seu livro *Witchcraft Today*, Gerald Gardner nos dá um exemplo de como a música – nesse caso um simples toque de tambor – pode afetar a mente: "Eles me disseram que poderiam me deixar furioso. Eu não acreditei, então eles me fizeram sentar, preso numa cadeira para que eu não pudesse sair. Em seguida, um deles se sentou na minha frente, tocando um pequeno tambor; não tocava uma melodia, era só um tum--tum-tum. Ficamos rindo e conversando de início... Dava a impressão de que tinha se passado muito tempo, embora eu pudesse ver no relógio que isso não era verdade. O toque do tambor continuou e eu comecei a me sentir um tanto tolo; eles estavam me observando com um sorrisinho no rosto e isso me deixou com raiva. Não percebi que o som compassado do tambor parecia estar um pouco mais rápido e o meu coração batia com mais força. Comecei a sentir ondas de calor. Eu estava zangado com aquele sorrisinho no rosto deles. De repente, me enfureci e quis me soltar da cadeira; dei um puxão e teria investido contra eles, mas, tão logo me soltei e comecei a avançar, eles mudaram o ritmo da batida e eu não senti mais nenhuma raiva".

A dança ao redor do Círculo, principalmente com a batida regular de um tambor ou com um cântico ritmado, pode fazer o sangue correr nas veias. À medida que a dança e a batida se aceleram, o coração também começa a bater mais rápido. Você vai se sentir mais quente, agitado... o poder aumenta. Na maioria dos Círculos os membros do coven dançam, começando de maneira regular e lenta e, aos poucos,

Invocando o pentagrama

acelerando, dançando cada vez mais rápido, até chegar a um ponto culminante.

Se for parte de um coven, você poderá dançar ao redor do Círculo (deosil, é claro) com os outros membros, de mãos dadas, ou pode dançar individualmente. No entanto, ao unirem as mãos, unem-se as energias que ajudam a fortalecer igualmente o poder de todos ao mesmo tempo. Passos reais de dança e exemplos de música adequada são apresentados no Apêndice C.

O que cantar enquanto dança? Prefira algo simples e ritmado. Quando digo simples, não me refiro a algo que não seja complexo, mas a algo que seja compreensível. Com certeza não é um mambo! Alguns covens dançam ao redor do Círculo entoando palavras estranhas cujo significado nem conhecem. Como você poderia colocar um sentimento em algo que está dizendo se nem ao menos sabe o seu significado?! Está realizando magia para atrair dinheiro para a sua vida?... Então cante algo relacionado a dinheiro. Por que não algo como " Senhor e Senhora, somos seus Bruxos. Tragam-nos riqueza, tragam-nos luxos"? Pode parecer mundano, bem pouco espiritual, entretanto é muito mais fácil colocar um sentimento nisso (e se lembrar das palavras) do que em algo como "... Lamach, Lamach, bacharous, carbahaji, sabalyos, barylos...". Não só é mais simples e mais compreensível, como tem mais ritmo. Tem uma batida que pode ser acompanhada de um passo de dança. Como você já viu no experimento de Gerald Gardner, a batida é importante, ela realmente pode nos afetar.

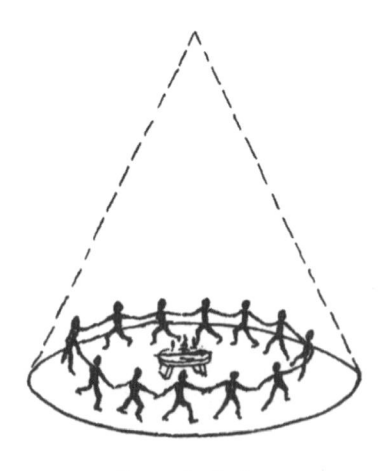

Cone do Poder

Não existe, portanto, um conjunto de palavras, nenhum cântico já pronto para você usar; nada de "veja a página 27, cântico número 33"). A magia deve se adaptar ao indivíduo ou ao coven. Peça que os membros do coven se sentem juntos, ou durante a Cerimônia dos Bolos e da Cerveja ou numa reunião de "negócios" pré-esbá, e coloque em prática exatamente o que quer dizer; que palavras lhe deixarão mais confortável. Os Bruxos Solitários terão, naturalmente, que fazer isso sozinhos. Lembre-se: *simplicidade* e *ritmo*.

O Sentir

Sentir... talvez esse seja o mais forte elemento da prática da magia. Para produzir poder, é preciso que você sinta com intensidade o que está tentando realizar. Digamos que um coven esteja tentando provocar, por meio da magia, a mudança de um senhor idoso para outro bairro da cidade que não seja tão perigoso. *Cada* membro do coven precisa:

a) sentir *com intensidade* que o homem deve realmente se mudar do seu atual endereço e

b) saber para *onde* estão tentando fazer com que ele se mude.

O coven – ou a pessoa, caso se trate de um Bruxo Solitário – deve se preocupar com o homem tanto quanto se preocuparia com o próprio pai. Todos devem realmente *querer* ajudá-lo. Isso porque é mais fácil realizar magia para si mesmo ou para um ente querido – e não há absolutamente nenhuma razão pela qual não se deva fazer magia em benefício próprio – do que a realizar para um estranho. A pessoa que tiver os sentimentos mais fortes com relação ao caso, o desejo mais forte de que a magia seja bem-sucedida, é aquela mais envolvida no caso... e será a melhor pessoa para realizar a magia em questão.

Tenha em mente uma imagem clara daquilo que deseja realizar. Pense, principalmente, no *resultado final*. Por exemplo, suponhamos que você queira escrever um livro que se transforme num *best-seller*. Não pense em você *escrevendo* o livro neste momento. Em vez disso, pense no livro já escrito (por você, claro), aceito por uma grande editora e publicado. Então veja, em sua mente, *o livro pronto para ser lançado*. Veja a capa nas livrarias; veja o seu nome escrito nele; veja as pessoas comprando-o; veja-o na lista dos mais vendidos; veja você mesmo na noite de autógrafos. Visualize claramente essas imagens na sua mente e concentre as suas energias nesse fim. Veja uma corrente de luz branca (ou de energia, se preferir), como se estivesse partindo de você – e dirigida por você –, e conduza-a para esse resultado final. *Não veja uma coisa em produção. Veja-a terminada!*

No exemplo usado de início, não veja o homem mudando-se do bairro em que mora; veja-o morando feliz em *outro* bairro. Esse é um dos segredos da magia bem-sucedida – a visualização do *resultado final*.

Como Atrair o Poder

Na Magia Cerimonial, existe um instrumento muito utilizado, conhecido como varinha ou bastão mágico. Muitas tradições da Arte (por exemplo, gardneriana, alexandrina, husoniana) emprestaram esse instrumento – e outros – da Magia Cerimonial; contudo, em meu modo de entender, o instrumento por si mesmo é desnecessário. Nós que somos da Arte temos o nosso próprio instrumento, que pode fazer tudo que a varinha pode realizar: o athame. A varinha parece ser uma projeção ou extensão do braço do mago; um acumulador e projetor desse poder. O athame também é tudo isso, então por que se preocupar em ter uma varinha?

Se você precisa reforçar o poder que vai criar, se sentir (e isso pode acontecer principalmente com o Bruxo Solitário) que pode não ser capaz de gerar poder *suficiente* para o que pretende realizar, então você pode "atrair" ou "puxar" o poder dos deuses para auxiliá-lo. Quando terminar a sua dança e logo antes de liberar o poder *(veja a seguir),* pegue o athame e segure-o, com ambas as mãos, sobre a cabeça. Evoque, em voz alta ou mentalmente, o Senhor e a Senhora, por quaisquer nomes que costume usar para designá-los, e sinta uma onda de energia descendo por seus braços, pelo athame, e atravessando todo o seu corpo. Em seguida, gire o athame para baixo, apontando-o para fora e para longe de você, e libere o poder.

A Liberação do Poder

Seu objetivo é fortalecer o poder ao máximo e depois o liberar para causar a mudança ou produzir o efeito da magia. Pense nisso como algo parecido com uma espingarda de ar comprimido: a criança bombeia a arma – quanto mais fizer isso, mais forte será a força com que a munição será projetada –, depois ela mira e libera o projétil, pressionando o gatilho. Você "bombeou" o seu poder com a dança e o cântico. Agora, mire o alvo e pressione o gatilho.

Tenha certeza de que bombeou ao máximo. Dance cada vez mais rápido e cante cada vez mais alto, até sentir que está pronto para explodir. Em seguida, pare de dançar e ajoelhe-se (ou estenda-se no chão ou fique na posição em que se sentir melhor. Só experimentando você saberá). Se necessário, atraia o poder do alto. Mire o alvo: visualize algo em sua mente e se concentre nisso. Você sentirá o poder dentro de si quando se concentrar; sentirá o poder tentando irromper. Segure-o tanto quanto puder, mantendo a imagem em mente. Quando sentir que não pode mais conter o poder, libere-o – deixe-o irromper de si enquanto *grita* a palavra-chave. Se estiver trabalhando para atrair dinheiro, grite "Dinheiro"; se for para o amor, grite "Amor"; se for para um novo emprego, grite "Emprego!".

Nas deliberações que fizerem, durante a Cerimônia dos Bolos e da Cerveja, decida qual será a palavra-chave. Essa é a liberação, a pressão do gatilho. E grite essa palavra! Não fique constrangido, não se preocupe com os vizinhos; não pense "O que as pessoas vão pensar?". Apenas grite, soltando e liberando todo o poder acumulado. Obviamente nem todos no coven farão a liberação ao mesmo tempo. Não tem problema. Cada pessoa liberará o seu poder quando estiver pronta. Depois disso, você provavelmente perderá a força, completamente exausto... mas vai se sentir bem! Passe um tempo se recuperando. Tome uma taça de vinho (ou suco de frutas) e relaxe antes do Ritual da Purificação do Templo.

Em algumas tradições o poder é direcionado pelos *coveners* para o Sacerdote ou a Sacerdotisa, que, por sua vez, faz a liberação e o direcionamento desse poder. Essa prática pode ser eficaz, no entanto acredito que exija um Sacerdote ou uma Sacerdotisa fortes o suficiente para saber lidar com o acúmulo de poder e direcioná-lo. Sendo assim, eu normalmente não recomendo esse método.

A Escolha do Momento Certo

É importante saber quando fazer a sua magia. Numa lição anterior, falei a respeito das fases da Lua. A Lua é o seu relógio e o seu calendário para trabalhar com a magia. Se a Lua estiver no quarto crescente, então é hora de fazer magia *construtiva* – e a melhor época é o mais próximo possível da Lua cheia. Se a Lua estiver no quarto minguante, então será o período para a magia *destrutiva* – e a melhor época é o mais próximo possível da Lua nova.

A magia construtiva é aquela que usamos para promover o crescimento ou aumento de algo. Por exemplo, levar um homem a se mudar de um bairro violento para outro melhor é definitivamente magia construtiva, pois isso aumentou a felicidade dele. A magia de amor é construtiva, assim como a conquista de um novo emprego, de riquezas, sucesso, saúde.

A magia destrutiva é geralmente realizada para pôr fim a alguma coisa: um caso de amor, um hábito ruim, um modo de vida.

Considere o problema cuidadosamente e decida qual é a melhor forma de resolvê-lo. Por exemplo, se quiser romper um antigo relacionamento e iniciar um novo, com alguém mais compatível, você tem que fazer magia para promover o encerramento de um ou para promover o início de outro? Ou tem que fazer as duas coisas? A resposta pode ser resumida da seguinte maneira: "pense positivo". Em outras palavras, tanto quanto for possível, trabalhe com o aspecto *construtivo*. Se você se concentrar em conseguir um novo relacionamento, então isso provavelmente fará com que o antigo se acabe naturalmente. Quando estiver em dúvida, trabalhe na Lua crescente.

Lembre-se sempre da Rede Wiccana: "Faça o que quiser, mas não prejudique ninguém". Não faça nenhuma magia que venha a prejudicar alguém de alguma forma ou que interfira em seu livre-arbítrio. Se estiver em dúvida, não faça nada.

Muitas vezes é uma boa ideia, especialmente quando se trabalha com alguma coisa muito importante, como a cura (claro que você não investiria tempo ou esforço em algo sem importância!), persistir nesse trabalho por um certo período. Por exemplo, você poderia realizar o trabalho uma vez por semana, passando por todas as fases da Lua. Digamos que a Lua nova seja em 30 de julho e a Lua cheia em 15 de agosto. Você poderia iniciar seus trabalhos mágicos em 1º de agosto, repeti-lo no dia 8 e realizar um trabalho final na noite da Lua cheia, em 15 de agosto.

Os dias da semana também podem influenciar os trabalhos de magia. Por exemplo, a sexta-feira é sempre associada à Vênus, que, por sua vez, é associada ao amor. Sendo assim, se possível, realize a magia de amor na sexta-feira. A correlação entre os dias e os planetas e as características que eles regem estão na tabela a seguir.

Segunda-feira	*Lua*	Negócios; sonhos; furtos
Terça-feira	*Marte*	Matrimônio; guerras; inimigos; prisão
Quarta-feira	*Mercúrio*	Débito; medo; perda
Quinta-feira	*Júpiter*	Honra; riqueza; vestuário; desejos
Sexta-feira	*Vênus*	Amor; amizades; estranhos
Sábado	*Saturno*	Vida; construção; doutrina; proteção
Domingo	*Sol*	Fortuna; esperança; dinheiro

A Magia com Cordas

Muitos Bruxos e covens realizam a magia com cordas. Para realizá-la, você precisará de uma corda, ou *cingulum,* como algumas vezes é chamada, que tenha aproximadamente 90 cm (três vezes três; um número recorrente na magia) e seja da cor vermelha (a cor do sangue, a força vital). É melhor que você confeccione a sua própria, utilizando três fios de seda (ou lã, náilon ou o material natural que preferir) trançados por você mesmo. Enquanto confecciona a corda, concentre-se em colocar suas energias nela, para que se torne uma outra parte de você. Assim como fez com o seu athame, não deixe ninguém mais usar essa corda. Faça um nó em cada ponta e a deixe sempre desemaranhada.

Consagre a corda que você fez. Baseie-se na consagração apresentada na Lição Cinco, mas use as seguintes palavras: "Aqui, neste momento, apresento a minha *corda* para a sua aprovação. Que daqui por diante, ela me sirva como instrumento e esteja a seu serviço". Algumas tradições usam as cordas para amarrar suas túnicas em torno da cintura, sempre que estão no Círculo. Eu sugiro que reserve a sua estritamente para o uso mágico, uma vez que ela é um instrumento de magia. Quando não estiver em uso, mantenha a corda embrulhada num pedaço limpo de linho ou seda branca.

Um dos usos mágicos da corda é acumular poder. Em vez de dançarem em círculo e trabalharem em grupo, os membros do coven trabalharão individualmente, sentados e entoando cânticos, enquanto seguram a corda na mão (isso também pode ser feito pelos Bruxos Solitários). Quando o poder começa a ser gerado, cada *covener* – no seu devido tempo e indiferente aos demais, ou se afastando mentalmente deles – faz uma pausa de vez em quando para atar um nó numa das pontas, com as palavras: "Com o primeiro nó, este feitiço se inicia". Depois ele volta a entoar o cântico – balançando de um lado para outro ou de trás para frente –, até sentir que é hora de dar mais um nó. Esse nó será feito na ponta oposta da corda, com as seguintes palavras: "Com o segundo nó, ele se torna realidade". Em seguida, o *covener* volta a cantar; enquanto canta, tece a imagem do que quer na sua mente. Foca o alvo em mira, como descrevi na seção *A Liberação do Poder*. Assim todos prosseguem, cantando e visualizando o que querem, e em seguida dando mais um nó. Enquanto o poder se fortalece, mais nós são dados, até que haja *nove* nós na corda. Todos feitos num padrão particular e entoando as palavras apropriadas. O primeiro nó, como já disse, é feito na extremidade da corda; o segundo, na outra ponta. O terceiro é feito no meio da corda. O quarto, a meio-caminho entre o primeiro e o terceiro; o quinto, entre o segundo e o terceiro. A seguir é apresentado um padrão para se atar os nós, juntamente com as palavras apropriadas para cada um deles:

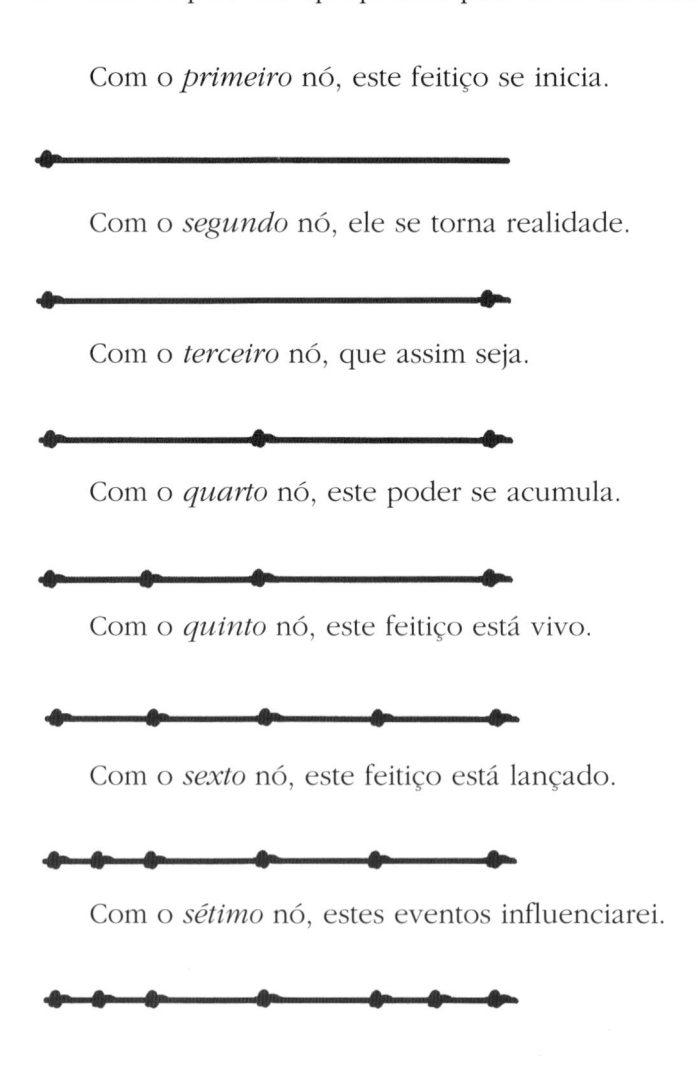

Com o *primeiro* nó, este feitiço se inicia.

Com o *segundo* nó, ele se torna realidade.

Com o *terceiro* nó, que assim seja.

Com o *quarto* nó, este poder se acumula.

Com o *quinto* nó, este feitiço está vivo.

Com o *sexto* nó, este feitiço está lançado.

Com o *sétimo* nó, estes eventos influenciarei.

Com o *oitavo* nó, cumpre-se o destino.

Com o *nono* nó, o que está feito está feito.

Ao dar o último nó (o nono), toda a energia é direcionada para a corda, com uma visualização final do objetivo do trabalho. O poder foi elevado e agora está "armazenado" nos nós da corda. Existem antigas xilogravuras, da Idade Média, que mostram Bruxos vendendo cordas cheias de nós para marinheiros. Supunha-se que eles atavam os ventos nas cordas, para o caso de o marinheiro precisar de vento para impelir a sua embarcação. Caso isso ocorresse, ele simplesmente desataria um nó e velejaria – um nó para uma brisa suave, dois para um vento forte e três para uma ventania!

Por que alguém iria querer armazenar um feitiço? Em algumas magias, o tempo para que o acontecimento ocorra é importante. Suponhamos, por exemplo, que você queira que algo construtivo aconteça, mas que o momento mais propício para isso seja perto da Lua nova. Você faz sua magia construtiva durante o quarto minguante? Não. Você a faz perto do início da Lua cheia, usando uma corda*.

Desse modo, o poder será gerado, mas armazenado para uso posterior.

Haverá nove nós na corda. Embora eles sejam todos feitos durante um ritual, devem ser desfeitos um de cada vez – um por dia –, durante nove dias consecutivos. Desfaça-os na mesma ordem em que foram feitos. Não na ordem inversa. Em outras palavras, no primeiro dia, desate o nó que foi feito primeiro (o da ponta); no segundo dia, o segundo nó (o da outra ponta) e assim sucessivamente. Desse modo, o último nó desatado, no nono dia, será o nono nó que foi feito no *ápice do ritual de amarração* – o momento de maior poder. A cada dia, antes de desatar o nó, concentre-se naquilo que vai acontecer, balançando e mais uma vez

---

* Isso não quer dizer, naturalmente, que toda magia seja instantânea. Não é. Mas, assim como no exemplo que dei sobre fazer magia semanalmente da Lua nova até a Lua cheia, quanto mais próximo do evento estiver o ápice da sua magia, melhor.

gerando poder. Em seguida, enquanto solta o nó, libere também o poder com um grito.

As cordas também podem ser usadas durante a dança, para gerar poder. Cada Bruxo segura as duas extremidades da sua corda, que está entrelaçada, pelo meio, à corda da pessoa que está de frente a ele no Círculo:

Em vez de darem as mãos para dançar em círculo, os membros do coven estarão conectados pelas cordas, como os raios de uma grande roda.

A Magia com Velas

No início deste livro, mencionei a magia simpática praticada pelos homens e mulheres da Pré-história; a construção de modelos em argila de animais que tinham de ser caçados e em seguida o ataque a esses modelos de barro. Exemplos parecidos podem ser encontrados ao longo da História: cerca de 1200 a.C, um oficial do ministério egípcio usou uma figura de cera numa conspiração contra Ramsés III, e o rei Nectanebo II (350 a.C) travou todas as batalhas da época usando figuras de cera. Por centenas, se não milhares de anos, pessoas de todas as raças e religiões fizeram esse mesmo tipo de magia simpática, usando velas em vez de estatuetas de barro. Velas para representar não só pessoas como também coisas: amor, dinheiro, atração, discórdia etc... Queimando tipos diferentes de velas e manipulando-as de formas diferentes, pode-se realizar muita magia.

As velas podem ser de qualquer tipo, *a cor* é que é importante. Para definir quais são as melhores em cada caso, as listas a seguir são de grande importância. A magia com velas pode ser feita no seu altar, mas, como muitos rituais requerem que as velas sejam deixadas acesas por um determinado período, pode ser uma boa ideia usar um outro altar. Pode ser uma mesa de centro ou de canto, uma caixa, a parte de cima de uma cômoda – quase qualquer coisa pode ser utilizada. Você precisará de uma vela de altar branca (com a imagem do Deus e da Deusa, uma de cada lado, se desejar). Em frente, ficarão o incensário, a água e o sal. Esses são os objetos básicos.

Vejamos agora um típico ritual com velas. O feitiço para conseguir o amor de outra pessoa é um bom exemplo. Do lado esquerdo do altar, coloque a vela representando quem está fazendo o pedido, ou seja, o solicitante (você mesmo ou a pessoa para quem você estiver fazendo o ritual). Do outro lado do altar, coloque a vela que representa a pessoa que deseja atrair.

Simbolismo das Cores na Magia

Tabela 1. Cores Astrais			
Signo Solar	Data de Nascimento	Cor Primária	Cor Secundária
Áries	De 21 de março a 20 de abril	Branco	Rosa
Touro	De 21 de abril a 20 de maio	Vermelho	Amarelo
Gêmeos	De 21 de maio a 20 de junho	Vermelho	Azul
Câncer	De 21 de junho a 21 de julho	Verde	Marrom
Leão	De 22 de julho a 22 de agosto	Vermelho	Verde
Virgem	De 23 de agosto a 22 de setembro	Dourado	Preto
Libra	De 23 de setembro a 22 de outubro	Preto	Azul
Escorpião	De 23 de outubro a 21 de novembro	Marrom	Preto
Sagitário	De 22 de novembro a 21 de dezembro	Dourado	Vermelho
Capricórnio	De 22 de dezembro a 20 de janeiro	Vermelho	Marrom
Aquário	De 21 de janeiro a 19 de fevereiro	Azul	Verde
Peixes	De 20 de fevereiro a 20 de março	Branco	Verde

Tabela 2. O Simbolismo das Cores	
Cor	Características
Branco	Pureza, verdade, sinceridade
Vermelho	Força, saúde, vigor, amor sexual
Azul-claro	Tranquilidade, compreensão, paciência, saúde
Azul-escuro	Impulsividade, depressão, instabilidade
Verde	Finanças, fertilidade, sorte
Dourado/amarelo	Atração, persuasão, encanto, confiança
Marrom	Hesitação, incerteza, neutralidade
Rosa	Honra, amor, moralidade
Preto	Infortúnio, perda, discórdia, confusão
Púrpura	Tensão, ambição, progresso nos negócios, poder
Prateado/cinza	Cancelamento, neutralidade, paralisação
Laranja	Encorajamento, adaptabilidade, estímulo, atração
Amarelo-esverdeado	Doença, covardia, ira, ciúme, discórdia

Tabela 3. Os Dias da Semana	
Dia da Semana	**Cor**
Domingo	Amarelo
Segunda-feira	Branco
Terça-feira	Vermelho
Quarta-feira	Púrpura
Quinta-feira	Azul
Sexta-feira	Verde
Sábado	Preto

Quero frisar que você *nunca* deve tentar interferir no livre-arbítrio de outra pessoa. Sendo assim, não deve realizar um ritual como este, visando uma pessoa *específica*. A segunda vela deve representar apenas o *tipo* de pessoa que você deseja atrair. Por exemplo, você pode usar uma vela rosa se desejar alguém amável e carinhoso; uma vermelha para atrair alguém cheio de energia sexual. Ou então pode usar uma vela da cor do signo de Câncer para representar alguém sensível e caseiro. Uma vela de Leão para um líder vigoroso; uma vela de Virgem para alguém analítico e meticuloso. É claro que você não vai conseguir reunir em uma ou duas velas coloridas *todas* as características que possa desejar num parceiro, por isso pode preferir usar apenas uma vela branca. Qualquer que for a vela que utilizar, você pode enumerar os seus desejos enquanto estiver preparando a vela (veja a seguir). Para saber que vela usar para representar o solicitante (à esquerda), verifique a Tabela 1, de acordo com a data de nascimento.

As duas velas devem ser preparadas antes do ritual. Para isso, unte-as com óleo. Se não puder usar óleos especiais para untar velas, use azeite de oliva comum. Esfregue as velas do centro para as extremidades (veja a Figura 11.2), concentrando-se na pessoa que ela representa enquanto faz isso. *Visualize* a si mesmo (ou a pessoa que fez o pedido) enquanto esfrega a primeira vela. Fale mentalmente o seu nome, dizendo que essa vela o representa (ou representa a pessoa em questão). Quando estiver preparando a segunda vela, você não dirá um nome, mas se concentrará nos atributos que deseja encontrar na pessoa que pretende atrair.

Perto dessas velas *astrais*, coloque uma vela vermelha. A Tabela 2 diz que o vermelho significa força, saúde, vigor e amor sexual. A vela vermelha, portanto, vai assegurar que ambos (você e a pessoa) sejam atraídos um para o outro pelas razões que você já tem em mente.

Agora, para a parte da atração propriamente dita, coloque, ao lado da sua vela astral, uma vela dourada. A Tabela 2 diz que o dourado (ou amarelo) é usado para atração, persuasão, encanto e confiança. Portanto, por meio dos seus encantos e de sua confiança, você vai atrair a pessoa que deseja, persuadindo-a a vir até você.

Seu altar estará montado de acordo com o diagrama a seguir:

O ritual é iniciado quando você lança o Círculo ao seu redor e ao redor do altar, com o athame, consagrando-os em seguida, como de costume. Em seguida, você deve meditar por alguns instantes naquilo que deseja realizar.

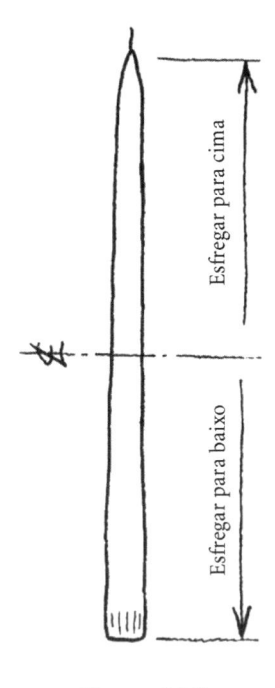

Figura 11.2

Acenda a vela que representa o solicitante e diga:

"Aqui está (nome do solicitante). Esta vela representa-o(a). Essa chama brilha como brilha o seu espírito".

Acenda a vela vermelha nº 1 e diga:

"O amor de (nome) é grande e é mostrado aqui. É um amor forte e almejado por muitos".

Acenda a vela astral do amor desejado e diga:

"Este é o coração da pessoa que ele(a) amará e desejará. Eu o(a) visualizo diante de mim".

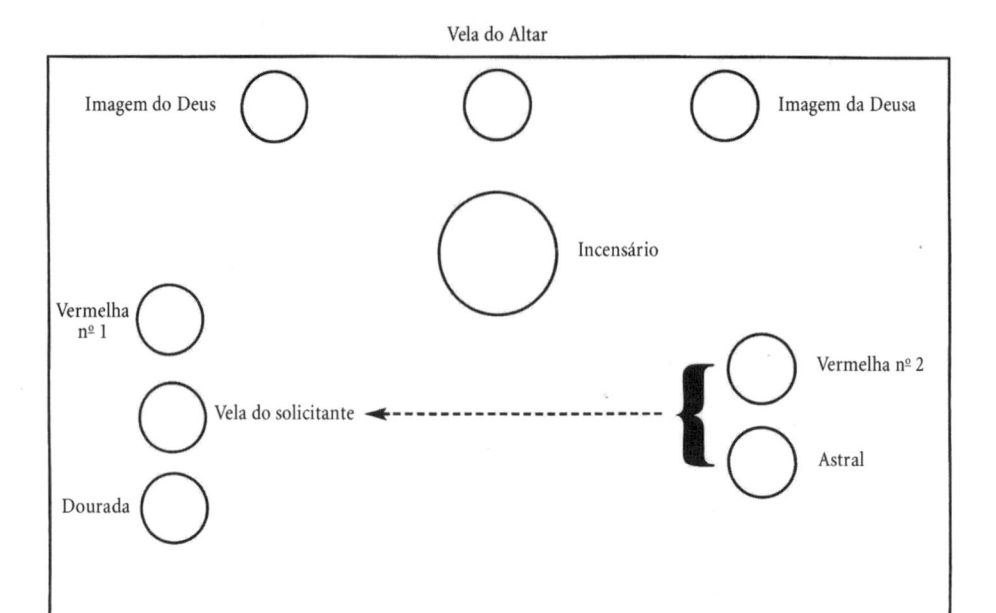

Diagrama de um Altar

Acenda a vela vermelha nº 2 e diga:

"O amor que ela(e) tem por (nome do solicitante) cresce com esta chama. Ele brilha como a luz e é atraído em direção a ela(e). Grande é o amor que um tem pelo outro".

Acenda a vela dourada e diga:

"Aqui um é atraído para o outro. Assim é o amor entre eles, e todos sentem a sua atração. Essa vela queima e atrai um para perto do outro. Poderosa é a persuasão.

Ele sente a atração sempre;
O pensamento dela é constante.

Seus dias são longos com saudades dela,
Suas noites são preenchidas com desejos.
Serem apenas um, juntos, é tudo o que ele deseja.
Serem apenas um, para sempre, em sua necessidade imediata.

Ele(a) não encontrará descanso até
Ao lado dele(a) estar.
Cada desejo dele(a) ela(e) atenderá
Servir, viver – e não morrer.

Ele(a) não pode lutar contra uma atração tão forte,
E nem pensaria em lutar;

Ele(a) deseja, mas segue o curso
Até ela(e), no fim de sua jornada.
Como o Sol que se levanta
Assim será o amor dele(a) por ela(e);
Quando o Sol baixar, ali ele(a) estará".

Sente-se por um instante antes de apagar as velas (que devem ser sopradas e não apagadas com os dedos). Repita o ritual todos os dias, movimentando a vela astral e a vermelha nº 2 aproximadamente 3 cm em direção à vela do solicitante a cada vez. Continue assim, diariamente, até que a vela astral e a vermelha nº 2 finalmente encostem na vela do solicitante.

Você talvez detecte as qualidades da magia simpática no ritual descrito. Isso é típico da magia com velas. Não há, obviamente, espaço suficiente nesta lição para descrever todos os rituais possíveis. Você poderá criar os seus próprios rituais ou consultar o meu livro *Practical Candleburning Rituals* (Llewellyn Publications, 1982), que contém rituais para quase trinta necessidades diferentes.

A magia com velas pode ser feita por um coven, com uma ou duas pessoas falando as palavras necessárias e acendendo e movimentando as velas (quando for necessário).

A Magia de Amor

Os chamados "filtros" e "poções" de amor são provavelmente a forma de magia que mais atrai o interesse das pessoas. Mas a grande maioria deles não passa de ficção. No entanto, existem *rituais* que dão resultado. Um dos mais conhecidos e eficazes é aquele que envolve o uso de *bonecos*. Esses bonecos representam os amantes. Assim como em qualquer magia simpática, o que for feito para os bonecos também afetará os amantes.

O boneco é feito de tecido e especialmente preparado. Trata-se de uma figura simples cortada em dois pedaços de tecido (Figura 11.3). Enquanto corta o tecido, você deve se concentrar na pessoa que ele representa. Depois, você pode bordá-lo ou pintá-lo, acrescentando traços faciais e outras características, como barba e bigode, cabelos compridos etc. Até mesmo o signo astrológico da pessoa pode ser adicionado. Se você não souber bordar, desenhe tudo isso com um marcador ou uma caneta hidrocor. Depois, costure o boneco deixando apenas uma abertura em cima (Figura 11.4). O boneco deve, então, ser preenchido com ervas, enquanto você se concentra na pessoa que ele representa. Ervas como verbena, matricária, artemísia, mil-folhas, valeriana, botões de rosa, sabugueiro ou damiana podem ser usadas. Essas são as ervas regidas por Vênus. Depois de acrescentar as ervas, pode-se costurar a abertura na cabeça do boneco.

Dois bonecos devem ser preparados dessa maneira: um representando o masculino e outro, o feminino. Toda essa preparação deve, naturalmente, ser feita dentro de um Círculo, por um indivíduo ou por todo o coven.

Como você está procurando o seu "par ideal", assim como acontece com a magia das velas, você deve fazer um boneco com todas as qualidades que procura. Ele não tem nome, mas pode exibir características físicas (por exemplo, cabelo loiro) e ser feito com todos

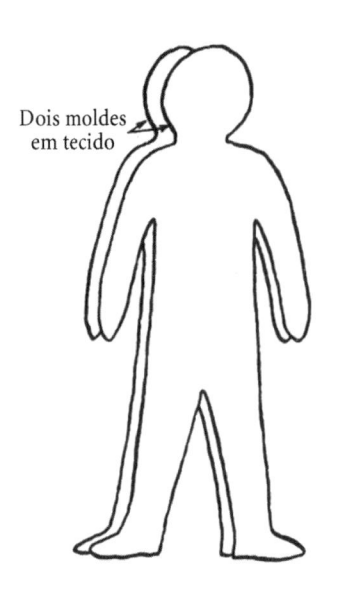

Figura 11.3

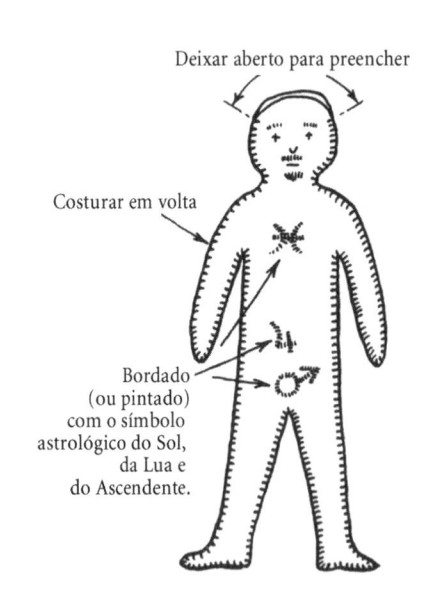

Figura 11.4

Figura 11.5

os atributos que você tiver em mente. Lembre-se, essa é uma magia forte. É para um relacionamento sério; sendo assim, não a utilize com o intuito de atrair alguém apenas para um breve *romance*.

Quando estiverem prontos, coloque os bonecos no altar, um à esquerda da lâmina da sua espada, ou athame, e o outro à direita. Eles devem estar de frente para a arma. Coloque também uma fitinha vermelha no altar, de meio metro de comprimento.

Solicitante: "Oh, poderoso Deus e poderosa Deusa, ouça agora a minha súplica a ti. Minha súplica pelo verdadeiro amor de (nome) e por seu desejo".

O solicitante pega um dos bonecos e, mergulhando os dedos na água salgada, borrifa-o com ela. Em seguida, passa o boneco pela fumaça do incenso, virando-o para que todas as partes sejam atingidas. Enquanto faz isso, diz:

Solicitante: "Eu chamo este boneco pelo nome de (nome do solicitante).
Ele é essa pessoa em todos os sentidos.
Assim como ela vive, da mesma forma viverá esse boneco.
Qualquer coisa que eu faça para este boneco, será feito a ela também".

O solicitante recoloca o boneco no lugar e pega o outro. Espalha o sal sobre ele e o passa pelo incenso, enquanto diz:

Solicitante: "Este boneco é o parceiro desejado.
Ele é essa pessoa em todos os sentidos.
Assim como ele vive, do mesmo modo viverá esse boneco.
Qualquer coisa que eu faça a este boneco, também será feito a ele.

O solicitante recoloca o boneco no lugar, em seguida ajoelha-se diante do altar com cada uma das mãos pousada sobre um boneco. Com os olhos fechados, visualiza as duas pessoas representadas pelos bonecos aproximando-se lentamente, encontrando-se, beijando-se e abraçando-se. Enquanto faz isso (*sem nunca ter pressa*), deve lentamente mover os dois bonecos ao longo da espada, em direção um ao outro, até que eles se encontrem. Nesse ponto, o solicitante deve abrir os olhos e segurar os bonecos juntos, virados um para o outro, e dizer:

> **Solicitante:** "Que eles possam ser atraídos um para o outro, firme e verdadeiramente. Para serem para sempre apenas um. Não serão mais separados; não estarão mais sozinhos, mas sempre juntos, como uma só pessoa".

Em seguida, o solicitante deve colocar os dois bonecos juntos, no centro do altar, com a espada sobre eles. Pelos próximos dez minutos mais ou menos, o solicitante (se for um Bruxo Solitário) ou o coven todo deve começar a dançar em volta do Círculo e produzir a magia, como de costume, concentrando-se no objetivo de trazer as duas pessoas para junto uma da outra.

Como alternativa, o solicitante/coven pode simplesmente se sentar em meditação e se concentrar na visualização das duas pessoas juntas, felizes, rindo, divertindo-se uma na companhia da outra e, obviamente, apaixonadas.

Esse ritual deve ser realizado numa sexta-feira, durante o quarto crescente, e repetido nas duas sextas-feiras seguintes. Se, ao consultar o calendário, perceber que não será possível fazer o ritual em três sextas do quarto crescente, então o realize numa sexta, depois na quarta-feira e em seguida na sexta-feira seguinte. Certifique-se de que o final do ritual seja o mais próximo possível da Lua cheia. Entre os rituais, se o altar não puder ficar montado, com os dois bonecos sobre ele (sob a espada), então devem ser embrulhados (juntos, de frente um para o outro) num tecido branco e limpo e colocados em algum lugar onde ninguém possa vê-los.

Na última sexta-feira, após o término do ritual, continue como se segue:

> **Solicitante:** "Que, a partir de agora, o Senhor e a Senhora unam essas duas pessoas, assim como eu os uno aqui!".

Então, levante os bonecos e una-os com uma fita vermelha, passando-a diversas vezes ao redor deles e dando um nó.

> **Solicitante:** "Agora eles serão um para sempre, exatamente como os deuses o são.
> Que um se torne verdadeiramente parte do outro.
> Que pareçam incompletos se estiverem separados.
> Que assim seja!".

Os bonecos, amarrados um ao outro, são colocados sob a espada mais uma vez e deixados ali por alguns instantes, enquanto o solicitante medita (sem cânticos ou dança desta vez).

Depois de completar esse ritual, os bonecos devem ser embrulhados num tecido branco e limpo e guardados onde nunca serão desamarrados.

A Magia Sexual

Esta é uma das mais poderosas formas de magia, pois a magia sexual lida com forças vitais. O dr. John Mumford, em seu livro *Sexual Occultism*, afirma que o mais importante evento psicofisiológico da vida de um ser humano é o orgasmo. A magia sexual é a arte de usar o orgasmo – na verdade, a experiência sexual como um todo – para propósitos mágicos. A magia sexual bem-sucedida promove a interação de quatro fatores: (1) todos os aspectos da percepção extrassensorial são intensificados durante e excitação sexual; (2) imediatamente antes, durante e depois do clímax, a mente está num estado de hipersensibilidade; (3) o prolongamento do pico sexual facilita o acesso ao reino do inconsciente; (4) durante o orgasmo, muitas pessoas sentem uma atemporalidade e a total dissolução do ego, acompanhadas pela sensação subjetiva de serem "absorvidas" pelo parceiro.

O ato sexual é, obviamente, a maneira melhor e mais natural de se gerar o poder necessário para se fazer magia. O processo completo da cópula segue um padrão: começa lentamente e aos poucos se intensifica, ficando cada vez mais rápido, até e explosão final do clímax. Dentro de um Círculo, isso pode ser feito por um único casal, por todo o coven ou por um Bruxo Solitário, como será visto.

Comecem, como de costume, com uma breve meditação sobre aquilo que desejam realizar. Em seguida, tomem posição, com homens e mulheres em pares, ajoelhados e olhando um para o outro (explicarei o processo do Bruxo Solitário um pouco mais adiante). Com os olhos fechados, passem as mãos lentamente pelo corpo do(a) parceiro(a), afagando e acariciando. Isso não deve ser feito com pressa, e o objetivo, naturalmente, é provocar a excitação sexual. Quando estiver pronto, o homem deve se sentar de pernas cruzadas, com a mulher sentada sobre ele, de frente e com o pênis do parceiro dentro de si. Em seguida, ela deve fazer um suave movimento para trás e para frente. O homem deve tentar manter a ereção sem chegar ao clímax. Nesse ponto, a concentração passa a ser o alvo da magia (o que também ajudará a adiar o orgasmo); a parte de "visar o propósito". Visualize a imagem necessária em sua mente e se concentre nela. Continue assim, gerando o poder dentro de si – você certamente sentirá ele sendo gerado – e retarde o orgasmo tanto quanto possível. Quando o homem sentir que não pode mais retardá-lo, ele deve se jogar para trás e se deitar no chão. Enquanto chega ao clímax, ele deve liberar o poder – na verdade, vê-lo, com seu olho mental, jorrando dele como um jato de luz branca. A mulher deve se esforçar para chegar ao orgasmo ao mesmo tempo, estimulando o clitóris com os dedos, se necessário. Ao chegar ao clímax, ela deve cair (com cuidado) para trás e se deitar no chão, como o companheiro – ainda unidos – por diversos minutos.

Se o homem tiver dificuldade para controlar a ejaculação, é melhor que ele se deite de costas no chão logo de início (depois das preliminares), para que a mulher se ajoelhe sobre ele e movimente-se conforme ele indicar.

Como John Mumford afirma: "Se fizermos uma analogia entre o orgasmo e o lançamento de um foguete para a Lua (isto é, o clímax), então é um fato inequívoco que, no que diz respeito ao sistema neural, o método pelo qual o foguete sexual é lançado é absolutamente irrelevante. Todo o sistema nervoso está voltado para essa explosão no espaço interior. A ignição (sexual), seja por meio da masturbação, da homossexualidade ou da heterossexualidade, é irrelevante. Somente o resultado final (o orgasmo) é importante, e qualquer forma de comportamento sexual é um meio para se chegar ao fim". Para o Bruxo Solitário, portanto, a resposta é a masturbação; lembrando-se que se deve conter o orgasmo o máximo possível. Quanto mais o Bruxo puder contê-lo, maior será o poder gerado.

Claro que existem outras alternativas para os casais. Pode ser que a mulher esteja em seu período de menstruação, que o casal seja do mesmo sexo, que exista alguma outra forte razão pela qual o real intercurso sexual não possa ocorrer (e vamos tentar esquecer a abstinência vitoriana que muitos de nós cultivamos devido à religião cristã). Uma outra alternativa é a masturbação mútua. Uma outra é o sexo oral. Mais uma citação do dr. Mumford: "Qualquer repugnância ao sexo oral entre os ocidentais decorre de uma confusão muito comum entre "secreções corporais" (substâncias sem utilidade que o corpo elimina) e secreções sexuais (fluidos ricos em nutrientes). A Bioquímica descobriu que o sêmen fresco contém grande quantidade de cálcio, ferro, fósforo e vitamina C". O sexo oral pode ser especialmente apropriado, claro, quando todas as chances de gravidez precisam ser eliminadas.

Eu já enfatizei a importância da limpeza corporal na magia. Quando se trata de magia sexual, isso é mais importante ainda.

A magia sexual também pode ser muito útil para auxiliar na adivinhação e na projeção astral. Se for usada para energizar uma corda, a mulher deve dar o primeiro nó, o homem o segundo e assim por diante. Em seguida, a corda deve ser passada em volta do casal, amarrando-os juntos enquanto o orgasmo se aproxima.

Como última consideração a respeito da magia sexual. Essa é só uma das muitas formas de se trabalhar com magia. Caso sinta que ela não é para você, então não faça uso dela. É muito simples. Ninguém está dizendo que você *tem* que usar a magia sexual se for um Bruxo; você não precisa. Do mesmo modo, se quiser usá-la, mas sente que não fica à vontade para praticá-la com o coven, então a utilize apenas individualmente. O mais importante – assim como em tudo na Bruxaria – é que você se sinta à vontade com o que estiver fazendo. Não deve ser coagido a fazer coisa alguma.

Encantamento de Amarração

Esse tipo de encantamento é usado para evitar que alguém revele um segredo. Essa também é uma forma de magia simpática. Uma estatueta de argila, barro ou cera pode ser usada, assim como um boneco de tecido. Durante o ritual, a estatueta ou o boneco recebe o nome da pessoa que representa. Em seguida, com as palavras apropriadas, o Bruxo costura a boca da estatueta ou do boneco com agulha e linha de seda vermelha. Ele encerra o ritual enrolando a linha ao redor do boneco. E o alvo em mira deve ser a concentração no fato de que a pessoa não será capaz de falar sobre o assunto proibido – qualquer que seja ele. No final do ritual, o boneco é colocado num lugar seguro, embrulhado num tecido branco. Enquanto a linha estiver enrolada no boneco, a pessoa representada por ele continuará amarrada.

Proteção

Até a pessoa mais amigável do mundo pode ter inimigos. Eles podem ter ciúmes dela, podem interpretá-la mal ou simplesmente não gostar do jeito como usa o cabelo! Muitas pessoas me disseram: "Eu não preciso de proteção. Não tenho nenhum inimigo". Mas existem "inimigos" como os descritos aqui. Inimigos de quem você nem mesmo terá conhecimento. Podem ser gentis e educados quando estiverem na sua frente, mas cruelmente invejosos quando você lhes der as costas. Como poderá proteger a si mesmo de sua negatividade? Como se protegerá se algum indivíduo mal-intencionado decidir fazer magia contra você? Você não vai querer causar nenhum mal a ele, mas certamente vai querer se proteger.

A melhor forma de fazer isso é usar a "Garrafa das Bruxas". Esse é um feitiço de defesa antigo, conhecido graças a tradições e crenças populares. E é realizado pela própria pessoa. A ideia é proteger-se e, ao mesmo tempo, *enviar de volta* qualquer coisa que estejam lhe enviando. Você nunca deve causar mal a ninguém, nem procurar vingança, mas com certeza deve proteger a si mesmo.

Para fazer uma Garrafa das Bruxas, use um frasco de vidro ou uma garrafa. Encha até a metade com objetos pontiagudos: cacos de vidro, lâminas de barbear antigas, parafusos e pregos enferrujados, alfinetes etc.; em seguida, complete a garrafa com sua urina. Se for uma mulher, você deve colocar junto um pouco do seu sangue menstrual. Depois, tampe a garrafa e sele-a com fita adesiva. Em seguida, você deverá enterrá-la no solo, a pelo menos 30 cm de profundidade, num lugar isolado, onde ninguém possa encontrar. Se morar na cidade, então valerá a pena sair da cidade e encontrar um local mais tranquilo para enterrá-la.

Enquanto a garrafa permanecer enterrada e não for quebrada, você estará protegido de qualquer mal direcionado contra você. Ela funciona mesmo que o mal tenha sido enviado por um grupo, não só uma pessoa. E não somente lhe protegerá, como também refletirá de volta o mesmo mal ao(s) seu(s) remetente(s). Por isso, quanto mais lhe quiserem prejudicar, mais prejudicarão a si mesmos.

Essa garrafa pode durar indefinidamente, mas, para não correr riscos, eu sugeriria que o ritual fosse refeito uma vez por ano. Com o atual progresso imobiliário, você nunca saberá quando a sua garrafa poderá ser desenterrada ou acidentalmente quebrada.

A Forma do Ritual

Como você já deve ter percebido, existem muitas formas de se praticar magia. Muito mais do que este livro pode conter nesta única lição. Ainda não discutimos a respeito da magia de cura, mas trataremos desse assunto na Lição 13.

Não tenha medo de experimentar; entretanto, faça as suas experiências com segurança. Nenhuma das magias que recomendei envolvem a conjuração de alguma entidade nociva, desconhecida ou imprevisível. *Evite esse tipo de magia*, pois, do contrário, você pode acabar em sérios apuros. Quando realizada corretamente, a magia wiccana é tão poderosa (talvez mais) quanto qualquer outro tipo de magia.

Vamos recapitular a forma básica de um ritual para se praticar magia:

- Lance o Círculo cuidadosamente. Se se tratar de um encontro regular de esbá, reforce o Círculo antes de iniciar a magia.

- Nunca quebre o Círculo enquanto estiver praticando magia. O seu poder poderá "vazar" e ninguém sabe o que pode ser atraído.

- Discuta o que vai ser feito e assegure-se de que todos estão cientes do que será realizado. Decida as palavras exatas dos cânticos escolhidos e qual será a palavra-chave para a liberação do poder.

- Comece com uma breve meditação na qual possa visualizar a história por completo – a mudança da situação atual até a circunstância final (desejada).

- Gere poder com qualquer uma das práticas a seguir ou com uma combinação de várias delas: dança, cânticos, magia com cordas, magia sexual, magia das velas, magia com bonecos.

- Tenha um alvo em mira – visualizar o resultado final.
- Libere o poder.

Essa foi uma lição muito importante. Por favor, estude-a muito bem. Você está prestes a colocar em prática tudo o que aprendeu. Talvez essa seja uma boa hora para começar a fazer uma revisão completa de tudo o que leu até agora. Volte e releia as suas lições.

Lembrete Importante

Nesta lição e na próxima, e nas questões avaliatórias, dou exemplos de "magia de amor". Por favor, lembre-se sempre de que nunca se deve fazer magia de amor para uma pessoa específica; se fizer isso, estará interferindo no livre-arbítrio dela. Estará forçando-a a fazer algo que, por vontade própria, não faria nem desejaria. O único tipo de magia de amor permitido é aquele que não visa ninguém em especial... que traz "alguém até você", sem saber exatamente quem será. Entretanto, seria melhor ainda se você trabalhasse para si mesmo, tornando-se mais atraente de um modo geral, em vez de tentar mudar os sentimentos de alguém.

Questões da Lição Onze

1. Quais métodos mágicos provaram ser eficazes para você?

2. Relate algumas das suas experiências e alguns dos efeitos posteriores ou secundários dos seus trabalhos de magia.

3. Escreva alguns cânticos que funcionaram bem em seus trabalhos de magia.

4. Desenhe um boneco que será usado num ritual. Com o que ele será preenchido?

5. Desenhe a disposição dos objetos, no seu altar, para a Magia com Velas. Que cores de velas você usa para cada trabalho? Mantenha um registro das datas em que realizou os rituais e os seus resultados. Procure as melhores combinações em almanaques específicos, como influências planetárias, cores, dias da semana etc.

6. Ilustre e explique como você cria o seu Círculo para o trabalho mágico.

7. Explique qual o seu método para atrair o poder.

Questões avaliatórias sobre a Lição Onze

1. (a) O que é magia? (b) Como se preparar para praticá-la (antes de entrar no Círculo)? (c) Quando a usar?

2. Como e quando criar um Cone do Poder?

3. Escreva um cântico para: (a) conseguir uma sentença justa num processo judicial, (b) propiciar o aumento da extensão das terras de um fazendeiro e (c) recuperar bens roubados. Qual seria a palavra-chave para liberar o poder em cada um desses casos?

4. Uma mulher foi abandonada pelo marido, que fugiu com a melhor amiga dela. Ele a deixou com três filhos pequenos e uma pilha de contas para pagar. Explique em detalhes que magia você faria para ela, descrevendo o método, toda a história que planejaria (do presente até a situação desejada), o cântico e a palavra-chave.

5. Escreva um breve parágrafo explicando por que os cânticos e as rimas são importantes.

6. Suponhamos que você seja um(a) Bruxo(a) Solitário(a). Um amigo querido o(a) procura pedindo ajuda. Que conselho você lhe daria? (Lembre quem seria a melhor pessoa para praticar essa magia.)

Leituras Recomendadas

Practical Candleburning Rituals, de Raymond Buckland.

Leituras Complementares

Sexual Occultism, de John Mumford.
Magical Herbalism, de Scott Cunningham.
Earth Power, de Scott Cunningham.

LIÇÃO DOZE

O Poder da Palavra Escrita

Na última lição, tratei do poder da palavra falada; como é possível, por meio de cânticos e da rima, criar um Cone de Poder para se fazer magia. Agora, vamos examinar o poder da palavra escrita.

Na Idade Média, quando milhares de pessoas foram mortas, acusadas de Bruxaria, muitos (incluindo altos dignitários da Igreja) praticavam a magia abertamente. A razão por que eram capazes de fazer isso tão livremente reside na palavra "prática". A Bruxaria era uma religião e, consequentemente, uma rival do Cristianismo. A magia, porém, fosse cerimonial ou ritual, era somente uma prática e, portanto, não causava nenhuma preocupação à Igreja. Ela também era, por natureza, uma prática dispendiosa e complexa e, por esse motivo, ao alcance de poucos. Entre esses poucos seletos, havia muitos eclesiásticos, que não somente tinham tempo para a sua devotada perseguição aos Bruxos como também tinham acesso aos fundos necessários para a prática mágica. Bispos, arcebispos, até mesmo papas, eram conhecidos por praticar a "arte da magia". O Bispo Gerbert, que se tornou o Papa Silvestre II, era considerado um grande mago. Entre outros praticantes de magia incluíam-se o Papa Leão III, o Papa Honório III, o Papa Urbano V; Nicéforo, patriarca de Constantinopla; Rudolf II, imperador alemão; Charles V, da França; os cardeais Cusa e Cajetan; Bernardi della Mirandola, bispo de Caserta; Udairic de Fronsperg, bispo de Trent e muitos outros.

Todos esses praticantes de magia trabalhavam sozinhos e guardavam seus métodos com todo zelo. Mantinham-nos longe dos olhos não só das autoridades de Igreja, mas também de outros magos. Para proteger seus trabalhos de olhares curiosos, utilizavam alfabetos secretos, muitos conhecidos ainda hoje em dia e usados por Bruxos e outros ocultistas. Por que os Bruxos estariam interessados em usar essas formas de escrita? Alguns, talvez, por desejar o mesmo sigilo, mas a maioria por uma outra razão muito boa... *Uma maneira de infundir poder a um objeto é inscrever palavras nele enquanto direciona as suas energias para a escrita.*

f u th a r k g w h n i j

è p z s t b e m l ng d o

Runas germânicas

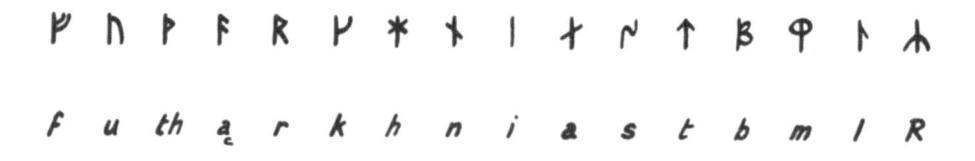

f u th a̧ r k h n i a s t b m l R

Runas dinamarquesas

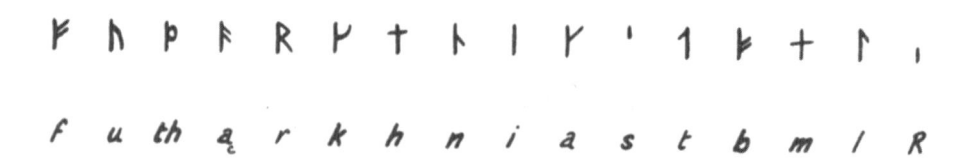

f u th a̧ r k h n i a s t b m l R

Runas suecas ou nórdicas

| ᛏ | ᛒ | ᛖ | ᛥ | ᚻ | ᛁ | ᛗ | ᛝ | ᚩ | ᛞ | ᚪ |
| t | b | e | m | l | ng | o | d | a | æ | y | ea | k | k̇ | ġ | st |

Runas anglo-saxãs

| a | b | c | d | e | f | g | h | i,j | k | l | m | n | o,q | p | r | s | t | u | v | w | x |
| y | z | ng | gh | ea | æ | oe | th |

Runas Seax-Wica

Vamos examinar primeiro as runas *germânicas*. Existem basicamente 24 runas diferentes, embora existam variações em diferentes áreas. Um nome comum para as runas germânicas é **futhark**, devido às suas seis primeiras letras ("th" corresponde a uma letra: ᚦ). O modelo escandinavo (dinamarquês e sueco-norueguês, ou nórdico), é composto de 16 runas, também com (inúmeras) variações.

As runas *anglo-saxônicas* variam em número de 28 a 31. Na verdade, por volta do século IX, em Nortumbria, encontramos 33 runas. O nome comum das runas anglo-saxônicas é **futhorc**, também devido às suas seis primeiras letras.

Uma forma "celta" das runas é algumas vezes empregada pelos covens gardnerianos e celtas. As runas "saxãs" são as preferidas da Seax-Wica.

The Tree: The Complete Book of Saxon Witchcraft
Raymond Buckland
Samuel Weiser, Nova York, 1974

Quando escreve na escrita comum, do dia a dia, você normalmente não está concentrado no que faz. Está tão acostumado a escrever que pode deixar a mente divagar. Sua mão quase escreve sozinha. Mas isso não acontece ao escrever num alfabeto estranho, que não conhece muito bem. Nesse caso, precisa se concentrar, manter a mente focada no que está fazendo. Por isso, quando utiliza uma forma de escrita incomum, você pode direcionar a sua energia, o seu poder, para aquilo que estiver realizando.

As Runas

Os magos usavam a escrita rúnica para carregar (com poder) tudo o que precisavam: suas espadas, incensários, bastões, athames, sinos, cornetas, tridentes etc. Eles escreviam palavras de poder até mesmo em suas túnicas e em seus chapéus. Você deve ter feito algo parecido ao preparar o seu athame, entalhando o cabo ou gravando a lâmina com o seu nome ou com o seu monograma mágico. Isso ajudava a imprimir o seu poder pessoal no instrumento.

A palavra *runa* significa "mistério" ou "segredo", no inglês antigo e em línguas relacionadas. Ela está certamente impregnada de nuances, e por uma boa razão. As runas nunca foram uma escrita estritamente funcional. Desde suas mais antigas adaptações para o uso germânico, elas serviam para usos rituais e divinatórios.

Pelo que parece, nenhum outro alfabeto sofreu tantas variações quando o rúnico. Existem três tipos principais: o germânico, o escandinavo e o anglo-saxão. Cada um, por usa vez, tem várias subdivisões/variações (veja a página anterior).

Ogam Bethluisnion

Os antigos celtas e seus sacerdotes, os druidas, tinham a sua própria forma de alfabeto. Ele era conhecido como *Ogam Bethluisnion*. Tratava-se de uma forma extremamente simples e era mais usado para entalhar madeira e pedra do que para a escrita em geral. Com uma linha central, ele servia especialmente para entalhar a extremidade de uma pedra ou de um pedaço de madeira.

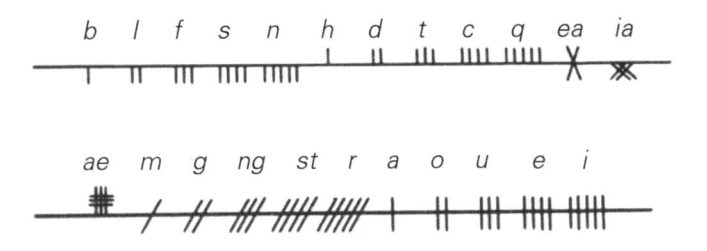

Alfabeto Ogam Bethluisnion

Os Hieróglifos Egípcios

A prática de muitas ordens mágicas, do passado e do presente, baseia-se no Antigo Egito. Para elas, claro, os hieróglifos egípcios são a forma ideal de alfabeto mágico. O livro de *sir* Wallis Budge, *Egyptian Language*, é uma obra de referência útil nesse caso. A seguir, está o alfabeto egípcio básico.

Os magos da Idade Média usavam uma variedade de alfabetos mágicos, registrados em vários grimórios antigos (termo do antigo francês que significava "gramática") – livros de rituais do mago –, que ainda existem em bibliotecas e coleções particulares da Europa e da África.

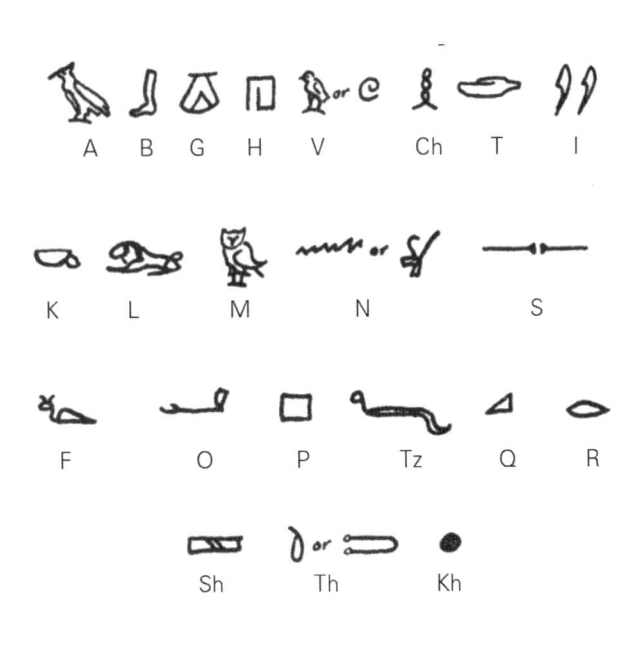

Hieróglifos egípcios

O Alfabeto Tebano

A escrita tebana (também conhecida como "honoriana") foi um alfabeto popular muito usado pelos Bruxos gardnerianos, entre outros. É conhecido – incorretamente – como as "runas das Bruxas" (não é rúnico de forma alguma, na verdade) e como o "alfabeto das Bruxas".

Alfabeto tebano

Atravessando o Rio

Este alfabeto era usado quase que exclusivamente pelos magos cerimoniais, embora ocasionalmente um Bruxo o use como talismã.

Alfabeto Atravessando o Rio

O Alfabeto Angélico

Também conhecido como "alfabeto celestial", este é outro tipo usado quase que exclusivamente por magos cerimoniais.

Alfabeto angélico

O Alfabeto Malachim

Algumas vezes chamado de "língua dos magos". Quase que exclusivamente usado pelos magos cerimoniais.

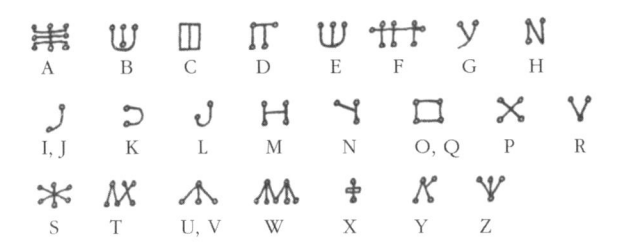

Alfabeto malachin

O Alfabeto Picto

A escrita Pecti-Wita (mais informações sobre essa tradição escocesa na Lição 15) tem duas formas interessantes de escrita mágica. Uma é uma variação das runas e a outra é baseada na antiga e ornamental escrita picta. Ambas são apresentadas neste livro pela primeira vez.

Assim como outras runas, a escrita picta é composta apenas de linhas retas. O modo como as linhas são combinadas, entretanto, exige algum estudo. Basicamente, elas têm uma pronúncia fonética, ou seja, são escritas da maneira como são pronunciadas.* Agora, vamos dar uma olhada na pronúncia do som das vogais. O "E" pode ser fechado, como em *seu* e *ler*, ou aberto, como em *céu* e *quer*. O "O" pode ser fechado, como em *sou* e *bolsa*, ou aberto como em *sol* e *bola*. Ao se colocar o traço sobre a letra, podemos indicar o som aberto e diferenciá-lo do som fechado. É assim que as runas pictas são indicadas:

E = ◁   ou   ◁̄   (é)

O = ◇   ou   ◇̄   (ó)

U = ∀   ou   ∀̄

Alfabeto picto

Podemos ir um passo além com essas runas. As vogais são pronunciadas de modo diferente quando se coloca o til (~), como em pão e põe, ou quando são seguidas apenas pelas letras "M" e "N", como no caso das

---

* A escrita picta descrita no original em inglês foi adaptada para a língua portuguesa. É importante ressaltar que o autor apresenta o correspondente em picta para poucos dígrafos (encontro de duas letras que representam um único fonema). A tradução segue o exemplo do original, e por isso apenas alguns dígrafos são representados em runas. Os demais devem ser escritos letra por letra, independentemente da fonética. (N.T.)

palavras *man-to, sem-pre, im-pres-so, bom* e *mun-do*. Para indicar isso, o símbolo ∧ é usado sobre a vogal:

$$\hat{\Sigma} = \tilde{a}, am, an$$

$$\hat{\triangleleft} = em, en$$

$$\hat{A} = im, in$$

$$\hat{\Diamond} = \tilde{o}, om, on$$

$$\hat{\forall} = um, un$$

Por fim, as vogais "I" e "U" são pronunciadas de maneira diferente quando fazem parte de ditongos, como em *cai-xa* ou *tou-ro*. Nesse caso, as letras "I" e "U" são semivogais e por isso levam o sinal (-), como é mostrado abaixo:

$$E - \triangleleft \text{ ou É } \overline{\triangleleft}$$

$$I - A$$

$$O - \Diamond \text{ ou Ó } \overline{\Diamond}$$

$$U - \forall$$

$$I \text{ (do ditongo) } \overline{A}$$

$$U \text{ (do ditongo) } \overline{\forall}$$

Ditongos ã, am, an = $\hat{\Sigma}$

Ditongos em, en = $\hat{\triangleleft}$

Ditongos im, in = $\hat{A}$

Ditongos õ, om, on = $\hat{\Diamond}$

Ditongos um, un = $\hat{\forall}$

Vogais e ditongos do alfabeto picta

Se isso parecer complicado no início, tenha paciência. Você descobrirá que, com um pouco de prática, fica bem mais fácil. (Caso simplesmente não consiga, mesmo depois de tentar várias vezes, escreva as palavras letra por letra, sem se preocupar com a fonética. Mas, antes, tente de fato, por favor!)

Uma observação final com relação às vogais. Como no hebraico, nas runas pictas as vogais são escritas acima da linha, não ao lado das consoantes, como a seguir: ᵃs vºgᵃⁱs sᵃº ᵉscrⁱtᵃs ᵃcⁱmᵃ dᵃ lⁱnhᵃ.

Segue o alfabeto completo das runas Pecti-Wita:

Você perceberá que não existe "C", "Q" ou "X". A razão é a pronúncia fonética. Na língua portuguesa, o "C" é pronunciado como "S" (como em *céu*) ou como "K" (*casa*), por isso não há necessidade do "c". Do mesmo modo, o "Q" é pronunciado como "K" (*quero*) e o "X" é pronunciado como "CH" (*xadrez*) ou como "KS" (*táxi*), sendo assim eles não são necessários. Runas individuais são usadas para representar os sons "CH", "LH", "NH", "RR" e "SS". Seguem alguns exemplos da pronúncia fonética desse alfabeto:

COISA ᚲᛟᚨᛊ

ENSINO ᛞᛖᚨᛚᛟ

ESCOLHA ᛖᛊᚲᛟᛚ

RÁPIDO ᚱᚨᛈᚨᛞᛟ

CAIXA ᚲᚨᛁᛊ

Espero que você perceba que usar esses alfabetos não é tão difícil quanto parece; na verdade, pode ser bem divertido. Outros exemplos podem ajudar:

ESTES SÃO EXEMPLOS DE COMO

AS RUNAS PECTI-WITA SÃO USADAS.

COMO VOCÊ PODE VER,

AS LETRAS DESSE ALFABETO

SÃO MUITO BONITAS

Alguns Bruxos dão um passo além e colocam todas as letras juntas, usando o sinal de "+" para indicar as separações:

Advertência: não incline as runas (estas ou quaisquer outras) ao escrevê-las; mantenha todas na vertical.

Os pictos também eram conhecidos por escrever as letras na forma de elaborados "arabescos". Essa escrita é muito mais simples do que as runas descritas anteriormente, porque não é fonética e as vogais são mantidas no mesmo nível das consoantes. É simplesmente uma questão de substituir o símbolo picto pela letra correspondente. Os símbolos são mais elaborados, entretanto, e você precisará ter cuidado ao desenhá-las, para evitar confusão.

Seguem mais alguns exemplos do uso da escrita picta:

OS PICTOS ERAM

MUITO HABILIDOSOS

NO USO DAS

LETRAS ORNAMENTAIS.

ESSE ALFABETO FOI

DEPOIS ADOTADO PELOS

CELTAS, ESPECIALMENTE

PELOS CELTAS IRLANDESES.

Os Talismãs e Amuletos

Um talismã é um objeto feito pelo homem, dotado de poderes mágicos, especialmente para prevenir o mal ou trazer sorte ao seu portador. Nesse sentido, um rosário, um crucifixo, uma medalha de São Cristóvão etc. são talismãs. Mas, como você já sabe, a magia mais poderosa é aquela que a pessoa realiza para si mesma. Do mesmo modo, o talismã mais poderoso é aquele feito por quem vai usá-lo. Um talismã feito por outra pessoa nunca será tão forte quanto aquele confeccionado para si mesmo.

De acordo com a Golden Dawn (ou Ordem Hermética da Aurora Dourada), o talismã é "uma imagem mágica carregada com a força que ela representa". Ele é carregado por meio de: (1) inscrições e (2) consagração. O talismã pode ter qualquer formato, mas primeiramente vamos dar uma olhada no *material* do qual o talismã é feito.

Um talismã poder ser feito praticamente de qualquer material – papel, prata, cobre, chumbo, pedra –, mas, por tradição, alguns materiais são mais apropriados do que outros, e o seu uso infundirá o talismã de mais poder. Por exemplo, como você já sabe, cada dia da semana é regido por um planeta: domingo é regido pelo Sol; segunda-feira, pela Lua; terça-feira, por Marte; quarta-feira, por Mercúrio; quinta-feira, por Júpiter; sexta-feira, por Vênus; sábado, por Saturno. Sendo assim, cada planeta também é, por sua vez, associado a um metal: o Sol é associado ao ouro; a Lua, à prata; Marte, ao ferro; Mercúrio, ao mercúrio; Júpiter, ao estanho; Vênus, ao cobre, Saturno, ao chumbo.

Graças às tabelas de correspondências apresentadas na lição anterior (na seção sobre magia com velas), você já sabe quais características são associadas a cada dia da semana e pode, portanto, correlacionar essas características aos metais:

Domingo – Sol; OURO; sorte, esperança, dinheiro

Segunda-feira – Lua; PRATA; comércio, sonhos, roubo

Terça-feira – Marte; FERRO; matrimônio, guerra, inimigos, prisão

Quarta-feira – Mercúrio; MERCÚRIO; débito, medo, perda

Quinta-feira – Júpiter; ESTANHO; honra, riqueza, vestuário, desejos

Sexta-feira – Vênus; COBRE; amor, amizade, estranhos

Sábado – Saturno; CHUMBO; vida, construção, doutrina, proteção

Sabendo-se, por exemplo, que a sexta-feira é associada ao amor (regida por Vênus) e que o metal de Vênus é o cobre, você já sabe que, para um talismã do amor ter um efeito maior, ele deve ser feito de cobre numa sexta-feira.

O mercúrio é mais problemático por ser um metal líquido. Poderia ser usado dentro de um frasquinho, ou algo parecido, feito de outro metal, mas é mais comum – e muito mais fácil – substituí-lo por ouro, prata ou por um pergaminho (atualmente o alumínio também é um substituto para o mercúrio). O ouro, a prata e o pergaminho também podem ser usados no lugar de outros metais, se não for possível obtê-los, mas, obviamente, o metal diretamente relacionado ao planeta é a melhor opção. Nem sempre é fácil encontrar apenas um pedaço do metal certo, mas não desista. Lojas de artesanato tem uma enorme variedade deles (especialmente o cobre). Também já vi talismãs muito criativos. Por exemplo, um talismã impresso numa moeda de um dólar, quando o metal mais apropriado é a prata; numa moeda de cobre ou até mesmo numa colher de cobre, quando esse é o metal mais apropriado para a confecção do talismã.

Escolhido o metal, o que você deve inscrever nele? Existem muitos exemplos de talismãs em livros de ocultismo ou em antigos grimórios, como *The Greater and Lesser Keys of Solomom, The Black Pullet, Le Dragon Rouge* e outros. Entretanto, é completamente inútil apenas copiar esses desenhos sem saber os seus significados e a sua importância, ou sem personalizá-los. Você precisará fazer o talismã para si mesmo e para o seu problema. O formato mais comum de talismã é um disco de metal usado numa corrente como pingente. Num dos lados desse disco você inscreverá algo para personalizá-lo e, no outro, o seu objetivo. Deixe-me dar um exemplo.

Jane Doe quer se casar. Ela já tem um namorado; sendo assim, não está à procura de um amor. Examinando as Tabelas de Correspondências, você verá que Marte é o planeta que rege o *matrimônio*. Jane precisa, portanto, de um talismã que lhe propicie um matrimônio. O metal de Marte é o ferro. Jane pode obter um disco de ferro e gravar nele ou pode optar por um material que o substitua: ouro, prata ou pergaminho.

Ela personalizará o talismã, inscrevendo o seu nome e a sua data de nascimento num dos lados. Para ser mais específica, ela inscreverá o nome que usa na Arte (em escrita rúnica ou em qualquer outro alfabeto mágico). Também poderá colocar o seu monograma mágico. Os símbolos

Figura 12.1

Figura 12.2

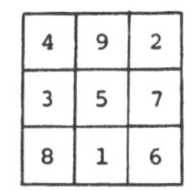

Figura 12.3

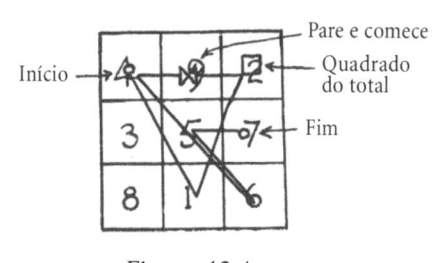

Figura 12.4

do seu signo solar, do Ascendente e do signo lunar, mais a regência dos planetas. Tudo isso pode ser organizado no disco, conforme mostra a Figura 12.1. Entretanto, não existe um padrão que precise ser seguido; basta que as informações fiquem distribuídas de um modo estético. Uma alternativa é mostrada na Figura 12.2.

Enquanto cada um dos símbolos estiver sendo inscrito, Jane deve se concentrar em si mesma, visualizando-se como ela mais gosta de se ver: bonita, feliz, autoconfiante.

No lado oposto do talismã, ela pode incluir símbolos tradicionalmente associados ao casamento: sinos de igreja, flores, alianças, corações etc. Ou poderá incluir um *sigilo*, criado com quadrados numerológicos, ou mágicos, como se segue.

Segundo a numerologia, como já deve saber, o valor numerológico da palavra "matrimony"* é 4 + 1 + 2 + 9 + 9 + 4 + 6 + 5 + 7 = 47 = 11 = 2 (veja a Lição 3). Agora basta criar um quadrado mágico contendo todos os números de 1 a 9 (Figura 12.3). Em seguida, iniciando pela primeira letra (M = 4), desenhe um pequeno círculo antes da linha, para indicar o início dela, e depois trace a linha dessa letra até a segunda letra/número (A = 1). Continue assim até chegar à última letra da palavra. Existem dois 9 na palavra "matrimony" (letras I

---

* Para que as ilustrações 12.4, 12.5 e 12.6 façam sentido, foi preciso manter o exemplo em inglês, do contrário os valores numerológicos seriam diferentes, formando outro sigilo, diferente do mostrado nas ilustrações. (N.T.)

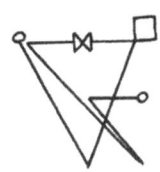

Figura 12.5

4	9	2	= 15
3	5	7	= 15
8	1	6	= 15

15+15+15 = 45

45 ... 4 + 5 + 9

Figura 12.6

e R); sendo assim, pare e inicie neles interrompendo a linha com pequenas setas. Continue assim até a última letra e desenhe um outro círculo pequeno para indicar o final. No quadrado 2, o total numerológico (47 = 11 = 2), desenhe um quadrado maior. O desenho completo ficará como na figura 12.4. Retirados os quadrados, ele ficará como na Figura 12.5, que será o sigilo da palavra "matrimony". Isso que Jane deverá inscrever num dos lados do seu talismã. Enquanto fizer isso, ela deverá concentrar os pensamentos no casamento: visualizar-se vestida de noiva, trocando alianças com o futuro marido, celebrando o *Handfasting* etc. Esse sigilo é muito mais poderoso do que se tivesse os símbolos tradicionais associados ao casamento, como sinos, corações e alianças.

Por acaso, os números do quadrado mágico usado como exemplo foram dispostos de tal maneira que a soma de cada uma das colunas dá o mesmo resultado, 15. E o total numerológico das três colunas, quando reduzido, totaliza 9 (Figura 12.6).

O dia associado ao matrimônio, conforme a tabela, é a terça-feira. Esse é, portanto, o dia no qual Jane deve confeccionar o seu talismã. Ela também deverá consagrá-lo numa terça-feira... A consagração é o segundo requisito para carregar o talismã. Ela não precisa fazer isso na *mesma* terça-feira, mas ambas as terças-feiras deverão ser durante a fase da Lua crescente. A consagração que ela deve realizar deve ser igual à que foi apresentada na Lição 4.

Qualquer que seja o propósito do talismã, siga o mesmo procedimento: (a) identifique o dia e o metal associado ao seu pedido, (b) personalize um dos lados do metal, (c) escolha a palavra-chave e, a partir do quadrado mágico, encontre o sigilo correspondente, (d) inscreva esse sigilo num dos lados do talismã, concentrando-se enquanto fizer isso, (e) consagre o talismã.

Depois de o talismã ser consagrado, use-o no corpo por três dias e três noites. Você pode fazer isso prendendo-o a uma corrente e pendurando-o no pescoço, ou carregando-o num saquinho de seda, pendurado perto do pescoço. Depois de três dias, você não precisará usar o talismã junto do corpo; poderá apenas carregá-lo no bolso ou na bolsa. Deverá, entretanto, dormir com ele embaixo do travesseiro toda as noites.

A cada Lua nova, limpe o talismã com uma substância para limpar metais. (Caso o talismã seja feito de pergaminho, apenas esfregue-o levemente com uma borracha de látex.) Se for de cobre, recomendo lavá-lo com sal e vinagre e depois enxaguá-lo com água limpa. A cada Lua cheia, segure o talismã na palma da mão e exponha-o à luz direta da Lua. Por "direta", quero dizer que não convém que seja através do vidro de uma janela. Ou abra a janela ou deixe-o ao ar livre. Deixe-o exposto por aproximadamente cinco minutos de cada lado, enquanto concentra os pensamentos no propósito original para o qual ele foi feito (se o dia estiver nublado e a Lua não estiver visível, não haverá problema algum).

O talismã também pode ser feito no formato de um anel. Geralmente esse formato tem o objetivo como inscrição principal e a personalização feita na borda. Faça-o de acordo com as mesmas instruções dadas anteriormente.

Os Amuletos

A diferença entre um talismã e um amuleto é que o talismã é feito pelo ser humano e o amuleto é algo natural. Uma pedra com um furo no meio, um pé de coelho, um trevo de quatro folhas; todos eles são amuletos. O objeto que os Bruxos mais consideram como amuleto é uma pedra com um buraco natural no meio. Obviamente é algo relacionado à fertilidade; o buraco como um símbolo da vagina. Portanto, você não poderá *criar* um amuleto; poderá apenas adotar um. Se tiver um amuleto e então quiser gravar algo nele e consagrá-lo, como descrito anteriormente, aí sim ele se tornará um talismã (ou, se preferir, "um amuleto talismânico!").

As Canções, as Danças e os Jogos para os Sabás

A música é fonte de muitos tipos de diversão. A criação da música por meio da voz ou de um instrumento é algo que causa uma grande satisfação em muitas pessoas, assim como o simples fato de ouvi-la. Muitos reclamam que não têm ouvido para música. É verdade que aqueles com talento para música são pessoas especiais, mas as pessoas que não têm esse mesmo talento também podem aprender a cantar por prazer e ouvir belas canções. A música folclórica, por exemplo, tem uma melodia simples e um ritmo claramente definido. Muitas canções e músicas da Arte não tem melodias complexas e ritmos óbvios. As danças e as canções são, por tradição, associadas à Bruxaria. Na verdade, a valsa deriva de uma antiga dança bruxa conhecida como *La Volta*.

A maioria das canções e danças pode ser executada dentro do Círculo, no entanto o Ritual de Purificação do Círculo geralmente é realizado antes de qualquer dança ou jogo, *com exceção*, é claro, da dança para gerar poder, realizada durante o trabalho mágico. Vamos primeiramente examinar a dança para gerar poder.

A Dança para Gerar Poder

Na Lição Onze, falamos a respeito do ritmo e de uma batida constante, e eu disse que, no coven, poderíamos dançar ao redor do Círculo, deosil, de mãos dadas ou sozinho. Na dança mais simples, o grupo simplesmente dá as mãos e segue, no sentido horário, ao redor do Círculo, com um compasso do tipo esquerda-direita-esquerda... com cada um dos pés batendo no chão e os joelhos um pouco flexionados. Você descobrirá que isso propicia mais cadência, um ritmo para imprimir aos movimentos ao redor do Círculo. O compasso mais popular da Arte é o "passo duplo", que inclui um leve movimento de balanço com a perna, para trás e depois para frente, antes de avançar. Os movimentos seriam como se segue:

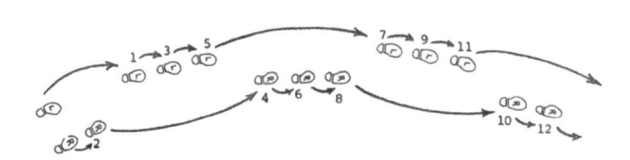

A dança para gerar poder

- Comece com o pé esquerdo em direção ao 1, depois prossiga com:
- o pé direito adiante até o 2 (ainda atrás do esquerdo).
- Em seguida o pé esquerdo até o 3 e o pé direito em direção ao 4 (agora o esquerdo para frente).

- Depois, o pé esquerdo em direção ao 5,
- e o pé direito em direção ao 6, e assim por diante.

Pode parecer um pouco complicado no início, mas na verdade não é; experimente. Você ficará surpreso ao perceber como é fácil aprender.

Outros passos fáceis são: esquerda, salto, direita, salto, esquerda, salto, direita, salto etc... Se tiver dificuldade com algum compasso, então solte o corpo e deixe-o se ajustar naturalmente à música, ao canto ou ao ritmo. A ideia principal é dar os passos de maneira automática, para que você possa concentrar os pensamentos na magia propriamente dita.

Em vez de dançar de mãos dadas, os membros do coven também podem se abraçar pela cintura ou pelos ombros, formando um círculo estreito e fechado. Uma alternativa é dançar de braços dados, com o braço esquerdo sob o braço da pessoa à sua esquerda.

Os membros do covens também podem dançar individualmente, como faria um Bruxo Solitário. Essa dança pode ser um movimento para a frente, ao redor do Círculo, deosil, usando um dos compassos descritos, ou pode ser uma progressão gradual, em que as pessoas giram enquanto avançam, deosil. O giro pode ser uma marcha constante ou pode começar de forma lenta e ir aumentando de velocidade aos poucos.

Advertência: só é preciso que a dança não cause vertigens, fazendo a pessoa perder o equilíbrio e cair sobre as velas ou quebrar o Círculo.

Para resumir, eu diria que, quanto mais simples for o compasso da dança, melhor ele será para realizar o trabalho mágico.

Se estiver cantando enquanto dança, não tenha medo de bater o pé no chão com força, de acordo com o ritmo da música. Isso ajudará você a manter o ritmo e a gerar poder. E não se preocupe se, ao cantar, não tiver musicalidade. Na Arte, o mais importante não é acertar sempre as notas, pois é o sentimento que conta.

A Dança em Geral

A dança por diversão (dentro ou fora do Círculo, *não* executada para acompanhar trabalhos de magias) inclui tudo que descrevi e alternativas mais elaboradas. O "giro em dupla" pode ser divertido. Ele é realizado com dois Bruxos, um de costas para o outro e com os braços enlaçados na

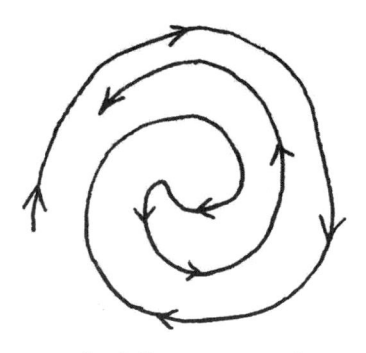

O "Lufu" ou a Dança do Encontro

altura do cotovelo. Nessa posição, eles vão girando ao redor do Círculo e, ocasionalmente, um se curva para frente e levanta o outro do chão.

Uma dança popular é o *Lufu* (uma palavra anglo-saxã que significa "amor"), que geralmente é realizada no início do encontro, especialmente se vários covens diferentes estiverem celebrando juntos um sabá. Nessa dança, algumas vezes chamada de "Dança do Encontro", um líder (não necessariamente o Sacerdote ou a Sacerdotisa) conduz uma corrente de Bruxos, em que homens e mulheres se intercalam. O líder conduz a corrente, levando-a a dançar em círculo e a se mover aos poucos em direção ao centro, numa espiral. Quando chega ao centro, o líder faz a volta e começa a conduzir a corrente em espiral de novo, no sentido contrário. À medida que os membros do coven passam por aqueles que avançam na direção contrária, devem se beijar. A fila continua até que todos tenham se beijado.

A Música e as Canções

Se um membro do coven souber tocar um instrumento, ótimo! Mas, se ninguém souber, tudo bem. Pode-se usar um tambor ou um pandeiro; um bongô também pode ser útil ou alguma coisa como um tambor dos índios norte-americanos ou do Haiti, ou então um *bodhran* (tambor escocês/irlandês). Curiosamente, o nome antigo que os Bruxos davam ao seu tambor era *tabor* (pronunciava-se "tay-ber"). Um tambor pode, na verdade, ser feito de forma muito simples.

Bater o também num certo ritmo já é o suficiente, especialmente para gerar poder. Violões, saltérios (instrumentos de cordas que se tocam com pequenas baquetas), gravadores, flautas, gaita de boca, flautas doces ou até mesmo chocalhos como maracás são todos bons instrumentos para se tocar em covens. Existem diversos livros bons, no mercado, sobre a arte e a música pagã. No Apêndice C, incluí algumas músicas para que você experimente.

Os Jogos para os Sabás

Depois da parte religiosa do Sabá, chega o momento da diversão e da folia. Além do canto e da dança, existem, tradicionalmente, os jogos. Alguns podem ser utilizados antes que se abra o Círculo e outros precisam de mais tempo. Alguns são descritos neste livro. Mas provavelmente você conhecerá outros com o tempo.

O Jogo das Velas

Todos os Bruxos, exceto um, sentam-se em círculo, voltados para o centro. O escolhido fica de pé, fora do círculo. Uma vela é acesa. Se a pessoa que estiver fora do círculo for uma mulher, então a vela é passada ao redor do círculo, pelos homens. Ela não precisa seguir numa direção específica; poderá ser passada para frente e para trás, ao redor do círculo de Bruxos. A mulher percorre o círculo, tentando apagar com um sopro a chama da vela, por cima da cabeça e dos ombros daqueles que formam o círculo. Quando ela conseguir, ela e o homem que estiver segurando a vela no momento se beijam e ele toma o lugar dela. Agora as mulheres passam a vela pelo círculo, enquanto o homem anda em volta dele para tentar apagá-la.

O Sussurro dos Bruxos

Todos se sentam em círculo. Uma pessoa começa o jogo, fazendo uma pergunta cuja resposta seja composta de várias palavras, não simplesmente "sim" ou "não". (Por exemplo: "Qual é o melhor período para se consagrar um talismã?"). A pessoa à esquerda de quem fez a pergunta pensa numa resposta e sussurra-a no ouvido da pessoa à sua esquerda. Essa pessoa, por sua vez, deve sussurrar as mesmas palavras (exatamente como acha que as ouviu) para a pessoa à sua esquerda (como na brincadeira do telefone sem fio), até que todos ao redor do círculo tenham passado exatamente o que ouviram, faça sentido ou não. Quando a resposta chegar à pessoa que fez a pergunta, ela repete a pergunta em voz alta e depois a resposta que chegou aos seus ouvidos. Invariavelmente, a resposta chega tão deturpada que fica truncada e divertida. Você não deve alterar de propósito a resposta que recebeu, pois perceberá que ela ficará distorcida naturalmente! Uma alternativa é não se preocupar em fazer uma pergunta, mas iniciar o jogo com uma afirmação simples. Quando essa afirmação retornar àquele que a fez, essa pessoa pode repetir a afirmação original e depois a resposta que recebeu por último.

Jogos Psíquicos

Jogos para testar habilidades psíquicas são muito populares. Por exemplo: façam duas fileiras, formando pares, sentados de costas. Cada pessoa deve ter nas mãos uma folha de papel e uma caneta. Uma fileira representa os emissores e a outra, os receptores. Cada um dos emissores pensa num objeto simples e o desenha no papel (quanto mais simples, melhor. Por exemplo, carro, casa, lua). Depois cada pessoa se concentra na figura que desenhou. Os receptores tentam, por sua vez, captar a figura que seus respectivos parceiros estão enviando e depois desenhá-la no papel. Façam isso por três vezes, em seguida troquem de lugar, de modo que os emissores sejam agora os receptores, e vice-versa. Vocês ficarão assombrados ao ver como muitas dessas figuras ficarão parecidas. (Veja a Figura 12.7.)

Figura 12.7

Jogos ao Ar Livre

Existem muitos jogos ao ar livre que podem ser adaptados e usados pelo coven. Um deles consiste em suspender um barril (pode ser uma figura grande feita em papelão) por uma corda e amarrá-la numa árvore, de modo que fique balançando. Cada um dos Bruxos então tenta atravessar o barril com uma lança, a partir de distâncias cada vez maiores. Um outro passatempo popular é acertar flechas num alvo.

Outro "jogo" interessante é a rabdomancia, em que se procura algo com uma varinha". Peça que alguém esconda uma moeda em algum lugar, enterrando-a no chão ou escondendo-a dentro de casa. Fixe outra moeda com fita adesiva a uma varinha bifurcada e tente encontrar com ela a moeda que foi escondida. Várias pessoas podem procurar ao mesmo tempo. Pêndulos também poderão ser usados (veja a Lição Oito). A moeda fica com a pessoa que a encontrar.

Tenho certeza de que você conhecerá outros jogos divertidos. O mais importante é saber que os sabás devem ser divertidos, pois eles são um momento de celebração. O seu cunho religioso é muito importante, claro, mas eles sempre devem incluir diversão, jogos, boa comida e bebida; vinho e cerveja... O que me faz lembrar de algumas receitas...

Vinho, Cerveja e Pães Caseiros

É obviamente mais fácil ir ao supermercado e comprar os comestíveis necessários para o próximo encontro do seu coven, mas também pode ser muito divertido fazer alguns deles artesanalmente. A seguir, veja algumas receitas simples de vinhos, cervejas e bolos para a Cerimônia dos Bolos e da Cerveja.

Vinho de Prímula-Silvestre

Aqueça um quilo de açúcar em cinco litros de água e, quando ferver, despeje um punhado da parte amarela das flores de prímula-silvestre. Deixe descansar por 24 horas e em seguida coe e adicione duas colheres de sopa cheias de levedura. Deixe a mistura coberta por dez dias, mexendo duas ou três vezes por dia nos primeiros quatro dias. Depois coe e despeje num vasilhame.

Vinho de Abelha

Numa mistura composta de duas colheres de sopa cheias de açúcar e meio litro de água, coloque uma pitada de ácido tartárico e um pedaço de levedura do tamanho de uma moeda. Inicie aquecendo o vinho até 37 graus e deixe-o num jarro de vidro num cômodo aquecido perto da janela. Em um dia ou mais, a levedura começará a crescer e produzir bolhas, fazendo a massa subir e descer (como uma abelha, por isso o nome). A fermentação procederá até que o líquido esteja convertido num vinho doce, no qual se poderá adicionar suco de frutas. Não o deixe fermentando por muito tempo ou acabará ficando azedo e virando vinagre.

Vinho de Tomate

Pique alguns tomates maduros com uma faca de aço nova. Em seguida, esmague-os com um garfo e passe o suco por uma peneira. Tempere-o com uma pitada de sal e de açúcar para dar gosto, em seguida encha um jarro com ele. Cubra o suco, deixando uma pequena abertura para a fermentação, e deixe-o descansar até que o processo todo termine. Despeje o líquido numa garrafa, tampe-a com uma rolha e deixe-o descansando por algum tempo antes de usar.

Vinho de Dente-de-Leão

As flores devem ser colhidas frescas e as pétalas, retiradas. Coloque 4 litros dessas pétalas num tonel e despeje 4 litros de água fervida sobre elas. Deixe a mistura coberta por dez a doze dias, mexendo de vez em quando. Depois, passe o líquido numa peneira e adicione cerca de meio quilo de açúcar. Adicione também uma pequena quantidade de cascas de uma laranja, um limão, mais o resto dessas duas frutas cortadas em pedaços, mas sem caroços. Ferva a mistura em fogo baixo por vinte minutos e, em seguida, tire do fogo. Depois que o líquido estiver de frio a morno, adicione uma colher de sopa cheia de fermento, uma colher de café de levedura de cerveja e outra de levedura prensada espalhada sobre um pedaço de torrada. Cubra e deixe descansar por alguns dias. Depois, coloque dentro de um barril com tampa e feche; engarrafe após dois meses ou mais.

Cerveja de Maçã

Despeje 10 litros de água fervendo sobre dois quilos de maçãs raladas numa panela grande e mexa todos os dias, durante duas semanas. Depois, coe a mistura e adicione um quilo de açúcar, duas colheres de sopa de gengibre e uma colher de sopa rasa de canela em pau e cravos. Despeje num barril e tampe. Em seis semanas a cerveja estará pronta para ser envasada.

Cerveja de Mel

Ferva uma colher de chá de gengibre moído em dois litros de água por meia hora, em seguida coloque a mistura numa panela com um quilo de açúcar branco, duas colheres de sopa de suco de limão-galego, quatro colheres de sopa de mel de laranjeira, o suco de três limões e um litro de água fria. Quando a mistura estiver quase morna, adicione uma colher de sopa de levedura espalhada sobre um pedaço de torrada. Deixe descansar por doze horas e em seguida coe usando um tecido fino. Depois de deixar uma ou duas horas descansando, engarrafe.

Hidromel

Dissolva um litro de mel em quatro litros de água e adicione uma pitada de lúpulo, meia colher de chá de gengibre e as cascas de dois limões. Ferva essa mistura por 45 minutos, despeje num barril até a borda e, quando ainda estiver morna, adicione uma colher de chá de levedura. Deixe o hidromel fermentar e depois coloque uma colher de café de *isinglass* (cola de peixe), que você pode encontrar em lojas de ingredientes para a fabricação de vinhos. Feche com tampa. Em seis meses deverá ser envasado.

Esta receita de hidromel é uma fórmula simples seguida por apicultores. O fato de o hidromel ser originalmente uma bebida muito importante e complexa é descrito em *The Closet Of Sir Kenelm Digby*, publicado pela primeira vez em 1669, no qual nada menos que 26 receitas de hidromel são apresentadas. Descrevo aqui uma receita de vinho branco de hidromel. Se for feito da forma correta (e esse é um empreendimento mais ambicioso do que as receitas anteriores) ficará igual a qualquer hidromel encontrado na época de Tudor (antiga família real).

Vinho Branco de Hidromel

Você precisará de um recipiente de madeira para misturar o mel e a água e deixar fermentando durante um mês, numa temperatura constante de 15 graus. Em segundo lugar, você precisará de um recipiente, como um pequeno barril, onde guardará o líquido fermentado, para envelhecer por dois ou três anos antes de ser ingerido. Em terceiro, um recipiente menor (como uma jarra de vidro), com uma tampa adequada, no qual será colocada uma certa quantia do líquido fermentado original. Esse recipiente será usado de tempos em tempos para completar o conteúdo do barril. No decorrer de dois a três anos, o líquido no barril diminui e é preciso ter uma quantia extra suficiente para manter o barril cheio e, dessa forma, excluir o ar. Esse líquido excedente (em torno de 10% do total) deve ser reservado logo de início, após o primeiro mês de fermentação. À medida que o jarro tampado for esvaziando, conforme é completado, o barril o que for deixado nesse recipiente deve ser colocado num frasco menor, para que sempre haja uma reserva com a qual encher o barril. Se o recipiente fosse deixado pela metade provavelmente seu conteúdo viraria vinagre, estragando, desse modo, o líquido no barril.

Depois de providenciar os recipientes, você precisará preparar 3 litros de mel de boa qualidade para cada galão de água morna no qual será misturado. Misture os dois até que o mel seja dissolvido. Adquira uma levedura ou um fermento de boa qualidade para vinhos (por exemplo, vinho branco semidoce, xerez (vinho espanhol) ou málaga (tipo de vinho branco) e prepare o seu fermento antes de misturar com o mel e a água. Essa preparação consiste em colocar a levedura num recipiente pequeno de vidro e ir adicionando pequenas quantidades, de forma progressiva (ao longo de vários dias), de uma solução fraca de mel e água, mantendo a levedura numa temperatura de aproximadamente 15 graus, até que ela comece a fermentar. Quando isso acontecer, adicione-a à mistura de água e mel dissolvidos, quando estiver por volta dos 21 graus. Cubra o recipiente de fermentação com uma tampa leve e um tecido, para que o ar possa chegar à mistura fermentada de mel e água, mas ela seja protegida de insetos ou qualquer sujeira.

Depois de mais ou menos uma semana, o líquido deverá estar fermentando; e, no final de um mês, a fermentação deverá estar completa. O líquido deve ser coado com cuidado, de modo que todas as borras sejam desprezadas, e colocado num barril bem tampado, aberto só ocasionalmente, quando for preciso completá-lo até a borda, como já foi explicado.

Normalmente, existe a possibilidade de que a mistura vire vinagre caso o mel não seja esterilizado no primeiro estágio. Portanto, mesmo correndo o risco de ela perder a qualidade, é comum ferver o mel e a água no primeiro estágio, durante quinze minutos. Isso interrompe qualquer fermentação indesejada e assegura um "mosto" estéril, ao se adicionar a levedura. O barril e o recipiente de fermentação original também devem ser esterilizados.

A vantagem de usar o fermento de vinho é que ele proporciona uma quantidade de álcool muito maior do que a levedura de cerveja comum ou o fermento de padaria.

Vinho de acácia

Parta em pedaços vagens longas de falsa-acácia (*Robinia pseudoacacia*). Coloque uma camada num barril pequeno ou num jarro de barro. Adicione caquis maduros ou fatias de maçãs. Cubra com água fervente. Adicione dois copos de melado. Deixe descansar por três ou quatro dias para obter um sabor melhor.

Cerveja de urtiga

Use nesta receita apenas brotos de urtigas. Lave bem uma braçada de urtigas e coloque-as num recipiente com nove litros de água, 15 g de gengibre triturado, 2 g de malte, 60 g de lúpulo e 200 g de salsaparrilha. Ferva por quinze minutos e em seguida coe sobre 500 g de açúcar de confeiteiro. Mexa até o açúcar dissolver, em seguida adicione 30 ml de creme de levedura. Quando a cerveja começar a fermentar, envase, feche as garrafas com rolhas e prenda-as com barbante. Essa cerveja não precisa de refrigeração nem ser armazenada numa temperatura específica.

Pães e Bolos

Pão de Bolotas de Carvalho

Você vai precisar de 2 xícaras de leite, 2 colheres de sopa de óleo ou manteiga, 2 colheres de chá de sal, 2 colheres de sopa de fermento seco,

4 xícaras de farinha de bolotas de carvalho (veja abaixo), $^1/_3$ de xícara de mel, $^1/_3$ de xícara de água morna.

As melhores bolotas de carvalhos são as brancas e ásperas. Colha-as no outono quando estiverem maduras.

Para fazer a farinha de bolota de carvalho, remova as cascas, ferva as bolotas por pelo menos duas horas, trocando a água cada vez que ela ficar marrom. Depois dessa fervura, as bolotas de carvalho devem ficar com uma coloração marrom. Asse-as por uma hora, com o forno na temperatura de 200 graus. Corte as bolotas em fatias bem finas, em seguida moa tudo num moedor de alimentos. Coloque-as no moedor pelo menos duas vezes.

Aqueça bem o leite. Misture, no óleo ou na manteiga, o mel e o sal. Coloque tudo numa tigela grande e deixe esfriar até que esteja morno. Enquanto isso, dissolva o fermento na água morna. Quando a mistura estiver morna, acrescente o fermento. Cobra a tigela com um pano e deixe a massa crescer por duas horas num lugar aquecido. Amasse por dez minutos. Estenda a massa como uma massa grossa de torta. Enrole como um rocambole. Modele dois rocamboles e coloque em formas de pão já untadas. Deixe a massa crescer, devidamente coberta, por mais duas horas. Asse por 45 minutos num forno pré-aquecido a 200 graus. Retire do forno e pincele a superfície dos pães com óleo ou manteiga derretida.

Pão Indiano de Aveia

Você vai precisar de 2 xícaras de farinha de aveia cozida, 2 ovos batidos, 2 colheres de sopa de manteiga derretida, 2 colheres de chá de sal, meia xícara de leite.

Adicione o leite, a manteiga e os ovos à farinha de aveia morna. Coloque tudo numa forma untada e asse a 200 graus por trinta minutos. Sirva quente. (A massa fina desta receita também pode ser cortada em fatias e frita.)

Pão Indiano de Abóbora

Você vai precisar de 1 xícara de fubá, 1 xícara de abóbora (cozida), água suficiente para umedecer a mistura.

Misture os ingredientes e trabalhe a massa até que ela esteja fácil de manusear. Molde-a na forma de bolos retangulares. Os bolos devem ser assados numa forma untada (como biscoitos) ou fritos numa frigideira.

Bolos de Aveia Irlandeses

Você vai precisar de 3 xícaras de farinha de aveia, 1 tablete de manteiga, ½ colher de chá de sal, 1/3 xícara de água, ½ colher de chá de bicarbonato de sódio.

Pré-aqueça o forno a 200 graus e misture as 2 xícaras de farinha de aveia com o sal e o bicarbonato de sódio. Derreta a manteiga e acrescente água. Mexa a mistura de manteiga e água e acrescente-a à mistura de aveia até obter uma massa com aspecto pastoso. Polvilhe com a aveia restante a sua área de trabalho e vire a massa nela. Alise a massa com as mãos e passe sobre ela o rolo de macarrão, até que fique menos grossa. Use um cortador de massas pequeno ou uma faca para cortar a massa em quadradinhos e coloque-os numa forma para assar. Asse durante vinte minutos, em seguida abaixe o fogo para 150 graus, até os bolos ficarem levemente dourados.

Bolos de Aveia Escoceses (minha receita favorita)

Você vai precisar de ½ de xícara de manteiga ou margarina, 1 xícara de farinha de aveia, ¼ de farelo de milho, 1 ovo, 1 xícara de leite, ¼ de colher de chá de sal, ½ colher de chá de fermento em pó, ¼ colher de chá de creme de tártaro (você pode fazer uma versão mais doce, adicionando ¼ colher de chá de baunilha, ½ colher de chá de canela e 6 colheres de chá de açúcar).

Corte a manteiga e misture-a à farinha de aveia e à farinha de milho. Adicione os ingredientes restantes e misture tudo. Aqueça o forno a 200 graus. Derrame a massa, às colheradas, numa forma untada (ou, se quiser bolos com um formato mais bonito, derrame a massa em forminhas untadas de *muffins*). Asse de doze a quinze minutos, ou até que fiquem levemente dourados. (Sirva os bolinhos com manteiga e geleia, se quiser.)

Pão de Milho

Você vai precisar de 2 xícaras de farinha de milho (moída grosseiramente), 1 xícara de farinha de trigo, 1 xícara de leite, 1 colher de sopa de açúcar, 4 colheres de chá de fermento em pó, 1 ovo, 1 colher de chá de sal.

Misture todos os ingredientes, em seguida adicione o ovo e o leite adoçado até obter uma massa fina. Coloque numa forma de pão untada e aquecida. Asse em forno quente até ficar dourado.

Biscoitos de Bolotas de Carvalho

Você vai precisar de ½ xícara de óleo, ½ xícara de mel, 2 ovos batidos, 2 xícaras de farinha de bolotas de carvalho, ½ colher de chá de extrato de amêndoa, uma xícara de bolotas de carvalho secas e fatiadas.

Misture o óleo e o mel; depois bata os ovos. Adicione o extrato de amêndoa, a farinha de bolotas de carvalho e as bolotas de carvalho fatiadas. Derrame colheradas dessa massa num tabuleiro untado ou numa assadeira rasa. Asse no forno a 200 g por quinze minutos.

Lembrete Importante

Nesta lição e na lição anterior usei exemplos de magia de "amor" e talismãs. Por favor, lembre-se sempre de que a magia de amor dirigida a uma pessoa específica nunca é benéfica, pois ela interfere no livre-arbítrio dessa pessoa, forçando-a a fazer algo que normalmente não faria e possivelmente não desejaria fazer. O único tipo de magia de amor permitido é o que não visa ninguém em especial, apenas atrair "alguém", sem que você saiba exatamente quem será. Mas ainda melhor será simplesmente aperfeiçoar a si *mesmo*, tornando-se mais atraente, em vez de tentar mudar os sentimentos de outra pessoa.

Questões sobre a Lição Doze

1. Escreva o seu nome usando os diferentes estilos de runas. Pratique a escrita com uma frase especial em seu estilo favorito de escrita mágica.

2. Decida para que deseja fazer um talismã. Determine o metal e qual influência planetária, além da inscrição que vai usar. Faça uma ilustração de seu talismã a seguir.

3. Descreva o seu amuleto especial. Onde e como o encontrou? Para que você acha que ele será melhor usado?

4. Descreva qualquer receita favorita de comida e bebida que tenha sido um sucesso.

5. Descreva os jogos de covens que testou e quais resultados obteve.

Questões Avaliatórias sobre a Lição Doze

1. O que é um talismã? Qual a diferença entre ele e o amuleto?

2. Quais as duas coisas mais importantes para se carregar um talismã com poder?

3. Como você personaliza um talismã? O que você pode acrescentar a um talismã para personalizá-lo para um homem chamado Frank Higgins (nome mágico: Eldoriac), nascido em 27 de junho de 1942?

4. Mary Pagani (nome mágico: Empira), nascida em 14 de fevereiro de 1954, quer ter um salário melhor onde ela trabalha. Um cargo mais bem pago estará disponível em breve e ela quer consegui-lo. Explique o que você colocaria num talismã para que ela conseguisse o cargo desejado. Quando e como você o confeccionaria?

5. Henry Wilson está apaixonado por Amy Kirshaw. Ela não está apaixonada por ele. Explique o que você colocaria num talismã para Henry e como e quando o confeccionaria. A data de nascimento de Henry é 12 de outubro de 1947 e a de Amy é 3 de julho de 1958.

6. Pratique a escrita em todos os alfabetos mágicos descritos. Por que você não tenta decorar um deles?

Leituras Recomendadas

The Runes and Other Magical Alphabets, de Michael Howard.

How to Make and Use Talismans, de Israel Regardie.

Leituras Complementares

The Book of Charms and Talismans, de Sepharial.

Egyptian Language, de *sir* Wallis Budge.

LIÇÃO TREZE

A Cura

Preciso repetir o que eu disse no começo da Lição Dez: as informações a respeito das práticas de cura nesta lição são simplesmente a minha opinião e o resultado das minhas pesquisas. Não pretendo dar orientações médicas. Para ter esse tipo de orientação, é preciso consultar um profissional de saúde competente.

Na Lição Dez, você estudou o uso das ervas no processo de cura e aprendeu que os Bruxos têm sido, por muito tempo, considerados os curandeiros das comunidades. Nesta lição você conhecerá algumas das formas de cura usadas na Arte e mais aplicações menos óbvias das ervas.

A Aura

Mencionei brevemente o tema da aura numa das lições iniciais. Em poucas palavras, a aura é a energia eletromagnética que emana do corpo humano. Nosso corpo, naturalmente, vibra. Os animais e as plantas também, pois todas as coisas irradiam energia: uma cadeira, uma casa, uma árvore, uma flor, um pássaro. Tudo tem vibração. Sendo assim, tudo produz uma aura. Essa aura pode ser vista com mais facilidade nos seres humanos (possivelmente devido à atividade cerebral).

Algumas vezes, a aura é chamada de *força ódica*. Na arte cristã, do século V ao século XVI, ela era sempre retratada ao redor da cabeça das pessoas que supostamente tinham grandes poderes espirituais. Nesse caso ela era chamada de *auréola* ou *glória*. Ela também era retratada como um anel de chamas ao redor da cabeça dos profetas mulçumanos. Os ornamentos de cabeça usados pelos sacerdotes, reis e rainhas simbolizam a aura.

Existem referências à aura na Bíblia cristã. Assim como existe um excelente exemplo de aura na escultura de Moisés, de Michelangelo, que o esculpiu com chifres. Esse detalhe intriga muitas pessoas. A razão dos chifres é o fato de que, na tradução, a palavra para "chifres" ter sido confundida com outra muito parecida para "raios"; portanto, na verdade, pensava-se que Moisés tinha "raios" que irradiavam da cabeça... a aura.

Em 1858, o barão Karl von Reichenbach, um químico industrial, reivindicou a descoberta de certas radiações de ímãs, cristais, plantas e animais, que poderiam ser vistas e sentidas por certas pessoas (sensitivas). Em 1911, o dr. Walter Kilner, do St. Thomas Hospital, em Londres, idealizou maneiras de mostrar essas radiações. Uma delas era olhar através de uma solução alcoólica de uma tintura chamada *dicianina* (um produto extraído do alcatrão), e a outra era olhar primeiramente uma luz brilhante através de uma solução alcoólica e depois olhar para o objeto. Esse último método, no entanto, provou ser muito perigoso, pois podia causar danos aos olhos. Kilner aperfeiçoou seu método que usava a *dicianina* e produziu o que é conhecido como a "Tela de Kilner".

A aura, porém, é vista com mais nitidez sem um meio artificial. Basta colocar o objeto contra um fundo escuro e observar, direcionando o olhar para a posição do Terceiro Olho (entre as sobrancelhas e um pouco acima delas) piscando um pouco de início. Você vai conseguir ver a aura ao redor do topo do objeto ou da cabeça da pessoa, embora, de início, quando tentar olhar diretamente para o ponto... verá que ela desaparece! Não se preocupe. Você vai acabar conseguindo vê-la diretamente, mas, para começar, apenas mantenha o foco no Terceiro Olho e olhe para a aura usando sua visão periférica. Se não conseguir ver a aura colando o objeto contra um fundo escuro, então experimente um fundo claro; alguns conseguem usando um método ou outro.

A menos que o corpo esteja nu, a aura é mais nítida ao redor da cabeça. Caso esteja nu, ela será vista claramente ao redor dele todo. A aura completa é chamada de *auréola*; a aura da cabeça é o *nimbo*. Pode-se perceber que, à esquerda da pessoa, há geralmente uma cor laranja e, à direita, uma cor azulada. Se mover as mãos em direção ao corpo, você sentirá calor à esquerda e frio à direita. O mais interessante é que um ímã em forma de barra provoca sensações parecidas, pois a extremidade ao norte é fresca e azul e a extremidade sul é quente e alaranjada.

A aura pode ser sentida. Se ficar em pé em frente a uma pessoa, com as mãos estendidas de ambos os lados da cabeça dela e as palmas voltadas para ela, você poderá senti-la. Mova aos poucos as mãos em direção à cabeça. Enquanto se aproxima (fique a uns 10 a 15 centímetros de distância), sentirá um leve formigamento, ou calor, ou uma sensação de pressão aumentando. Mova as mãos para frente e para trás e sinta a sensação.

Practical Color Magik
Raymond Buckland
Llewellyn, Mn., 1983 & 2002

A Cura Áurica

Na cura áurica, você causa a mudança no estado de uma pessoa visualizando uma luz de uma cor específica brilhando ao redor dela. Essas cores são escolhidas de acordo com o problema do paciente. Por exemplo, ao tratar o sistema nervoso, deve-se usar as cores violeta e lavanda para obter um efeito suavizante e calmante. Para revigorar a pessoa, convém usar o verde-grama. Para inspirar, os tons de amarelo e laranja.

Quando tratar desordens no sangue e nos órgãos do corpo, use os azuis claros e escuros para acalmar, o verde-grama para revigorar e o vermelho-vivo para estimular.

Quando tratar casos como febre, pressão alta ou histeria, use o azul. Para casos de abatimento ou hipotermia, concentre-se no vermelho.

Se, por exemplo, uma pessoa estiver se queixando de que está sentindo calor, tem febre e sua em abundância, você poderá ajudá-la imensamente concentrando-se em vê-la envolvida numa luz azul. Se a pessoa tiver dor de estômago, direcione uma suave cor verde-clara para essa região. Se alguém tiver uma dor de cabeça de origem nervosa, veja a cabeça dessa pessoa cercada por uma luz violeta ou lavanda. Em caso de hemorragias, direcione uma luz azul-escura para o corte. Mantenha essas visualizações por quanto tempo quiser. Forneço instruções mais específicas a seguir, na seção *Cura com Cores*.

A Cura Prânica

A cura prânica consiste em enviar *prana* (energia vital) do seu corpo para as partes enfermas ou afetadas, estimulando as células e os tecidos a voltar à atividade normal e possibilitando que detritos tóxicos sejam expulsos do organismo. Essa cura requer o uso de passes e a imposição das mãos. O que é o prana? É a energia vital que possibilita todas as ações físicas do corpo. Ela permite a circulação do sangue, o movimento das células e todos os impulsos dos quais a vida do corpo físico depende. Trata-se da energia enviada, intencionalmente, do sistema nervoso, quando você direciona a cura (reveja a Lição Um, quando menciono o professor Otto Rahn e o dr. Harold Burr).

O prana é extraído do alimento que ingerimos, da água que bebemos e do ar que respiramos. Todas as formas de força e energia vêm da mesma causa principal, ou seja, a sua força de vontade, que aumenta o seu próprio suprimento de energia, por isso *compartilhe-a*; ela lhe confere o "dom" da cura. Todos, portanto, possuem verdadeiramente o "dom" da cura.

Como você pode aumentar o seu prana? Por meio da respiração profunda. *Visualize* a energia e concentre o fluxo em seu corpo, enquanto respira. Sinta-o. Sinta-o seguir para todas as partes do seu corpo. Sinta-o percorrer seus braços e descer na direção das pernas. Visualize o amor da Senhora e do Senhor penetrando em você.

A respiração correta propicia um equilíbrio entre correntes positivas e negativas. Acalma o seu sistema nervoso e regula e diminui o ritmo cardíaco, baixando a pressão sanguínea e estimulando a digestão. Antes de realizar qualquer cura prânica, faça os seguintes exercícios de respiração profunda:

1. (a) Inspire o ar lentamente pelo nariz, contando até oito.
   (b) Expire o ar lentamente pelo nariz, contando até oito.

2. (c) Inspire o ar lentamente pelo nariz, contando até oito.
   (d) Segure o ar, contando até quatro.
   (e) Expire o ar lentamente pela boca, contando até oito.

No passo (d), enquanto segura o ar, sinta o amor, a energia, a força e o poder que inspirou circulando por todo o seu corpo.

No passo (e), expire toda a negatividade de dentro de si. Siga o passo "1" uma vez e, em seguida, o passo "2" três vezes.

Agora você está pronto para iniciar a sua cura. É melhor realizá-la quando estiver dentro do Círculo. Entretanto, se isso não for possível (se o paciente não puder ir até você, talvez por estar internado num hospital ou acamado em casa), antes de começar pelo menos trace um Círculo sobre ele com o seu athame (incluindo a cama, se necessário) e preencha o Círculo com uma luz branca.

Peça que o paciente se deite de costas com a cabeça voltada para o Leste, se possível. Os pés dele devem estar juntos e os braços, ao longo do corpo. O paciente *não precisa* estar nu, no entanto, isso é certamente melhor (melhor, na verdade, seria se ambos ficassem). Ele deve fechar os olhos e concentrar-se, vendo a si mesmo rodeado por uma esfera de luz branca. Ajoelhe-se ao lado da perna esquerda do paciente, se você for destro, e à direita se for canhoto (veja a Figura 13.1). Curvando-se para frente, estenda os braços e imponha as mãos com as palmas voltadas para dentro, no topo da cabeça do paciente, *a uma distância de três centímetros da pele* (Figura 13.2). Respire fundo e, em seguida, segure o ar,

Figura 13.1

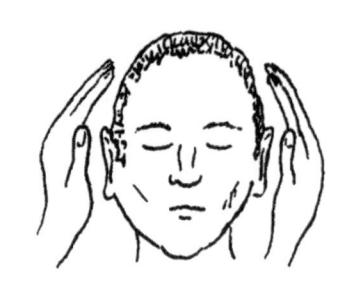

Figura 13.2

levando as mãos para baixo, ao longo do corpo, com uma de cada lado do corpo, sem tocar a pele. Enquanto segue em direção aos pés, expire o ar e *agite as mãos vigorosamente*, como se as sacudisse para secá-las. Você vai estar, na verdade, livrando-se da negatividade que captou do paciente. Repita esse processo *pelo menos sete vezes* (de preferência mais do que isso).

Em seguida, sente-se tranquilamente por um instante, vendo o paciente rodeado por uma luz branca. Quando já tiver se recomposto (você vai descobrir que essa cura é um pouco exaustiva), repita os exercícios de respiração dados anteriormente – "passo 1" uma vez e "passo 2" três vezes.

Agora, posicione as mãos, uma de cada lado da *cabeça do paciente*, com os polegares repousando nas têmporas. Concentre-se (com os olhos fechados, se preferir), enviando todas as suas energias para ele; toda bondade e todo amor da Senhora e do Senhor, canalizados por meio de você, e em direção ao paciente, para fazer com que ele se sinta bem. Depois que tiver feito isso por um tempo, mais uma vez sente-se e relaxe, visualizando-o cercado por uma luz branca.

Então, novamente, faça os exercícios de respiração, depois repouse as mãos sobre o *coração do paciente*, e mais uma vez direcione a força prânica para ele.

Depois faça os exercícios de respiração de novo, colocando as mãos na área específica do problema (por exemplo, estômago, perna, ombro) e direcione as suas energias. Depois disso, passe mais um período descansando e visualize-o dentro de uma bola de luz branca, concluindo o processo.

Não fique surpreso se se sentir fisicamente esgotado depois desse processo de cura. Isso será passageiro. Ignore se alguém lhe disser que esse esgotamento significa que está realizando a cura de maneira errada. Pelo contrário, sentir-se esgotado é um bom sinal de que realizou bem a técnica.

A Cura a Distância

É possível curar uma pessoa sem que ela esteja fisicamente presente no Círculo. Isso pode ser feito por meio de um dos métodos apresentados na Lição Onze (dança, canto, cordas, sexo), gerando-se poder e direcionando-o para a pessoa que está doente. A magia com velas é especialmente eficaz nesse caso (veja o livro *Practical Candleburning*, de Raymond Buckland, Llewellyn Publications). Tanto a cura áurica quanto a prânica podem ser utilizadas, usando-se uma foto boa e nítida da pessoa. Veja também as seções *A Cura com Cores* e *Magia com Bonecos*, a seguir.

A Cura com Cores

Trato sobre esse assunto em detalhes no meu livro *Practical Color Magik* (Llewellyn Publications, 1983 e 2002); por isso, apenas farei um breve resumo aqui. A luz é uma energia radiante que viaja em forma de ondas. A taxa de vibração pode ser medida em unidades conhecidas como Unidades de Angstrom (Å), que mede um tenmilionésimo de um milímetro. Por exemplo, a cor violeta tem um comprimento de onda que varia de 4000 Å a 4500 Å, o índigo de 4500 Å a 4700 Å; o azul de 4700 Å a 5100 Å; o verde de 5100 Å a 5600 Å; o amarelo de 5600 Å a 5900 Å; o laranja de 5900 Å a 6200 Å e o vermelho de 6200 Å a 6700 Å. O nosso corpo seleciona qualquer cor que precise da luz solar para ficar em equilíbrio, absorvendo suas vibrações. O princípio da Cura com Cores (ou cromoterapia) é oferecer ao corpo enfermo uma dose extra de qualquer uma das cores que esteja lhe faltando. Uma das vantagens da cromoterapia é a praticidade. É o tipo de coisa que qualquer pessoa pode fazer sem nenhum perigo, uma vez que lança mão de um elemento natural. A aplicação pode ser feita de várias formas diferentes, como você poderá ver a seguir. Basicamente, o vermelho estimula, enquanto o azul acalma.

A seguir são apresentadas todas as cores do espectro, uma a uma, com a descrição das propriedades que elas possuem.

> **Vermelho:** uma cor quente e revigorante, excelente para o tratamento das doenças do sangue. Pessoas com anemia precisam da cor vermelha, assim como aquelas que têm infecções no fígado.
>
> **Laranja:** não tão quente quanto o vermelho, ainda assim contém muitas de suas propriedades. Essa cor é especialmente indicada para o tratamento de doenças do sistema respiratório; para aqueles que sofrem de asma e bronquite; também é um bom tônico e laxante.

- **Amarelo:** também é uma cor indicada para os intestinos. É um sedativo suave, que ajuda a eliminar todo tipo de medo e facilita o raciocínio. É indicada para indigestão e azias, constipações e hemorroidas. Também é usada em casos de problemas menstruais.

- **Verde:** é uma cor que promova a cura. É neutra com relação às outras cores e pode ser tônica e revitalizante. Quando estiver em dúvida, use o verde. É excelente para os problemas do coração, dores de cabeça nevrálgicas, úlceras, resfriados e furúnculos.

- **Azul:** é um agente antisséptico e refrescante. Cor excelente para ser usada em todas as inflamações, incluindo aquelas dos órgãos internos. Indicada para cortes e queimaduras, assim como para o reumatismo.

- **Índigo:** uma cor levemente analgésica. Elimina os medos da mente e renova a confiança daqueles que têm medo do escuro. Indicada para desequilíbrios emocionais, surdez, especialmente boa para os olhos, até mesmo para a catarata.

- **Violeta:** cor indicada para distúrbios mentais, para o sistema nervoso, para a calvície e para as enfermidades femininas.

Como Direcionar a Cor

Na cromoterapia, a *cor* é o que importa, por isso qualquer coisa que produza uma luz colorida servirá às suas necessidades. Pode ser um copo colorido, um plástico colorido e até mesmo celofane. Você nem precisa esperar pela luz do sol. Qualquer luz servirá, incluindo a luz artificial. Se tiver uma janela por onde entre muita luz solar, certamente você pode usá-la na cromoterapia. Fixe com fita adesiva um pedaço de papel acetato ou vidro colorido, ou até mesmo um guardanapo, sobre a janela e tenha paciência para esperar até que a luz solar passe através dele e banhe a região do seu corpo com problema (por exemplo, se estiver com algum problema de estômago, direcione luz amarela para essa região).

Concentre a luz no estômago por pelo menos trinta minutos diariamente. Dois períodos de trinta minutos (um pela manhã e um à noite) seriam o ideal. Você perceberá uma melhora logo de início.

Se você não tiver uma janela em que bata sol, então pode usar um projetor de slides. Na verdade, por muitos motivos, essa alternativa é melhor do que a janela, pois você pode projetar a luz na região que quiser. Em lojas de artigos fotográficos, você pode encontrar suportes vazios para slides. Neles, encaixe pequenos retângulos de plástico colorido ou acetato, para que tenha um conjunto de slides com as sete cores primárias.

Água Energizada com Cores

Você pode transformar água comum num poderoso remédio, *energizando-a* com luz colorida. Encha uma garrafa transparente com água e prenda uma folha de papel ou um acetato colorido em volta dela (se conseguir uma garrafa colorida, será melhor ainda). Em seguida, coloque a garrafa na janela durante seis a oito horas. Mesmo que o sol não incida diretamente na garrafa, ainda assim ele carregará a água. Depois, tome um copo dessa água três vezes ao dia, pois isso surtirá um efeito similar a meia hora de aplicação de luz colorida.

Se estiver se sentindo desanimado ou distraído, um copo cheio de água carregada com a cor vermelha toda manhã lhe reanimará. Do mesmo modo, se tiver dificuldade para pegar no sono à noite, um copo com água energizada com a cor índigo, antes de ir para a cama, vai ajudar você a cair no sono. Como mostra o quadro apresentado anteriormente, todas as cores podem ser usadas. Esse tipo de tratamento é chamado de hidrocromoterapia.

Cura a Distância com Cores

As cores podem ser usadas ainda para fazer curas a distância. Você também pode utilizar, na cura com cores, uma fotografia (o princípio básico da magia simpática em que "os semelhantes se atraem"). Isso é conhecido como *grafocromoterapia*. Certifique-se de que não haja mais ninguém, além do paciente, na fotografia e esteja certo de que a parte enferma da pessoa (ex.: perna; estômago) esteja na foto. Coloque a foto debaixo da cor apropriada e deixe-a lá. Uma lâmpada de baixa voltagem é melhor para isso; talvez alguma coisa como uma lâmpada de luz noturna.

Achará mais fácil colocar as folhas coloridas em frente a fotografia do que tentar embrulhá-la ao redor da lâmpada. A melhor maneira é colocar uma foto numa moldura juntamente com um acetato colorido e depois deixá-la em pé na frente da luz da lâmpada, ou da janela. Faça o tratamento com luz por pelo menos três horas, diariamente.

Terapia com Cristais

Você pode ler seis livros diferentes que tratem a respeito de pedras preciosas ou semipreciosas e suas propriedades ocultas e encontrar seis opiniões diferentes de como usá-las. A razão para isso é que as pedras geralmente têm correspondências com os planetas astrológicos e com os signos. O problema é que (como W. B. Crow explica em *Precious Stones: Their Occult Power and Hidden Significance*) "existem escalas diferentes de correspondências e, numa circunstância, uma escala deve ser aplicada, enquanto que, em outra, uma escala diferente é mais benéfica (...) Nenhum objeto natural é Sol puro; Lua pura ou Saturno puro".

O modo mais seguro de usar algumas pedras para cura, portanto, é à moda dos antigos druidas: oriente-se pela cor da pedra e aplique os mesmos princípios usados na seção *A Cura com Cores*, acima.

Por exemplo, você já sabe que amarelo é bom para curar os intestinos e seus distúrbios, assim como para combater problemas menstruais, então use uma pedra amarela, por exemplo um diamante amarelo, jaspe, topázio, berilo, quartzo, âmbar etc. A pedra deve ser colocada na área enferma pelo menos por uma hora diária e deve ser usada, na forma de um pingente ou anel, pelo resto do dia, continuando assim até que a cura tenha efeito.

Em 640 AEC, Necheps usava uma pedra de jaspe ao redor do pescoço para curar azia. Em 1969, Barbara Anton (uma gemologista formada no Instituto de Gemologia de Nova York) aconselhou uma amiga, que sofria de menstruação irregular havia anos, a usar um pingente de jaspe amarelo. Durante o período em que usou, sua menstruação regularizou-se e ela passou a ter um ciclo de 28 dias.

Qualquer bom livro sobre pedras e minerais lhe dará descrições completas da grande variedade de pedras que existe em todas as cores do espectro. Os rubis, as esmeraldas e as safiras são ótimos exemplos de pedras vermelhas, verdes e azuis, respectivamente; entretanto, existem muitas outras igualmente eficazes, mas não tão caras. Seguem as descrições de algumas pedras, juntamente com as cores em que são encontradas e algumas crenças antigas referentes às suas propriedades.

Atributos dos Cristais

Ágata (marrom): dizem que ajuda a deixar as gengivas saudáveis e protege a visão.

Âmbar (amarelo, laranja): melhora a visão e combate a surdez, a diarreia e as infecções de garganta, a febre do feno e a asma.

Ametista (púrpura, azul-violeta): antídoto para ressaca, além de propiciar paz de espírito.

Berilo (verde, amarelo, azul, branco): problemas de fígado; diafragma.

Coral (vermelho, branco): estanca sangramentos; combate distúrbios digestivos, epilepsia em crianças, úlceras, escoriações e olhos doloridos.

Cornalina (vermelho): estanca hemorragias; sangramentos nasais; purifica o sangue.

Crisolita (verde-oliva; marrom; amarelo, vermelho): combate febres e pesadelos.

Diamante (branco, azul, amarelo): combate tosses, muco nasal, problemas no sistema linfático, dor de dente, insônia, convulsões.

Esmeralda (verde): combate doenças nos olhos (um colírio tradicional era feito deixando-se uma esmeralda em infusão na água) e promove curas em geral.

Granada (vermelho): combate anemia e doenças do sangue.

Jade (verde): combate doenças nos rins e dores de estômago, problemas urinários e doenças nos olhos (como a esmeralda, também era usado para fazer colírios); purifica o sangue e fortifica os músculos.

Jaspe (amarelo, verde): combate problemas de estômago e nervosismo.

Jaspe sanguíneo (verde e vermelho): combate hemorragias e sangramentos nasais.

Lápis-lazúli (do azul profundo ao azul-celeste, violeta-azulado, verde-azulado): *lápis lazili; lápis linguis*: combate problemas nos olhos; ajuda a sintonizar vibrações espirituais elevadas; propicia vitalidade e força. *Lapis ligurius*: combate a cólera e o reumatismo.

Opala (do vermelho ao amarelo, preto, verde-escuro): combate problemas no coração e nos olhos e peste bubônica (!); oferece proteção e harmonia.

Pedra-da-lua (azul-claro, assemelha-se à opala): combate distúrbios "aquosos" e hidropisia; propicia força.

Pérola (branco): suavizante; dissipa a ira.

Rubi (vermelho): combate dor, tuberculose, cólica, furúnculos, úlceras, envenenamento, problemas nos olhos, constipação.

Safira (hortênsia): trata os olhos; combate furúnculos, reumatismo, cólica.

Sardônica (vermelho, vermelho-acastanhado, preto): produz efeitos mentais e emocionais; combate a tristeza ou a aflição; traz felicidade.

Topázio (amarelo ao branco, verde, azul, vermelho): melhora a visão; combate hemorragias e sangramentos.

Turquesa (azul, azul-esverdeado, verde): melhora a visão e rejuvenesce.

Magia com Bonecos

Na Lição Onze, aprendemos como confeccionar um boneco e usá-lo na magia do amor. No entanto, os bonecos também podem ser usados com propósitos de cura – na verdade, esse é seu uso mais comum.

Para confeccionar um boneco com propósitos de cura, utiliza-se o mesmo procedimento: dois pedaços de tecido cortados e costurados, depois marcados com símbolos de identificação e características (ele é feito enquanto você concentra o pensamento na pessoa que ele representa). No entanto, desta vez você irá rechear o boneco *com a erva apropriada para a doença que a pessoa* apresenta. Essa informação você já obteve na Lição Dez. Se, mesmo assim, estiver em dúvida sobre qual erva usar, recheie o boneco com calêndula (*Calendula Officinalis*), que é um remédio para todos os males.

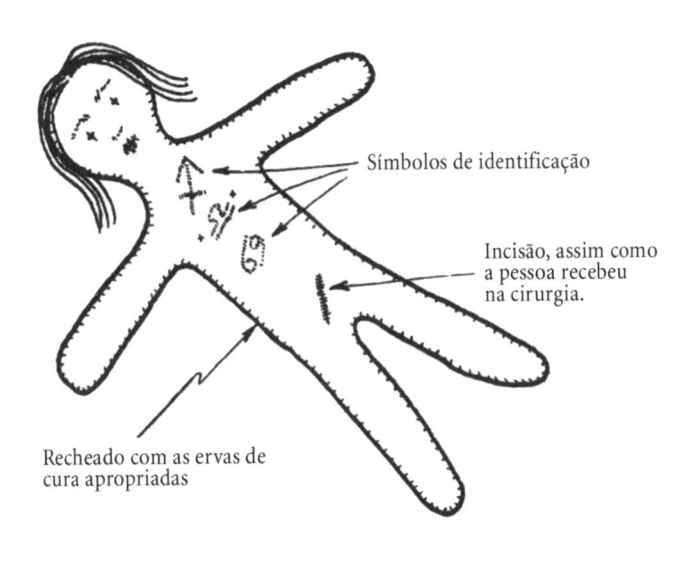

Boneco de Cura

Você deve dar um nome ao boneco (como no exemplo da magia de amor), aspergindo e incensando-o, em seguida colocando-o no altar.

Se estiver praticando magia de cura para alguém que tenha passado por uma cirurgia, então faça uma incisão no boneco, no mesmo local em que ocorreu a cirurgia. Depois, pegue o boneco do altar, concentre-se na cura e direcione o seu poder para o paciente, enquanto costura a incisão.

Você poderá realizar a cura áurica e a cura prânica usando o boneco no lugar da pessoa. Depois que o nomeou e consagrou, qualquer coisa que faça ao boneco afetará também a pessoa que ele representa.

> *Nós somos todos parte da natureza.*
> *Não estamos à parte dela.*
> **Raymond Buckland**

Todos já vimos, pelo menos nas obras de ficção, bonecos de cera cravados de alfinetes. Esse tipo de boneco é típico da magia simpática e, na verdade, trata-se de uma das suas formas mais antigas. Os mesmos princípios básicos – cravar alfinetes numa imagem para prejudicar a pessoa que ela representa – podem ser aplicados para o bem. Por exemplo, um homem pode estar sofrendo de uma terrível dor nas costas. A Bruxa pode usar cera, ou argila, para modelar uma figura que represente o homem. Ela não precisa ser exatamente igual ao homem, na verdade pode ser bem rudimentar, do tipo "um bolo de gengibre em formato de homem". Mas, durante todo o tempo em que estiver moldando a figura, a Bruxa deve manter uma imagem clara do homem em sua mente. Se tiver uma fotografia dele, que possa colocar a seu lado e na qual se concentrar, melhor ainda. Quando a figura estiver pronta, a Bruxa deve espetar três ou quatro alfinetes nas costas dela – ou onde quer que a pessoa representada sinta dor. Quando estiver colocando os alfinetes, a Bruxa deve tentar **não** pensar na dor que a pessoa está sentindo, pois essa é só uma fase preparatória para realizar a cura.

O próximo passo é nomear o boneco de acordo com o receptor. Isso pode ser feito aspergindo-se e incensando-o, enquanto a Bruxa descreve o efeito que espera da magia: "Aqui se encontra John Doe, que procura alívio para a dor. Tudo o que eu fizer aqui também será feito à sua pessoa". A Bruxa deve, então, se concentrar no boneco tanto quanto faria com o homem, vendo-o como se estivesse ficando saudável e bem, sem a dor nas costas. Um por um, ela deve, então, arrancar os alfinetes pensando, e talvez até mesmo dizendo, que ela está tirando a dor do corpo dele.

***Witchcraft Ancient and Modern*
Raymond Buckland
HC Publications, Nova York, 1970**

Receita de Óleo de Unção

Encha um grande jarro com menta fresca ou gatária [*Nepeta Cataria*] (eu prefiro). Derrame óleo vegetal sem aroma no jarro, até enchê-lo. Feche-o bem e deixe a mistura descansar por 24 horas, virando o jarro de ponta-cabeça a cada 8 horas. Coe o óleo cuidadosamente usando um tecido grosso de algodão e apertando-o bem. Reabasteça o jarro com menta ou gatária fresca e despeje o mesmo óleo novamente. Deixe descansar por mais 24 horas, virando o jarro a cada 8 horas. Repita esse processo durante pelo menos três dias. O resultado é um ótimo óleo de unção com fragrância de menta ou gatária.

A Meditação e o *Biofeedback*

Sim, a meditação pode ser um modo de curar. Lembre-se sempre de que nós criamos a nossa própria realidade – seja consciente ou (o que é mais frequente) inconscientemente. Assim, já que somos capazes disso, podemos simplesmente criar uma realidade boa e saudável. Em suas meditações diárias, veja a si mesmo saudável e em boa forma. Se estiver doente, veja a si mesmo completamente restabelecido. Lembre-se (como mencionei na Lição Onze): não veja uma coisa em execução, veja-a concluída, o produto final.

A meditação e o *Biofeedback* já foram testados em laboratório por cientistas e já demonstraram ser capazes de reduzir a pressão sanguínea e a tensão muscular, além de aumentar o controle da dor e a sensação de bem-estar. O princípio do *Biofeedback* é que a pessoa munida do conhecimento imediato do processo interno do seu corpo pode aprender a controlar algo que normalmente funciona de forma involuntária. O sujeito pode realizar um relaxamento completo e observar a si mesmo enquanto faz isso por meio de um medidor ligado a várias partes do seu corpo (instrumentos de Biofeedback, de complexidade e preços diversos, podem ser facilmente encontrados). Ele tenta induzir um estado de consciência extremamente calmo e, ainda assim, alerta, que é caracterizado por padrões de atividade cerebral chamados "ritmos alfa". Quando o sujeito consegue manter o ritmo alfa por um período de dez segundos, isso indica que ele alcançou o estado alfa.

A seguir, será apresentado um ritual de meditação com velas. Você poderá usá-lo como um fio condutor para visualizar a si mesmo (ou outra pessoa) saudável e curado de uma doença.

Altar "para meditar"

Altar nº 1	Imagem	Altar nº 2
Incensário		
Vela azul nº 1	solicitante/meditador	Vela azul nº 2
Livro	Vela do dia	

Acenda a vela do altar. Acenda o incenso. Acenda a vela do dia. Acenda a vela do solicitante (solicitante/meditador), pensando em si mesmo e dizendo:

> "Esta vela representa a mim mesmo, e sua chama é firme e verdadeira".

Acenda a vela azul nº 1 e a nº 2 e diga:

> "Aqui eu encontro paz e tranquilidade.
> um lugar isolado, onde posso
> meditar com segurança e evoluir espiritualmente".

Sente-se para meditar, da maneira que preferir (por exemplo, como descrito na Lição Sete: por meio de Meditação Transcendental, Mantra Yoga ou qualquer que seja o método que preferir). Durante a meditação, veja a si mesmo (ou a outra pessoa, se estiver realizando o trabalho para alguém) completamente bem e curado(a). No final da meditação, apague as velas na ordem contrária da que as acendeu.

A seguir, conheça mais um ritual com velas, desta vez específico para a recuperação ou manutenção da saúde.

Altar para Recuperar ou Manter a Saúde

Altar nº 1	Imagem	Altar nº 2
	Incensário	
	Vela	nº 1 Vermelha nº 2 vermelha nº 3 vermelha
Laranja	Solicitante	
Livro		

Acenda a vela do altar. Acenda o incenso. Acenda a vela do dia.

Sente-se por alguns instantes, pensando na força, na saúde e na bondade da Senhora e do Senhor voltando a fluir para o seu corpo.

Acenda a vela do solicitante, visualizando-o, e diga:

"Aqui está (nome), em excelente saúde.
Que as bênçãos da Senhora e do Senhor recaíam sobre essa pessoa, para que ela possa prosperar".

Acenda a vela laranja e diga:

"Que esta chama atraia tudo que for bom para (nome).
Que atraia a saúde e a força e tudo o que ele(a) deseja".

Acenda as três velas vermelhas e diga:

"Que aqui estejam a saúde e a força, triplicados.
Estão aqui para serem levadas para o corpo de (nome),
para servi-la(o) e restabelecê-lo(a), de acordo com o desejo
da Senhora e do Senhor".

Então, diga:

No início era sempre assim.
Para sobreviver era preciso caçar, matar.
Para matar era preciso ter força.
Para ter força, era preciso alimento e movimento.
Para que houvesse alimento e movimento, era preciso
   haver caça.
Se for fraco, nunca poderá ser forte.
Se for forte, deverá continuar assim.
Mas se for fraco, deve pensar em ser forte.
Pois o pensamento torna-se ação.
E pensando em ser forte pode-se caçar e matar e
   alimentar-se.
Pense em ser forte e forte você será, e se moverá.
O pensamento não traz o alimento, mas o pensamento
   trás os meios para conseguir o alimento.
Então, seja forte!
Força para o forte!
Força para o fraco!
Que o braço erga a lança.
Que o braço arremesse a pedra.
Que o braço lance o dardo.
Que haja força, sempre.
Que assim seja!"

Sente-se em silêncio e medite sobre a saúde perfeita que goza e gozará o solicitante. Sente-se e medite por dez a quinze minutos. Depois, apague as velas, na ordem contrária daquela em que foram acesas. Repita esse ritual toda sexta-feira, por sete sextas-feiras consecutivas, movendo as velas vermelhas para cada vez mais perto da vela do solicitante.

Os Animais e as Plantas

Todos os métodos de cura descritos até aqui também são eficazes para animais e plantas. Nunca se esqueça de que todos nós fazemos parte da natureza. Se um animal, um pássaro, uma planta ou uma árvore está doente, então é seu *dever* tentar ajudar. Vamos todos viver em harmonia com a natureza. Somos todos unos com os deuses.

Além dos métodos de cura tratados nesta lição, eu recomendaria que todos os Bruxos procurassem se inteirar de todas as muitas outras possibilidades que têm de curar. Claro que não é necessário tentar aprender tudo em detalhes, entretanto é bom conhecer que tipos de cura podem ser realizados, por exemplo acupuntura, radiestesia, hipnose etc.

O Pensamento Positivo

Qualquer que seja o método de cura escolhido, o ponto mais importante é ter em mente a atitude. *Deverá* ter uma atitude positiva. Assim como enfatizei na Lição sobre Magia, deve imaginar a *conclusão*, o *produto final*, daquilo que está tentando realizar. Isso é especialmente importante na cura. Se a pessoa tiver uma perna quebrada, veja a perna curada; veja-a pulando e correndo por aí. Se a pessoa tiver uma dor de garganta, veja-a gritando, cantando e sorrindo. Pense sempre positivo e envie energias positivas.

Recomendo um estudo mais aprofundado dos seguintes livros:

> *Aromatherapy: The Use of Plant Essences in Healing.* Raymond Lautic e A Passebecq.
>
> *The Complete Book of Natural Medicines.* David Carroll.
>
> *The Bach Flower Remedies.* Nora Weeks e Victor Bullen.
>
> *The Twelve Healers.* Edward Bach.
>
> *Handbook of Bach Flower Remedies.* Philip M. Chancellor.
>
> *Alpha Brain Waves.* Jodi Lawrence.
>
> *The Science and Fine Art of Fasting.* Herbert M. Shelton.
>
> *Power Over Pain Without Drugs.* Neal H. Olshan.

Yogi Therapy. Swami Shivananda Saraswati.

The Foot Book: Healing the Body Through Reflexology. Devaki Berkson.

Homeopathic Medicine At Home. Maesimund Panos e Joseph Heimlich.

Helping Yourself With Self Hypnosis. Frank S. Caprio e Joseph R. Berger

Healing with Radionics. Elizabeth Baerlein e Lavender Dower.

Theory and Practice of Cosmic Ray Therapy. D. N. Khushalini e I. J. Gupta.

The Practice of Medical Radiesthesia. Vernon D. Wethered.

Acupuncture: The Ancient Chinese Art of Healing. Felix Mann.

Helping Your Health With Pointed Pressure Therapy. Roy E. Bean.

Questões sobre a Lição Treze

1. Relate algumas das suas experiências usando a cura áurica. Quais foram os resultados visíveis?

2. Quais métodos de cura com cores funcionam melhor para você? Quais os resultados?

3. Quais pedras você usa para a cura? Como elas foram usadas e quais os resultados visíveis?

4. Registre aqui a sua lista pessoal das propriedades das pedras e dos cristais, que você descobriu graças aos seus experimentos.

Questões Avaliatórias sobre a Lição Treze

1. Um garotinho escorregou de uma pilha de pedras, caiu e quebrou a perna. Ele foi medicado, mas levará muito tempo para a fratura se consolidar. O que você pode fazer para abreviar o tempo de recuperação, utilizando:
   a) Cura áurica;
   b) Cura com cristais;
   c) Grafocromoterapia?

2. No caso descrito na questão 1, sugira um meio de ajudar o garoto, por meio da magia, usando um método da sua autoria, que pode ser baseado nos descritos nesta lição (por exemplo, uma variação da magia simpática).

3. (a) O que é prana? (b) Na cura prânica, por que é necessário sacudir as mãos vigorosamente depois de aplicar um passe? (c) Cite dois métodos para fazer a cura prânica quando o paciente não está fisicamente presente.

4. Uma mulher passou por uma histerectomia. Descreva como você poderia ajudá-la na recuperação, usando a magia com bonecos.

5. Escreva um texto curto sobre magia de cura, com base no que aprendeu nas Lições 10, 11, 12 e 13.

Leituras Recomendadas

Color Healing, de Mary Anderson.

Healing for Everyone, de E. Loomis e J. Paulson.

Is This Your Day?, de George S. Thommen.

The Art of True Healing, de Israel Regardie.

Precious Stones, Their Occult Power and Hidden Significance, de W. B. Crow.

Leituras Complementares

Magic and Healing, de C. J. S. Thompson.

Color Therapy, de Linda Clark.

Handbook of Bach Flower Remedies, de Philip M. Chancellor.

Handbook of Unusual and Unorthodox Healing Methods, de J. V. Cerney.

LIÇÃO QUATORZE

Preparativos

Os Rituais

Uma pergunta que me fazem com frequência é: "Posso escrever os meus próprios rituais?". A resposta é "sim", embora com algumas condições. Existem muitas pessoas talentosas na Arte que deveriam receber permissão – na verdade, incentivo – para desenvolver os seus talentos (os dois, a Arte e o talento, parecem atrair um ao outro de algum modo). No entanto, antes de começar a escrever os seus próprios rituais, experimente aqueles que apresentei neste livro, do modo como foram escritos. Sugiro que os use por pelo menos um ano. Conheça-os. Sinta-os. Vivencie-os. Eles foram escritos com base em vastos anos de muita experiência. Não somente experiência com a Arte, mas experiência e conhecimento de muitos outros aspectos do ocultismo, conhecimento antropológico e, o mais importante, conhecimento dos elementos que compõem um ritual (veja *Criação do Ritual* a seguir). Para todos esses elementos que o compõem, existe uma razão, sendo assim, não vá cortando trechos e fazendo alterações apenas porque acha que "não soam muito bem!"

Preste atenção em alguns dos elementos apresentados nesses rituais.

Ritual da Edificação do Templo – esse ritual consiste na criação e na consagração do ponto de encontro com os deuses, seu templo. Um dos fatores fundamentais é assegurar a limpeza psíquica da área e dos seus ocupantes. Esse ritual também inclui um convite à Senhora e ao

Senhor para auxiliar e testemunhar os rituais a serem realizados em sua homenagem.

Ritual da Purificação do Templo – esse ritual inclui o agradecimento necessário à Senhora e ao Senhor e a conclusão oficial dos procedimentos realizados.

Cerimônia dos Bolos e da Cerveja – esse ritual é o "elo de ligação" entre a parte ritualística ou de reverência do encontro e a sua parte social ou de prática de magia. É importante porque é algo universal e consiste no auge do culto religioso: agradecer aos deuses por prover as necessidades da vida.

Os elementos citados, juntamente com a autodedicação e a iniciação, são os ingredientes principais, a estrutura básica, da Wicca.

A Criação do Ritual

O dicionário *Webster* define a palavra *rito* como: "um ato formal da religião (...) cerimônia religiosa", e *ritual* como: "conjunto de ritos (...) maneira de realizar um culto ao divino".

Um ato *formal* da religião... precisamos *formar*, precisamos de uma construção bem definida. O ritual pode ser religioso ou pode ser mágico. Em ambos os casos, ele segue, e tem de seguir, uma determinada forma. A base é o que é conhecido como *legomena* (que significa "coisas ditas") e *dromena* ("coisas feitas"). Em outras palavras, trate-se de um ritual religioso ou mágico, ele deve conter *palavras* e *ações*; não apenas um, sem o outro. Também deve ter (1) uma abertura; (2) um propósito; (3) um "agradecimento" (no caso de um ritual religioso da Arte); (4) um encerramento.

A abertura e o encerramento já apresentei a você: o Ritual da Edificação do Templo e o Ritual da Purificação do Templo. O agradecimento também já foi apresentado na forma da Cerimônia dos Bolos e da Cerveja. Cabe a você, portanto (desta vez), criar o ritual, focalizando um *propósito*.

Por que você está fazendo um ritual? Para quê? É para celebrar um período do ano, uma das estações (um sabá)? É um esbá? Uma cerimônia de casamento wiccana (*Handfasting*)? Um ritual de nascimento (*Wiccaning*)? Formate esse propósito em sua mente logo de início, para que saiba qual será a ênfase do ritual.

Verifique o texto a seguir, tirado de uma tradição da Arte:

"A Alta Sacerdotisa recita o Ofício da Deusa. O Alto Sacerdote recita a Invocação ao Deus Cornífero. O coven dança, cantando: 'Eko, Eko, Azarak... etc.' Eles, em seguida, cantam o "Cântico das Bruxas".

Tudo o que foi descrito anteriormente está presente em todos os outros rituais sabáticos desta tradição em particular.
Por fim, o Alto Sacerdote diz:

"Vejam a Grande Mãe, que trouxe a luz ao Mundo. Eko, Eko, Arida. Eko, Eko, Kernunnos".

Essa é, basicamente, a essência dos rituais sabáticos dessa tradição em particular. Agora a pergunta é: qual é o sabá?
As únicas palavras proferidas nesse ritual que não estão presentes nos outros sete sabás são as finais, do Alto Sacerdote:

"Vejam a Grande Mãe que trouxe a luz do Mundo".

Para não mantê-lo em suspense, vou revelar que esse é o ritual de Imbolc dessa tradição... Mas quem poderia saber? Não existe nada, nas palavras "proferidas", que indique a celebração dessa época do ano. Por outro lado, dê uma olhada no seguinte ritual sabático de Imbolc, pertencente a uma outra tradição:

> **Sacerdotisa**: "Agora o nosso Senhor alcançou o zênite da sua jornada.
> É o encontro em que exultamos por ele.
> Daqui até o Beltane, o caminho adiante não é tão escuro,
> Para que ele possa ver a Senhora no final...".

> **Sacerdote**: "Eu peço a vocês, todos os wiccanos,
> que ofereçam, neste momento, seu coração ao nosso Senhor Woden.
> Que façamos deste encontro um Banquete de Tochas
> para carregá-lo adiante, até a luz,
> para os braços de Freya".

... e assim por diante. Todos os rituais enfatizam a importância dessa época do ano em especial; o fato de que o Imbolc é meio-caminho da "metade escura" do ano; a metade do caminho entre Samhaim e Beltane. Ninguém poderia realizar esse ritual, em particular, no equinócio do outono, por exemplo, e esperar que ele sirva para essa época do ano. Contudo, o ritual citado inicialmente, da outra tradição, poderia ser realizado em *qualquer* época do ano, pois se ajustaria! Ele não é, portanto, um bom exemplo de ritual *sazonal* – especialmente de um sabá – e certamente ficaria bem aquém do que você esperaria. Dessa forma, quando escrever rituais, tenha em mente, antes de tudo, o *propósito* do ritual. Esse propósito também deve estar presente nas *ações* dos celebrantes. Indo mais a fundo nas tradições citadas, os participantes acendem velas usando a chama das velas do Sacerdote e da Sacerdotisa. Em seguida, seguram-nas no alto e circulam ao redor do altar. Usando o princípio da magia simpática, eles estão conduzindo a força e a luz ao Deus, no momento em que ele mais necessita delas. Como já mencionei, não existem tais ações no ritual de sabá da primeira tradição.

A *participação* também é importante. A Arte é uma religião *familiar*, no sentido de que o coven é como uma grande família. A família deve ter permissão para participar livremente das suas atividades. No Cristianismo, os chamados "participantes" são como uma plateia. Eles se sentam num prédio amplo e observam o que acontece, só tendo permissão para se juntarem aos cantos e às orações ocasionalmente. Que belo contraste é a Arte, em que a "família" do coven se senta junto, ao redor do altar, e todos participam.

Tenha isso em mente em seus rituais. A participação é importante. Inclua algumas palavras que possam ser ditas pelos outros membros do coven, além da Sacerdotisa e do Sacerdote, até mesmo se forem um simples: "Assim Seja!". Se puder incluir ações ou gestos na parte deles, melhor ainda. Todos devem se sentir *parte* da cerimônia (em vez de ficar *à parte* dela). Você pode incluir uma meditação em grupo como parte do ritual. Meditações em grupo podem ser extremamente eficazes. Também pode tornar os cânticos e a dança partes integrantes do ritual. São muitas as possibilidades.

O ritual de esbá, como descrevi neste livro, contém elementos de muita importância. Talvez o mais importante deles seja a oração pessoal – pedir aos deuses o que necessita e agradecer a eles pelo que tem. Isso sempre deve estar incluído nas palavras das pessoas. Por mais inadequado que o Bruxo se sentir ao se expressar, o fato de as palavras virem do coração é muito mais importante do que a gramática correta ou a habilidade para construir uma sentença.

As cerimônias lunares, como foram descritas, seguem a forma tradicional de reverência à Senhora e a atenção à sua identificação no passado, em outras regiões e civilizações. Perceba que a Deusa é *convidada* para se juntar ao grupo e falar. Ela *não* é "atraída", no sentido de ser convocada ou invocada. Os momentos em que a Senhora de fato aparecerá ao coven são, na verdade, raras, e é preciso que a Sacerdotisa tenha uma força e uma maturidade excepcionais para lidar com ela. Sinto que, se a Senhora (ou o Senhor) quiser aparecer ao coven, então ela certamente fará isso. Mas ela somente fará isso quando estiver pronta e não porque foi invocada/conjurada/chamada! Quem somos nós para dar ordens à Senhora? Sendo assim, se sentir que deseja escrever um novo ritual para a cerimônia da Lua cheia ou da Lua nova, por favor, tenha isso em mente.

Os Vigias das Torres

Assim como já mencionei, muitos elementos da Magia Cerimonial passaram a ser usados, através dos séculos, por algumas tradições da Arte. Mas a maioria deles continua não sendo reconhecida por todos os praticantes da Arte. O uso da varinha, por exemplo, e da palavra athame; a faca de cabo branco, de dois gumes, e o pentáculo etc. A Magia Cerimonial, como se sabe, envolve a conjuração de entidades e exige que elas façam o que o Mago ordenar. Surpreendentemente, essa conjuração faz parte do Ritual de Edificação do Templo (ou de *Formação do Círculo*, como alguns deles o chamam) de muitas tradições. Em seus rituais, existe a convocação do que chamamos de "Vigias das Torres", ou "Guardiões dos Quatro Quadrantes". Esses "Guardiões" são frequentemente associados a entidades específicas, tais como dragões ou salamandras, gnomos, sílfides e ondinas. Parece-me óbvio que, ao invocar essas criaturas, o coven está pisando em solo perigoso. Na verdade, isso foi comprovado por um coven que uma vez se esqueceu (!) de banir as Salamandras do Sul, no final de seus rituais. Seus membros ficaram surpresos quando, inesperadamente após o encontro, um incêndio irrompeu de repente ao sul do *covenstead*!

Eu não recomendo que se evoque esses "Guardiões". Convidar (não "ordenar") o Senhor e a Senhora para estarem presentes e auxiliarem o coven não é suficiente? Que melhor proteção um Bruxo poderia ter? Por isso, se alguém lhe disser que inclui essas conjurações em seus rituais preparatórios, você saberá no que essa pessoa está se metendo. Se você algum dia estiver presente no Círculo de covens que invocam essas criaturas – talvez como um convidado –, então recomendo veementemente que você construa mentalmente uma barreira protetora de luz branca ao redor de si mesmo... apenas por precaução.

A Fonte

Uma palavra final, muito importante. Mostre a *fonte* de qualquer ritual. Sugiro que preencha o seu Livro das Sombras com os rituais que apresentei e use-o como base. Depois, você pode (talvez numa parte separada) acrescentar *rituais alternativos*. Nessa parte você pode incluir qualquer ritual que você mesmo tenha escrito ou extraído de outras fontes. No entanto, certifique-se de registrar quem os escreveu ou de onde foram tirados. Assim ficará óbvio aos recém-chegados ao seu coven, em épocas posteriores, o que foi acrescentado e quando isso aconteceu.

Alguns pontos para relembrar ao escrever rituais:
Não mude um ritual sem um bom motivo.
Os rituais devem ser agradáveis, não encarados como uma obrigação.
As palavras podem fazer o papel da música, ao se gerar poder.
Simplicidade é melhor do que complexidade.
Informe a fonte e a data sempre que acrescentar um material novo.

A Formação de um Coven

Como Encontrar Membros

O primeiro passo para formar um coven é, naturalmente, encontras as pessoas adequadas. O que quer que você faça, *não tenha pressa*. Um coven é uma família, é uma pequena unidade de pessoas trabalhando juntas, em perfeito amor e em perfeita confiança. Esse tipo de relacionamento não se conquista facilmente.

Existem, basicamente, dois caminhos a se tomar, dependendo das circunstâncias. Um é obviamente o preferido: encontrar pessoas por meio de outros pagãos conhecidos. O outro é a rota mais longa: eliminar os que são apenas pagãos em potencial. Vamos examiná-los.

Por meio de festivais e encontros pagãos e da Arte que acontecem ao redor do seu país hoje em dia, você poderá encontrar e conhecer outras pessoas que sejam, pelo menos um pouco, informadas sobre a Wicca. Você também pode procurar aqueles que sejam da sua região por meio de publicações sobre a Arte. Pode até mesmo fazer um anúncio nessas publicações, dizendo que está à procura de membros para o seu coven. Assim as pessoas podem saber do seu desejo de formar um coven e entrar em contato com você. Deixe claro que você está *disposto a analisar solicitações*. Digo "disposto a analisar" não porque ache que você não pode parecer muito interessado, mas simplesmente porque precisa encontrar aqueles com quem possa ter mais compatibilidade. Você não tem que aceitar todos que façam uma solicitação.

Veja uma amostra de um anúncio: "Formação de Coven wiccano. O Sacerdote (a Sacerdotisa) está analisando atualmente solicitações de pessoas que queiram praticar a Arte. Por gentileza, enviar fotografia e maiores detalhes para...".

Sugiro que use o número de uma caixa postal, para assegurar privacidade. Marque um encontro com aqueles que responderem num lugar público – talvez uma lanchonete, um restaurante, um parque ou algo semelhante, e encontre-os individualmente. Procure conhecê-los bem, por meio de diversos encontros, antes de convidá-los para ir à sua casa. Descubra o que eles sabem sobre a Arte, o que já leram, o que *pensam* das coisas que já leram. Procure ouvir, mais do que falar.

Que tipo de pessoas são os Bruxos hoje em dia? Antes de mais nada, eles são o que se chama de "pessoas de opinião". Pessoas que, em vez de aceitar alguma coisa ou a informação de terceiros, vão investigar por si mesmas; ler, pesquisar, investigar o assunto por todos os ângulos, antes de chegar a uma conclusão. Eles são donas de casa, vendedores, professores, homens e mulheres de negócios, motoristas de táxi, soldados – de todos os tipos...

Do ponto de vista astrológico, estamos a um terço do caminho até a décima segunda casa da Era de Peixes. No final dessa casa, entramos na Era de Aquário. Estamos, portanto, às vésperas da Era de Aquário, e essa é uma época de inquietação geral. De insatisfação, em particular com a religião – e de procura por "paz interior". Nos últimos quatro ou cinco anos, tem ocorrido um grande interesse pelo oculto, um genuíno renascimento do pensamento. As pessoas mais jovens percebem que não precisam seguir uma tradição; que podem e devem pensar por si mesmas. As pessoas estão olhando criticamente para a religião, recusando-se a aceitar uma religião em particular apenas porque ela era a religião dos seus pais e dos pais dos seus pais... Há uma busca constante, tantos por parte dos jovens quanto dos mais velhos. É nessa busca que muitos descobrem a Wicca. E a reação é invariavelmente de imenso alívio. – "Mas era exatamente isso que eu estava procurando!"

***Anatomy of the Occult*
Raymond Buckland,
Samuel Weiser, Nova York, 1977**

Se tiver que começar do zero, por assim dizer, você pode fazer isso verificando se existe algum grupo de pesquisas mediúnicas na sua região, grupos de estudo de astrologia, grupos de meditação etc. *Não* saia por aí anunciando que está à procura de pessoas para torná-las Bruxas! Desta vez também, ouça mais e fale menos. Se for paciente, você encontrará aqueles que – mesmo sem saber o que a Bruxaria é, verdadeiramente, ou mantendo algumas concepções equivocadas sobre o assunto – estão obviamente interessados na Arte e desejam ouvir e aprender.

Antes de conseguir montar seu coven, você talvez tenha que se desviar um pouco do seu objetivo e organizar um grupo de "desenvolvimento da mediunidade", no qual possa coletar possíveis membros para o seu coven. Você pode basear os estudos desse grupo no material apresentado nas Lições Sete, Oito e Nove deste livro e nas leituras recomendadas. Por meio desse grupo, você poderá, então, escolher aos poucos aqueles que sejam (ou se tornem) simpatizantes da Arte. Provavelmente, esse será um grupo muito heterogêneo. Gavin Frost os classifica em quatro categorias: "*Os entusiasmados* – repletos de ideias sobre todas as coisas que eles vão fazer pelo seu grupo; *os parasitas* – o mundo está contra eles e eles têm um milhão de problemas que só podem ser resolvidos no plano espiritual; *os sabichões* – que vão lhe dizer que as instruções que você está transmitindo a eles estão erradas; *os iluminados* – se tiver sorte, você encontrará, nessa categoria, (um ou dois) candidatos a um coven de verdade". Esses últimos fazem tudo valer a pena.

Assim como fez antes, primeiro encontre todos os candidatos em lugares públicos. Crive-os de perguntas, para descobrir o que eles sabem ou se têm afinidades com você. Sugira alguns livros, mas prefira que eles façam perguntas em vez de abarrotá-los de informações. Sempre se lembre de que é possível iniciar um coven com apenas duas pessoas (e, no outro extremo dessa escala, lembre-se de que um coven não tem que ter, no máximo, treze pessoas. Ele pode ter tantos membros quanto couber num Círculo, com certo conforto).

O seu Coven

Peça que os membros do seu coven, e os candidatos a membros, leiam tanto quanto for possível a respeito da Arte. Todos os Bruxos devem ter uma compreensão geral da história da Arte; o que aconteceu no passado e o que nos levou até onde estamos hoje. Você pode ensinar a eles uma grande parte das lições deste livro, entretanto... tenha cuidado para não se tornar um "guru"! No coven ideal, todos são iguais e têm algo com que contribuir. Não coloque a si mesmo – nem deixe que o coloquem – num pedestal, "acima" dos outros membros do coven. Um bom coven (ou uma boa tradição) deve se basear na democracia; uma vez que o coven tenha sido formado (isto é, uma vez que existam pelo menos duas pessoas), permita que as decisões mais importantes sejam tomadas com base numa discussão geral e por meio de voto aberto.

(Vou divagar, por um instante, agora para comentar a respeito das tradições que têm um sistema de graus ou hierarquias. Os gardnerianos são um bom exemplo disso, embora de maneira alguma sejam os únicos. Nessas tradições, há com frequência (mas nem sempre, com certeza) uma "suposta" igualdade. A Alta Sacerdotisa e/ou rainha é o princípio e o fim de tudo. Os outros membros seguem numa ordem descendente, dependendo do grau de progresso alcançado. Todos aqueles de posição mais alta (geralmente de "terceiro" grau) são classificados como "*Anciãos*" e são supostamente os que tomam as decisões, juntamente com a Alta Sacerdotisa. Isso costumava funcionar muito bem e havia muito mérito nesse sistema. Contudo, infelizmente esse não parece mais ser o caso. Hoje em dia, poucas mulheres parecem capazes de ocupar a difícil posição de Alta Sacerdotisa (e particularmente a posição de Bruxa Rainha, ou "Rainha do Sabá"). Existem algumas, sim, que são capazes, e isso nos dá esperança no futuro. Mas existem muitas outras que embarcaram na viagem do ego; que distribuem "graus" como uma mãe distribui doces, e que tentaram reunir e angariar tantos seguidores quanto possível, simplesmente para que possam dizer por aí: "Eu sou a sua mais importante Alta Sacerdotisa/Rainha!". Infelizmente, é esse tipo de atitude, demonstrada por algumas poucas pessoas, que afastam muitos dessas tradições. Eu peço encarecidamente que todas as novas denominações, sejam elas ecléticas ou não, mantenham os olhos bem abertos para evitar esse tipo de desvio da verdadeira crença wiccana de que "somos todos raios de uma mesma roda; *ninguém* é ou o primeiro ou o último da fila").

Além do conhecimento sobre o passado da Arte, é uma boa ideia manter-se informado sobre o que acontece no presente. Sugiro que você assine periódicos, como o *Circle Network News* e o *Llewellyn's New Worlds*. Existem muitas outras publicações sobre a Wicca, mas elas parecem tão passageiras que é provavelmente inútil listá-las aqui. A partir dessas duas – que me parecem mais sólidas –, você poderá saber da disponibilidade das demais. Talvez você prefira fazer uma assinaturas [de revistas ou jornais] para o coven" – todos rateiam o custo e leem as revistas.

Tente pensar mais à frente no tempo e definir quais serão seus critérios para os novos membros do seu coven. Por exemplo, ouvi algumas pessoas dizerem que não aceitam em seu coven pessoas com algum tipo de deficiência física! Para mim, isso não faz nenhum sentido, mas é obviamente uma questão de cunho pessoal. Pense também em como você reagirá diante de candidatos que sejam de raça, idade, preferência sexual, condição social etc. etc... diferentes da sua. Alguns (muitos, espero) dirão que todos são bem-vindos, mas alguns talvez descubram que ainda têm preconceitos arraigados que precisam encarar... Há um ponto importante que preciso mencionar aqui: não mantenha distância de policiais e outras autoridades simplesmente porque são "homens da Lei". Não existe nada ilegal a respeito da Arte e, na verdade, quanto mais possamos mostrar isso às pessoas que trabalham com a Lei, melhor. Então, em vez de desencorajá-los, encoraje-os.

Pode ser uma boa ideia ter um termo de compromisso, ou um voto de segredo, que os novos membros possam assinar. Ele deve ser simples e afirmar basicamente que a pessoa nunca revelará os nomes dos outros membros, mesmo que um dia saia do coven. Esse é um direito de privacidade. Não ocorrerá, naturalmente, nenhuma terrível punição caso alguém um dia quebre esse juramento.

Como já mencionei, não existe de fato nenhum limite quanto ao número de membros de um coven. O único critério é que eles possam trabalhar com conforto em conjunto, dentro do Círculo. Acredito que o Círculo tradicional de mais ou menos dois metros de diâmetro seja o ideal; portanto, acho que o número ideal de *coveners* seja de oito a dez pessoas. Proponha que o grupo trabalhe junto em projetos como a montagem do altar do coven, a confecção da espada, os registros no Livro das Sombras etc. Quando for necessário fazer uma votação, baseie-se não somente na maioria dos votos, mas na concordância geral de todos. Isso é certamente essencial em decisões como se todos no coven devem trabalhar com roupas ou vestidos de céu (nus).

Decidam, em grupo, qual o tipo de coven que desejam ser. Lembre-se sempre de que a Arte é, antes de mais nada, uma religião, por isso todos os encontros têm como prioridade a reverência aos deuses. Talvez vocês sintam que isso é tudo que

Figura 14.1	Figura 14.2	Figura 14.3

desejam fazer. E não há nada de errado nisso. Entretanto, alguns grupos vão querer desenvolver e usar seu "poder" coletivo; vão querer fazer curas, trabalhos mágicos, adivinhações ou se empenhar no desenvolvimento da mediunidade individualmente... Mais uma vez afirmo que isso é muito bom, embora esses trabalhos sempre devam ser encarados como algo secundário em relação aos aspectos religiosos. Nenhum trabalho do coven deve ser encarado como uma obrigação, algo que tenha de ser realizado *todo esbá*. Vocês devem realizar o trabalho/a magia *somente quando houver necessidade*; embora uma certa dose de experimentação seja compreensível e aceitável.

Você provavelmente vai desejar dar um nome ao seu coven. Muitos desejam. Quer alguns exemplos? O Coven da Floresta Aberta, o Coven da Estrela do Norte; o Coven da Senhora do Renascimento; o Coven da Areia do Mar; o Coven do Círculo Perfeito; o Coven da Família Wiccana. Além disso, muitos covens desenham seus próprios emblemas ou insígnias, que usam em papeis de carta e colocam em bandeiras ou faixas nos festivais da Arte (veja a Figura 14.1).

Em algumas tradições (geralmente aquelas que têm um sistema de hierarquia ou graus), existe um símbolo para cada um dos Bruxos colocar ao lado do seu nome toda vez que assinar alguma coisa (Figura 14.2). Se quiser que o seu coven tenha esse tipo de símbolo, mesmo que a sua tradição não tenha um sistema de hierarquia, sugiro o que está na Figura 14.3. Trata-se do triângulo invertido encimado pelo pentagrama e a cruz celta – as linhas de consagração marcadas no corpo durante a iniciação (veja a Lição Quatro).

Pode ser preciso criar regras no coven. Se for esse o caso, convém que sejam simples e no menor número possível. Elas devem incluir coisas como convites para pessoas de fora visitarem os Círculos (reuniões); uma sugestão de donativo para cada membro, com o objetivo de cobrir as despesas com vinho, incenso, carvão, velas etc. (não se deve esperar que nenhum membro arque sozinho com as despesas do coven); o comportamento dentro do Círculo (haverá permissão para as pessoas fumarem ou não – eu particularmente sugiro que não) etc. Eu sou contra regras rígidas e fixas. Sei, por experiência própria, que todas as questões pendentes podem ser tratadas por meio de uma discussão ou decisão em grupo. Entretanto, algumas pessoas sentem necessidade de uma forma mais estruturada, pelo menos no início. Apenas lembre-se de que quaisquer regras estabelecidas são para o bem do coven. Devem, por isso, ser flexíveis. Existem as chamadas "Leis", relacionadas pelos gardnerianos (e outros grupos) no Livro das Sombras. Qualquer pessoa sensata que as leia pode ver que: (a) elas datam de uma determinada época e são pertinentes apenas a essa época e (b) muitas delas, na verdade, contradizem os princípios da Arte, incluindo a Rede Wiccana. O próprio Gerald Gardner disse que a inclusão delas no Livro das Sombras era uma questão individual. Entretanto, alguns wiccanos parecem considerá-las invioláveis! Lembre-se, existe somente uma única e verdadeira Lei Wiccana: "Faça o que quiser, mas não prejudique ninguém".

Como Fundar uma Igreja

Quando digo "igreja", estou me referindo a um "grupo de pessoas fiéis, com um núcleo interno de líderes", não simplesmente a uma edificação. Nossa edificação, nosso lugar de encontro (que pode ser externo e em espaço aberto) é o nosso "templo".

Infelizmente, a palavra "igreja" tem certas conotações cristãs, mas usarei o termo neste livro em prol da simplicidade. A antiga palavra inglesa para "igreja" por acaso era ċiriċe (pronunciava-se "quíric").

Muitos covens, de várias tradições, estabeleceram-se como igrejas legalmente reconhecidas. Exemplos disso são o Circle Wicca, de Wisconsin; a Church of Wicca, da Carolina do Norte; a House of Ravenwood, da Georgia; a Minnesota Church of Wicca e a Arianhu Church of Wicca, do Texas. Existem muitas outras. O objetivo é estabelecer a Arte como uma religião legalmente reconhecida, pois, apesar da Primeira Emenda (que, entre outras coisas, impede o governo norte-americano de estabelecer uma religião oficial ou dar preferência a uma determinada religião), algumas autoridades nos criaram algumas dificuldades. Você pode querer, portanto, estabelecer o seu próprio grupo, mas previna-se, pois essa pode ser uma questão delicada, morosa e complicada; muitas vezes, uma verdadeira *guerra* em que a Receita Federal e o Imposto de Renda estão envolvidos. As leis variam tanto que não posso dar maiores detalhes, mas a sua primeira providência se decidir seguir esse caminho é verificar como registrar uma religião sem fins lucrativos.

> A História não registra em lugar algum e em nenhuma época uma religião que tenha uma base racional. A religião é uma muleta para as pessoas que não são fortes o suficiente para encarar o desconhecido sem ajuda. Mas a religião é como a caspa. A maioria das pessoas tem e gasta tempo e dinheiro nela, parecendo obter um prazer considerável em ficar mexendo nela.
> **Lazarus Long**

> Nem esta corte, nem qualquer órgão deste governo, vai considerar os méritos ou argumentos de uma religião. Nem a corte irá comparar as crenças, os dogmas e as práticas de uma religião recentemente organizada com uma religião antiga e estabelecida. Nem a corte vai louvar ou condenar uma religião; por mais excelente, fanática ou absurda que possa parecer. Se a corte pudesse fazer isso, infringiria a Primeira Emenda.
> **Juiz Federal James A. Battin,
> Fevereiro de 1973, decidindo a favor
> da Igreja Universal da Vida contra o Fisco.**

Uma alternativa possível que pode se revelar menos difícil é se associar a um grupo como a Universal Life Church, de Modesto, Califórnia. Menciono essa igreja principalmente porque eles já passaram por inúmeras batalhas com o Fisco, já brigaram de todas as formas com a Suprema Corte dos Estados Unidos e *venceram!* Eles não têm "uma doutrina tradicional... como uma organização, somente acreditam naquilo que está correto". Assim diz a literatura deles: "Cada indivíduo tem o privilégio e a responsabilidade de determinar o que é certo, contanto que não infrinja o direito dos outros (*algo parecido com "Faça o que quiser, mas não prejudique ninguém", não é?*). Somos defensores ativos da Primeira Emenda dos Estados Unidos da América". Em outras palavras, você pode se estabelecer como uma igreja, para propósitos legais, por meio da associação com uma igreja como a ULC, mas ainda assim praticar a sua própria denominação particular de Bruxaria, sem fazer nenhuma mudança ou alteração, sem fazer concessões ou sofrer restrições.

Se quiser seguir esse caminho, não tenha pressa. Só faz sentido se estabelecer como igreja se você tiver crescido a ponto de criar diversos outros covens a partir do coven original. Se for seu caso, converse com aqueles que já conseguiram o registro. Tenho fortes suspeitas de que a maioria das pessoas não conseguiu ainda.

As Saudações Utilizadas na Arte

Quando encontrar outros Bruxos, você vai se deparar com algumas formas comuns de saudações. As duas mais comuns são: "Abençoado seja" e "Feliz encontro". A primeira delas vem, na verdade, da tradição gardneriana. Em suas iniciações, o Sacerdote diz o seguinte para quem está sendo iniciado:

> "Abençoados sejam os seus pés, eles o trouxeram por estes caminhos.
>
> Abençoados sejam os seus joelhos, que se ajoelharão no altar sagrado.
>
> Abençoado seja o seu ventre, sem o qual não estaríamos aqui.
>
> Abençoados sejam os seus seios, erguidos em força e beleza.
>
> Abençoados sejam os seus lábios, que pronunciarão os nomes sagrados".

Portanto, a saudação "Abençoado seja" envolve tudo o que foi descrito acima.

"Feliz encontro" é uma saudação pagã mais comum e mais antiga. Eis sua forma completa: "Que possamos ter um feliz encontro, uma feliz partida e um feliz reencontro". Hoje é mais comum usar a versão mais curta ("Feliz encontro") no início das reuniões e "Feliz partida" ou "Feliz partida, Feliz Reencontro" nas despedidas. Todas essas saudações ("Abençoado seja" e "Feliz partida/reencontro") são invariavelmente acompanhadas de um abraço e um beijo.

Os Acessórios de Vestuário

As sandálias

Para aqueles que queiram fazer as suas próprias sandálias, aqui vai um método razoavelmente simples:

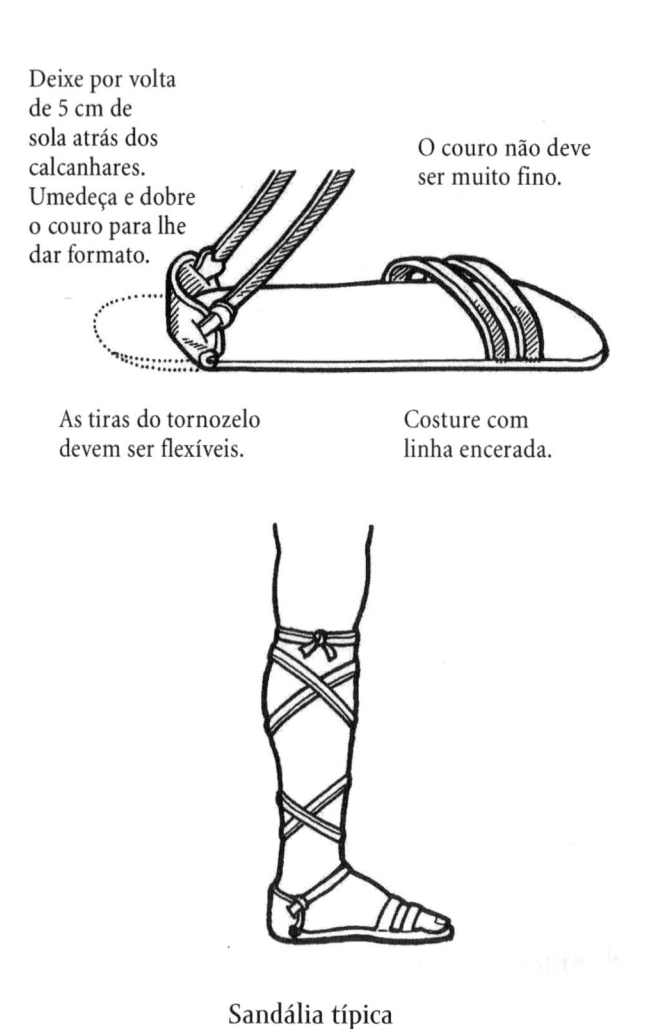

Deixe por volta de 5 cm de sola atrás dos calcanhares. Umedeça e dobre o couro para lhe dar formato.

O couro não deve ser muito fino.

As tiras do tornozelo devem ser flexíveis.

Costure com linha encerada.

Sandália típica

O manto

O manto é um belo acessório. É o tipo de coisa que pode ser usado por Bruxos que não utilizam roupas em seus rituais (ficam vestidos de céu), antes e depois do Círculo, ou para complementar uma túnica comum. O manto mais simples é semicircular, vai até o chão e tem um capuz ou capelo. É preso no pescoço e confeccionado de qualquer material. O ideal é que se tenha um manto pesado para o inverno e um leve para a primavera e o outono. A cor pode combinar ou contrastar com a sua túnica.

Um manto simples

Jovens Wiccanos

Existem alguns livros infanto-juvenis que retratam a Arte de maneira positiva. Eu recomendaria os seguintes:

> *The Witch Next Door,* de Norman Bidwell. Scholastic Book Services, Nova York, 1965.
>
> *The Witch's Vacation*, de Norman Bidwell. Scholastic, Nova York, 1973.
>
> *The Resident Witch,* de Marian T. Place. Avon Books (Camelot), Nova York, 1973.
>
> *The Witch Who Saved Hallowe'en*, de Marian T. Place. Avon/Camelot, Nova York, 1974.
>
> *Timothy and Two Witches,* de Margaret Storey. Dell (Yearling), Nova York, 1974
>
> *The Witch Family,* de Eleanor Estes. Harcourt, Brace & World (Voyager Books), Nova York, 1960.

Tenho certeza de que também existem outros bons livros. Faça uma pesquisa e você encontrará.

Quando encontrar livros, revistas ou artigos de jornais que sejam antagônicos à Bruxaria e promovam ideias equivocadas, não hesite em escrever para os editores e corrigir o erro. Deixe-me incluir aqui um artigo publicado no *Seax-Wica Voys* (jornal oficial da Bruxaria anglo-saxã), na edição do Imbolc de 1983, acompanhado do comentário do editor.

Stan Mata o Dragão

ou "Relações Públicas Positivas"
de Richard Clarke

Recentemente, vários estudantes de Chicago decidiram que, em vez de deixar que as crianças fizessem a brincadeira dos Doces ou Travessuras (no Halloween), haveria uma grande festa de Halloween patrocinada pela população da cidade. Em cinco dessas festas, encenaria-se a "queima da Bruxa" numa grande fogueira.

Um repórter do Chicago Tribune telefonou para Stan Modrzyk, Sacerdote do First Temple of the Craft of WICA, de Chicago Heights, e perguntou o que ele achava disso. Stan disse que, na opinião dele, haveria o maior estardalhaço se dissessem que iriam queimar um judeu ou um batista, e contou que tinha escrito para os representantes dos bairros onde ocorreriam as cinco festas, para vários jornais da região (incluindo o Tribune) e para um advogado, dizendo que fazer a queima de uma Bruxa, mesmo sendo apenas uma encenação, era uma lição negativa para as crianças, que teria um viés de perseguição religiosa, e ele estava preparado para ir aos tribunais e deter esses tipos de demonstração se não fossem cancelados. Ele não via problema em se fazer fogueiras, mas sem nenhuma Bruxa queimando nelas.

Um encontro foi organizado por um morador, um dos que eram tratados por "Pai do Bairro", no qual estiveram presentes vários moradores locais, representantes de diversos covens e do Channel 7 News (emissora do canal ABC). A polêmica foi levantada para a TV e o rádio, assim como para os jornais locais, e foi decidido que, em pelo menos três das cinco festas, não haveria uma Bruxa na fogueira. Não sei se as outras duas insistiram na sua "queima da Bruxa" (acredito que elas também tenham cancelado – editor), mas pode apostar que ela não acontecerá no próximo ano!

Sinto que os membros da comunidade pagã tem o dever de se colocar quando incidentes como esse ocorrem. A História nos conta que as Bruxas, ou pelo menos aqueles que foram acusados de Bruxaria, foram queimados no passado. A História também nos conta que muitos judeus foram colocados em câmaras de gás nos anos 1940. Se alguém fosse fazer uma exibição pública de "intoxicação dos judeus com gás" haveria protestos, boicotes, processos judiciais etc., por parte de cada uma das organizações de judeus do país. A Liga da Defesa Judia provavelmente marcaria presença em tal tipo de demonstração, usando força física se necessário. Os Bruxos podem fazer menos do que isso?

Não estou defendendo a violência. Estou dizendo que deveríamos começar a zelar por nós mesmos e brigar contra a ignorância que assola a Arte, onde quer que ela apareça. Deixe que o mundo saiba que as várias versões de paganismo, incluindo a Bruxaria, são formas legítimas de religião; que os Bruxos e outros pagãos são praticantes de uma antiga religião, anterior ao Cristianismo, e que desejamos e esperamos o mesmo respeito mostrado a outros grupos religiosos. O respeito está prestes a acontecer...

O VOYS aplaudiu animadamente as ações de Stan Modrzyks e o artigo de Richard. O Seminary* já foi fundamental para garantir os direitos religiosos de um grande número de estudantes. Vamos TODOS trabalhar pela religião que amamos. Edições passadas do VOYS publicaram artigos sobre informações equivocadas sobre a Arte na televisão e nos cinemas. Ficamos felizes em divulgar o endereço das estações de TV e das agências de notícias responsáveis pelas transmissões. Lembrem-

---

* O Seminary da Seax-Wica foi fundado por Ray Buckland e durou aproximadamente cinco anos. Tinha por volta de mil alunos ao redor do mundo e realizou muitos trabalhos admiráveis, ensinando a Arte a um grande número de pessoas que nunca tinham tido a chance de conhecê-la.

-se, quando escreverem, de defender a sua causa de forma clara e serena, sem cometer abusos.

– RB

> ABC – TV, 1300 Avenue of The Americas, New York, NY 10019
>
> NBC – TV, 30 Rockefeller Plaza, New York, NY 10020
>
> CBS – TV, 51 West 52nd Street, New York, NY 10019
>
> PSB – TV, 485 L'Enfant Plaza West SW, Washington DC 20024
>
> Action for Children's Television, 46 Austin Street, Newtonsville, MA 02160
>
> Federal Communications Commission, 1919 M Street NW, Washington DC 20554
>
> National Citizen's Committee for Broadcasting, 1346 Connecticut Ave. NW, Washington DC 20554
>
> National Advertising Division, Council of Better Business bureaus, 845 Third Avenue, New York, NY 10022

Falando Abertamente

Uma pergunta que frequentemente me fazem é: "Como eu digo à minha(meu) namorada(o) que sou um(a) Bruxo(a)?". Ouço histórias de relacionamentos aparentemente maravilhosos que, de repente, viram fumaça quando o "insuspeito" companheiro descobre que seu até então companheiro ideal é um wiccano (ou simplesmente alguém interessado na Arte). Sabemos, claro, que não há nada errado em ser Bruxo ou em estar interessado em *qualquer* aspecto da espiritualidade. O truque, então (se algum truque for necessário), parece estar na maneira pela qual o assunto vem à baila. Dizer, por exemplo, "Olha só, Frank, sou uma Bruxa!" não é a melhor opção. O pobre do Frank engasgará com a pipoca e, em seguida, sairá, sem rumo, da sua casa e da sua vida. Não, o melhor caminho é levá-lo a saber mais sobre a Arte.

Comece aguardando o momento certo (quando a pessoa estiver de bom humor e com vontade de conversar) e então conduza a conversa para o assunto da espiritualidade e do ocultismo em geral. Em vez de começar falando sobre os *seus* interesses, pergunte ao seu parceiro o que ele sabe sobre o assunto. Se for necessário, explique que esse tema é um campo muito mal compreendido, que filmes vagabundos e romances baratos são amplamente responsáveis pelas informações que correm por aí. Depois diga, "Veja a Bruxaria por exemplo. O que *você* acredita que ela seja?".

Seu parceiro lhe dará, assim, uma boa ideia do que sabe sobre o assunto. Poderá ou não estar correto. O importante é fazer disso o ponto de partida para explicar o que a Bruxaria *realmente* é... Como se desenvolveu, como foi deturpada, seu reaparecimento, o modo como é praticada hoje. Não critique muito o Cristianismo – apenas mostre os fatos. É quase certo que você será questionado: "Por que sabe tanto a respeito disso?". Não, não responda: "Porque sou uma Bruxa!". Ainda é preciso preparar melhor o terreno. Simplesmente afirme que acha o assunto muito interessante e lê bastante a respeito.

O passo seguinte é fazer com que a pessoa leia alguns dos melhores livros sobre o tema. Aqueles que foram recomendados ao longo deste livro, por exemplo. Se houver realmente "magia" entre vocês dois, então ela ficará interessada o suficiente para ler o que você sugerir. E se essa magia não existir, então não importa o que essa pessoa acha, importa?

A partir daí, você poderá explicar melhor quão interessado está na Wicca e, por fim, no momento oportuno, contar que, na verdade, você é wiccano. Parece que a tendência hoje em dia (e acho que isso é positivo) é usar a palavra "wiccano" em vez de Bruxo". Certamente isso ajuda a combater informações equivocadas.

Se, depois de conversar a respeito e ler os melhores livros, seu parceiro insistir em acreditar em informações e conceitos equivocados, pergunte *por que* ele prefere manter essas crenças. Não é difícil derrubar quaisquer argumentos e mostrar a ele a falta de lógica desses conceitos. Entretanto, se numa análise final, a pessoa se recusar a aceitar pelo menos seu direito de ter suas próprias crenças, então deve considerar com seriedade a possibilidade de acabar com esse relacionamento. A divergência de opiniões não é um problema, mas é totalmente inaceitável que alguém tente impor as suas crenças ou não aceite o direito que as outras pessoas têm de cultivar as próprias crenças.

E, só fazendo um adendo, se você for questionado, em algum momento, por alguém que tenha descoberto os seus interesses ou suas atividades na Arte, nunca inicie a conversa tentando defender a sua posição. Procure fazer com que a outra pessoa se explique, dizendo: "O que você entende por Bruxaria?" ou "O que acha que é ser uma Bruxa?". Dessa maneira, você terá condições de avaliar a visão dessa pessoa e corrigir seus pontos de vista, em vez de tentar justificar os seus.

Crie os Seus Próprios Rituais

Rituais

Questões sobre a Lição Quatorze

1. Relate como formou ou reuniu o seu coven. Qual é o nome dele? Como fundou a sua igreja/o seu templo?

2. Que reações conseguiu quando contou aos outros sobre as suas atividades na Wicca? Como descreveria as suas crenças?

Questões avaliatórias sobre a Lição Quatorze

1. Você pode escrever os seus próprios rituais? Quais dois pontos principais é preciso ter em mente antes de escrevê-los e qual deve ser o foco do ritual?

2. Quais os nomes que você atribui ao Deus e à Deusa nos seus rituais?

3. Por que a participação é importante na religião?

4. Quais os melhores lugares para encontrar membros em potencial para o seu coven?

5. (a) Por que uma tradição na Arte pode achar vantajoso se estabelecer como "igreja"? (b) Qual seria o primeiro passo para você fazer isso?

6. Num domingo de manhã, você se depara com um programa infantil na TV onde uma Bruxa é retratada como uma adoradora do demônio. O que você faz?

7. Sua sogra encontra, por acaso, o seu Livro das Sombras e o seu athame. Ela imediatamente pressupõe que você é uma serva de Satã! O que você diz a ela?

Leitura Recomendada

Seasonal Occult Rituals, de William Gray.

Leitura Complementar

The Spiral Dance, de Starhawk.

LIÇÃO QUINZE

Os Bruxos Solitários

Na maioria das tradições da Bruxaria, não há como uma pessoa praticar a Arte sozinha – ser membro de um coven é obrigatório. Muitas tradições têm um sistema de graus diferente dos praticados na Maçonaria e em outras sociedades secretas. Na Wicca, é necessário que o Bruxo atinja, dentro de um coven, um grau em particular, antes de ser capaz até mesmo de lançar um Círculo. Para ter permissão de iniciar outras pessoas é necessário chegar ao grau máximo. Se for um Bruxo de Primeiro Grau, você poderá reverenciar os deuses junto com os outros membros do coven e praticar trabalhos de magia, mas não poderá nada disso sozinho.

Esse sistema é muito apropriado e aqueles que o adotaram parecem bem satisfeitos. Entretanto, parece-me que um ponto importante está passando despercebido. Nos "velhos tempos" da Arte, havia muitos Bruxos que viviam muito distantes de qualquer vilarejo e até mesmo de qualquer pessoa. Ainda assim, eles *eram* Bruxos. Ainda cultuavam os deuses antigos e realizavam a sua própria magia. Pelo menos essa é a minha impressão de como deve ter sido... e de como deveria ser. Existem poucas tradições, hoje em dia, que remetem diretamente a essa realidade dos tempos antigos. Na Seax-Wica, por exemplo, não existe essa situação de dependência de um coven; existe a realidade do Bruxo Solitário.

O ponto principal aqui é que ninguém deveria ser *excluído* da Wicca só porque pratica sozinho. Só porque o Bruxo não mora perto de um coven, só porque não conhece ninguém com interesses parecidos com os dele, só porque é um individualista, que não faz questão de praticar com outras pessoas... essas não são razões pelas quais ele não possa ser um Bruxo. Sendo assim, vamos examinar a Wicca Solitária.

Quais são as principais diferenças entre ser Bruxo de um coven e ser um Bruxo Solitário?

> E o Bruxo Solitário? Ele *tem* que pertencer a um coven? Não, claro que não. Existem muitos Bruxos Solitários que acreditam nas divindades da Arte, que têm um vasto conhecimento de cura e de ervas, que, para todos os efeitos, são Bruxos.
>
> ***Anatomy of the Occult***
> **Raymond Buckland**
> **Samuel Weiser, Nova York, 1977**

1. No coven, os rituais são realizados por um grupo de pessoas; cada uma delas (principalmente o Sacerdote e/ou a Sacerdotisa) desempenhando um papel diferente. *O Bruxo Solitário faz tudo sozinho.*

2. O coven trabalha num Círculo amplo (geralmente com 2,5 metros ou mais de diâmetro). *O Bruxo Solitário traça um Círculo pequeno e "compacto".*

3. Dependendo da tradição, o coven usa um "suplemento completo" de instrumentos. *O Bruxo Solitário usa somente o que sentir que precisa.*

4. Os encontros do coven normalmente acontecem quando é mais conveniente para a maioria. *O Bruxo Solitário pode realizar um ritual sempre que tiver vontade.*

5. O coven reúne todos os seus membros para gerar um Cone de Poder. *O Bruxo Solitário tem somente o seu próprio poder para atrair e evocar.*

6. O coven tem uma ampla variedade de conhecimentos e especialidades. *O Bruxo Solitário tem somente o seu próprio conhecimento e sua especialidade.*

7. O coven geralmente segue com mais constância os seus costumes. *O Bruxo Solitário pode mudar de acordo com o seu humor.*

8. O ritual de um coven pode se tornar quase uma "superprodução" ou peça teatral. *O ritual do Bruxo Solitário pode ser mais simples, com um mínimo de palavras e ações.*

9. Os membros do coven devem estar em sintonia e ser como um só. *O Bruxo Solitário é um só.*

Existem muitas outras diferenças, claro, mas essas são suficientes para ilustrar o fato de que ser um Bruxo Solitário tem vantagens e desvantagens. De modo geral, existe muito mais flexibilidade na prática solitária, mas também existe um arsenal de conhecimento e poder mágico mais limitado. Permita-me aprofundar os pontos expostos anteriormente.

1. O Bruxo Solitário faz tudo sozinho.
Você poderá escrever os seus próprios rituais, para realizá-los sozinho. Mas também poderá adotar ou adaptar rituais de covens. Como um exemplo do que pode ser feito, a seguir apresento alguns rituais (Ritual da Edificação do Templo; Ritual de Esbá; Cerimônia dos Bolos e da Cerveja; Ritual da Purificação do Templo) modificados para a prática solitária. Você poderá fazer o mesmo tipo de alteração com a maioria dos outros. Compare esses rituais com os originais. Os rituais a seguir foram escritos para uma praticante do sexo feminino.

Ritual da Edificação do Templo

A wiccana toca o sino três vezes, voltada para o Leste. Em seguida, ela pega a vela do altar e acende a vela do Leste, dizendo:

> "Trago a luz e o ar ao Leste, para iluminar o meu Templo
> e lhe conceder o sopro da vida".

Ela se move para o Sul, percorrendo o Círculo, e acende a vela dessa direção:

"Trago a luz e o fogo ao Sul, para iluminar meu Templo e aquecê-lo".

Para o Oeste:

"Trago a luz e a água ao Oeste, para iluminar o meu Templo e com a água purificá-lo".

Para o Norte:

"Trago a luz e a terra ao Norte, para iluminar o meu Templo e edificá-lo em seu poder".

Ela percorre mais uma vez o Círculo na direção do Leste e volta ao altar. Recolocando a Vela do Altar no lugar, ela pega o athame e segue novamente para o Leste. Com a ponta do athame para baixo, ela traça o Círculo, projetando o seu poder por meio dele. Voltando ao altar, ela toca o sino três vezes e, em seguida, coloca a ponta do athame no sal, dizendo:

"Como sal é vida, que ele possa me purificar em todas as maneiras pelas quais eu possa usá-lo. Que ele limpe o meu corpo e o meu espírito enquanto me dedico, neste ritual, à Glória do Deus e da Deusa".

Ela joga três pitadas de sal na água, dizendo:

"Que o sal sagrado expulse qualquer impureza da água e que eu possa usá-la ao longo destes rituais".

Ela pega a água salgada e, começando e encerrando no Leste, caminha ao redor do Círculo, aspergindo-o. Depois ela dá outra volta, desta vez com o turíbulo, incensando o Círculo.

De volta ao altar, ela joga uma pitada de sal no óleo e mexe com o dedo. Em seguida unta a si mesma, dizendo:

> "Eu me consagro em nome do Deus e da Deusa, saudando-os e convidando-os a entrar neste Templo".

A Bruxa agora se move para o Leste e, com o seu athame, desenha um pentagrama invocatório.

> "Salve o elemento Ar, Guardião da Torre do Leste. Que ele permaneça forte, sempre zelando por este Círculo."

Ela beija a lâmina do athame e, em seguida, move-se para o Sul, onde desenha um pentagrama invocatório.

> "Salve o elemento Fogo, Guardião da Torre do Sul. Que ele permaneça forte, sempre zelando por este Círculo."

Ela beija a lâmina do athame e, em seguida, move-se para o Oeste, onde desenha um pentagrama invocatório.

> "Salve o elemento Água, Guardião da Torre do Oeste. Que ele permaneça forte, sempre zelando pelo meu Círculo."

Ela beija a lâmina do athame e, em seguida, move-se para o Norte, onde desenha um pentagrama invocatório.

> "Salve o elemento Terra, Guardião da Torre do Norte. Que ele permaneça forte, sempre zelando por este Círculo."

Ela beija a lâmina do athame e, em seguida, retorna ao altar, onde segura o athame no alto.

> "Salve os Quatro Quadrantes e salve os deuses!
> Dou as boas-vindas ao Senhor e à Senhora e os convido para que se juntem a mim, testemunhando estes rituais que realizo em sua honra. Salve a todos!"

Ela pega o cálice e derrama um pouco de vinho no chão (ou na tigela de libação), em seguida bebe-o, dizendo o nome dos deuses.

> "Agora o Templo está edificado. Que assim seja!"

Ritual de Esbá

Bruxa: "Mais uma vez venho demonstrar a minha alegria de viver e reafirmar meus sentimentos pelos deuses.
O Senhor e a Senhora têm sido bons para mim. É neste encontro que agradeço por tudo o que tenho. Eles sabem que tenho necessidades e ouvem quando eu os chamo. Então, agradeço ao Deus e a Deusa pelos favores que me concederam".

Depois, à sua própria maneira, ela agradece e/ou pede ajuda. Em seguida, toca o sino três vezes e diz:

"Faça o que quiser, mas não prejudique ninguém.
Essa é a Rede Wicanna.
O que for que eu deseje,
o que for que eu peça aos deuses,
o que for que eu faça,
devo estar certa de que não prejudicarei ninguém – nem a mim mesma. Assim como dou, da mesma forma voltará a mim triplicadamente.
Eu me doei – a minha vida, o meu amor – e serei três vezes recompensada. Mas caso eu faça qualquer mal, a mim ele também retornará, três vezes multiplicado".

Nesse ponto, a Bruxa deve entoar sua canção favorita ou algum cântico, ou tocar algum instrumento.

Bruxa: "A Beleza e a Força estão em ambos, no Senhor e na Senhora.
Paciência e Amor; Sabedoria e Conhecimento."

(Se o esbá acontecer ou na Lua cheia ou na Lua nova, então o segmento adequado é inserido neste ponto. Caso contrário, a Bruxa deve seguir diretamente para a Cerimônia dos Bolos e da Cerveja.)

Cerimônia dos Bolos e da Cerveja

Bruxa: "Agora é o momento de agradecer aos deuses que me ajudam. Que eu esteja sempre consciente de tudo que devo a eles".

Ela pega a taça na mão esquerda e o athame na mão direita e lentamente abaixa a ponta do athame até mergulhá-la no vinho, dizendo:

"Que deste modo o masculino una-se ao feminino, pela felicidade de ambos. Que os frutos da união promovam a vida. Que tudo se frutifique e a riqueza se espalhe por todas as terras".

Ela deixa o athame sobre o altar e toma da taça. Recolocando-a no altar, ela em seguida toca o bolo com a ponta do athame dizendo:

"Este alimento é a benção dos deuses para o meu corpo. Compartilho-o livremente. Que eu sempre me recorde de compartilhar qualquer coisa que eu tenha com os que nada têm".

Ela ingere o bolo, fazendo uma pausa para dizer:

"Enquanto aprecio estas dádivas dos deuses, que eu me lembre que sem os deuses eu nada teria. Que assim seja!".

Ritual da Purificação do Templo

Bruxa: "Assim como venho ao meu Templo com amor e amizade, que assim eu possa dele também sair. Que eu possa espalhar o amor pelo mundo, para todos, compartilhando-o com aqueles que eu encontrar".

Ela eleva o athame no alto, em saudação, e diz:

"Senhor e Senhora, meus agradecimentos a vocês por compartilharem deste momento comigo. Meus agradecimentos por cuidarem de mim, velarem por mim e me guiarem em todas as coisas. O amor é a lei e o amor é o laço. Feliz eu parto, feliz venho novamente. O Templo agora está purificado. Que assim seja!".

Ela beija a lâmina do seu athame.

2. O Bruxo Solitário traça um Círculo pequeno e "compacto".
Não há necessidade de se lançar o Círculo largo e amplo do coven, quando estiver trabalhando sozinho. Um Círculo largo o suficiente para você e o seu altar é tudo de que você precisa... Provavelmente um diâmetro de, no máximo, 1,5 metro bastará. Quando fizer o Ritual da Edificação do Templo, você irá caminhar em volta desse Círculo para "traçá-lo" com o athame e para aspergir água e incensá-lo, no entanto, para dirigir-se aos Quadrantes, você precisará apenas se voltar para as quatro direções, do lugar onde está, atrás do altar. Quando estiver praticando magia, saiba que é mais fácil gerar o poder num Círculo menor, pois ele lhe transmitirá uma sensação maior de "aconchego".

3. O Bruxo Solitário usa apenas o que sentir que precisa.
Provavelmente você não precisará de tantos instrumentos quanto os utilizados no coven. Pode decidir usar não mais do que o athame e o incensário. Você é quem sabe; terá que agradar somente a si mesmo. Não esqueça de que *não* tem que seguir à risca os rituais deste livro ou mesmo aqueles descritos no item 1 [ver item 8, mais adiante, para mais informações sobre isso].

Procure conhecer o maior número de tradições possível. Veja que instrumentos eles usam *e por que* (parece que alguns grupos usam alguns itens sem realmente saber para que servem!), depois decida quais vai precisar. Você encontrará tradições que usam cabos de vassoura, *ankhs* (cruz egípcia), bastões, tridentes etc. Precisa decidir também se quer acrescentar alguma coisa que ninguém mais utiliza. O Pecti-Wita, por exemplo (por acaso, uma tradição solitária), usa um bastão ritual que não é encontrado em nenhum outro lugar. Não acrescente nada apenas pelo prazer de ter esse objeto ou apenas para ser diferente. Só use alguma coisa se ela for realmente necessária, se for mais cômodo praticar a Arte com esse instrumento em particular do que sem ele.

4. O Bruxo Solitário pode realizar um ritual sempre que tiver vontade.

Os covens se encontram nos sabás e nos esbás. As datas dos esbás são fixadas nas épocas mais convenientes para a maioria dos membros, Como Bruxo Solitário, você poderá realizar um esbá sempre que quiser. Poderá realizar esbás por três ou quatro dias sucessivamente, ou passar o período da Lua nova até a Lua cheia sem celebrar nenhum. Tudo dependerá da sua vontade e de como está se sentindo. Se houver uma emergência – talvez uma cura que precise ser feita –, você pode realizá-la imediatamente. Não precisa tentar desesperadamente entrar em contato com os demais, antes de começar o trabalho.

5. O Bruxo Solitário tem somente o seu próprio poder para atrair e evocar.

Quando está praticando magia, o coven gera muito poder. Trabalhando juntos, o poder total do grupo excede a soma das partes. O Bruxo Solitário só pode usar o próprio poder que possui. Isso é um fato e deve ser aceito. É uma das poucas desvantagem de ser um Buxo Solitário. Mas isso não significa que *nada* possa ser feito! Longe disso. Muitos Solitários realizam excelentes trabalhos, valendo-se somente dos seus próprios recursos. Um bom paralelo pode ser visto nas regatas, ou no remo, em que há times de oito remadores, quatro, dois ou apenas um único remador. Todos praticam seu ofício igualmente bem. A única diferença é que a velocidade alcançada pelos barcos depende do número de remadores.

6. O Bruxo Solitário tem somente o seu próprio conhecimento e sua especialidade.

Num coven, há muitos talentos diferentes. Um Bruxo pode ser especializado em cura, outro em astrologia, outro em herbalismo, outro em leitura de tarô. Um pode ter grande habilidade para confeccionar instrumentos, outro pode ser um grande calígrafo; outro, um ótimo fabricante de vinhos e/ou costureiro, e outro, um médium ou psicometrista.

Como já mencionei, o Bruxo Solitário tem somente o seu próprio conhecimento com que contar. Essa é, portanto, outra desvantagem que deve ser aceita. Certamente não há razão nenhuma para que um Solitário não entre em contato com pessoas (wiccanas e não wiccanas) que sejam astrólogas, leitoras de tarô, herbalistas etc., não ligue para elas para pedir ajuda ou um conselho quando necessário. O único problema é que você não os terá ao seu lado no Círculo, disponíveis a todo instante.

7. O Bruxo Solitário pode mudar de acordo com o seu humor.

Um coven gardneriano segue rigidamente os rituais gardnerianos. Um coven celta-galês segue rigidamente os rituais celtas-galeses. Um coven diânico segue estritamente os rituais diânicos. E assim por diante. Até mesmo o coven eclético geralmente pratica os rituais, de qualquer que seja a fonte, com os quais se sente mais confortável e permanece com eles. Entretanto, o Bruxo Solitário é livre (mais livre até que os ecléticos, pois tem só a si mesmo para agradar) para fazer o que quer que deseje... experimentar, mudar, adotar ou adaptar. Ele poderá elaborar rituais cerimoniais num dia e rituais simples, modestos e ingênuos no dia seguinte. Poderá realizar rituais gardnerianos uma vez, celta-galeses na vez seguinte e diânicos posteriormente. O Bruxo Solitário tem uma grande liberdade, que o impulsiona a variar ao máximo. Experimente. Tente estilos diferentes de rituais. Descubra quais parecem ter sido feitos exatamente para você.

8. O ritual de um Bruxo Solitário pode ser mais simples, com um mínimo de palavras e ações.

O que eu disse no item 7 também vale aqui. Você pode realizar um ritual verdadeiramente econômico, se assim desejar. Deixe-me dar um exemplo:

Ritual da Edificação do Templo (versão alternativa)

A Bruxa acende as quatro velas do Círculo com a vela do altar, "traça" o Círculo com o athame, dirigindo poder para ele. Depois se senta, ou se ajoelha, diante do altar e faz uma meditação sobre os elementos. (Ela já deve ter a meditação a seguir em mente – não necessariamente palavra por palavra –, de modo que possa conduzi-la sem nenhum esforço.)

"Você está sentada no meio de um campo. Há uma relva verde e luxuriante por toda a sua volta, pontilhada de flores do campo em tons de amarelo. A uma certa distância às suas costas e prolongando-se à sua esquerda, há uma cerca de madeira e, além dela, outros campos, que se estendem até uma outra cerca distante, além da qual existem outros campos, que conduzem a montanhas ao longe.

Uma brisa muito leve agita a relva, e você pode sentir a suavidade do vento quando ele passa por seu rosto. Grilos cantam no gramado e você pode ouvir, nas árvores por trás da cerca viva, pássaros cantando. Você se sente satisfeita, sente-se em paz.

Uma andorinha mergulha e arremete novamente, cruzando os campos, a menos de dez metros à sua frente. Ela voa para longe, por sobre as árvores, em direção às montanhas distantes. Um gafanhoto pousa em seu joelho e em seguida se afasta.

Você fica em pé e anda lentamente pela relva, ladeando a cerca viva. Seus pés estão desnudos e a grama faz cócegas nas suas solas, enquanto avança. Caminhe para a direita até que esteja perto da cerca viva e passe a acompanhá-la. Estenda as mãos enquanto caminha, tocando gentilmente as folhas das árvores com as pontas dos dedos, enquanto avança. Há uma leve colina à sua frente, mais à esquerda. Afaste-se da cerca viva e suba até a colina, parando onde possa admirar toda a beleza que a rodeia.

Vindo aparentemente das montanhas distantes, a brisa que sentiu anteriormente agora está mais regular, e você pode senti-la nos braços e no rosto. Ela agita ligeiramente a superfície da relva e balança o caule das flores. Você fica parada na colina com as pernas abertas e eleva os braços em direção ao céu. Enquanto ergue os braços, respira profundamente. Segura a respiração por um instante, em seguida libera o ar aos poucos, baixando os braços até o nível dos ombros. Enquanto solta o ar, você grita em voz alta o som: 'Ah!... A-a-a-a-a-a-a-h!'.

A Rainha Guerreira

Eu Sou a Rainha Guerreira!
A defensora do meu povo.
Com braços fortes, dobro o arco
e manejo o machado da Lua.
Sou aquela que amansa a égua sagrada
e conduz os ventos do tempo.

Sou a guardiã da chama sagrada;
o fogo do todos os princípios.
Sou a égua marinha, a primogênita da mãe do mar,
e comando as águas da Terra.

Sou a irmã das estrelas
E a mãe da Lua.
Em meu ventre está o destino de meu povo,
pois eu sou a Criadora.
Sou a filha da Senhora de dez mil nomes;
Sou Épona, a égua branca.

– **Tara Buckland**

O Senhor

Olhe! Sou aquele que está no princípio e no fim dos tempos.
Estou no calor do Sol e na refrescância da brisa.
A centelha da vida está dentro de mim,
assim como a escuridão da morte;
pois sou a causa da existência
E o vigilante no final dos tempos.

Senhor-habitante do mar,
você ouve o estrondo dos meus cascos na praia.
E vê a espuma por onde eu passo.
Minha força é tanta que posso erguer o mundo e tocar as estrelas.
Ainda assim, sempre sou gentil como amante.

Sou aquele a quem todos encaram na hora marcada,
Mesmo assim, não devo ser temido,
pois sou irmão, amante, filho.
A morte não é senão o início da vida
E sou aquele que gira a chave.

– **Raymond Buckland**

Você ouve um eco ao longe, trovejando pelos campos em direção às montanhas. Muito em breve o vento retorna o seu chamado. Uma brisa mais forte sopra nos campos em sua direção. Você permanece parada, exultante, com as mãos nas laterais do corpo desta vez. Então, uma vez mais, eleva as mãos num grande arco, enquanto respira profundamente. Faz nova uma pausa, depois baixa parcialmente os braços ao mesmo tempo em que emite, em voz mais alta, um 'A-a-a-a-a-a-a-h!'.

Pela segunda vez, o vento retorna, agora soprando mais forte, agitando a relva e a cerca viva ao seu lado. Sopra seus cabelos e você sente um calor no rosto. Pela terceira vez, você eleva os braços em direção ao céu e grita para o ar: 'A-a-a-a-a-a-a-h!' Assim, pela terceira vez, o ar responde, enviando um vento forte que avança pelos campos, agitando a relva e rodopiando em torno do seu corpo; brincando com os seus cabelos e esvoaçando a túnica que está usando.

Quando o vento perde a força, você deixa os braços caírem nas laterais do corpo e para, com a cabeça inclinada para trás, sob o calor do Sol. Respirando de forma regular, mas profunda, você sente a força do Sol enquanto ele brilha sobre você, irradiando do céu sem nuvens. Você levanta lentamente o rosto, com os olhos fechados, ainda exposto ao brilho solar que a circunda. Respira profundamente, sentindo seu fogo purificador avançando por seu corpo, limpando e purificando. Enquanto respira, sente a vitalidade crescendo dentre de si, alimentada por aquelas infinitas chamas.

Você levanta as mãos em concha, até a altura do peito, sustentando-as como se estivesse segurando o globo solar, e continua elevando-as até o topo da cabeça. Com as palmas abertas, voltadas para cima, você estende os braços para cima, absorvendo os raios solares no seu corpo, desta vez através das mãos e depois dos braços. Sente as energias ondulando para baixo pelo seu corpo, em direção às pernas, até os dedos dos pés. Sente o fogo dentro de si. Sente o fogo.

Depois, você baixa os braços e, voltando-se para a cerca viva, deixa a colina e continua a caminhar pelos campos, ao longo da cerca viva. Enquanto caminha, percebe um novo som – o som de água corrente. O barulho das águas cascateando, contornando os seixos e pequenas pedras, alcança os seus ouvidos e a levam a avançar na sua direção. Você chega ao fim da cerca viva e vê um pequeno bosque atrás dela. Através das árvores um riacho corre borbulhante. Ele serpenteia pelo bosque até desaparecer de vista, na extremidade mais distante da cerca viva.

Você se ajoelha e estende a mão para sentir a água. Ela é fria, mas não a ponto de fazer você recuar. A correnteza sussurra protestos a cada novo obstáculo e borbulha em volta e entre os seus dedos, desejando seguir seu caminho. Você sorri e desliza a outra mão pela água. Agita os dedos e se delicia com o frescor revigorante da água. Molha o rosto e sente as gotas escorrerem pelo seu pescoço. Isso é refrescante e revitalizante. Você junta as mãos em concha e eleva, do riacho, um graal humano de essência divina. Curva-se e mergulha o rosto nas mãos, para celebrar a purificação da carne e do espírito. A água refresca, limpa e purifica. É uma dádiva, um prazer que a natureza concede de graça. Você solta um longo suspiro de contentamento.

Levantando-se novamente, você caminha, margeando as árvores, até chegar a um campo amplo e arado, que se abre à esquerda. O solo foi recentemente revolvido e o cheiro da terra ainda paira no ar. Você segue em direção ao centro do campo, respirando profundamente e sentindo a sensação refrescante da terra nua entre os dedos dos pés, enquanto caminha.

Quando finalmente alcança o centro do campo arado, você se abaixa e pega nas mãos dois punhados da terra fértil e escura. Ela lhe proporciona uma sensação boa; transmite sua ligação com a natureza. Você sente o seu corpo 'ancorado e centrado', através dos pés, conectada com a terra. É como a sensação de voltar para casa ou encontrar aquilo que procurava há muito tempo.

Você se deita na terra, entre os sulcos do arado, e fecha os olhos, com o rosto voltado para o céu. Sente a leve brisa soprando sobre si e se deleita com o calor do sol. Ao longe, ainda ouve os arrulhos da água corrente, enquanto absorve as energias da terra. Seu espírito eleva-se e exulta. E, ao fazer isso, seu corpo é tocado por todos os elementos".

Você pode ver que as "coisas ditas" e as "coisas feitas" estão todas na mente. Você pode, muito bem, se sentir confortável fazendo todos os seus rituais dessa maneira, mentalmente, embora eu continue insistindo para que faça, *pelo menos*, o lançamento do Círculo fisicamente.

Como uma preliminar para essa meditação, você pode reler a seção sobre meditação da Lição Sete. Também sugiro que pratique os exercícios de respiração mostrados ali, incluindo a visualização da luz branca.

Se preferir uma meditação orientada, antes pode gravar a meditação em áudio e reproduzir a gravação quando estiver no Círculo.

9. O Bruxo Solitário é um só.

Isso pode ser uma vantagem (uma grande vantagem, a meu ver) e uma desvantagem. Um exemplo moderno: se o Bruxo por acaso tiver um temperamento explosivo e for tratado de maneira injusta por alguém, ele pode ser levado a ter pensamentos de vingança. Pode ser levado a negligenciar a Rede Wicanna, racionalizando os seus sentimentos e pensamentos de alguma forma. No entanto, a menos que ele consiga que todos os outros membros do coven, incluindo a Sacerdotisa e o Sacerdote, sintam-se do mesmo modo, não poderá fazer nada de que se arrependa depois. É muito mais provável que o coven consiga acalmá-lo e fazê-lo ver o problema de uma outra perspectiva. O Bruxo Solitário, por outro lado, não tem essa 'trava de segurança". Ele precisa, por essa razão, estar constantemente em alerta e *sempre* examinar com cuidado e rigor a situação antes de realizar qualquer *magia*, dando especial atenção à Rede Wiccana.

Por outro lado, no entanto, o Bruxo Solitário não tem que fazer nenhum tipo de concessão com relação a nada. Ele só conta consigo mesmo e por isso está sempre sintonizado, sem desarmonia ou distração.

A Bruxaria Solitária, portanto, é de fato uma realidade. Não deixe que ninguém lhe diga que, por não pertencer a um coven e não ter sido iniciado por alguém (que foi iniciado por outra pessoa, que por sua vez também foi iniciado por um terceiro... e assim por diante, *ad nauseum*), você não é um Bruxo de verdade. Diga a eles para lerem as suas histórias (pergunte a eles quem iniciou a primeira e verdadeira Bruxa?!). Você *é* um Bruxo e está, portanto, na melhor tradição da Bruxaria. Que os deuses estejam com você.

E Agora?...

BEM, AGORA VOCÊ CHEGOU ao fim desta estrada. Espero que tenha achado que a jornada valeu a pena. Tentei lhe ensinar tudo de que precisa para ser um bom wiccano e praticar ou como um membro de um coven ou como um Bruxo Solitário. Se você fez os exercícios deste livro com atenção, está mais bem treinado agora do que muitos Bruxos que praticam há anos. Muitos pertencem a covens que não tem um treinamento formal e que parecem simplesmente comparecer nas reuniões, sem que ninguém ali tenha um grande conhecimento. Claro que não quero dizer que, mesmo que tenha absorvido tudo deste livro, você agora saiba tudo que deve ser conhecido sobre a Arte... você não absorveu... E nem eu sei tudo. Tenho praticado a Arte há quase um quarto de século e estudado há mais tempo ainda, e mesmo assim estou aprendendo. Para finalizar, sugiro que continue a ler todos os livros que possa. Adicionei mais alguns na seção de leituras recomendadas no final deste livro. Seria bom também se pudesse reler as suas lições de vez em quando (sugiro uma vez por ano).

Lembre-se, existem muitos caminhos que conduzem ao mesmo destino. Cada um deve escolher o seu próprio. Sendo assim, seja tolerante com as pessoas. Não tente forçá-las a trilhar o seu caminho, nem deixe que elas o forcem a seguir o delas. Obrigado por ser um bom estudante. Lembre-se sempre da Rede Wiccana: *"Faça o que quiser, mas não prejudique ninguém"*.

Que o Senhor e a Senhora estejam contigo em tudo o que realizar.

Raymond Buckland

APÊNDICE A

As Tradições Wiccanas

ANTES DA PUBLICAÇÃO DESTE livro, convidei porta-vozes de todas as tradições wiccanas para fornecerem informações básicas sobre as suas denominações. Espero, desse modo, que possa apresentar essas informações aqui, propiciando assim um meio pelo qual aqueles que procuram possam encontrar o caminho certo para si mesmos ou pelo menos diminuir seu leque de escolhas. Para aqueles que tiveram a gentileza de compartilhar suas experiências, eu envio meus agradecimentos sinceros. É difícil para os iniciantes da Arte – e até mesmo para os praticantes de longa data – encontrar uma forma particular de praticar com a qual possam se sentir realmente confortáveis. Normalmente, as pessoas ficam tão encantadas com o simples fato de encontrar a Arte que se contentam em adotar a tradição que conheceram inicialmente, mesmo que, numa reflexão posterior, percebam que ela não contém tudo que esperavam e supunham.

Apresento, a seguir, vários caminhos diferentes da Wicca, com algumas informações sobre as suas crenças e práticas. Você poderá perceber, desse modo, que existe uma miríade de possibilidades para qualquer um que deseje se tornar um wiccano. Omiti o endereço dos grupos e indivíduos, porque eles podem ter sofrido alguma alteração. No entanto, muitos deles têm sites na internet. Também existem muitos outros grupos wiccanos que têm sites. Tenha cautela, porém, quando fizer pesquisas na internet, pois, no mundo virtual, pode-se afirmar qualquer coisa, e o mero fato de um grupo ter um site não garante que ele seja confiável ou siga um caminho positivo.

A Wicca Alexandrina

Tradição fundada por Alex Sanders, na Inglaterra. Dizem (*Witches*, Michael Jordan; Kyle Cathie, Londres, 1996) que Sanders foi, na verdade, iniciado num coven gardneriano, pela Sacerdotisa Pat Kopanski, em Manchester, por volta do ano 1962, embora o próprio Sanders afirme que foi apresentado à Wicca pela avó. Os rituais são basicamente gardnerianos, mas foram modificados, adquirindo muitos elementos da Magia Cerimonial judaico-cristã. Os covens geralmente trabalham vestidos de céu. Os oito sabás são celebrados e ambos, o Deus e a Deusa, reverenciados.

Sanders é o único no mundo da Arte que reivindica o título de "Rei" dos seus Bruxos, um título até então nunca usado (ver *King of the Witches*, June Johns; Coward-McCann, Nova York, 1970).

Fizeram uma tentativa, alguns anos atrás, de criar uma denominação conhecida como "Algard" – uma mistura de alexandrinos e gardnerianos. Como os alexandrinos já são praticamente gardnerianos, essa nova denominação não fez muito sentido. A Wicca Alexandrina agora está presente em muitos países ao redor do mundo.

A Wicca Celta Americana

Os covens da The American Order of the Brotherhood of the Wicca descendem de Jessica Bell ("Lady Sheba"), uma Rainha Bruxa que criou um estilo próprio. Os rituais da tradição são praticamente os mesmos que os dos gardnerianos, embora os covens trabalhem vestidos com túnicas. Eles seguem a mesma prática dos gardnerianos ao optar por casais; preferivelmente, marido e mulher. O Cerimonial Mágico é o principal trabalho da tradição Celta Americana e foi concebido para ser o mais poderoso e antigo meio de terapia psicológica e oculta. Segundo a literatura, por meio dele, pessoas comuns e saudáveis podem passar por um programa de iniciação e desenvolvimento.

A Wicca Australiana

A Arte está viva e bem na região da Austrália e da Nova Zelândia (assim como praticamente em todos os países ao redor do globo), como acontece com gardnerianos, alexandrinos, Seax-Wica, escoceses, irlandeses, celtas e outras tradições. Um dos líderes nessa região do mundo é Madame Tamara Von Forslun, da Church of Wicca, sediada no oeste da Austrália.

A Igreja de Y Tywyth Teg

O propósito declarado dessa igreja é "buscar aquilo que mais vale a pena no mundo... exaltar a dignidade de cada pessoa, o lado humano de nossas atividades diárias e servir ao máximo a humanidade... para auxiliar na busca das humanidades (sic), no Universo do Grande Espírito, por identidade, desenvolvimento e felicidade... reconectando a humanidade com ela mesma e com a natureza".

Trata-se de uma tradição celta-galesa, organizada originalmente por Bill Wheeler, em Washington (EUA), em 1967, por "Pessoas de Honra". Essa tradição ensina o equilíbrio da natureza, costumes populares, mitologia e os mistérios e foi incorporada como uma organização (religiosa) sem fins lucrativos, no estado da Geórgia, em 1977.

A Igreja também tem um círculo externo de estudantes, que podem aprender por meio do ensino a distância. E pode ser encontrada em muitas regiões dos Estados Unidos.

Church of the Crescent Moon

A Church of the Crescent Moon é um pequeno grupo, muito coeso, de pessoas extremamente dedicadas... Cada Sacerdote e Sacerdotisa presta serviços à Deusa ou ao Deus que reverencia e aos deuses e deusas em geral. No entanto, a igreja oferece muitos caminhos para a verdadeira "unicidade" com o absoluto.

Os propósitos dessa igreja incluem a perpetuação da "religião pura da antiga Irlanda" e fornecer "informações e instruções a respeito da Deusa e dos deuses em geral, da cultura irlandesa e muitos outros temas ocultos".

Embora a igreja, originalmente organizada em 1976, afirme que seus membros não se autointitulam wiccanos, eu os incluí neste presente trabalho. Muitos de seus rituais são abertos a convidados e a membros em potencial.

Circle Wicca

O Circle teve início em 1974 por Selena Fox e Jim Alan. Sua sede fica em Circle Sanctuary, Mount Horeb, Wisconsin, com 200 acres de natureza preservada, numa fazenda orgânica nas colinas do sudoeste de Wisconsin. O Circle coordena o Circle Network, "um serviço de intercâmbio e contatos internacionais para wiccanos, neopagãos, panteístas, seguidores da Deusa, xamãs, druidas, ecofeministas, curandeiros nativos norte-americanos, videntes, magos cerimoniais, místicos e outros em caminho relacionado". Eles publicam uma fonte de informações anual, que recomendo aos buscadores, conhecida como: o Circle Guide to Pagan Resources. Também recomendo o jornal trimestral deles, o Circle Network News.

O Circle patrocina uma variedade de seminários, concertos e cursos em sua sede e ao redor dos Estados Unidos. Pelo menos uma vez ao ano eles também patrocinam um programa especial para os wiccanos e outros representantes pagãos, e no solstício do verão realizam o Encontro Nacional do Espírito Pagão.

O Circle é um centro espiritual sem fins lucrativos, reconhecido como uma igreja wiccana legítima pelo estado e pelo governo federal dos Estados Unidos. O Circle difere das muitas tradições da Wicca, pois está mais em sintonia com o xamanismo e, me parece, com mais elementos dos índios norte-americanos do que com a Wicca do oeste europeu, como a maioria das tradições da Arte. Isso não tem o propósito de denegri-la, de forma alguma, pois se trata de um centro excelente, dedicado, bem organizado e respeitadíssimo. Provavelmente já fez mais para promover o paganismo e a Arte do que a maioria dos grupos wiccanos.

Coven of the Forest, Far and Forever

Esta é uma denominação da Florida (EUA), formada por um Sacerdote e uma Sacerdotisa (Elivri e Giselda), com experiências coletivas na Wicca diânica, espanhola hereditária, egípcia e gardneriana, além do Cabalismo. Há um bom equilíbrio entre os aspectos masculinos e femininos, o grupo "vê as figuras da Deusa e do Deus como representantes vivas de forças ainda mais equilibradas e fundamentais, que se manifestam numa variedade de níveis". Seu propósito declarado é "nos tornar mais preparados como veículos para essas forças, invocando-as e, por sua vez, equilibrar e desenvolver nossa própria natureza para chegar mais perto do Universo".

O culto é realizado com as pessoas vestidas de céu e sem o uso de drogas. Os esbás são realizados a cada Lua e existe uma ênfase no Livro das Sombras escrito pela própria pessoa.

A Wicca Deboriana

"O ramo deboriano é eclético. Fazemos poucos rituais usando a nudez. Trabalhamos com o equilíbrio das polaridades (Deusa-Deus; positivo-negativo). O que estamos visando é a reconstrução da Arte como ela seria se a Era das Fogueiras nunca tivesse acontecido – como se a Wicca tivesse continuado sem interferência até os dias de hoje. Usamos a pesquisa, a dedução lógica e a divinação nessa busca."

Os sabás são abertos aos convidados, mas os esbás são restritos e fechados. Os líderes do coven chamam-se Robin e Marion, com seus substitutos no comando chamados de Donzela e Homem Verde. Eles não têm graus, mas os títulos de "Aprendizes, 'Sigilosos e Juramentados', Bruxos e Anciãos".

"Vemos a Arte como um sacerdócio com um ministério, e a nossa principal tarefa, como Bruxos, é ajudar outros a encontrar seu caminho para a experiência religiosa e para o seu próprio poder." A Tradição Deboriana existe desde 1980, foi fundada por Claudia Haldane e promovida por Erinna Northwind, de Naphant, Massachussets (EUA).

Dianic Feminist Wicce

Iniciada por Ann Forfreedom, de Oakland, Califórnia (EUA), essa tradição é tanto religiosa quanto mágica. Engloba praticantes de ambos os sexos, Bruxos Solitários, covens mesclados e todos os covens femininos. ("Não somos lésbicas nem separatistas", afirma Ann.)

"Essa tradição diânica feminista encoraja a liderança feminina, insiste em que uma Sacerdotisa deva estar presente no Círculo para que os rituais sejam realizados e envolve os seus praticantes em temas humanistas e relacionados às mulheres." Os grupos trabalham de ambas as formas: vestidos de céu ou com túnicas.

A Wicca de Yvonne Frost

Essa é uma das muitas tradições baseadas nas tradições galesas. Foi fundada por Gavin e Yvonne Frost no início dos anos 1970, como The Church and School of Wicca, e seu material era enviado aos estudantes pelo correio, embora o curso seja o mesmo apresentado no livro *The Witches Bible* (Nash Publishing, Los Angeles, 1972). Originalmente não havia nenhuma menção à Deusa (embora isso tenha sido corrigido) e existiam várias práticas sexuais que desanimaram muitos e foram posteriormente deixadas de lado. The Church and School, na Carolina do Norte (EUA), está muito bem estabelecida e tem alunos ao redor do mundo todo.

A Wicca Gardneriana

Esta foi a primeira denominação da Arte que se fez conhecida publicamente (nos anos 1950, na Inglaterra). Por causa disso, muitas pessoas achavam, equivocadamente, que ela era a única e "verdadeira" Wicca. Ela recebeu esse nome devido ao seu fundador, Gerald Gardner, que se iniciou num coven celta, no final dos anos 1930. O Livro das Sombras gardneriano é uma compilação modificada do livro do coven original, baseado no extenso conhecimento mágico e ritualístico do próprio Gardner. Este aperfeiçoou o livro original com a ajuda de Doreen Valiente, autora e poetisa talentosa. Embora exista quem afirme o contrário, a maioria das tradições wiccanas modernas baseia-se na Wicca gardneriana ou está perto disso.

A tradição gardneriana dá ênfase à Deusa, em detrimento do Deus, embora reconheça a existência e necessidade de ambos. A Sacerdotisa, portanto, tem um papel maior do que o Sacerdote. Ela tem um sistema de graus de desenvolvimento e exige um mínimo de um ano e um dia para que o praticante passe a um grau superior. Os covens trabalham vestidos de céu e têm "casais perfeitos", ou seja, o mesmo número de homens e mulheres. Os casais não têm que ser casados, embora seja essa a preferência. Os covens são autônomos, embora alguns deles possam ser auxiliados por uma "Rainha do Sabá" ou "Rainha Bruxa", quando necessário. A ênfase está na reverência aos deuses, com a magia centrada principalmente na cura. Hoje em dia, a Wicca gardneriana é encontrada em muitos países ao redor do mundo.

A Wicca Georgina

Os georginos, tradição fundada por George E. Patterson, em 1970, foram licenciados pela Universal Life Church, em 1972, como Church of Wicca of Bakersfield, Califórnia (EUA). Em 1980, eles foram licenciados como Georgian Church.

"Os georginos são ecléticos, com base principalmente nas tradições gardnerianas-alexandrinas e em algumas tradicionalistas inglesas e orientadas para Deus-Deusa, mas tendendo mais para a Deusa." Eles geralmente trabalham vestidos de céu, mas os grupos individuais ou as pessoas podem fazer o que desejarem. Eles são ambos, religiosos e mágicos, e celebram os oito sabás. Os membros são estimulados a escrever rituais e aprender com todas as fontes disponíveis.

Maidenhill Wicca

Grupo "tradicional" wiccano, estabelecido em 1979, com fortes laços com o Coven de Rhiannon, de Manchester, Inglaterra. "Nosso principal foco é a adoração da Grande Deusa e do seu Consorte, o Deus Cornífero... O nosso coven não limita o culto a uma 'tradição' étnico-cultural em particular. Em vez disso, concede-se um treinamento completo na Wicca gardneriana e os membros são estimulados, depois de terem dominado a fundo essas bases, a encontrar esse ciclo mítico particular, ou um caminho que fundamente suas crenças."

Northern Way

Uma tradição não iniciatória que trabalha vestida. "Tentamos fazer uma recriação tão autêntica e tradicional quanto possível da antiga roupagem nórdica... Os nomes que atribuímos aos deuses são todos dos antigos nórdicos, não teutônicos. Nós lançamos o Círculo; não invocamos os Guardiões dos Quadrantes... Nossa tradição é nórdica... O grupo, entretanto, não é hereditário e seus membros não precisam ser de algum família em particular ou de algum grupo étnico."

O Northern Way foi fundado em 1980 e incorporado em 1982, em Chicago. Sua religião algumas vezes é chamada de Asatru. Eles celebram os quatro festivais solares do Fogo, assim como os seguidores originais da religião nórdica.

Nova-Wicca

Grupo eclético, fundado por Nimue e Duncan, dois gardnerianos, em Oak Park, Illinois. Eles praticam vestidos nos esbás e nos sabás e vestidos de céu nas iniciações. Os nomes das divindades gardnerianas são usados, embora "os pares possam usar outros nomes se desejarem". A Nova-Wicca tem um sistema de graus muito "sintonizado" e, no treinamento, algumas aulas são abertas aos recém-chegados. Os grandes sabás também são abertos às pessoas interessadas, de acordo com os critérios do coven.

A Nova-Wicca classifica a si mesma como "um coven tradicional e heterogêneo de ensino e treinamento".

Pecti-Wita

Tradição solitária escocesa, legada por Aidan Breac, que, até sua morte, em 1989, ensinava aos seus alunos em sua casa, no Castelo de Carnonacae, na Escócia. (Ver *Scottish Witchcraft*, Raymond Buckland; Llewellyn, St. Paul, 1991.)

A tradição é sintonizada com as mudanças solares e lunares. Existe um equilíbrio entre o Deus e a Deusa, mas a ênfase está mais na magia do que no culto. Seguidores dessa tradição se sintonizam com todos os aspectos da natureza: animal, vegetal e mineral. A meditação e a adivinhação têm um grande papel na tradição, assim como o conhecimento de herbologia. Várias formas de prática mágica solitária são ensinadas e se dá ênfase à magia encontrada na vida diária.

Seax-Wica

Essa tradição foi fundada por mim, Raymond Buckland, em 1973. Ela tem uma base saxã mas é, na verdade, uma denominação relativamente nova da Arte. Ela não tem a pretensão de ser uma continuação ou uma recriação da religião saxã original (veja as notas na Lição 2 referentes à escolha dos nomes das divindades). As principais características da tradição são o fato de ela possuir rituais abertos, todos os quais públicos e disponíveis; ter uma organização democrática que impede viagens do ego e jogos de poder por parte dos líderes dos covens; ter uma prática de coven e uma prática solitária e ter uma realidade de autoiniciação em lugar da iniciação pelo coven, se for essa a preferência. Os covens são liderados pelo

Sacerdote e/ou pela Sacerdotisa e decidem por si mesmos se trabalham vestidos de céu ou vestidos. A Seax-Wica é encontrada, hoje em dia, em todos os Estados Unidos e em muitos países do mundo. Maiores detalhes em meu livro *The Tree: the Complete Book of Saxon Witchcraft* (Samuel Weiser, York Beach, 1974). Hoje a tradição saxã está se propagando e se fortalece a cada dia.

Tradição Tessalônica

A tradição tessalônica é uma antiga tradição de base grega, fundada em 1994, em Houma, Louisiana (EUA), por Monte Plaisance. Trata-se basicamente de uma tentativa de resgatar as práticas mágicas e as filosofias religiosas da Grécia Antiga. Os tessalônicos conhecem todos os deuses da Grécia Antiga, e cada membro coloca ênfase num deus ou numa deusa "patronos", o que dá aos membros uma polaridade bem equilibrada da energia masculina e feminina. O grupo vê as várias divindades como manifestações especializadas da grande fonte incognoscível da criação que eles chamam de O'Eis (O Uno). Seu propósito, segundo eles, é "se aproximar da divindade por meio da invocação dos poderes divinos e da aplicação do conhecimento divino".

Seus membros realizam o culto vestidos e usam a consagração do terreno sagrado com mais frequência do que o lançamento ritualístico do Círculo, usado na maioria dos trabalhos mágicos. O grupo estimula o culto individual e realiza rituais em grupo semanalmente, na sua sede em Nova Orleans, na primeira e na terceira sexta-feira de cada mês.

APÊNDICE B

Respostas das Questões Avaliatórias

Lição Um

1. O Deus da Caça e a Deusa da Fertilidade.

2. A crença de que coisas parecidas têm efeitos parecidos (semelhante atrai semelhante). Um exemplo disso é a magia de caça dos homens e mulheres primitivos, na qual uma estatueta de argila do animal que seria caçado era "caçada e morta", devido à crença de que a caça de verdade seguiria o mesmo padrão.

3. O Papa Gregório, o Grande, erigiu igrejas nos lugares de templos pagãos, esperando se aproveitar do fato de que as pessoas estavam acostumadas a se reunir nesses lugares para prestar culto. Qualquer templo pagão era rededicado ao deus cristão ou destruído e substituído por uma igreja cristã.

4. "Jack of the Green" era o nome dado às figuras que representavam o antigo Deus da Caça e da Natureza. Essas figuras eram também conhecidas como "Robin o' the Woods" ou pelo título mais genérico de "máscara de folhas".

5. O *Martelo das Bruxas* era o livro *Malleus Maleficarum*, que apresentava detalhes sobre como detectar e interrogar Bruxas. Tratava-se da principal obra de referência dos inquisidores durante a Era das Fogueiras e foi escrita por dois monges alemães, Heinrich Institoris Kramer e Jakob Sprenger.

6. Dra. Margaret Alice Murray.

7. 1951.

8. (a) Gerald Brousseau Gardner.
   (b) Raymond Buckland

9. A única animosidade com relação ao Cristianismo ou outra religião ou filosofia de vida surge na medida em que essas instituições se proclamam "o único caminho", negando liberdade a outras entidades e reprimindo outras formas de crença e prática religiosa.

10. Não, você não precisa pertencer a um coven para realizar trabalhos de magia. Existem muitos Bruxos que trabalham sozinhos (são Bruxos Solitários). Também existem muitas pessoas que são praticantes de magia, mas não são Bruxos.

Lição Dois

1. O colar Brosingamene representa o brilho do Sol. Sua perda, portanto, traz o outono e o inverno (descida de Freya a Drëun). Sua volta traz a primavera e o verão.

2. (1) A ocasião – a associação com as fases da Lua. (2) O sentimento – o ingrediente mais importante. Você precisa realmente querer, com todo o seu ser, aquilo que busca. (3) Limpeza.

3. Sim, eles acreditaram. Essa crença era um dos dogmas originais do Cristianismo, até ser condenado pelo Segundo Concílio de Constantinopla, em 553.

4. (a) Não. Você recebe suas punições e recompensas nesta vida. (b) Não, necessariamente. Você vivencia todas as coisas ao longo das vidas. Pode, portanto, receber o mesmo tipo de mal em qualquer uma das suas vidas anteriores ou futuras.

5. Sim, é possível. O seu templo pode ficar em qualquer lugar e não precisa ficar montado de modo permanente. Nessa situação, o lugar ideal seria provavelmente o seu quarto.

6. A partir do Leste (a direção do nascer do Sol).

7. Norte – verde; Leste – amarelo; Sul – vermelho; Oeste – azul.

8. Qualquer um deles, mas o ideal é que seja sem metal. Por ordem de preferência, eu os ordenaria da seguinte maneira: (d), (c), (b), (a).

9. Faça o que quiser, mas não prejudique ninguém.

10. Sim, poderia. Porém, não é esteticamente agradável, e você provavelmente poderia encontrar uma opção melhor. Para não correr o risco de que ele rache com o calor, o melhor é enchê-lo de areia primeiro.

Lição Três

1. Não. Ela pode ter o tamanho que seja mais conveniente para seu dono.

2. Sim. A faca em questão foi apenas o instrumento usado na ação. Nenhuma negatividade teria sido deixada pelo assassino. Contanto que a faca seja limpa e consagrada, ela pode, com certeza, ser usada como athame.

3. Não. Qualquer faca deve ser antes personalizada por seu dono. Se você não pode confeccioná-la do zero, pelo menos pode trocar seu cabo. Se não tem condições de fazer nem isso, então ao menos inscreva algo nela, como o seu nome ou monograma mágico. Personalize-a de algum modo. Depois, claro, você pode consagrá-la.

4. Gravação.

5. Eu recomendo que se tenha uma espada para ser usada no coven, mas não é uma obrigatoriedade. O athame pode ser usado no lugar da espada.

6. O buril é um instrumento de gravação e pode ser usado para gravar o metal.

7. O número de nascimento de Jessica é 9 (15-3-1962; 1 + 5 + 3 + 1 + 9 + 6 + 2 = 27 = 9); Rowena é um nome de número 4 (R = 9; O = 6; W = 5; E = 5; N = 5; A = 1; 9 + 6 + 5 + 5 + 5 + 1 = 31 = 4). Rowena, portanto, não é uma boa opção, pois não combina com o número de nascimento dela. Ela, no entanto, poderia fazer com que esse nome combinasse, acrescentando uma letra de número 5 a ele. Eu sugeriria acrescentar outro "e", ficando Roweena = 9 + 6 + 5 + 5 + 5 + 5 + 1 = 36 = 9.

8. Não se esqueça de acrescentar o "19" ou o "20" ao ano (por exemplo, 1946 ou 2001) quando trabalhar com o número de nascimento.

9. Galadriel: ᚷ ᚠ ᛚ ᚠ ᚺ ᚱ ᛁ ᛖ ᛚ

   Monograma mágico: ᛗ

Lição Quatro

1. Todo processo iniciatório é considerado um "rito de passagem", mas o tema central é uma palingênese, um renascimento.

2. A iniciação geralmente segue o seguinte padrão: separação, purificação, morte simbólica, novo conhecimento, renascimento.

3. Isso representa a escuridão e a restrição do útero antes do nascimento.

4. Eu já perguntei isso, nas Questões Avaliatórias sobre a Lição Dois, mas quero reforçar aqui. A Rede Wiccana é: Faça o que quiser,

mas não prejudique ninguém. Significa que você pode fazer o que tiver vontade, contanto que ninguém saia prejudicado. E devo lembrá-lo de que isso inclui você mesmo.

5. Não, não é costume. Normalmente (segundo a tradição), um homem inicia uma mulher e uma mulher inicia um homem. O contrário, no entanto, não seria errado. Na verdade, é muito frequente que a mãe inicie sua filha ou o pai inicie seu filho.

6. Reflita muito sobre a questão e escreva um texto como se eu fosse lê-lo. Depois, guarde-o onde ninguém possa vê-lo. Dali um mês, releia-o. Veja se você ainda concorda com o que disse ou se mudaria alguma coisa.

Lição Cinco

1. Sim, poderão. Não existe um número máximo de membros (treze se tornou um número "tradicional", embora não haja nenhuma evidência histórica disso). Um total de quinze pessoas, porém, seria um pouco demais. Duas possíveis alternativas seriam (1) as quinze pessoas se dividirem em dois covens, mesclando membros veteranos e recém-chegados nos dois grupos; (2) os quatro recém-chegados começarem um novo coven.

2. A decisão é sua. Não, os rituais devem ser sempre escritos à mão. Na primeira página da maioria dos Livros das Sombras, costuma estar indicado: "Escrito pela mão do Bruxo (nome)".

3. Pelo menos uma vez por mês.

4. Edificação do Templo. Ritual de Esbá. Ritual da Lua Cheia. Cerimônia dos Bolos e da Cerveja. Purificação do Templo. Se for época de Lua cheia, então o Ritual da Lua Nova não deve ser realizado, evidentemente.

5. Samhain, Imbolc, Beltane e Lughnasadh.

6. Não só é permitido como estimulado. A dança é útil principalmente nos trabalhos de magia.

7. Trata-se de um agradecimento aos deuses por suprirem as necessidades da vida. O mergulho do athame na taça simboliza a união do masculino e do feminino (a inserção do pênis na vagina).

Lição Seis

1. Não, não pode, pois Imbolc é um sabá. Exceto em curas emergenciais, nenhum tipo de trabalho é feito nos sabás, que são celebrações. Ele teria que esperar até o esbá seguinte ou lançar um Círculo especial numa noite antes ou depois do Imbolc, só para fazer o trabalho de magia.

2. O Deus e a Deusa são reverenciados em todos os sabás. Dependendo da época do ano, dá-se preferência a um ou a outro (basicamente, à Deusa na metade clara do ano e ao Deus na metade escura), mas deve-se lembrar que ambos estão presentes em todas as épocas. Nenhum dos dois "morre" ou está ausente.

3. A ênfase recai na Deusa, mas tenha em mente minha resposta para a questão número 2, portanto ela não é suprema a ponto de excluir o Deus.

4. Edificação do Templo; Ritual da Lua Cheia; Ritual do Sabá; Cerimônia dos Bolos e da Cerveja; Celebrações; Purificação do Templo.

5. (a) Samhain; (b) Beltane.

6. Não, é um dos sabás secundários, o solstício de inverno, 21 de dezembro, no hemisfério Norte.

Lição Sete

1. É ouvir. Ouvir o Eu Superior (o Eu Interior, a Força Criadora, a Consciência Superior, até mesmo os próprios deuses – como você quiser chamá-lo). É diferente de rezar, pois a reza é um pedido enquanto a meditação, como eu disse, é ouvir (talvez até ouvir a resposta à sua oração).

2. Manter a coluna ereta.

3. Não existe um período que seja melhor do que os outros. Mas seria melhor meditar sempre no mesmo período diariamente, se possível.

4. No Terceiro Olho.

5. Examine seus sonhos com atenção quando os interpretar. Divida--os em várias partes. Preste atenção particularmente a cores, números, animais, objetos significativos etc. Não se precipite, interpretando os sonhos literalmente, e sempre tenha em mente que o personagem principal geralmente representa você.

6. Uma varinha com o formato de um falo (pênis), usada em vários ritos de fertilidade. Tem esse nome graças ao deus romano Príapo.

Lição Oito

1. Não. Ele os liga pelo tempo que durar o amor. Quando não existe mais amor entre o casal, eles estão livres para seguir cada um o seu caminho.

2. Quando a criança está pronta. Não existe uma idade certa, pois isso depende da individualidade de cada criança.

3. Física e mental.

4. Controlar a mente; eliminar as emoções; fazer um autoexame; superar a possessividade; aprender a amar; meditar.

5. (1) Acalma-se e livra-se de todas as emoções. Depois simplesmente segue sua intuição, deixando-se guiar pela sua orientação interior. (2) Usa um pêndulo, fazendo perguntas cujas respostas sejam sim ou não, ou usando um mapa de todos os cômodos onde as chaves podem estar.

6. Cuidado com o poder da sugestão. Não diga a ele o que vê. Pergunte-lhe sobre a sua saúde. Se ele disser que está se sentindo bem, esqueça o assunto. Seria uma boa ideia sugerir que ele fizesse um *check-up*, mas isso deve ser feito de um modo que não o leve a se preocupar.

Lição Nove

1. Não tenha pressa ao trabalhar com o tarô. Quanto mais prática tiver, mais habilidoso você ficará ao interpretar as cartas.

2. Sua interpretação – seu *feeling* – é o mais importante. De modo geral, essa carta mostra problemas nos relacionamentos, principalmente os mais íntimos (família e amigos mais próximos). Pode ser uma ruptura no ambiente doméstico, no trabalho ou num grupo de pessoas. Você é quem decide. Preste atenção na posição da carta e relacione essa posição ao tempo em que essa ruptura ocorrerá.

3. Mais uma vez a interpretação depende apenas de você. Essa tiragem pode ser otimista ou pessimista, dependendo do que lhe ocorrer quanto ao simbolismo da carta. Tenha em mente a posição dela – o "resultado final" –, que indica que sua interpretação deve ser muito específica (essa mesma carta, numa posição diferente, poderia ter uma interpretação até certo ponto flexível, mas nessa posição a interpretação é mais definida).

4. São muitas as possibilidades: um copo com água, uma lente de aumento, o vidro de um relógio; um espelho... na verdade qualquer superfície reflexiva. Inicialmente, no entanto, seria mais fácil usar uma superfície clara contra um fundo escuro.

5. A mão esquerda indica o que a pessoa nasceu para fazer e o curso que seguirá a vida dela se nada se modificar. A mão direita mostra o que ela tem feito na vida até o momento da leitura (caso a pessoa seja canhota, as mãos são invertidas).

6. Esses símbolos significam boas notícias, uma maré de sorte e o início de novos empreendimentos (talvez, embora não necessariamente, um casamento). Como eles estão perto da alça da xícara, isso significa que afetarão muito o consulente. Se estivessem mais para o fundo, estariam num futuro mais distante.

7. (a) JOHN F. KENNEDY = 168562555547 = 59 = 14 = 5
Existe uma predominância de 5 (existem cinco deles!), que coincidentemente é a soma também. As pessoas cujo número é 5 fazem amigos com facilidade e se dão bem com pessoas de quase todos os números. Elas também têm raciocínio rápido e tomam decisões com presteza.
(b) NAPOLEON = 51763565 = 38 = 11 = 2
JOSEPHINE = 161578955 = 47 = 11 = 2
Obviamente, eles eram muito compatíveis.

8. A primeira casa representa sua interação com o mundo e a sua aparência – como os outros o veem. Com Peixes como Ascendente, portanto, aos olhos dos outros a pessoa parece mais pisciana do que uma nativa do seu signo solar (o Sol representa mais o eu interior). Essa pessoa parece sensível, nobre, gentil e, provavelmente, tem estatura média, pele pálida, maçãs do rosto altas, cabelos e olhos claros.

Lição Dez

1. Um bom agente de cura deve ser uma mistura de terapeuta, estudante de anatomia e fisiologia, nutricionista e alguém com um bom conhecimento de cura e do comportamento humano, em geral.

2. O nome científico não muda. Os nomes populares são regionais. Podem mudar de um lugar para outro.

3. (a) A infusão é usada para se obter o extrato de uma erva por meio do calor, mas sem ferver a água (em alguns casos, é possível até usar água fria). (b) A clarificação é feita para clarificar uma substância após o processamento, por meio da dissolução e da escumação ou filtragem.

4. Trituração e moagem; extração por decocção, infusão ou maceração; percolação; filtragem; clarificação; digestão; espremedura.

5. Para limpar e tonificar a pele. Da casca pode-se cozinhar uma papa para pessoas inválidas, digerida com facilidade até por quem tem órgãos digestórios debilitados e não pode correr o risco de vomitar. Usado em sabonetes, suaviza a pele. Pode ser aplicado externamente em cataplasmas, na pele inflamada, irritada ou lesionada. É usada em supositórios retais e vaginais, enemas e duchas vaginais. É demulcente, diurético e emoliente.

6. (a) Expulsa os gases intestinais. (b) Facilita a expectoração (tosse). (c) Aumenta a circulação e deixa a pele avermelhada. (d) Produz transpiração profusa.

7. Uma criança de 7 anos deve receber um terço da dose de um adulto.

Lição Onze

1. (a) "A ciência e a arte de provocar mudanças conforme a própria vontade." Ou fazer acontecer algo que você quer que aconteça. (b) Mantendo-se em boas condições de saúde. Purificando-se interna e externamente, como prescreve a lição. (c) Quando há realmente necessidade dela (e num esbá, não num sabá, a menos que seja uma emergência).

2. Gerando poder por meio de cânticos, dança, sexo etc. Você o faz dentro de um Círculo consagrado. Não se esqueça de se certificar de que está "seguro" (por exemplo, sem correr o risco de ser interrompido por alguém ou alguma coisa).

3. Assegure-se de que o cântico tenha ritmo (ou seja, uma batida regular) e rimas. Por exemplo: (a) "Senhor e Senhora, ouçam minha prece; julguem e beneficiem apenas quem merece"; (b) "Todos os cestos estão repletos de grãos. É só abundância no fim da estação"; (c) "Ladrões que me roubaram no dia de ontem, devolvam o que é meu até que o Sol se ponha no horizonte".

4. Ela pode estar melhor sem o marido, por isso não se incomode em trazê-lo de volta (aliás, isso seria violar o livre-arbítrio dele). Concentre-se na situação imediata da esposa... Ela precisa de segurança. Você precisa decidir por si mesmo qual método usará. Pense cuidadosamente em toda a história; em como gostaria de resolvê-la. Pense nela no presente até o resultado final, assim como quer que ela se conclua. Componha um cântico pertinente, lembrando-se de acrescentar ritmo e rimas. Saiba qual é a sua palavra-chave (provavelmente é "segurança" ou algo parecido).

5. Volte a ler a lição para conferir se o que você se lembra está correto.

6. O principal é saber que a melhor pessoa para praticar a magia é a que está mais diretamente envolvida; nesse caso, o seu amigo. Portanto, faça o seu amigo trabalhar por si mesmo. Mesmo que ele nunca tenha praticado magia antes, você pode ajudá-lo a fazer algo simples mas eficaz, como acender uma vela. Se, por alguma razão, o seu amigo não puder fazer ele mesmo o trabalho, então você deve fazer (usando o método que preferir), mas com o seu amigo ajudando você.

Lição Doze

1. O talismã é um objeto feito por mãos humanas e dotado de propriedades mágicas. Ele pode ter vários propósitos: dar sorte, fertilidade, proteção, riquezas etc. Ele é diferente do amuleto porque este é um objeto natural que foi consagrado.

2. Inscrição e consagração. A inscrição personaliza o objeto e lhe confere um propósito. A consagração o carrega formalmente.

3. Enquanto o consagra para a pessoa, você o inscreve com o nome e os detalhes pessoais como número do nascimento, signo solar, signo lunar, Ascendente, planeta regente etc. Eu recomendaria que você usasse um dos alfabetos mágicos para personalizá-lo. O signo solar de Frank Higgins é Câncer, seu planeta regente é a Lua. Como não temos seu horário e seu lugar de nascimento, não

podemos saber seu Ascendente ou sua Lua. Seu número de nascimento é 4, por isso pode ser incluído. Seu nome mágico, nas runas, é:

ᛗᚱᚺᚾᚱᛁᚢᛚ

e seu monograma mágico é ᛰ.

Todas essas informações podem ser incluídas num talismã (você não tem que usar runas, pode usar um dos alfabetos mágicos), ordenadas do modo que quiser, para personalizá-lo para Frank Higgins.

4. Em primeiro lugar, para que ela quer trabalhar. Ela não quer a promoção só pelo dinheiro. Ela quer um cargo mais bem pago (que é, na verdade, um aumento na renda e uma posição melhor/diferente). Sua palavra-chave poderia ser "promoção" ou "progresso", ou algo parecido. Poderia até ser "desejos". Se usar "desejos" como exemplo, você deveria trabalhar numa quinta-feira e confeccionar um talismã de estanho (se possível) ou pergaminho. Mary é de Aquário, com Urano como planeta regente. Como na questão anterior, não sabemos seu Ascendente ou seu signo lunar. Seu número de nascimento é oito. No verso dele você coloca o sigilo para "desejos":

5. Você personalizaria um lado do talismã para Henry, com o signo solar Libra e o planeta regente Vênus. Você pode ignorar todas as informações para Amy Kirshaw, pois, como eu já disse, não estamos interessados em violar o livre-arbítrio dela. Esse talismã, portanto, só pode ser feito para atrair o amor de "outra pessoa" para Henry. O talismã será feito de cobre e numa sexta-feira. No verso, você pode colocar o sigilo do amor (em inglês, *love*):

6. Parte do poder de um talismã consiste no modo como você se concentra na escrita enquanto o confecciona. A pouca familiaridade com o alfabeto que você usa, portanto, garante que você vá se concentrar ainda mais na sua confecção.

Lição Treze

1. (a) Comece visualizando uma luz branca ao redor do garoto, como um agente purificante e revigorante, depois aos poucos transforme-a numa terapêutica luz verde. Concentre a luz verde na perna em questão. Termine com uma luz azul para combater a inflamação e o reumatismo. (b) Trabalhe com uma pedra verde (preciosa ou semipreciosa: por exemplo, esmeralda, jade, berilo, turquesa). Coloque a pedra na área da fratura por pelo menos uma hora por dia e depois a use como pingente ou num anel pelo resto do dia. (c) Use uma fotografia do garoto que inclua a perna fraturada. Projete luz verde na fotografia, ou com uma lâmpada colorida ou colocando a foto numa moldura coberta com acetato colorido.

2. São apresentados muitos métodos diferentes neste livro. Pode-se projetar a luz colorida num boneco ou numa fotografia. Você pode combinar isso com a visualização de uma aura verde em torno da perna fraturada. Desse modo você pode combinar a prática da magia simpática de fazer um boneco (recheando-o com ervas de cura) e a projeção de luz colorida e cura áurica para atingir o mesmo fim. Pense em outras possibilidades.

3. (a) A força vital que está por trás de todas as ações físicas do corpo. (b) Para eliminar a negatividade que você acumulou no seu corpo. (c) Você poderia trabalhar com um boneco ou uma fotografia.

4. Você poderia confeccionar um boneco da mulher, com todas as características físicas dela. Não se esqueça de acrescentar o corte

da histerectomia. Você pode confeccioná-lo com um tecido verde, para ajudar no processo de cura. Personalize-o com o nome e o signo astrológico dela. Recheie o boneco com camomila pelas qualidades suavizantes dessa erva e por combater males femininos. Pelo mesmo motivo, você pode usar poejo, calêndula, gatária, tanásia, arruda etc. Depois de realizar um ritual para nomear o boneco com o nome da mulher, faça outro para costurar o corte da histerectomia e visualizá-lo se curando e a cicatriz desaparecendo. Você pode terminar deixando o boneco sob a luz de uma lâmpada verde.

Lição Quatorze

1. Você não só tem permissão para escrever seus próprios rituais como deve fazer isso. Tenha em mente que seus rituais devem conter palavras e ação – coisas a serem ditas (*legomena*) e coisas a serem feitas (*dromena*). O foco do seu ritual deve ser seu propósito, seja ele uma celebração, um agradecimento sazonal ou outra coisa qualquer.

2. Isso é você quem escolhe. Opte por nomes que você identifique com mais facilidade e com os quais se sente confortável.

3. Você pode dizer o que sente. A Arte é uma religião familiar e o fato de poder participar livremente dos rituais faz com que a pessoa se sinta como parte de uma família. Isso une os participantes que compartilham da mesma experiência religiosa.

4. Os melhores lugares são os frequentados por pagãos. Ali você encontrará pessoas que sabem (ou imaginam) o que a Bruxaria realmente é e aquelas que estão em busca de fazer parte de um coven. Você pode fazer contato com pessoas interessadas em se unir ao seu coven por meio das colunas das várias publicações pagãs e wiccanas e nos festivais celebrados ao redor do seu país.

5. (a) Para proclamar o fato de que a Wicca é uma religião e que deve ser tratada com o mesmo respeito que qualquer outra religião estabelecida/aceita. Isso também permite que os participantes realizem cerimônias dentro da lei, como casamentos, nascimentos e funerais, além de promover uma grande interação ecumênica entre a Wicca e outras religiões. (b) Você precisa se inteirar das leis do seu país.

6. Escreva para a estação de TV em que o programa passou, para as grandes empresas de comunicação do seu país, para ONGs que combatem o preconceito, para órgãos do governo que regulamentam os programas de TV, para a Secretaria da Educação e empresas que patrocinam o programa em questão. Reclame sobre a maneira como a Bruxaria é apresentada no programa e descreva o que é a verdadeira Bruxaria. Sugira alguns bons livros sobre o assunto, mas não seja agressivo. Seja claro e educado.

7. Você não vai dizer nada a ela!... Pelo menos por enquanto. Pergunte primeiro o que ela sabe sobre Bruxaria (e, se necessário, o que ela sabe sobre Satanismo) e aja conforme as instruções da Lição 7.

APÊNDICE C

As Músicas e os Cânticos

Nos tempos antigos, havia muita festividade nos encontros dos sabás. Havia canções e danças, jogos e frivolidades. Assim deveria ser até hoje. Victor Anderson publicou uma coleção de canções pagãs originais (*Thorns of the Blood Rose*, Anderson, Califórnia, 1970). escritas por ele mesmo. Alguns covens compilaram antigas canções e danças, ou criaram as suas próprias para usar em seus encontros.

Eis aqui algumas canções, cantos e danças para que você possa começar. Inicie a sua própria coletânea. Não tenha medo de usar qualquer boa melodia que conheça e acrescentar a sua própria letra. Seja criativo... e divirta-se.

Wiccan Handfasting

A Cerimônia de Casamento Wiccano
Letra e música de Raymond Buckland

We all stand in the Circle at last, wit-ness-ing two who wish to Hand-fast.
Both do show their love; know their true heart, hop-ing that they ne-ver will part

2. Bright Full Moon is shining above;
   shining down, spreading their true love.
   All are skyclad and ev'ryone glad.
   Happiness abounds; no one sad.

3. Flow'rs rest on the altar so gay,
   flowers around the Circle lay.
   All the coven is singing with joy,
   happy for this girl and this boy.

4. "We desire that we be made one
   in the eyes of the Gods and ev'ry one."
   Runic inscriptions on silver band
   each then places on the other's hand.

5. "Your life I'll guard before my own,
   disrespect ne'er will I condone.
   This athame I'll plunge in my heart
   should I hurt you; cause us to part."

6. Then they kiss each other with joy;
   no more are they just girl and boy.
   They're united as one, you see.
   T'Lord and Lady we say: "Bless'd be!"

---

1. Estamos todos no Círculo, enfim.
   Em testemunho a um casal que quer se casar.
   Ambos de fato demonstram amor;
   Sabem o que vai em seus corações e esperam nunca se separar.

2. A radiante Lua cheia está brilhando no alto;
   Reluzindo aqui baixo, espalhando seu amor verdadeiro.
   Todos se vestem de céu e todos estão felizes.
   A felicidade flui em abundância e ninguém está triste.

3. As flores repousam no altar tão vivo,
   Flores ao redor do Círculo lançado.
   Todos do coven cantam com alegria,
   Feliz por esta moça e este rapaz.

4. "Desejamos que sejamos um só
   Aos olhos dos deuses e dos demais"
   Inscrições rúnicas em laços prateados
   Nas mãos de cada convidado.

5. "Defenderei a sua vida com a minha,
   Nenhum desrespeito será perdoado.
   Este athame cravarei em meu coração,
   Se eu lhe magoar e causar separação."

6. Assim, se beijam com alegria;
   Não são mais moça e rapaz.
   Estão unidos como um só, pode ver.
   O Senhor e a Senhora nos dizem: "Que sejam abençoados".

Dance in the Circle
[A Dança no Círculo]
Música e letra de Raymond Buckland

"Come to the Cir-cle, dance with me; dance in the Cir-cle where we'll be
In the moon-light turn-ing round, danc-ing on the fairy mound."
One two three four; one two three four. All of the Wit-ches dance and sing.
To the left; to the right; turn, leap a-round the ring.
Move round the Cir-cle start-ing slow. On round the Cir-cle, see them go!
Thir-teen Wit-ches hav-ing fun. Fast-er! 'Til the dance is done.

2. They all go running, leaping high
over the bonfire, to the sky.
Happy laughter; give and take.
They'll be there till daybreak.
Never slowing; puffing, blowing;
deosil circle, round and round.
Moving slow; moving fast;
spin, jump, and hit the ground.
Hark to the sounds of Witchcraft joy!
Watch as the girl spins with her boy.
Happy, happy Pagans they,
dancing in the Wiccan way.

3. After the dancing there will be
plenty of happy memories.
There is ritual; there are rites;
ceremony all night.
"We love the God! We love Goddess!"
All of the Witches cry out loud.
"We are one! We share love!"
Wiccans—they all are proud.
Pray'rs to the Lady and her Lord.
Thanks to them both with blessings stor'd.
Priest and priestess; Witches all;
proudly they can stand tall.

1. Um dois, três, quatro. Todos os Bruxos
   dançando e cantando.
   Para a esquerda; para a direita. Vire, salte,
   em volta do anel.
   Vamos dar a volta no Círculo, começando
   devagar.
   Em volta do Círculo, veja como vão.
   Treze Bruxos se divertindo. Mais rápido!
   Até acabar.

2. Elas vão correndo, pulando alto
   Por sobre a fogueira, até ao céu.
   Risadas felizes; dão e arrancam.
   Ficarão lá até o sol raiar.
   Sem nunca parar, arquejando, bufando;
   Circulando em deosil, em volta, em volta.
   Indo mais devagar; rápido outra vez;
   girando, pulando, batendo o pé no chão.
   Ouvindo os sons dos Bruxos a se alegrar!
   Veja como a moça gira com o rapaz.
   Felizes, pagãos felizes eles são,
   dançando do jeito que a Bruxa faz.

3. Estão repletos, depois da dança,
   de suas felizes lembranças.
   Há os ritos, há o ritual;
   cerimônias até a noite acabar.
   "Amamos o Deus! Amamos a Deusa!"
   Todas as Bruxas bradam a uma só voz.
   Nós temos amor! Somos todos um só!
   Wiccanos, com muito orgulho.
   Preces à Senhora e ao seu Senhor.
   Agradeço a ambos pelas bênçãos recebidas
   Sacerdote e Sacerdotisa; Todos os Bruxos
   Tem muito orgulho de tê-los na vida.

Join in the Dance
[Junte-se à Dança]
Música e letra de Raymond Buckland

Come! Join us now, this mer-ry band, as we go a danc-ing.
We're Wit-ches all, en-joying life; a-round the Circle pranc-ing.
Don't waste your time sit-ting out-side the Cir-cle's sa-cred ring.
Come! Join us now, full co-ven strong. Let's dance and then let's sing.
Join in the dance, round and round; we'll make your step seem light.
Let your-self go, round and round; dance all through the night.

2. Love to the Lord and Lady too;
   love to all these Witches.
   We may be poor, or so it seems,
   but we have these riches:
   We have so much brotherly love,
   t'gether with each other.
   We have the best together now;
   wife, husband, or lover.
   We nothing lack in our lives,
   So long as we keep to
   the Wiccan Rede: "Harm no one;
   What ye will, then do."

3. Come! Join us now, this merry band,
   as we go a-dancing.
   We're Witches all, enjoying life,
   around the Circle prancing.
   Don't waste your time sitting outside
   the Circle's sacred ring.
   Come! Join us now, full coven strong;
   let's dance and sing.
   Join in the dance, round and round;
   we'll make your steps seem light.
   Let yourself go, round and round;
   Dance all through the night.

1. Venha! Junte-se a nós, a esta turma feliz,
   enquanto aqui estamos a dançar.
   Somos todos Bruxos desfrutando a vida;
   ao redor do Círculo, dançamos.
   Não perca seu tempo ficando sentado,
   de fora do Círculo Sagrado.
   Venha! Junte-se a nós, à força do nosso
   coven; vamos dançar, vamos cantar.
   Se junte à dança, vamos rodar; seus passos
   mais leves vamos deixar.
   Se solte e gire, vamos rodar; dance conosco
   até a noite acabar.

2. Amor ao Senhor e à Senhora também;
   Amor a todos os Bruxos sem olhar a quem.
   Podemos ser pobres, ou assim parecer;
   Mas temos estas riquezas para oferecer:
   Temos tanto amor fraternal
   Mutuamente para se dar.
   Temos o melhor quando juntos e já!
   Marido, mulher ou namorado.
   Nada na vida vai nos faltar.
   Enquanto a Rede Wiccana
   Quisermos manter: "Faça o que quiser mas
   sem prejudicar."

3. Venha! Junte-se a nós, a esta turma feliz,
   enquanto aqui estamos a dançar.
   Somos todos Bruxos desfrutando a vida;
   ao redor do Círculo, dançamos.
   Não perca seu tempo ficando sentado,
   de fora do Círculo Sagrado.
   Venha! Junte-se a nós, à força do nosso
   coven; vamos dançar, vamos cantar.
   Se junte à dança, vamos rodar; seus passos
   mais leves vamos deixar.
   Se solte e gire, vamos rodar; dance conosco
   até a noite acabar.

Lord of the Greenwood
[O Senhor do Bosque Verdejante]
Música e letra de Tara Buckland

(Em) Comes the Lord of the *(C)* Green-wood, Greenwood; *(D) (G)* comes the *(Em)* Lord of the *(C)* Green-wood, *(D) (C)* Greenwood *(Em)* Comes the Lord of the *(C)* Green-wood, *(D) (G)* Greenwood, to *(Em)* court the *(G)* La-dy *(C)* fair *(Em)* —.

2. In the heat of their passion, passion;
   in the heat of their passion, passion;
   in the heat of their passion, passion,
   the grain shall rise again.

3. Comes the Lord of the Greenwood, Greenwood;
   Comes the Lord of the Greenwood, Greenwood.
   Comes the Lord of the Greenwood, Greenwood,
   To court the Lady fair.

1. Venha, Senhor da Floresta Verdejante, da Floresta Verdejante; venha
   Senhor da Floresta Verdejante, da Floresta Verdejante. Venha
   Senhor da Floresta Verdejante, da Floresta Verdejante, a Bela Senhora Cortejar.

2. No calor de sua paixão, da sua paixão;
   no calor de sua paixão, da sua paixão;
   no calor de sua paixão, da sua paixão;
   o grão mais uma vez vai germinar.

3. Venha, Senhor da Floresta Verdejante, da Floresta Verdejante;
   Venha, Senhor da Floresta Verdejante, da Floresta Verdejante.
   Venha, Senhor da Floresta Verdejante, da Floresta Verdejante,
   a Bela Senhora Cortejar.

Night of Magick
[Noite de Magia]
Música e letra de Raymond Buckland

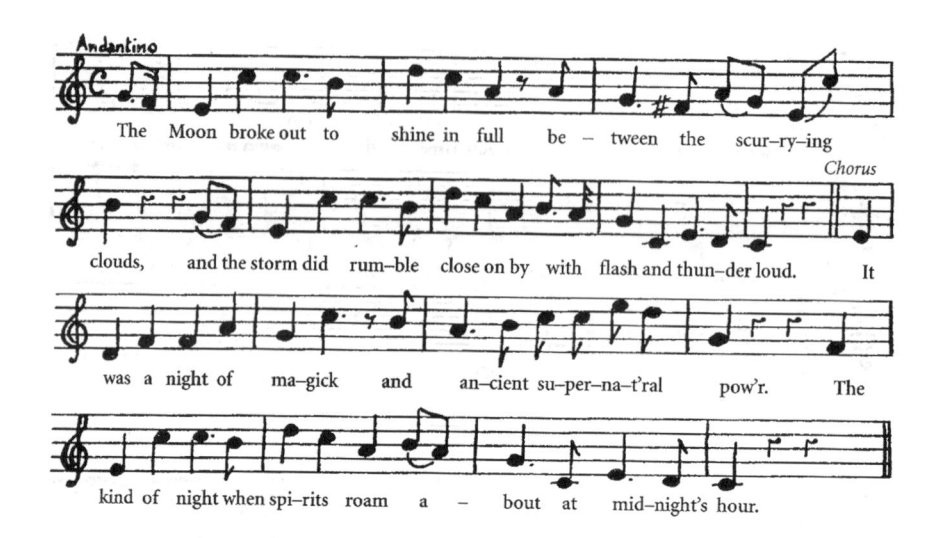

Andantino

The Moon broke out to shine in full be-tween the scur-ry-ing clouds, and the storm did rum-ble close on by with flash and thun-der loud.

Chorus

It was a night of ma-gick and an-cient su-per-na-t'ral pow'r. The kind of night when spi-rits roam a-bout at mid-night's hour.

2. Below, on timeless rolling down,
an ancient Circle strong;
composed of time-worn standing stones—
its origin long gone.
Chorus...

3. Then suddenly a strange event
occurred for who might see.
A phantom line of men in white
appeared across the lea.
Chorus...

4. From whence they came no one can say;
they suddenly were there.
With chanting low and steady tread
they moved in censered air.
Chorus...

5. They cast no shadows as they passed
into the Circle's bound.
No faces peered from out their cowls;
no footprints on the ground.
Chorus...

6. A flash of golden sickled blades
not held by human hand.
In ritual conclave, magick rites
long practiced by the band.
Chorus...

7. Then, as a thousand time before
upon this hallow'd site,
the phantoms slowly fade away;
returning to the night.
Chorus...

1. A Lua surgiu cheia no céu, entre as nuvens apressadas
   e a tormenta arrebenta por perto, com raios e trovejadas.
   É noite de magia e de poder sobrenatural.
   A noite em que os espíritos rondam, às 12 badaladas.

2. Abaixo, no eterno desenrolar,
   na força de um Círculo antigo;
   composto de pedras desgastadas –
   sua origem desconhecida. (*Coro...*)

3. De repente um estranho evento
   Ocorreu para quem podia ver.
   Fantasmas todos de branco
   Cruzando em fila os campos. (*Coro...*)

4. De onde vieram ninguém podia dizer;
   De repente surgiram de algum lugar.
   Cantando baixinho, passo cadenciado
   caminhavam no ar perfumado. (*Coro...*)

5. Sem fazer sombra enquanto passavam
   Nos limites do Círculo Sagrado;
   Nenhum rosto assomava dos seus capuzes;
   Nem pegada no chão eles deixavam.
   (*Coro...*)

6. O lampejo da lâmina de espadas douradas.
   Por nenhuma mão humana seguradas.
   No ritual de um rito mágico.
   Pelo bando muitas vezes praticado. (*Coro...*)

7. E então, como mil anos atrás
   Sobre este sítio consagrado,
   Eles aos poucos desvaneceram;
   Voltando para a noite de onde vieram.
   (*Coro...*)

We Are Witches All
[Somos Todos Bruxos]
Letra de Raymond Buckland

Allegro

We sing and dance and hold our rites, we live and love to-ge-ther. We go skyclad or wear our robes if it is chill-ing wea-ther. A-bout the al-tar we do dance; we praise the gods we love, and e-ver do we give our thanks to the Sun and Moon a-bove.

Chorus

We are the Craft; love the Craft; We are Wit-ches all. Join us in our Cir-cle for we are Wit-ches all. Walk in-to our Cir-cle and feel the love a-bound, and meet the Lord and La-dy who do guide us in our round.

2. "An' it harm none, do what thou wilt";
it is the Wiccan Rede.
We fear no foe for love we show,
In thought and also deed.

Our words of thanks, our songs of praise,
we offer them in pray'r.
We sing their praise, we ask their help;
we know that they are there.

Chorus.

1. Cantamos, dançamos, fazemos rituais, vivemos, amamos, como iguais.
   Ficamos todos vestidos de céu, mas voltamos a nos vestir se o frio atacar.
   Diante do altar nós vamos dançar; aos deuses vamos apelar, pedir por amor
   E ao Sol e a Lua vamos agradecer. Somos Bruxos e sempre vamos ser.
   Somos todos Bruxos. Junte-se a nós,

2. "Faça o que quiser, mas não prejudique ninguém";
   Essa é a Rede Wiccana.
   Não temos nenhum inimigo pois amor demonstramos,
   Em pensamentos e ações.

3. Nossas palavras de gratidão, nossas canções de louvor,
   A eles oferecemos em oração.
   Cantamos em seu louvor, e pedimos o seu auxílio;
   Sabemos que lá estarão.
   (*Coro...*)

Sing Me a Wiccan Song
[Cante para mim uma Canção Wiccana]
Letra de Raymond Buckland

(Sing me a Wiccan song of Lady; and of Lord. Of candles, censer, water, salt; athame and of sword. For only in a Wiccan song can gods be true adored.)

2. Sing me a Wiccan song
   of Circles in moonlight.
   Of dancing feet and chanting rhymes
   and power raised so bright.
   For only in a Wiccan song
   can we all worship right.

3. Sing me a Wiccan song
   of winter, summer, fall, spring,
   of seasons passing joyfully,
   their praises we do sing.
   For only in a Wiccan song
   can we with nature ring.

4. Sing me a Wiccan song
   of Lady and of Lord.
   Of candles, censer, water, salt,
   athame and of sword.
   For only in a Wiccan song
   can Gods be true adored.

Chants and rounds can be fun. Here is something that can be sung as either—as a round (as indicated) or simply sung in unison as a chant. It is sung to the old tune "We Wish You A Merry Christmas,"

1. All praise to the Lord and Lady;
   yes, praise to the Lord and Lady.
   oh, praise to the Lord and Lady,
   for we love them so.

2. In honor we all hold
   our Sabbat rites;
   to worship the gods
   all our days and our nights.

3. All praise to the Lord and Lady;
   yes, praise to the Lord and Lady.
   Oh, praise to the Lord and Lady,
   for they love us so.

1. Cante-me uma canção wiccana da Senhora da Arte e do Senhor das velas, dos incensos, da água, do sal, do athame e da espada.
   Pois somente pelas canções da Arte os deuses podem ser reverenciados.

2. Cante-me uma canção da Arte dos Círculos sob a luz do luar.
   Dos passos de dança e cantos ritmados.
   E do poder gerado com resplendor.
   Pois somente na canção da Arte sabemos todos reverenciar.

3. Cante-me uma canção da Arte de inverno, verão, outono e primavera das estações que passam a nos alegrar.
   Seus louvores enquanto cantamos.
   Pois somente na canção da Arte podemos com a Natureza compactuar.

4. Cante-me uma canção da Senhora da Arte e do Senhor das velas, incensos, água, sal, athame e da espada.
   Pois somente pelas canções da Arte os deuses podem ser venerados.

As canções e as rodas podem ser divertidas. Eis aqui algo que você pode cantar numa roda (conforme indicado) ou simplesmente num cântico em uníssono. O ritmo é igual ao da antiga melodia "We Wish A Merry Christmas,"

1. Todos os louvores ao Senhor e à Senhora.
   Todos os louvores ao Senhor e à Senhora.
   Todos os louvores ao Senhor e à Senhora.
   Pois nós os amamos muito.

2. Em honra vamos realizar nossos rituais de sabás para os deuses reverenciar Todos os dias e todas as noites.

3. Todos os louvores ao Senhor e à Senhora;
   Sim, todos os louvores ao Senhor e à Senhora.
   Oh, todos os louvores ao Senhor e à Senhora.
   Pois nós os amamos muito.

A Beltane Round
[Roda de Beltane]
Letra de Raymond Buckland

A-round the Circle all night long they greet the Beltane season new, they Lord and Lady Lord and Lady they Witches dance and join in song. Welcome Lord and Lady too. Welcome Lord and Lady too.

1. Ao redor do Círculo, a noite toda,
   Eles saúdam a nova estação de Beltane.
   O Senhor e a Senhora, o Senhor e a
      Senhora.
   As Bruxas dançam e unem-se na canção.
   Bem-vindos sejam o Senhor e a Senhora
      também.
   Bem-vindos sejam o Senhor e a Senhora
      também.

Seis Cânticos para Gerar Poder

1. Somos os filhos da noite. Gentis
   somos nós – mas sintam o nosso poder.

2. Cantando, dançando, entoando cânticos.
   O poder gerando ... solte-o no ar!

3. Rodando, rodando neste lugar de esbá;
   Gerando poder para nosso ritual realizar.

4. Irmão e Irmã, juntos cantamos.
   Guiando as forças que estamos gerando.

5. Somos os raios da poderosa roda;
   O poder que geramos agora se nota.

6. Em deosil o Círculo roda num rito;
   gerando poder, que flui com um grito!

O Lugar da Terra

Por Tara Buckland

Lugar da Terra
Ritual de Bruxos
Feliz encontro
Poderes absolutos!

Solo Sagrado,
agora criado.
Dou testemunho
Do poder encontrado!

Alguns cânticos simples a seguir. Invente a sua própria melodia para eles.

Aos Elementos

A Leste o Ar! Ao Sul o fogo!
A Oeste a água! Ao Norte a terra!
Dance em círculos; pule bem alto;
Nasça e viva! Morra e renasça!

Pratique a Magia

Balance o incensário, acenda as velas;
Gere poder para este rito.
Cante as palavras, toque o sino;
Pratique a magia, faça o feitiço.

Círculo da família

Minha sorte na vida já foi lançada,
Minha morte já foi predestinada.
Minha família é o Círculo consagrado
Estou finalmente com meus amados.

Cone de Poder

O Círculo é marcado em solo sagrado;
Vestidos de céu deixamos nosso legado.
Incenso se eleva no céu estrelado;
O Cone de poder está sendo gerado.
Dançando, cantando, num tom ritmado;
A magia das Bruxas deixa tudo encantado!

Lista de Leituras Recomendadas

No final de cada capítulo, sugeri alguns livros para leituras adicionais. Trata-se de livros que eu recomendo veementemente. Além deles, acrescento mais alguns, que poderão ser do seu interesse:

Anderson, Mary. *Color Healing*, 1975.

Barthell, Edward E., Jr. *Gods and Goddesses of Ancient Greece*, 1971.

Besterman, Theodore. *Crystal Gazing*, 1924.

Blofeld, J. *I-Ching: The Book of Changes*, 1968.

Bowra, C. M. *Primitive Song*, 1962.

Bracelin, J. L. *Gerald Gardner: Witch*, 1960.

Branston, Brian. *The Lost Gods of England*, 1957.

Breasted, J. H. *Development of Religion and Thought in Ancient Egypt*, 1910.

Buckland, Raymond. *Amazing Secrets of the Psychic World*, 1975.

_____. *Practical Color Magic*, 1983 e 2002.

_____. *Gypsy Dream Dictionary*, 1999.

_____. *A Pocket Guide to the Supernatural*, 1969.

_____. *Practical Candleburning Rituals*, 1982.

_____. *Scottish Witchcraft*, 1991.

_____. *The Tree: Complete Book of Saxon Witchcraft*, 1974.

_____. *Wicca For Life*, 2001.

_____. *The Witch Book: Encyclopedia of Witchcraft, Wicca and Neopaganism*, 2002.

_____. *Witchcraft From the Inside*, 2001.

Budapest, Zsuzsanna. *The Holy Book of Women's Mysteries*, 1979.

Budge, sir. E. A. Wallis. *Amulets and Talismans*, 1930.

Butler, W. E. *How to Read the Aura, Practice Psychometry, Telepathy and Clairvoyance*, 1998.

Campanelli, Dan e Pauline. *Ancient Ways*, 1991.

Cerney, J. V. *Handbook of Unusual and Unorthodox Healing*, 1976.

Chancellor, Philip M. *Handbook of Bach Flower Remedies*, 1971.

Clarck, Linda. *Color Therapy*, 1975.

Crow, W. B. *Precious Stones: Their Occult Power and Hidden Significance*, 1968.

Crowther, Patricia. *Lid Off the Cauldron*, 1981.

_____. *The Witches Speak Athol*, 1965.

Culpeper, Nicholas. *Complete Herbal*, s.d.

Cuningham, Scott. *Earth Power*, 1983.

_____. *Living Wicca*, 1993.

_____. *Magical Herbalism*, 1982 e 2002.

Dennings, Melita e Osborne Phillips. *Practical Guide to Astral Projection*, 1979 e 2002.

Eastcott, Michael. *The Silent Path*, 1969.

Egyptian Language. Oxford U. Press, Londres, 1910.

Eliade, Mircea. *Patterns of Comparative Religion*, 1958.

_____. *Rites and Symbols of Iniciation – Birth and Rebirth*, 1958.

Faraday, Ann. *The Dream Game*, 1976.

Farrar, Janet e Stewart. *What Witches Do*, 1971.

_____. *Eight Sabás for Witches*, 1981.

_____. *The Witches' Way*, 1985.

Fitch, Ed. *Magical Rites from the Crystal Well*, 1983.

Frazer, *sir* James G. *The Golden Bough*, 1951.

Freke, Timothy e Peter Gandy. *The Wisdom of the Pagan Philosophers*, 1998.

Freud, Sigmund. *Totem and Taboo*, 1952.

Gardner, Gerald. *Witchcraft Today*, 1954.

_____. *The Meaning of Witchcraft*, 1959.

_____. *High Magic's Aid*, 1949.

_____. *A Goddess Arrives*, 1939.

Gerard. *Complete Herbal*, 1985.

Gibbons, Euell. *Stalking the Healthful Herbs*, 1966.

Glass, Justine. *Witchcraft the Sixth Sense, and Us*, 1965.

Gray, William. *Seasonal Occult Rituals*, 1970.

Guiley, Rosemary Ellen. *The Encyclopedia of Witches and Witchcraft*, 1999.

Harrison, Jane E. *Ancient Art and Ritual Kessinger*, 1913.

Hipskind, Judith. *Palmistry, the Whole View*, 1988.

Hooke, S. H. *Myth and Ritual*, 1933.

Horne, Fiona. *Witch: A Magical Journey*, 2000.

Howard, Michael. *The Runes and the Other Magical Alphabets*, 1978.

Hughes, Penethorne. *Witchcraft*, 1952.

Jung, Carl G. *Memories, Dreams and Reflections*, 1963.

Leland, Charles Godfrey. *Aradia, Gospel of the Witches of Italy*, 1899.

Lethbridge, T. C. *Witches: Investigating an Ancient Religion*, 1962.

_____. *Gogmagog: The Buried Gods*, 1962.

Loomis, E. e J. Paulson. *Healing for Everyone*, 1979.

Lopez, Vincent. *Numerology*, 1961.

Lucas, Richard. *Common and Uncommon Uses of Herbs for Healthful Living*, 1969.

Lust, John. *The Herb Book*, 1974.

Madden, Kristin. *Pagan Parenting*, 2000.

McCoy, Edain. *Witta: An Irish Pagan Tradition*, 1998.

Mermet, Abbé. *The Principles and Practice of Radiesthesia*, 1975.

Meyer, J. E. *The Herbalist*, 1960.

Morrison, Dorothy. *The Craft*. St. Paul, 2001.

Moura, Ann (Aoumiel). *Green Witchcraft* series. 1996-2000.

Mumford, John. *Sexual Occultism*, 1975.

O'Gaea, Ashleen. *The Family Wicca Book*, 1998.

Plaisance, Monte. *Reclaim the Power of the Witch*, 2001.

Potter, R. C. *Potter's New Cyclopaedia of Botanical Drugs and Preparations*, 1988.

Regardie, Israel. *How to Make and Use Talismans*, 1972.

_____. *The Art of True Healing*, 1932.

Roberts, Kenneth. *The Seventh Sense*, 1953.

Scire (G. B. Gardner). *High Magic's Aid*, 1949.

Sepharial. *The Book of Charms and Talismans*, 1969.

Starhawk (Miriam Simos). *The Spiral Dance*, 1979.

Starkey, Marion L. *The Devil in Massachusetts*, 1949.

Steinbach, Marten. *Medical Palmistry*, 1975.

Thommen, Georges S. *Is This Your Day?*, 1964.

Thompson, C. J. S. *Magic and Healing*, 1946.

Valiente, Doreen. *Where Witchcraft Lives*, 1962.

_____. *An ABC of Witchcraft Past and Present*, 1973.

_____. *Witchcraft for Tomorrow*, 1978.

Van Gennep, Arnold. *The Rites of Passage*, s.d.

Ward, H. *Herbal Manual*, 1969.

Wilhelm, R. *The I-Ching*, 1950. [*I Ching – O Livro das Mutações*, publicado pela Editora Pensamento, São Paulo, 1984.]

Wilken, Robert L. *The Christians as the Romans Saw Them*, 1984.

Zimmermann, Denise e Katherine A. Gleason. *The Complete Idiot's Guide to Wicca and Witchcraft*, 2000.

Sobre o Autor

Raymond Buckland partiu da Inglaterra em 1962, rumo aos Estados Unidos, onde começou a escrever roteiros de comédias e a atuar como roteirista particular do famoso comediante inglês Ted Lune. Publicou ao longo da vida mais de sessenta livros (de ficção e não ficção), traduzidos para dezessete línguas estrangeiras. Recebeu vários prêmios pelos seus trabalhos, e seus livros são um sucesso de vendas no mundo todo. Diretor técnico de vários filmes, trabalhou com Orson Wells, Vincent Price, John Carradine e William Friedkin (diretor de *O Exorcista*). Descendente de ciganos, Raymond escreveu vários livros sobre as raízes e práticas divinatórias desse povo, produzindo diversos tarôs ciganos. Deu palestras em universidades de todos os Estados Unidos e foi assunto de artigos de diversos jornais e revistas, como *The New York Times*, *New York Daily*, *New York Sunday News*, *National Observer*, *Look Magazine*, *Cosmopolitan*, *True* e muitos outros.

Raymond foi convidado para participar de vários programas de entrevista norte-americanos, no rádio e na TV, entre eles *The Dick Cavett Show*, *The Tomorrow Show*, *Not for Women Only*, *The Virginia Graham Show*, *The Dennis Wholey Show* e *The Sally Jessy Raphaël Show*, além de aparecer em programas da BBC-TV da Inglaterra, da RAI-TV da Itália e da CBC-TV do Canadá. Fez várias peças teatrais na Inglaterra e pontas em filmes norte-americanos. Ministrou também vários cursos em universidades e foi um palestrante requisitado em conferências e workshops, muitos na comunidade espiritualista Lily Dale, de Nova York. É mencionado em inúmeras obras de referência, entre elas, *Contemporary Authors, Who's Who in América, Men of Achievement* e *International Authors' and Writers' Whos's Who*.

Nos últimos anos de sua vida, Raymond mudou seu foco literário e passou a escrever obras de ficção, produzindo obras de ficção fantástica (*The Torque of Kernow*) e um *thriller* de mistério que se passa na época vitoriana (*Golden Illuminati*), além de três romances que se passam durante a Segunda Guerra. Faleceu em 28 de setembro de 2017.